D1053832

MILLE SOLEILS

DU MÊME AUTEUR
CHEZ POCKET :

LA CITÉ DE LA JOIE
PLUS GRANDS QUE L'AMOUR

En collaboration avec Larry Collins :

PARIS BRÛLE-T-IL ?
... OU TU PORTERAS MON DEUIL
Ô JÉRUSALEM
CETTE NUIT LA LIBERTÉ
LE CINQUIÈME CAVALIER

DOMINIQUE LAPIERRE

MILLE SOLEILS

Il y a toujours mille soleils à l'envers des nuages.

Proverbe indien

ROBERT LAFFONT

Le Code de la propriété intellectuelle n'autorisant, aux termes de l'article L. 122-5, (2° et 3° a), d'une part, que les « copies ou reproductions strictement réservées à l'usage privé du copiste et non destinées à une utilisation collective » et, d'autre part, que les analyses et les courtes citations dans un but d'exemple et d'illustration, « toute représentation ou reproduction intégrale ou partielle faite sans le consentement de l'auteur ou de ses ayants droit ou ayants cause est illicite » (art. L. 122-4).
Cette représentation ou reproduction, par quelque procédé que ce soit, constituerait donc une contrefaçon sanctionnée par les articles L. 335-2 et suivants du Code de la propriété intellectuelle.

© Dominique Lapierre, 1997
et Éditions Robert Laffont, S.A., Paris, 1997
pour l'édition en langue française.
ISBN 2-266-08933-1

À Larry,
le complice de tant
d'inoubliables aventures,
et à Alexandra,
sa filleule et ma fille,
qui a pris, à son tour, la plume
pour continuer à raconter les épopées
qui font rêver les hommes.

Lettre aux lecteurs

Mes grandes enquêtes d'historien et mes reportages de journaliste m'ont offert la chance d'être le témoin d'événements spectaculaires, et surtout de côtoyer d'extraordinaires personnages. Presque toutes ces rencontres m'ont fait découvrir la force et la grandeur de l'homme.

Vous allez sans doute vous demander quel rapport il y a entre les excentricités d'un torero andalou jouant avec la mort et la mort véritable et affreuse d'un ami sous les balles russes à Budapest ; entre un mécanicien noir de La Nouvelle-Orléans ressuscitant l'auto d'un adolescent fou de vieilles voitures et un enfant lépreux de Calcutta sortant vainqueur de sa misère ; entre un gangster luttant contre son exécution dans le couloir de la mort d'une prison américaine et le libérateur du plus grand empire colonial de tous les temps ; entre un idéaliste qui offre sa vie pour sauver les éléphants d'Afrique et un général nazi refusant d'exécuter l'ordre donné par Hitler de répandre l'Apocalypse...

Il n'y a aucun rapport *a priori*, si ce n'est cette volonté, enfouie au cœur de l'homme, de se battre pour voir triompher ce en quoi il croit.

La plupart de ceux dont je parle dans ce livre ont éclairé et façonné ma vie. Par leur goût des nobles causes et leur rage à surmonter l'adversité, ils ont éveillé ma curiosité, nourri mes rêves, suscité mes révoltes, enrichi mon existence. C'est cette richesse que je viens partager avec vous dans ces pages.

Un jour, en attendant un autobus sous les torrents de la mousson dans le sud de l'Inde, j'ai lu sur un mur un proverbe qui disait : « Il y a toujours mille soleils à l'envers des nuages. »

Puisse la lecture de ces *Mille Soleils* vous convaincre de la portée universelle de ce message.

D. L.

1

Une chambre verte au bord du Pacifique

La route traçait un ruban noir entre l'immensité saphir de l'océan Pacifique et une majestueuse rangée de palmiers géants. Le décor invitait au rêve et au farniente. Des senteurs tropicales embaumaient l'air tiède. Tout n'était que douceur et harmonie. C'est alors que j'aperçus l'impressionnante forteresse sur son promontoire au bord des vagues. Comment avait-on pu construire un édifice aussi monstrueux au cœur d'un site aussi paradisiaque ? Derrière les murailles et les fenêtres à barreaux du pénitencier de San Quentin, cinq mille criminels purgeaient leurs peines, condamnés parfois à passer ici le reste de leur vie. Pour une trentaine d'entre eux, le cinquième étage d'un bloc de haute sécurité abritait l'ultime étape avant la chambre à gaz.

En ce printemps 1960, un des condamnés à mort en instance d'exécution était un gangster nommé Caryl Chessman. Son attente durait depuis douze ans. Il avait réussi huit fois à faire repousser son rendez-vous avec le bourreau, les deux dernières fois à quelques heures seulement de l'instant fatidique. Son acharnement à démontrer qu'il était innocent du crime pour lequel on l'avait condamné à mort avait fait de lui le prisonnier le plus célèbre du monde. De New York à Rio de Janeiro, de Los Angeles à Paris, son sort enflammait les passions populaires. Si l'Amérique restait partagée, le reste de la planète était unanime à dire que cet homme avait de toute façon payé les crimes qu'on lui imputait. Existait-il châtiment plus inhumain que douze années à la porte de la chambre à gaz ? Les deux tiers des lettres et télégrammes qui arrivaient chaque jour de tous les coins du globe sur le bureau du gouverneur de Californie imploraient un geste de clémence. Le Brésil à lui seul avait fait parvenir plus de deux millions et demi de signatures. La famille royale de Belgique, le Vatican, des artistes, des intellectuels, des scientifiques, des industriels, des religieux, et des milliers de simples citoyens téléphonaient pour demander sa grâce. Dans une manchette à la une, *Crítica*, l'influent journal de Buenos Aires, déclarait : « Le cas de Chessman est le plus terrible auquel le monde ait été confronté depuis longtemps. » Le *News Chronicle* de Londres affirmait dans un éditorial : « L'agonie de Caryl Chessman est une cause d'humiliation pour la grande nation américaine. » Son confrère, le *Daily Herald*, assurait : « Le jour où Chessman sera exécuté, il sera plutôt déplaisant d'être américain. » Aux Pays-Bas, un disque battait tous les records de vente avec sa complainte intitulée « Épitaphe pour Caryl ».

La fièvre n'était pas moindre aux États-Unis. *Time Magazine* avait consacré une de ses couvertures et plusieurs grands reportages à « l'affaire Chessman ». D'un bout à l'autre du pays, des milliers de juke-boxes diffusaient un tube de circonstance, la « Ballade de Caryl Chessman ». Son refrain reprenait trois fois un suppliant « Laissez-le vivre ! ». Des dépêches annonçaient qu'à Sacramento, capitale de l'État de Californie, des centaines de manifestants avaient investi les marches du Capitole. Leurs banderoles fustigeaient « la mort rituelle des chambres à gaz ». Des militants avaient entamé une grève de la faim sous les fenêtres mêmes du gouverneur. Une caravane de voitures lui apporta la pétition de trois cent quatre-vingt-quatre professeurs d'université qui réclamaient la fermeture immédiate des chambres à gaz. Un champion de rodéo alla d'une bourgade à l'autre récolter des signatures. À San Francisco, d'impressionnants cortèges sillonnaient le centre de la ville pour appeler au respect des droits civiques.

Qui était ce condamné à mort qui mobilisait ainsi l'opinion mondiale ? Quel crime avait-il commis pour avoir mérité la peine capitale ? L'affaire remontait à l'hiver 1948. Un homme rôdant en voiture attaquait les amoureux qui s'arrêtaient le soir sur les routes désertes au-dessus de Los Angeles. Il s'approchait de leur voiture et braquait sur eux un gyrophare portatif rouge. Croyant à un contrôle de police, les victimes n'opposaient aucune résistance. C'est alors qu'apparaissait un calibre 45 menaçant.

« Portefeuille, sac, bijoux, vite ! » ordonnait une voix.

Le bandit ne se contentait pas toujours de voler. Il avait contraint deux jeunes femmes à monter dans sa voiture. Regina Johnson, vingt-deux ans, et Mary-Alice Meza, une lycéenne de dix-sept ans, avaient été obligées de se dévêtir, et il les avait forcées à pratiquer ce que la justice appelle « *an unnatural sex act* », une fellation. Pendant des nuits entières, des policiers s'étaient cachés sur les lieux où sévissait le malfaiteur. Un inspecteur s'était même déguisé en femme pour essayer de le piéger. Toutes les stations de radio avaient diffusé son signalement. On recherchait un homme qui circulait à bord d'une Ford dernier modèle et qui se servait d'un gyrophare rouge. De type méditerranéen, la peau basanée, il avait entre vingt-cinq et trente ans, mesurait environ un mètre quatre-vingts, pesait dans les soixante-quinze kilos. Il avait des cheveux bruns coupés en brosse, des yeux foncés, un nez étroit et busqué, des dents plantées de travers, un menton pointu. Signe particulier : une cicatrice au-dessus de l'arcade sourcilière. On recommandait la plus grande prudence, le malfaiteur étant armé et dangereux. La police était persuadée de ne pas avoir affaire à un débutant. Les portraits des criminels connus dans la région furent présentés aux victimes. Sans résultat.

Le lendemain de l'agression commise contre la jeune Mary-Alice Meza, deux gangsters étaient entrés, revolver au poing, dans un magasin de confection de Rotondo Beach, dans la banlieue sud de Los Angeles. Après avoir assommé le propriétaire, vidé le tiroir-caisse et raflé des vêtements, ils s'étaient enfuis dans une Ford dernier modèle. Quelques heures plus tard, deux officiers de police qui patrouillaient sur Vermont Avenue en direction de Hollywood Boulevard, repérèrent une voiture qui correspondait au signalement de celle des voleurs. Ils se lancèrent à sa poursuite à grands coups de sirène. La course s'acheva par un carambolage digne d'une cascade hollywoodienne. Après une vive fusillade, deux des trois passagers de la Ford furent capturés.

L'importance de la prise n'échappa pas aux policiers. Le chauffeur de la voiture était Caryl Chessman, l'un des gangsters les plus recherchés de Californie. L'une de ses spécialités était de rançonner la clientèle des bordels chics de Los Angeles. Dans la boîte à gants de sa voiture, les policiers trouvèrent un revolver de calibre 45 et un gyrophare rouge. Ils en conclurent qu'ils tenaient enfin « le bandit à la lumière rouge ». C'était pour eux une certitude.

Inculpé à la fois de vol à main armée, de kidnapping et d'agression sexuelle – trois crimes que le code pénal de Californie punissait à l'époque de la peine capitale s'ils étaient commis simultanément –, il avait été condamné à mort au terme d'un procès entaché de nombreuses irrégularités juridiques. Tous ses recours avaient, depuis, été obstinément rejetés. Ce matin d'avril 1960, Caryl Chessman avait trente-neuf ans. Il lui restait quatorze jours à vivre.

*

Ce prisonnier hors du commun avait raconté son combat contre sa mise à mort et décrit le supplice de son attente au seuil de la chambre à gaz dans un livre intitulé *Cellule 2455 – couloir de la Mort* [1]. Comme la plupart de ses lecteurs, j'avais été bouleversé par ce récit. Jeune journaliste, j'avais passionnément suivi, avec un mélange d'horreur et de fascination, les rebondissements de l'affaire. Elle avait inspiré plusieurs de mes premiers articles. À mesure que l'exécution du condamné approchait, mes reportages suscitaient de plus en plus de réactions. Devant l'afflux de courrier, mon journal lança une pétition en faveur de la grâce de Caryl Chessman. Nous reçûmes quelque cent mille réponses.

– Emporte toutes ces pétitions au gouverneur de Californie, m'ordonna un beau matin le rédacteur en chef. Et tu te débrouilles pour te faire recevoir par Chessman dans le couloir de la mort.

Le doute n'effleurait jamais mon rédacteur en chef. Son idée m'enflamma. Je savais qu'en Amérique les condamnés à mort sont autorisés à rencontrer des journalistes et même à paraître à la télévision. Je savais aussi que, depuis quelque temps, le prisonnier refusait toutes les demandes d'interview provenant de la presse américaine, à cause des articles haineux dont elle l'accablait.

1. Éditions Presses de la Cité, 1953.

C'était peut-être ma chance. Je me procurai le numéro du pénitencier de San Quentin et téléphonai au directeur en personne. Il me pria de lui laisser le temps de consulter son pensionnaire et de le rappeler.

– M. Chessman vous recevra avec plaisir mercredi prochain, à quinze heures trente, m'annonça-t-il alors. Votre rencontre aura lieu dans le parloir du couloir de la mort.

*

À l'entrée principale du pénitencier de San Quentin, deux gardes en uniforme vert olive avaient été informés de ma venue. Ils avaient des joues roses et l'air si bon enfant qu'on aurait dit deux GO du Club Med. Même leur carabine paraissait inoffensive.

– Bon voyage ? s'enquit le plus galonné en décrochant un téléphone. Chess vous attend.

Il me pria de passer sous un portique de détection d'objets métalliques et m'entraîna dans une première cour joliment ornée d'une haie de rosiers jaunes et rouges. Nous laissâmes sur la gauche les hauts murs blanchis à la chaux du vieux fort espagnol autour duquel avait été construit le pénitencier, pour franchir une double grille et pénétrer sur une vaste esplanade rectangulaire, véritable vallée de béton bordée de plusieurs blocs à étages hérissés de miradors.

L'esplanade était vide à cette heure, mais je percevais un bruissement de voix et ressentais la troublante impression que des centaines de regards m'observaient depuis les fenêtres des cellules. Le garde me fit passer devant une série de plaques en ciment. Dans chacune se trouvait niché un œil électronique capable de détecter le moindre fragment de métal, fût-ce une épingle. Je dus déposer clefs, monnaie et briquet dans un coffret. Nous arrivâmes enfin devant une large porte blindée percée d'un judas. Après quelques minutes, ses deux lourds battants s'ouvrirent, laissant apparaître une profonde caverne obscure protégée de grilles et d'autres portes blindées.

J'avançai jusqu'à la première grille. Des gardes vinrent la déverrouiller pour me conduire vers la gueule béante d'une cage d'acier, l'ascenseur de la rotonde du bloc nord. La montée au cinquième étage fut si lente que j'eus le temps de m'habituer à l'horreur glaciale des lieux. L'ascenseur nous déposa à l'entrée d'une galerie dont l'autre extrémité était fermée par une double grille. Elle donnait accès à l'étroit passage bordé de cellules que les condamnés à mort américains appellent *Death Row*, le « couloir de la mort ». À l'entrée de la galerie, un surveillant armé d'une carabine montait la garde depuis une cage protégée par deux rangées de barreaux. Rien ne pouvait lui échapper de ce qui se passait dans le Couloir. À côté se trouvait une petite pièce brillamment éclairée au néon, avec une table et quatre chaises. Une grille lui servait de porte. Murs et plafond étaient peints en vert. C'était le parloir des condamnés à mort.

4 341 jours dans un abattoir de cauchemar

« Vous qui entrez ici, abandonnez toute espérance », avait écrit Dante en exergue de *L'Enfer*. Le couloir de la mort du pénitencier de San Quentin était un enfer bien plus atroce que celui imaginé par l'écrivain italien. Chessman l'avait décrit comme une nécropole sombre et hostile dissociée de la vie réelle, un trou lugubre où l'on se cramponnait à l'existence avant d'être tué, un pourrissoir peuplé de créatures hantées, blessées, perdues. À l'effet destructeur de la sentence de mort sur le mental s'ajoutait la nature funèbre et sans pitié de ces lieux où l'on vivait comme suspendu entre deux mondes. L'homme que j'allais rencontrer avait passé 4 341 jours dans cet abattoir de cauchemar où le spectre de la mort rôdait en permanence.

Tout y paraissait pourtant calme et ordonné. Les gardiens étaient courtois. Les grilles s'ouvraient et se refermaient sans bruit excessif, le parloir sentait la peinture fraîche. Certes, l'impression était trompeuse : une tension inattendue pouvait survenir à tout moment. Même en l'absence de provocation, les occupants de ce microcosme pouvaient exploser avec une violence inouïe, subite, meurtrière. Ici, la perspective de la mort planifiée précipitait les plus fragiles dans la folie. Chessman avait vu tant de ses codétenus se désintégrer dans ce supplice de l'attente. Il avait entendu leurs prières, leurs hurlements, leurs malédictions. Il en avait vu se rouler par terre, nus, dans leurs excréments, se jeter à la gorge les uns des autres, casser leur lavabo, leur WC, tout saccager dans leur cellule. Il avait écouté des recours en grâce pathétiques, et regardé partir les cadavres de détenus qui s'étaient lacéré les veines et saignés comme des porcs. Des visions de rêve aux saveurs cruelles accompagnaient parfois ces images d'horreur. Lors du précédent Noël, alors que Chessman approchait de son septième rendez-vous avec le bourreau, le directeur de la prison avait fait dresser à l'entrée du Couloir un arbre de Noël tout scintillant de guirlandes, de pompons, de bougies et d'étoiles lumineuses. À leur retour de promenade, les condamnés à mort étaient allés en effleurer timidement les branches et respirer l'odeur sauvage, irréelle de la forêt.

Ce printemps-là, vingt-quatre prisonniers du couloir de la mort attendaient avec Caryl Chessman qu'on vienne les chercher pour les conduire au rez-de-chaussée dans la « chambre verte » des exécutions. Durant ses douze années de détention, Chessman avait vu partir plus de deux cents camarades pour ce dernier voyage. Certains avaient été ses amis. À cinq cellules de la sienne avait croupi pendant trois ans Henry le Chauve, un ancien ajusteur condamné pour le viol et le meurtre d'une fillette. Chessman avait mis toutes ses connaissances juridiques au service de cette « pauvre âme d'oiseau dans un corps de colosse ». Le gouverneur de Californie s'était finalement laissé convaincre par les arguments plaidant l'irresponsabilité. Quand il avait téléphoné pour annoncer sa grâce et demander son transfert dans un asile psychiatrique, le jeune violeur venait d'être ligoté sur le fauteuil de la chambre à gaz. Le bourreau eut juste le temps de le détacher avant qu'il ne soit trop tard. Chessman avait eu un autre ami dont il n'avait connu que le sobriquet. « Tueur fantôme » était un être malingre à la voix fluette, qui errait dans les rues de Los Angeles avec un 6.35 Smith & Wesson dans la poche. Il tirait sur les passantes au hasard, sans véritable intention de tuer, juste pour « se faire peur ». Un jour, une femme avait été touchée en plein cœur. Il avait fallu deux ans à la police pour retrouver son assassin, l'envoyer dans le couloir de la mort et le faire exécuter. Chessman s'était aussi attaché à un géant de cent dix kilos, qui avait occupé une cellule proche de la sienne pendant des années. Originaire de l'Arkansas,

« Big Red » était venu travailler dans les riches vergers de la San Joaquim Valley californienne. C'était un personnage simple et enjoué. Une nuit, après une beuverie, il avait été emmené au poste de police et enfermé avec deux ivrognes. Dans un accès de violence, il en avait assommé un. L'homme était mort. Big Red s'était retrouvé dans le Couloir de San Quentin. Fanatique partisan du président Eisenhower, il avait fait campagne pour sa réélection auprès de ses codétenus et des gardiens. Pour sentir son idole près de lui quand il mourrait, il avait désiré emporter son portrait dans la chambre à gaz. Il n'avait pas obtenu cette faveur, mais il était mort rassuré sur l'avenir de l'Amérique. Son candidat venait d'être triomphalement réélu pour quatre ans.

Il y avait deux fauteuils dans la chambre à gaz de San Quentin, et il n'était pas rare que deux condamnés fussent exécutés en même temps. Quatre ans plus tôt, lors de son sixième rendez-vous avec le bourreau, Chessman aurait dû mourir à côté de Frank, un petit truand qui avait égorgé un codétenu dans une autre prison. Peu avant son transfert dans la chambre à gaz, le directeur lui avait annoncé qu'un nouveau sursis venait de lui être accordé. Frank était donc parti seul en lui criant : « Bonne chance, Chess ! » Il semblait résigné. Après trois années dans le Couloir, conscient qu'il n'avait pas plus de possibilité de s'en sortir qu'« une boule de neige en enfer », comme il disait, il était content d'en finir. Chessman l'avait souvent constaté : la sinistre atmosphère du Couloir, le maquis déroutant de la procédure, le sentiment d'être pris au piège comme un rat poussaient de nombreux condamnés à mort à dire finalement : « Et puis merde ! » Personne ne s'était jamais intéressé au sort de Frank. Personne n'avait écrit au gouverneur pour réclamer sa grâce. Comme l'immense majorité des condamnés, il s'était laissé gazer sans faire plus de bruit qu'un chien exterminé à la fourrière. Autrement agité avait été le départ d'un jeune Noir d'ordinaire gai et souriant. Leandress Rilly avait tué un boutiquier au cours d'un cambriolage qui avait mal tourné. Il n'avait que vingt ans, et la mort le terrorisait. Il s'était débattu jusqu'au bout. Il était même parvenu à arracher ses liens et à se lever du fauteuil avant l'envoi des gaz. Des gardiens durent revenir en force pour le ligoter à nouveau. Quand les vapeurs mortelles atteignirent ses poumons, il avait encore réussi à libérer un bras. Chessman ne pouvait oublier ses hurlements.

C'était une vérité du Couloir : chaque condamné à mort réagissait de façon différente à l'instant final. Certains crânement, la tête haute, en saluant au passage leurs camarades de deux doigts formant le V de la victoire ; d'autres en lâchant injures et imprécations ; d'autres en récitant des prières. Harry, un placide ouvrier agricole qui, dans un instant de folie, avait tué d'un coup de revolver la jeune fille dont il était platoniquement amoureux, avait quitté le Couloir, la Bible dans ses mains entravées, en chantant des psaumes à tue-tête. Jack, un jouvenceau au visage imberbe, continuait de demander pourquoi personne ne venait à son secours. Stanley, l'assassin d'une femme âgée, s'indignait encore de la « mauvaise farce » dont il se croyait victime. Doil, un Noir de vingt-sept ans qui avait fait le guet pendant que ses copains cambriolaient une boutique après avoir tué le propriétaire, répétait sans fin : « Vous vous trompez ! C'est pas moi qui ai tiré. » Tom, un chauffeur routier qui avait étranglé l'amant de sa femme, était parti sans laisser paraître le moindre trouble, en fumant l'un de ses cigares bon marché dont les volutes avaient empesté le Couloir pendant des années. Eddy, un détenu rongé par le cancer, avait semblé accueillir son entrée dans la chambre à gaz comme une délivrance.

Les uns étaient des criminels d'occasion, d'autres de vrais professionnels, d'autres enfin de pauvres types que des perversions sexuelles ou des désordres psychologiques avaient fait basculer dans le meurtre. Ils avaient tué avec des armes à feu, des matraques, des couteaux, des haches, ou à mains nues. Les trois quarts n'avaient eu que des avocats commis d'office pour les défendre. La plupart avaient été mis à mort à la première date fixée pour leur exécution. Quelques-uns avaient bénéficié d'un ou de plusieurs sursis, mais la mort avait toujours fini par les rattraper.

*

Caryl Chessman était le champion des exécutions reportées. Devenu un spécialiste éminent du droit criminel californien, il était parvenu à arracher sursis après sursis. Huit en douze ans. Ses succès lui valaient l'animosité d'une grande partie de ses compatriotes, scandalisés qu'un condamné pût indéfiniment jouer au plus fin avec la justice pour se soustraire au châtiment. Des journaux parlaient de « perversion du droit » et réclamaient d'urgence de nouvelles lois « pour que Chessman paye enfin sa dette à la société ». À quatre reprises, il avait affronté le rituel qui entoure les préparatifs d'une exécution capitale : communiquer ses dispositions testamentaires, recevoir les envoyés d'une banque des yeux venus solliciter le don de ses cornées, régler avec le représentant des pompes funèbres les formalités de son incinération et de la destination de ses cendres... Caryl Chessman connaissait les modalités par cœur. Au directeur du pénitencier qui lui demanda un jour s'il pensait pouvoir éviter la chambre à gaz, il avait répondu : « Mon voyage en compagnie de la haine est terminé. J'ai eu la vie sauvée de justesse trop souvent pour réagir de façon émotionnelle. La mort a perdu toute signification pour moi. Je suis aussi prêt à mourir qu'à continuer de vivre, voilà tout. » Citant *Le Jardin de Proserpine* de l'écrivain Swinburne, il avait conclu : « Je suis fatigué des larmes et des rires, et je suis fatigué des hommes qui rient et qui pleurent. » Lors d'une autre veillée dans l'attente d'un hypothétique report de son exécution, il avait entendu un commentateur de radio décrire sa mort. « Dans des moments pareils, on a le choix entre l'épouvante et la folie », avait-il noté dans son journal.

Son acharnement à prouver qu'il n'était pas le fameux bandit à la lumière rouge avait au moins fait quelques heureux. Avant chacun de ses rendez-vous avec le bourreau, les bookmakers de Los Angeles prenaient les paris. Si l'on donnait en général sa mort à six contre un, une semaine avant la date fatidique, les écarts se creusaient à mesure que l'échéance approchait. La fois précédente, la cote était montée à vingt-quatre contre un. Le 18 février 1960, aucun parieur n'avait voulu risquer un seul dollar sur la survie du célèbre prisonnier. Ses gardiens étaient venus le chercher dans l'après-midi pour le conduire au rez-de-chaussée dans la cage de la dernière nuit, à sept pas de la chambre à gaz où il devait être exécuté le matin suivant.

C'est alors qu'un bulletin de radio avait annoncé ce que plus personne n'osait imaginer. Il était un peu plus de minuit. À quatre cents kilomètres de là, au cœur de Sacramento, la capitale de l'État, le gouverneur Edmund Brown s'était retiré dans son bureau pour tenter de résoudre la confrontation sans fin de Caryl Chessman avec la justice.

« Ce fut un long et difficile débat de conscience, confiera-t-il, mais toutes les données du problème menaient à une certitude : la peine de mort était une mauvaise chose. »

Brown avait donc convoqué l'Assemblée législative de Californie en session extraordinaire pour lui proposer d'examiner le projet d'une loi abolissant la peine de mort. Puis il avait fait repousser de soixante jours l'exécution de Chessman afin qu'il pût bénéficier d'un éventuel vote favorable.

« Je souhaite que le peuple de Californie s'exprime sur la peine capitale par la voix de ses représentants », expliqua-t-il le lendemain.

Les réactions furent immédiates et d'une violence qui surprit dans cet État pourtant habitué aux débordements politiques de tous ordres. La Californie s'enflamma. La presse se déchaîna une fois de plus. Dans chaque camp, des députés réclamèrent la démission du gouverneur, voire sa mise en accusation. Nombre de ses proches collaborateurs et partisans politiques – pourtant en majorité hostiles à la peine capitale – jugèrent que le moment était mal choisi. En effet, les quatre cinquièmes des sièges de l'Assemblée de Californie devaient être bientôt renouvelés. L'initiative intempestive du gouverneur risquait de compromettre l'harmonie au sein des démocrates et de ternir l'aura politique de l'une de leurs figures emblématiques. Brown ne représentait-il pas la meilleure chance de son parti dans la prochaine course à la Maison-Blanche ?

Le gouverneur vint courageusement défendre son projet à la tribune de l'Assemblée. Il savait les leaders de son parti divisés sur la question de la peine capitale. Il savait surtout que leur but premier était d'étouffer toute controverse, et de le protéger contre les retombées néfastes auxquelles il s'était exposé. Quand il se rendit compte qu'il n'avait aucune chance de faire voter l'abolition, il proposa une alternative aux députés :

– Suspendez l'application de la peine de mort pendant une période de trois ans et demi. Ensuite, vous déciderez.

Son projet fut soumis à l'examen d'une commission parlementaire. Pendant seize heures d'un marathon agité, la commission écouta partisans et adversaires du châtiment suprême. Ses défenseurs les plus acharnés comptaient des magistrats, des policiers, et même des hommes d'Église. Un procureur s'efforça de démontrer les avantages de l'élimination pure et simple des criminels sur la détention perpétuelle. « Une de ces lames porte encore du sang d'un gardien poignardé en plein cœur », déclara-t-il en exhibant une collection de couteaux et d'armes diverses trouvés dans des cellules de détenus.

Un gradé de la police alerta les parlementaires contre les dangers de « croire que l'unique but du code pénal est d'assurer la réhabilitation des criminels ». Un pasteur balaya leurs derniers scrupules en affirmant que « si les gouvernements existent, c'est pour permettre à Dieu d'exercer ses justes châtiments ». Face à un tel déferlement, les arguments des adversaires de la peine de mort, même soutenus par les statistiques niant sa valeur dissuasive, n'avaient aucune chance de rassembler la moindre majorité. Le moratoire proposé par le gouverneur fut rejeté par huit voix contre sept. Cela ne surprit personne. Et tout le monde s'accorda à dire que, si le cas du célèbre prisonnier de San Quentin ne s'était pas trouvé en filigrane dans la question posée, le résultat eût sans doute été différent.

Le gouverneur ne tarda pas à s'apercevoir que cette opinion était partagée par une fraction importante des Américains. Un torrent de télégrammes et de lettres assaillit son bureau. À l'approche d'une exécution, son courrier contenait d'habitude une majorité d'appels à la clémence. Cette fois, ce fut le contraire.

Le fait que des accusations de nature sexuelle pèsent sur Chessman exacerbait la hargne de beaucoup de correspondants. Le fait aussi que, pour la première fois dans les annales judiciaires, tant d'années se soient écoulées sans que la sentence ait été appliquée apportait, pour certains, « la preuve qu'une justice saine et rapide n'avait pu s'exercer ». Personne n'émettait l'hypothèse que les reports d'exécution aient pu être justifiés par quelque erreur de la justice, universellement considérée comme infaillible. Chacun répétait au contraire ce que les journaux ne cessaient d'affirmer, à savoir que le condamné Caryl Chessman était « un génie maléfique » qui ajoutait à ses crimes celui d'en refuser la juste punition. Rares étaient ceux qui reconnaissaient dans ce long sursis la preuve du respect que l'Amérique porte à la défense des droits de l'individu. Beaucoup considéraient que Chessman avait manipulé la justice, qu'il avait abusé de ses faiblesses. Autrement dit, qu'il s'était montré mauvais perdant. Le *Los Angeles Times* résumait cette opinion en écrivant : « Ce criminel particulièrement pervers et habile a remis en question le fonctionnement de notre justice et entaché nos lois de discrédit. » Il n'était plus question de tuer Chessman pour lui faire expier ses crimes, mais pour réhabiliter un système que ses stratagèmes et ses combines avaient tourné en dérision. Il fallait le tuer pour que l'opinion reprenne confiance dans ses tribunaux et ses lois.

Les arguments les plus abjects se faisaient jour. « Chessman est un juif et les juifs réussissent toujours à s'en tirer », affirmait une lettre ; alors qu'une autre fustigeait « les défenseurs des droits civiques et autres communistes qui salissent les vraies valeurs de l'Amérique en prenant la défense de Chessman ». Une autre résumait une opinion assez répandue en déclarant : « Chessman doit mourir parce qu'il a une sale gueule. » Même la religion y était mêlée. « Je suis catholique, mais je n'irai plus jamais à l'église si sa peine est commuée », écrivait une femme. Rappelant que l'apôtre Paul avait été mis à mort bien qu'il fût innocent, un pasteur baptiste interrogeait : « Faut-il abolir nos lois sous prétexte qu'un homme innocent a été décapité ? » Une pétition signée par douze diplômés de l'université de Californie réclamait tout simplement que l'on tue Chessman « afin qu'il cesse d'être à la charge des contribuables ».

Nombre de lettres faisaient référence aux mythes habituels des partisans de la peine capitale. « Est-il surprenant de constater que la criminalité ne cesse d'augmenter quand n'importe quel adolescent peut montrer Chessman du doigt et dire : “ Cet individu a échappé à un juste châtiment ” ? », s'inquiétait une mère de famille. Ce que ce courrier révélait de plus consternant était sans doute que des gens contestent à un homme le droit le plus fondamental, celui de se battre pour défendre sa vie.

*

Le gouverneur Brown se déclara « extrêmement affecté » par l'échec de sa tentative pour faire abolir la peine de mort dans l'État de Californie. Il en tira les conséquences en annonçant qu'il n'avait « plus aucun pouvoir pour intervenir dans l'affaire Chessman ». Il ordonna la reprise des exécutions capitales. À San Quentin, le premier rendez-vous dans la chambre verte fut attribué à un routier de vingt-neuf ans, Charlie Brubaker, auteur d'un double meurtre. Huit jours plus tard viendrait le tour de Laurence Wade, un saxophoniste noir de trente-deux ans qui avait tué un débitant de boissons au cours d'un cambriolage. La date du 2 mai fut choisie pour Caryl Chessman.

Quelques jours avant l'exécution de Brubaker, un événement insolite avait mis le Couloir en émoi. Au retour d'une promenade, Chessman avait trouvé sur la table de sa cellule un bocal plein d'eau. Derrière le verre, deux yeux globuleux le regardaient fixement. C'était un petit hareng argenté comme ceux que l'on pêche dans la baie de San Francisco.

– Les gars ! Il y a un poisson chez moi !

Un concert de sarcarsmes et de sifflements accueillit la nouvelle. Chessman était-il devenu cinglé ?

– Menteur ! lança une voix.

Chessman transvasa le hareng du bocal dans un ancien pot de beurre de cacahuète et brandit le récipient à bout de bras à travers les barreaux.

– Regardez, bande d'enfoirés ! Mais regardez donc !

Chessman posa le récipient sur le ciment du Couloir. Il le poussa délicatement vers son voisin et lui demanda de le faire passer de cellule en cellule. Puis il cria : « Charlie, il est pour toi ! » Il espérait que la présence de cet animal adoucirait l'agonie des derniers jours du camionneur. En cinq ans, Brubaker n'avait reçu qu'une seule visite, celle de sa mère, une pauvre femme que le crime et le châtiment de son fils avaient rendue à moitié folle.

Acheminés avec d'infinies précautions, le bocal et son

pensionnaire étaient parvenus à leur destinataire. La grosse voix de Brubaker avait alors éclaté comme un coup de tonnerre.

– Chess, comment il s'appelle, ton foutu hareng ?

Pris de court, Chessman avait hésité. Des souvenirs de lecture s'étaient bousculés dans sa tête.

– Prométhée ! Il s'appelle Prométhée ! avait-il répondu triomphalement, ravi d'avoir trouvé le nom du héros mythologique qui avait réussi à briser ses chaînes pour reconquérir sa liberté.

« À quoi bon ? Je ne serai plus là »

J'entends le cliquetis d'une serrure. Il est là, devant moi, dans son uniforme de jean bleu, plus grand, plus massif que je me l'étais figuré, le visage très pâle, et plutôt ingrat avec le nez cassé, des rides profondes, la lèvre inférieure un peu tombante. Sa lourde main prend la mienne et il m'invite à m'asseoir. Puis, d'une voix légère, qui contraste bizarrement avec son apparence, il me souhaite la bienvenue.

Son regard fait le tour du parloir. C'est un regard noir, percutant, profond.

– Comme Paris doit être beau en cette saison !

La remarque me surprend. Quelle réalité peut avoir le passage des saisons au fond de cette fosse ? J'acquiesce, un peu gêné. En présence de ce prisonnier dans la force de l'âge, parfaitement maître de lui, je me sens comme un petit garçon pris de court. Quelles questions puis-je poser à cet homme qu'une mort rituelle et programmée attend dans quelques jours ?

La conversation s'engage, maladroite. L'éclairage brutal du néon me suggère une première idée qui résonne bêtement à mes oreilles.

– Voyez-vous la lumière du jour depuis votre cellule ?

– Oui, par un minuscule carré de ciel. Il m'arrive même d'apercevoir une mouette qui passe en criant.

– Tant qu'il y a de la vie, il y a de l'espoir, n'est-ce pas ?

Un sourire désabusé plisse le coin de sa bouche.

– Pas vraiment... – Il m'offre une cigarette, puis il ajoute, avec le détachement d'un médecin énonçant un diagnostic : Vous savez, après avoir passé douze ans enfermé dans une cage deux fois plus petite que cette pièce, on finit par ne plus bâtir de châteaux en Espagne.

– N'avez-vous pas fini par vous adapter à cette situation après tant d'années ?

Je regrette immédiatement cette question stupide. Je connais d'ailleurs la réponse. Chessman l'a écrit : il a appris à vivre au milieu des gémissements, des hurlements, des prières vociférées, des blasphèmes, des malédictions du couloir de la mort. S'il a tenu bon, c'est parce que son existence dans ce lieu morbide n'a pas été, sous bien des aspects, conforme aux habitudes. En s'adonnant à l'écriture, il a canalisé ses pulsions, dompté ses angoisses. Ses livres ont donné un but, un sens à sa vie. Il n'a jamais cessé d'être à l'écoute des événements du monde, et ces années de cohabitation avec la mort lui ont permis de calmer sa haine, d'apaiser sa révolte.

– En fait, chaque matin, quand je me réveille, je retrouve ma cellule comme au premier matin, tient-il à préciser.

Son visage est serein. Quand je lui demande quelle atmosphère règne ces jours-ci dans le Couloir, il tire plusieurs fois sur sa cigarette.

– Plutôt bonne ! Il faut dire que plusieurs gardiens sont là depuis des années. Je connais leur vie, leurs problèmes. Nous avons noué des liens de sympathie. Bien sûr, ils ferment les cellules à clef. Mais ils le font sans bruit, sans agressivité. Ils le font parce que c'est leur travail.

– Et vos codétenus ?

Le visage de Chessman se fait grave.

– La semaine dernière, nous étions encore six à attendre notre exécution imminente. Laurence Wade, mon voisin saxophoniste, a été mis à mort vendredi. Le 2 mai, ce sera mon tour. – Il précise cette date le plus naturellement du monde. Puis, le 13, le 20, le 28... Nous sommes cinq à partir dans les prochains jours... Oui, c'est bien ça, cinq.

Un silence s'installe. Il devient pesant. Je hasarde une diversion.

– J'ai appris que, depuis la mort du saxophoniste, vous avez hérité d'un compagnon de cellule. Est-ce exact ?

– Vous voulez parler de Prométhée ? Le hareng Prométhée ?

Je confirme d'un signe de tête. Chessman rit franchement.

– C'est un fichu voyou. Je ne peux pas sortir pour la promenade sans qu'il manifeste sa mauvaise humeur en faisant gicler toute l'eau de son bocal. Je le retrouve chaque fois épuisé, la bouche ouverte, sur le point d'expirer. Malgré la proximité de l'océan, trouver de l'eau de mer dans cette prison n'est pas une chose évidente. Depuis deux jours, avant la promenade, j'allume la télévision pour lui. Ça le tient un peu tranquille. On m'a apporté un poste avant-hier. C'est un privilège réservé aux condamnés en instance d'exécution... De temps en temps je regarde les informations, mais, quand on est si près de mourir, les réalités quotidiennes perdent un peu de leur sens... S'il est question des embouteillages des départs en week-end, cela ne change rien pour vous. On vous annonce les prochains programmes à sensation, et vous vous dites : « À quoi bon, je ne serai plus là. »

– Je suppose que tous les autres pensionnaires du Couloir ont été condamnés pour des meurtres...

– C'est exact. Tous, sauf moi.

– Combien d'entre eux ont une chance d'être graciés ?

– On ne sait jamais... jamais jusqu'à la dernière minute.

– Sont-ils amicaux avec vous, l'ancien ?

– Pas tous. Certains sont envieux de ma notoriété. Il faut dire qu'ils sont pour la plupart dans une détresse morale effrayante. Personne de leur famille ne vient les voir. Un jeune Noir, qui est ici depuis treize mois, n'a encore jamais reçu la visite d'un avocat.

– Si on vous donnait aujourd'hui à décider entre la mort et la détention perpétuelle, une détention sans aucun espoir de libération, une détention jusqu'à la fin, que choisiriez-vous ?

La réponse éclate :

– Vivre ! J'ai du travail pour des années ! Des années au bout desquelles je pourrais peut-être devenir un vrai écrivain. J'ai au moins quatre romans en tête, et une pièce de théâtre. – Voyant mon étonnement, il précise : Une pièce de théâtre sur la vie d'un de vos compatriotes... Devinez ! Je vous mets sur la voie : cet homme est né le jour où Jeanne d'Arc a péri sur son bûcher...

La culture de ce gangster américain me laisse pantois. J'essaie de me concentrer. Mais le lieu et le contexte de cet insolite examen sont trop stressants pour favoriser la réflexion. Chessman s'amuse de mon ignorance.

– François Villon ! s'exclame-t-il, triomphant. Comme moi, votre poète a été condamné à mort. Sans vouloir paraître prétentieux, je me sens en profonde communion avec lui.

– Avez-vous déjà commencé à écrire, ou n'est-ce qu'un projet ?

– Il n'y a pas encore un mot sur le papier, mais j'ai trois bons actes dans la tête.

Il sort un crayon de sa poche et le montre, l'air de dire : « Je n'ai plus qu'à m'y mettre. » Désignant du doigt la porte à barreaux qui laisse voir la carabine posée sur les genoux d'un gardien, il enchaîne à voix basse :

– Le plus terrible, c'est qu'il m'est formellement interdit d'écrire. Depuis la publication de mon premier livre, le règlement a été durci de façon draconienne. Je suis l'objet d'une surveillance constante. Si l'on trouve sur moi ou dans ma cellule un écrit qui n'ait pas un rapport avec ma défense, je suis immédiatement envoyé au mitard... – Il soupire. Ne pas pouvoir écrire librement est pour moi pire que l'attente de la mort elle-même.

Je cherche une diversion qui ne soit pas stupide ou dérisoire.

– Au moins avez-vous la possibilité de recevoir des visites, alors qu'en France, en dehors de son avocat ou d'un membre de sa proche famille, un condamné à mort ne peut voir personne. Il est confiné dans un isolement total. Vous avez même le droit de rencontrer des journalistes.

Il se lève, fait le tour de sa chaise, et se rassied. J'ai touché un point douloureux. Son visage s'est assombri.

– J'ai quelques bons et fidèles amis dans la presse, admet-il. Plusieurs d'entre eux ont même risqué leur carrière pour me défendre. Mais la grande majorité de leurs confrères me témoigne une antipathie si manifeste que tout échange est devenu impossible. Certains me poursuivent depuis des années comme des chiens hargneux. Or, voyez-vous, les conditions morales de ma vie ici ne me permettent pas de subir la haine d'un cœur léger. C'est pour cela que, depuis quelque temps, je refuse presque systématiquement de répondre aux questions des journalistes.

Il regarde ma plume courir sur mon bloc-notes et m'adresse un sourire amical.

– Vous, c'est différent. Vous n'êtes pas mêlé aux intrigues, aux compromissions politiques locales. Vous apportez une brise d'air frais dans ma vie de reclus. Et votre présence est la preuve que des milliers de personnes, à l'autre bout du monde, se préoccupent du sort d'un inconnu perdu au fond de cette prison.

*

– Et maintenant, Caryl, à huit jours de votre exécution, que ressentez-vous ?

C'est ma deuxième visite. Il y en aura six.

– Ce que je ressens ? répète-t-il en haussant les épaules d'un air désabusé. Ni espoir fiévreux ni désespoir absolu. Je me sens capable d'entrer la tête haute dans la chambre à gaz et d'affronter la mort avec calme. J'essaie de ne pas vivre dans l'angoisse permanente, dans la hantise de ma fin imminente. Ce n'est pas facile...

Il émet un petit ricanement, comme pour gommer toute grandiloquence dans ce qu'il vient de dire.

– Caryl, que désirez-vous le plus désormais ?

– La paix de l'esprit pour les quelques jours qui me restent à vivre.

Après un silence, il ajoute :

– Que pourrais-je vraiment souhaiter d'autre ?

– Avez-vous une femme dans votre vie ? demandé-je.

Je savais que Chessman avait eu une grande passion quelques années plus tôt. Elle s'appelait Judy. « Avec son air de petite fille, son rire étincelant, sa beauté chaude et piquante, Judy avait tout ce qu'un homme peut espérer d'une femme », avait-il écrit dans l'un de ses livres. Judy était serveuse dans un drugstore. Le jeune voleur de voitures révolté qui venait de passer deux ans dans un centre de redressement d'une extrême dureté avait découvert avec elle ce qui n'existait, avait-il cru, que dans les romans et les films : le bonheur. Il avait formé des projets grandioses : changer de vie, trouver un emploi, épouser Judy, avoir un enfant avec elle. Il allait ainsi rendre à Hallie, sa mère tant aimée, la confiance qu'elle avait perdue en ce fils dévoyé. Le premier geste du couple serait de venir s'installer à Los Angeles auprès de la pauvre femme qui vivait dans d'atroces souffrances, paralysée à la suite d'un accident d'automobile.

Un article lu dans un journal avait fait voler en éclats tous ces nobles projets. Apprenant que des progrès en matière de chirurgie neurologique permettaient à des handicapés de retrouver l'usage de leurs jambes, Caryl avait fait venir au chevet de sa mère le chirurgien auteur de la communication scientifique. Le praticien admit qu'il existait une possibilité d'amélioration, mais au prix de nombreuses et délicates interventions très onéreuses. Il parla de plusieurs milliers de dollars.

Oubliant ses bonnes résolutions, Caryl Chessman entreprit de se procurer l'argent de cette résurrection. Il vola une voiture et, armé d'un revolver, se mit à rançonner les habitués des tripots et des bordels des quartiers chics de Los Angeles. Très rapidement, il accumula de quoi payer les honoraires du chirurgien et les frais d'hôpital de sa mère bien-aimée. Mais trois interventions ne purent redonner vie à ses membres. Sa mère resterait à jamais infirme.

Caryl noya son désespoir dans des actes de violence toujours plus téméraires. Il commit jusqu'à huit agressions en une seule nuit. Arrêté et aussitôt jugé, il fut condamné à seize années d'incarcération. Il n'avait pas encore fêté son vingtième anniversaire. Sa mère mourut de chagrin. Quant à Judy qu'il revit plusieurs fois derrière la vitre du parloir de sa prison, il parvint à la convaincre de renoncer à lui.

Après avoir recouvré la liberté, puis après être retombé entre les mains de la justice, avait-il à nouveau rencontré l'amour ? Ma question le fait d'abord sourire, mais son visage prend très vite une expression douloureuse.

– L'amour d'une femme est un luxe qu'on ne peut s'offrir quand on est sur une liste de condamnés à mort. Imaginez la détresse, la tension, l'horreur de l'attente pour une femme aimante...

Troublé par tant de lucidité, je souhaite savoir s'il trouve ailleurs quelque soulagement à son épreuve. Il avait écrit qu'une bible trouvée sur le bat-flanc de sa cellule l'avait aidé à supporter sa première détention. Il avait appris par cœur et inlassablement répété de nombreux versets de l'*Ecclésiaste*, en tournant comme un fauve dans sa cage : *Il y a une saison pour chaque chose et un temps pour chaque chose sous le soleil, un temps pour mourir... un temps pour tuer... un temps pour fuir... un temps pour haïr... un temps pour aimer...* Qu'en était-il aujourd'hui ?

– Caryl, comment vous représentez-vous l'au-delà ?

– Comme le vide total, répond-il sans l'ombre d'une hésitation. Je ne suis pas croyant. Je ne suis pas antireligieux. Je ne prétends pas affirmer quoi que ce soit. Simplement, je ne détiens pas la réponse... – Il fait une pause. Je pense que nous avons un temps sur terre, et que nous partons... C'est tout.

*

Parfois, quand Caryl Chessman me paraît tendu ou angoissé, je cherche une question saugrenue.

– Si vous aviez, tout à coup, la possibilité de vous échapper, que feriez-vous ? lui demandé-je un jour.

La réponse claque comme un coup de feu :

– Je m'enfuirais au Brésil où des amis m'attendent... J'aimerais pouvoir visiter l'Europe. Croyez-vous que je serais indésirable en France ?

Je le rassure. Son long supplice et son ardeur à survivre provoquent assez de sympathie en France pour qu'il y soit accueilli avec bienveillance. Cette idée fait apparaître une lueur de joie rêveuse sur son visage. Cela m'encourage à l'entraîner loin de son sinistre pénitencier. À cet homme qui va être mis à mort dans quelques jours, j'ose parler de la vie, de l'avenir. C'est quasiment surréaliste. Je décris à Chessman la beauté des Parisiennes savourant le soleil du printemps à la terrasse des cafés, je lui dépeins la vapeur rose qui monte des eaux de la Seine à l'approche du crépuscule, j'évoque les fragrances des marronniers en fleur dans les jardins des Champs-Élysées, je lui raconte la magie de Paris qui s'endort à l'heure où nous parlons. Je lui fais aussi imaginer la beauté du port de Saint-Tropez que je viens de quitter, la sublime lumière de Provence sur les vignes et les pins parasols.

Le grincement de la clef dans la serrure met fin à notre escapade onirique. Avant d'être emmené par un gardien, Chessman prend mes mains dans les siennes pour me dire avec chaleur :

– Dominique, revenez sans faute demain !

*

C'est notre quatrième rencontre. Une question m'obsède depuis le début de nos tête-à-tête : pourquoi cet homme si pétillant d'intelligence, si débordant de séduction, aurait-il eu besoin de se faire passer pour un policier et de brandir un revolver afin d'obtenir les faveurs d'une femme ?

Chessman tient à me raconter comment la police de Los Angeles a fait croire qu'il était le bandit à la lumière rouge.

– On m'a traîné, à la nuit tombée, devant la maison de la jeune Mary-Alice Meza, l'une des victimes de cet homme. Elle habitait au quatrième étage. On l'a appelée pour qu'elle vienne à la fenêtre. On y voyait à peine. J'avais été arrêté, mis au secret depuis deux jours, et je n'avais pu ni me raser ni me laver. J'avais été roué de coups, à demi assommé, et l'on m'avait cassé le nez. De la rue, un officier de police m'a désigné entre ses deux collègues en uniforme et il a crié à la jeune fille : « Votre agresseur est l'un de ces trois hommes. Le reconnaissez-vous ? » C'est ainsi que je suis devenu *le bandit à la lumière rouge*... Et pourtant, je ne ressemblais en rien au signalement qu'avait donné la jeune fille à la police.

Je m'étonne :

– Mais alors, pourquoi avez-vous signé des aveux ?

Il pointe un doigt sur son nez.

– Pour faire cesser les coups de crosse sur la tête et les coups de pied dans le ventre, on finit par avouer n'importe quoi...

Un « inconnu » nommé Terranova

Vingt-sept jours avant le 2 mai fatidique, une revue mensuelle de New York spécialisée dans les affaires criminelles chargea l'un de ses journalistes d'aller à San Quentin faire un reportage sur les derniers jours de Caryl Chessman.

L'envoyé d'*Argosy*, William Woodfield, sortit du pénitencier convaincu qu'on allait tuer un innocent. Il appela son rédacteur en chef et le persuada de le laisser refaire l'enquête : il voulait découvrir des éléments nouveaux qui prouveraient que Chessman n'était pas le bandit à la lumière rouge. William Woodfield reçut carte blanche et le renfort de son collègue Milt Malchin, un vieux routier du journalisme d'investigation. Les deux hommes foncèrent tête baissée. Ils commencèrent par retrouver la photo prise par le service de l'identité judiciaire trois jours après l'arrestation de Chessman. Le portrait de face révélait une large ecchymose sur le côté droit du front. Ce document était en contradiction flagrante avec le rapport médical produit au procès, attestant que l'inculpé ne portait aucune trace de coups après son interrogatoire. La photo ne fut jamais présentée aux jurés. En revanche, le procureur fit état du rapport médical pour démontrer que les premiers aveux de Chessman ne lui avaient pas été extorqués par la violence.

Woodfield et Malchin parvinrent à mettre également la main sur les déclarations faites à la police par les victimes du bandit à la lumière rouge quand elles avaient porté plainte après leur agression. Ces dépositions ne concordaient pas avec ce que leurs signataires avaient dit ensuite au tribunal lors du procès. Un certain Thomas Bartle avait indiqué que l'individu avait « plusieurs dents de devant plantées de travers ». Ce détail n'avait pu lui échapper : il était dentiste. À lui seul, ce signe particulier aurait dû sur-le-champ disculper Chessman qui jouissait d'une denture régulière. Mais cette information n'avait jamais figuré au dossier transmis au tribunal.

Les journalistes d'*Argosy* mirent au jour d'autres faits extrêmement troublants. En étudiant les déclarations des victimes gardées secrètes par la police, ils s'aperçurent que le signalement de la voiture du bandit à la lumière rouge ne correspondait pas à celui de la Ford que conduisait Chessman au moment de son arrestation. L'une avait été décrite comme un coupé deux portes de couleur claire, alors que l'autre était une berline quatre portes de couleur noire.

Un témoignage qui avait pesé lourd dans le vote des jurés en faveur de la peine de mort avait été celui de Mary-Alice Meza, prétendument devenue folle à la suite des violences sexuelles que lui avait fait subir le bandit à la lumière rouge. De toutes ses victimes, elle était celle qu'il avait gardée le plus longtemps dans sa voiture. Elle avait pu en observer l'aménagement intérieur et avait expliqué que, sur le tableau de bord resté éclairé, elle avait remarqué un « compteur de vitesse rond ». Un policier lui ayant fait voir la reproduction d'un tableau de bord similaire, elle avait confirmé : « Oui, c'était bien comme ça. » Au procès, ce témoignage avait été jugé capital. Woodfield et Malchin le réduisirent à néant. La voiture utilisée par Chessman ne pouvait pas être celle de l'agresseur de Mary-Alice Meza car, la veille, le compteur de vitesse en avait été déposé pour être réparé. Les deux journalistes venaient d'en trouver la preuve dans le carnet de factures d'un garagiste local.

Dans un dossier « CONFIDENTIEL » trouvé chez le shérif du comté de Los Angeles, Woodfield et Malchin apprirent par ailleurs que des victimes du bandit à la lumière rouge avaient déclaré avoir été agressées par *deux* hommes. Qui était l'autre individu dont les policiers avaient occulté l'existence depuis la capture de Chessman ?

Ces révélations mettaient gravement en cause la police de Los Angeles, considérée alors comme la force de police la plus corrompue des États-Unis. Quant aux brutalités commises par ses agents, elles étaient tellement fréquentes qu'elles avaient provoqué l'un des plus grands scandales dans l'histoire de la ville. De nombreux policiers s'étaient retrouvés en prison.

*

Travaillant jour et nuit à grand renfort de café, les deux journalistes vérifièrent toutes les pistes susceptibles de prouver que Chessman n'était pas le bandit à la lumière rouge. À son procès, le procureur n'avait pu le confondre réellement ni apporter la preuve formelle de sa culpabilité. Aucune empreinte digitale des victimes du bandit à la lumière rouge n'avait été relevée dans la Ford conduite par l'accusé. Aucune trace de sang n'avait été détectée sur les sièges, alors que les deux victimes de violences sexuelles avaient déclaré avoir leurs règles au moment de leur agression. Par contre, six jours après l'arrestation de Chessman, deux inspecteurs y avaient mystérieusement « trouvé » deux cheveux qu'un expert de l'accusation attribua à l'une des victimes.

Suffisait-il toutefois de prouver l'innocence du condamné pour empêcher son exécution ? Les deux journalistes en doutaient. Il leur fallait surtout découvrir qui était le vrai coupable. La chance leur sourit. Bien que le document ait disparu des archives de la police, ils dénichèrent la transcription du tout premier interrogatoire de Caryl Chessman réalisé quelques heures après sa capture. « Le type que vous recherchez, c'est Terranova. La lumière rouge et les agressions sexuelles, c'est lui », avait-il expliqué avant de donner le signalement précis de l'individu en question. Or, les policiers de l'époque avaient prétendu n'avoir aucune trace de ce personnage dans leurs fichiers. Aux yeux de la police et des juges, ledit Terranova était donc resté un mythe, un fantôme, une pure invention de Caryl Chessman.

Et pourtant, Woodfield et Malchin allaient découvrir que cet homme existait bel et bien. Il s'appelait Charles Severine Terranova. Ses dents plantées de travers et sa cicatrice au-dessus de l'œil gauche correspondaient à la description fournie par les victimes du bandit à la lumière rouge. Ce gangster, si curieusement inconnu de la police, possédait en fait un casier judiciaire chargé de treize condamnations pour des crimes commis dans la région de Los Angeles. Terranova avait été libéré en 1955 après sept années d'incarcération. Depuis, il avait disparu. Mais Woodfield et Malchin avaient retrouvé sa photo, un portrait d'identité judiciaire sur lequel on distinguait clairement la cicatrice au-dessus de l'œil gauche signalée par plusieurs victimes du bandit à la lumière rouge.

L'énorme portée de leurs découvertes atterra littéralement les deux journalistes. S'ils en gardaient l'exclusivité pour leur mensuel, ils privaient Caryl Chessman d'une chance d'échapper à la chambre à gaz, le prochain numéro d'*Argosy* ne sortant qu'en juin. Woodfield et Malchin renoncèrent à leur scoop et coururent voir les avocats de Chessman. Ils furent tous d'accord : il fallait sur-le-champ communiquer ces révélations au gouverneur Brown. Les deux journalistes décidèrent de prendre le premier avion pour Sacramento.

Leur voyage commença plutôt mal. Alors qu'il se présentait à l'enregistrement de leur vol, Malchin vit un homme de forte corpulence s'approcher de l'hôtesse et lui demander la liste des passagers. L'hôtesse répondit qu'elle n'avait pas le droit de la communiquer. L'homme n'insista pas et il disparut dans la foule. Malchin avait oublié l'incident quand un message diffusé par haut-parleur invita tous les passagers du vol 794 à se présenter au comptoir de la compagnie. Ils furent alors informés que le départ serait retardé. « Nous avons été avertis qu'une bombe se trouvait à bord de l'appareil », annonça un employé. L'avion fut passé au peigne fin par des agents du FBI. Aucun engin suspect ne put être découvert. Les deux journalistes tirèrent aussitôt la leçon de cette alerte. Par prudence, ils décidèrent de se séparer. Malchin prendrait l'avion, Woodfield ferait le trajet en voiture.

*

Jamais encore les couloirs du Capitole de Sacramento n'avaient connu pareille effervescence. À sept jours de l'échéance fatale, toute la presse des États-Unis et du monde semblait s'être donné rendez-vous devant le bureau du gouverneur Brown. Un personnage fin et distingué tentait de calmer l'impatience des journalistes. Avocat diplômé de Harvard, Cecil Poole, trente et un ans, un mètre quatre-vingt-dix et une fine moustache à la Clark Gable, était le responsable des grâces criminelles au cabinet du gouverneur. C'était lui qui examinait en premier toutes les demandes de sursis d'exécution ou de commutations de peine concernant des condamnés à mort. Son autorité était toute-puissante, et le gouverneur suivait toujours ses recommandations. Cet homme clef était un Noir.

Aussitôt après ma première rencontre avec Caryl Chessman, je m'étais rendu, moi aussi, à Sacramento pour remettre au gouverneur les cent mille pétitions que j'avais apportées de Paris. J'avais été reçu par Cecil Poole. Le conseiller du gouverneur ne put réprimer un mouvement d'humeur à la vue des liasses de pétitions que je posai devant lui.

– Beaucoup de bruit pour rien, grinça-t-il.

– La vie d'un homme n'est pas « rien », me hasardai-je à dire, surtout quand cet homme n'est pas un assassin.

– Monsieur Lapierre, vous êtes français, et vous n'êtes pas familier avec la législation américaine. M. Chessman a été jugé et condamné selon nos lois. Vous conviendrez que notre justice a fait preuve d'une exceptionnelle mansuétude. M. Chessman a bénéficié de douze années de répit pour faire valoir ses droits. Je ne pense pas que la justice de votre pays ait l'habitude de faire preuve d'une telle patience avec les criminels qu'elle a jugés passibles de la guillotine.

Je fis remarquer que les crimes reprochés à Caryl Chessman n'étaient pas justiciables en France de la peine capitale. Je rappelai que les kidnappings du bandit à la lumière rouge consistaient à faire descendre les victimes d'une voiture pour les faire monter dans une autre.

Poole émit un petit ricanement. Je crus voir une lueur hostile dans son regard. Je me demandai si ce Noir éduqué ne cherchait pas à régler des comptes avec les Blancs. Tant de Noirs emplissaient les couloirs de la mort des prisons américaines sans avoir jamais eu la chance que quiconque s'intéressât à leur sort. Tant de pauvres bougres s'étaient laissé emmener sans bruit dans une chambre à gaz, s'étaient laissé ligoter sur une chaise électrique, ou avaient été pendus dans l'indifférence totale, de la presse comme de l'opinion. Pourquoi faudrait-il qu'un criminel soit aujourd'hui épargné parce que la couleur de sa peau et son intelligence lui valaient la compassion du monde ?

– Je transmettrai toutes ces signatures au gouverneur et je lui demanderai de vous recevoir, dit Cecil Poole.

Il se leva : l'entretien était terminé.

*

Les deux journalistes d'*Argosy* entrèrent dans le bureau du responsable des grâces avec deux mallettes pleines des documents qu'ils avaient amassés au cours de leur enquête. Leurs traits tirés, leurs vêtements défraîchis trahissaient leur épuisement. Mais ils étaient confiants. Dans quelques heures, le gouverneur aurait connaissance de leurs révélations spectaculaires. Il pourrait revenir sur ses récentes décisions, demander à la Cour suprême de l'État la grâce de Chessman et la révision de son procès.

Woodfield et Malchin se trompaient. Cecil Poole refusa catégoriquement d'envisager que des éléments nouveaux pussent surgir ainsi après tant d'années. Il feuilleta les documents à contrecœur, s'arrêtant de temps en temps pour consulter une pièce dans un dossier d'archives derrière lui. Quand il tomba sur la photo de Chessman avec une ecchymose au front, en contradiction avec le rapport médical qui affirmait l'absence de toute trace de violence physique sur le prévenu, il reconnut, beau joueur : « Ça, c'est nouveau, en effet. » La découverte du personnage de Terranova et les révélations sur son passé criminel parurent également l'intéresser.

« Vous nous apportez deux éléments inédits, conclut-il. Je vais examiner l'ensemble de vos informations pendant le week-end, et je vous dirai lundi ce que j'en pense. »

Les deux journalistes s'empressèrent d'aller partager leur optimisme avec Chessman.

*

Le même soir, je rencontrai à nouveau le condamné à mort. Lui qui était d'ordinaire très pâle me surprit par sa bonne mine. Il ne put dissimuler son excitation et son soulagement.

– Les révélations des enquêteurs d'*Argosy* vont exploser comme une bombe, Dominique. Ce qu'ils ont découvert prouve que j'ai été victime d'une machination organisée par la police de Los Angeles, excédée par mes hold-up dans les bordels chics qu'elle protégeait. Mes avocats vont enfin pouvoir apporter la preuve irréfutable qui me blanchira des crimes du bandit à la lumière rouge. Cette fois, il ne s'agit pas d'un sursis supplémentaire, mais d'un nouveau procès ! Un procès qui fera de moi un homme libre !

Je me penchai pour lui parler à voix basse à l'insu du gardien qui faisait tournoyer son sifflet autour de son index derrière la porte à barreaux.

– Avez-vous confirmé aux reporters d'*Argosy* que ce Terranova, auquel vous aviez fait référence lors de votre premier interrogatoire, est bien le bandit à la lumière rouge ?

Ma question le fit sursauter.

– Certainement pas !

– Pourquoi vous obstinez-vous à laisser planer le doute sur l'identité précise de ce bandit ? On sait que vous l'avez révélée à votre avocate, Rosalie Asher, il y a quelques semaines, en lui demandant de la rendre publique cinquante ans après votre exécution. Pourquoi ne parlez-vous pas tout de suite ? Cela ne changerait rien pour lui puisque ses crimes sont couverts par la prescription. Alors que, pour vous, c'est une question de vie ou de mort.

Je me sentis gêné. J'osais donner des conseils à un homme qui avait accompli, en douze ans, le tour de force de repousser huit rendez-vous avec la mort. Un homme qui s'était montré plus habile et plus déterminé que la meute des juges, des procureurs, des journalistes pressés de le voir entrer dans la chambre verte.

Chessman sourit et m'offrit une cigarette. Il voulait me répondre, mais le temps de ma visite était terminé. Le gardien avait déjà déverrouillé la porte à barreaux pour le ramener dans sa cellule.

– À demain ! me lança-t-il avec un sourire.

« J'aime encore mieux la chambre à gaz »

– Je ne veux devoir ni ma vie ni ma liberté à une dénonciation, me déclare Caryl Chessman le lendemain sans autre préambule.

Mon insistance de la veille l'a visiblement ébranlé.

– Tant que la Cour suprême ne m'aura pas reconnu innocent des crimes pour lesquels j'ai été condamné à mort il y a douze ans, je serai officiellement le bandit à la lumière rouge. Quand mon innocence aura été proclamée, ce sera l'affaire de la police de découvrir le vrai coupable, et non la mienne !

– Vous parlez comme si vous aviez des années devant vous, Caryl. Le 2 mai, c'est dans six jours !

– Vous avez raison, mais vous devez me comprendre. Je suis sorti de la jungle à présent, et je ne veux pas y retourner. J'ai souffert mille morts quand on m'a accusé des ignobles crimes du bandit à la lumière rouge. À l'époque, je n'avais aucune raison de vivre. J'étais un malade prisonnier de mon instinct de violence. Je sais aujourd'hui quel psychopathe et quel imbécile j'étais. Au risque de paraître pompeux, je crois pouvoir dire que j'ai fini par me « découvrir ». À présent, j'ai mes écrits. À présent, je l'espère, j'ai mérité le droit de vous appeler, vous et bien d'autres gens épatants, mes « amis ».

Il fait une pause. Son expression est devenue mélancolique.

– Que le bandit à la lumière rouge s'appelle Terranova ou Ben Miles ne change rien. Il est peut-être vivant, il est peut-être mort. Supposons qu'il soit mort, que quelqu'un ait été obligé de le tuer pour se défendre. Lui coller cette étiquette, sans plus, ne prouverait rien. Supposons à l'inverse qu'il soit vivant, que vous arriviez à l'acculer dans un coin et à lui dire : « Chessman dit que c'est toi le bandit à la lumière rouge. » Il vous rira au nez et vous répondra : « Chessman débloque. »

« N'oubliez pas que ses victimes ne l'ont vu qu'une fois, la nuit, masqué souvent, dans des conditions terrifiantes, et il y a de cela douze ans. Le gars qu'on a épinglé, c'est moi, pas lui. C'est ma tête à moi qu'on a associée à ses crimes à lui. Les victimes qui ont témoigné il y a douze ans contre moi seraient capables d'affirmer aujourd'hui en toute bonne foi que leur agresseur n'était pas ce Miles ou ce Terranova. Que c'était moi. Si bien qu'une dénonciation aura l'air d'une mystification de dernière minute tentée par un type désespéré. »

– N'avez-vous pas, en plus de son nom, d'autres indices qui prouveraient sa culpabilité ?

– Évidemment, répond Chessman en hochant la tête tristement. Mais afin de m'en servir de façon efficace, d'une façon qui porte, il faudrait que j'implique trop de monde. Pour prouver que j'étais de mèche avec lui dans toutes sortes d'affaires criminelles, je serais contraint de citer des noms, des dates, des lieux. Or, il y a des gens dans le coup qui étaient mes potes. Il y en a même un qui m'a sauvé la vie. Un autre s'est laissé mettre en taule plutôt que de me donner. Devrais-je les balancer maintenant, leur gâcher l'existence en les envoyant devant un tribunal ? Il faudrait que je ramène aussi sur le tapis des gars qui m'en veulent à mort et qui ont des relations. Ce serait une bagarre sans merci dans une gadoue infecte. Il faudrait que je dévoile leurs magouilles d'hier et celles d'aujourd'hui. Si je sauvais ma peau dans ces conditions, je me sentirais dégoûtant pour le restant de mes jours. Je serais un donneur, une balance, un visqueux... Ça démolirait tout ce que j'ai fait de bon en écrivant. J'aime encore mieux la chambre à gaz...

Il se tait, respire profondément, et conclut presque à mi-voix :

– Voilà ma réponse à votre question.

*

Le directeur des grâces Cecil Poole a tenu parole. Il a consacré son dimanche à étudier les documents apportés par les deux journalistes d'*Argosy*. Mais le lundi matin, sa conviction reste intacte. Il annonce à Woodfield et Malchin que rien, dans leur dossier, ne peut l'amener à changer d'avis et lui faire subitement croire à l'innocence de Chessman. Il promet cependant de transmettre le dossier au gouverneur et de lui demander de leur accorder une audience. Une promesse qui laisse Chessman, ses avocats et les envoyés d'*Argosy* sans illusions : Brown n'ira jamais contre l'avis de son plus proche conseiller. Chessman a alors une idée. Tandis que ses avocats prépareront une nouvelle requête en *habeas corpus* basée sur les découvertes de Woodfield et Malchin, ces derniers frapperont un grand coup en les rendant publiques lors d'une conférence de presse. Leurs révélations provoqueront peut-être un sursaut dans l'opinion en faveur du condamné. Surtout, elles sont susceptibles de susciter de nouveaux témoignages qui les conduiraient à d'autres pistes. Le succès dépasse leurs espérances. Le soir même, tous les journaux de Californie consacrent leur première page aux pavés dans la mare lancés par les deux journalistes. Des flashes spéciaux interrompent les programmes de radio. Les comptes rendus soulignent tous le sérieux des informations fournies. En divulguant l'existence de Charles Severine Terranova, Woodfield et Malchin ont fourni son code d'immatriculation criminelle, tant en Californie qu'au fichier fédéral du FBI, ainsi que la liste détaillée de toutes les inculpations figurant à son casier judiciaire.

Ce coup médiatique procure aux deux journalistes d'autres informations qui apportent à leur enquête de précieux compléments. Ils s'empressent de préparer un nouveau dossier pour le gouverneur. Mais un coup de téléphone de l'épouse de Woodfield vient brutalement refroidir leur optimisme. La jeune femme a reçu un appel anonyme. « Est-ce que Bill est là ? » a demandé une voix d'homme. Elle a répondu que son époux était allé à Sacramento pour rencontrer le gouverneur. « Dites-lui qu'il ferait mieux de ne pas lui transmettre ce qu'il vient d'apprendre. Sinon, il se pourrait qu'il n'ait plus jamais envie de vous regarder. Un visage aspergé d'acide sulfurique, ça n'est pas très joli à voir. » L'avertissement est clair. Woodfield ordonne à sa femme de partir immédiatement se cacher chez des amis.

*

À cause de l'explosion médiatique de la veille, l'antichambre du gouverneur ressemble, ce matin-là, à un hall de gare à une heure d'affluence. Avec plusieurs dizaines de confrères, j'attends une déclaration de l'homme qui a le pouvoir de sauver Chessman. Une secrétaire apparaît enfin pour dire que le gouverneur va nous recevoir. Brown se tient derrière une longue table de bois clair, calme et souriant, le veston déboutonné et la cravate à points rouges dégrafée. Sa petite taille et son air débonnaire contrastent bizarrement avec l'imposante stature de son conseiller Cecil Poole, figé à son côté. Bien alignée contre le mur, se trouve une impressionnante rangée de cartons bourrés de lettres et de télégrammes. Sur chaque carton, une mention au marqueur rouge indique : « FOR », ou « AGAINST » (« POUR » ou « CONTRE »). Il y a dix fois plus de cartons « POUR » la mort de Chessman.

Jamais gouverneur n'a donné de conférence de presse aussi courte. Visiblement influencé par son conseiller, Edmund Brown se contente d'annoncer qu'il ne prendra aucune nouvelle initiative en faveur du condamné. Il laissera la justice suivre son cours. L'examen du dossier des journalistes d'*Argosy* n'a pas fait changer son opinion d'un iota.

Malgré les larmes de rage qui embuent leurs lunettes, Woodfield et Malchin ne déclarent pas forfait. Il leur reste cinq jours avant que Chessman soit exécuté. Ils se précipitent à San Quentin avec l'espoir de lui arracher un renseignement décisif.

– Vous êtes sur la bonne piste, leur confirme le condamné, mais je ne serai pas celui qui vous désignera quelqu'un du doigt.

– Vous voulez dire que vous préférez mourir dans la chambre à gaz plutôt que survivre avec une réputation de « donneur » ? s'étonne Woodfield.

– Cela peut vous paraître dément, mais c'est pourtant ça.

*

C'était notre sixième rencontre, ce vendredi 29 avril, à trois jours de l'échéance fatale. C'était peut-être aussi la dernière.

– Savez-vous, Dominique, que j'ai passé une grande partie de la nuit à lire *La Peine capitale*, de votre compatriote Albert Camus ! Quel livre ! Quel écrivain ! Camus émet l'opinion que la peine de mort ne peut se justifier par sa valeur d'exemple, puisque presque partout les exécutions capitales sont organisées de façon quasi clandestine...

– Pensez-vous qu'il y aurait moins de crimes si elles étaient publiques ? demandai-je.

– Certainement pas ! Arthur Koestler, a donné la meilleure réponse à cette question en racontant qu'à l'époque où les pickpockets étaient pendus sur la place publique, en Angleterre, d'autres pickpockets sévissaient dans la foule des spectateurs. Par la suite, les exécutions capitales devinrent presque partout clandestines. On s'était aperçu qu'elles développaient des instincts de sadisme chez ceux qui y assistaient. C'était aussi, tacitement, admettre leur inutilité.

– Quand vous faisiez vos hold-up, quand vous dégainiez votre revolver pour un oui ou pour un non, ne vous est-il jamais arrivé de penser que tout cela vous conduirait peut-être un jour à la chambre à gaz ? Cette éventualité vous effrayait-elle ?

Il leva les yeux au plafond et répondit, comme s'il se parlait à lui-même :

– On m'a tellement seriné, quand j'étais gosse, que l'on finirait par me gazer si je continuais à faire des bêtises, que l'idée de la chambre à gaz ne m'a jamais impressionné. Un jeune qui est attiré par la violence n'est jamais retenu par la crainte des conséquences, si terribles soient-elles. Au moins deux cents hommes sont passés devant ma cellule en route pour leur dernier voyage, et je vous l'affirme : je n'en ai pas rencontré un seul qui m'ait avoué avoir pensé, avant d'agir, au châtiment que pouvait lui valoir son geste. Les gens à qui la chambre à gaz fait peur sont les gens « normaux », les gens... j'allais dire comme vous et moi.

L'incongruité de la comparaison le fit sourire.

– La peine de mort ne fait peur qu'aux honnêtes gens. Pas aux autres !

Il me regarda avec une soudaine intensité.

– N'avez-vous jamais eu envie, vous, de tuer quelqu'un ?

Je fis signe que oui.

– Très bien, enchaîna-t-il en s'animant, et qu'est-ce qui vous a retenu de le faire ? Pourquoi un autre que vous n'aurait pas hésité ? L'erreur de la société est de ne pas chercher ce qui mène certains jeunes au crime, ce qui les pousse à se révolter contre elle au mépris même de leur vie.

Tout en admettant la nécessité des lois, Chessman considérait que les citoyens étaient les promoteurs inconscients du crime quand ils réclamaient plus de sévérité dans leur application, quand ils demandaient des prisons plus grandes et plus dures, des punitions plus cruelles.

– Il est infiniment plus facile et plus humain d'essayer de sauver un jeune délinquant plutôt que de détruire son âme ou de l'endurcir d'une telle façon qu'il deviendra, tôt ou tard, un criminel professionnel et un tueur, conclut-il avec force.

Chessman savait de quoi il parlait. Il avait passé un tiers de sa vie derrière les barreaux ! Je n'avais aucune objection à lui opposer. Je souhaitais profiter des quelques minutes qui nous restaient pour revenir à l'effet dissuasif ou non de la peine de mort. Il me semblait que l'extraordinaire publicité qui entourait l'affaire Chessman, avec cette interminable agonie, ces exécutions repoussées à la dernière minute, bref tout ce cortège d'horreurs, devait quand même faire trembler quelques apprentis gangsters tentés de suivre ses traces. Je lui posai la question.

– Que prouvera mon exécution ? répliqua-t-il vivement. Rien, sinon que l'occupant de la cellule 2455 est mort. Et que prouvera cette mort ? Rien non plus. Le crime existera toujours et il y aura toujours des criminels. Je suis prêt à mourir, ajouta-t-il. Mais avant d'entendre le *plop plop* des boules de cyanure dans la bassine d'acide, j'aurais aimé contribuer à résoudre un peu le problème de la criminalité. Si mon destin personnel ne concerne que moi, celui des milliers de jeunes, qui dans l'ombre sont tentés de marcher sur mes traces, concerne la société tout entière. Il faudrait examiner attentivement le cas de tous ces Chessman en puissance et voir comment on peut les aider. On s'apercevra alors que l'enjeu dépasse de beaucoup l'exécution d'un homme, qu'il s'agit en fait de toute une culture de revolvers crachant le feu, de pneus hurlant sur l'asphalte, de bras en l'air, de maisons de correction, de cages et de barreaux, de chambres de mort peintes d'une douce couleur verte. Je vais sans doute être mis à mort, mais je crois que mon exécution ne fera qu'éluder le problème que j'ai posé.

– Nous parlions tout à l'heure de Camus, dis-je. Tout en dénonçant le crime qu'est la peine de mort, il suggérait que les sociétés qui l'appliquent aient recours à un anesthésique pour exécuter leurs condamnés. Avez-vous jamais songé, vous, à la manière dont vous préféreriez mourir ?

– Plus on essaie de donner le vernis de la civilisation à la peine de mort, plus infimes deviennent les chances de la supprimer. Une exécution capitale à l'aide d'un barbiturique ou de quelque chose de ce genre ne choquerait plus personne. Pour que la peine de mort disparaisse, il faut que la conscience humaine soit horrifiée par l'atrocité d'une mise à mort organisée.

– Est-ce pour cette raison que vous avez invité à votre exécution deux amies journalistes ?

– Absolument ! Je sais que ces « invitations » ont été critiquées. On a voulu y voir un exhibitionnisme morbide, du sadisme même. En fait, ce n'est pas à moi que j'ai pensé en priant ces deux femmes d'assister à cet horrible spectacle. – Il durcit sa voix. Je voudrais qu'elles soient à jamais marquées par l'horreur de ce qu'elles vont voir. Qu'elles la communiquent à tous ceux qui liront leurs articles... Je crois que cela pourra être utile...

Chessman dut percevoir le doute sur mon visage.

– Ici, en Amérique, la mort n'a pas exactement la même valeur qu'en Europe. En Europe, la mort a été de tout temps une réalité vécue. À cause des guerres, des millions de gens y ont été confrontés à un moment de leur existence. Ici, la mort reste une abstraction. La plupart des Américains n'imaginent pas qu'ils puissent tout à coup se trouver face à face avec elle. Ils ne se demandent pas quelle serait alors leur réaction. Au lieu de prendre comme témoins des exécutions ceux qui en font la demande – animés par un esprit de vindicte, par une curiosité morbide, ou par simple sadisme –, il faudrait inviter des hommes et des femmes pour qui la mort est une chose importante... ceux qui pensent qu'une exécution capitale est une forme d'assassinat. Il faudrait faire venir les juges, les jurés et les procureurs qui requièrent la peine de mort. Je crois que leurs belles théories sur son utilité sociale ne tarderaient pas à s'écrouler après avoir vu exécuter un être humain. Par leur seule présence, ils auraient le sentiment d'avoir pris part à cet assassinat.

Le gardien déverrouillait déjà la porte du parloir mais Chessman poursuivait avec ferveur :

– Dominique, mettez-vous bien dans la tête que le devoir de la société n'est pas tant de châtier le criminel que de prévenir le crime lui-même... Pour cela, il faut examiner les mécanismes qui font que l'homme s'égare dans le crime. Si mon recours auprès de la Cour suprême est rejeté, j'écrirai sur ce sujet une longue lettre à mon amie Mary Crawford, du *San Francisco News Call Bulletin*. Ce sera mon dernier message. Je vous demande comme une faveur de le reproduire dans votre journal.

Il se leva et nous nous serrâmes la main, très longuement.

– Je vous le promets, dis-je.

Puis, pour conjurer le sort, je croisai deux doigts en signe d'espoir.

– À lundi, Caryl !

Les vapeurs verdâtres se distinguent mieux sur un fond blanc

La veillée funèbre a commencé. L'apparition de deux camionnettes de la Bell Telephone Company provoque la ruée des journalistes. Que viennent-elles faire ici un dimanche ? Je ne tarde pas à le deviner en voyant installer deux batteries de téléphones de part et d'autre de la porte du bâtiment. Au-dessus de chaque appareil, une plaque indique : *United Press, New York Times, Washington Post, Los Angeles Times*... Grâce à ces lignes spéciales, mes confrères américains pourront faire connaître la mort de Caryl Chessman dès que son cœur aura cessé de battre.

Après le départ des installateurs de téléphone, un sentiment de menace et d'incertitude plane dans la cour du pénitencier. L'arrivée de la vieille Chevrolet de Rosalie

Asher aggrave notre inquiétude. Je me suis lié d'amitié avec cette jeune femme dont les cheveux coupés à la garçonne n'atténuent pas la douceur. Avec ses lunettes fantaisie, on pourrait la prendre pour un mannequin de *Vogue*. Rosalie est l'un des deux avocats de Chessman. Elle est aussi sa confidente, l'être le plus proche de lui depuis de nombreuses années. Brûlant de la conviction quasi mystique qu'il n'est pas le bandit à la lumière rouge, elle n'a cessé de se consacrer à échafauder avec lui de nouvelles raisons de faire repousser son exécution et d'obtenir qu'il soit rejugé. Rosalie se bat comme une pasionaria. Son dévouement, son acharnement lui valent l'hostilité d'une grande partie de la presse et un abondant courrier dans lequel elle trouve chaque jour plus d'injures et de calomnies que d'encouragements.

Les nouvelles qu'elle apporte ce matin à son protégé ne sont pas bonnes. La veille, elle a revu le gouverneur avec George Davis, l'autre défenseur du condamné. L'entretien s'est mal passé. Brown a réfuté un à un les arguments des deux avocats. Il a repoussé avec sarcasme la photo de Terranova que Rosalie avait fait agrandir à son intention pour que se voient nettement la cicatrice au-dessus de l'œil gauche et les dents de devant plantées de travers. « Supercherie ! » s'est-il contenté de lâcher, exaspéré. Rosalie m'assure pourtant qu'une petite flamme d'espoir brûle encore au fond de son cœur. Davis et elle ont rendez-vous le lendemain à la première heure avec un juge de la Cour suprême de Californie. Elle se battra jusqu'à la dernière seconde.

La jeune femme adresse un salut amical aux autres journalistes et se dirige, escortée par deux gardes, vers le bloc des condamnés à mort. Notre attente recommence dans ce décor insolite où se côtoient une chambre de mort et des buissons de rosiers en fleur, sur fond d'océan constellé de voiles blanches.

Ce reportage si poignant m'a permis de me lier avec plusieurs autres confrères américains. Les « invitées » de Chessman à son exécution, la blonde Mary Crawford, du *San Francisco News Call Bulletin*, et son amie Pony Black, une petite rouquine aux yeux verts qui travaille au *Los Angeles Examiner*, ont été de féroces adversaires de Chessman avant d'être convaincues qu'il n'était pas le bandit à la lumière rouge. Elles ont alors passionnément proclamé son innocence en expliquant avec courage leur revirement à une opinion hostile. L'envoyé du *Chronicle* de San Francisco, Ed Montgomery, un grand gaillard dégingandé portant une prothèse auditive dans une oreille, est un autre ardent supporter du condamné. Il assistera, lui aussi, à l'exécution.

*

Je jette un coup d'œil à ma montre. Il est juste trois heures de l'après-midi. Depuis l'aube, Chessman est au travail. Il écrit ses dernières lettres sur son infatigable Underwood, compagne depuis six ans de ses évasions littéraires. Une lettre est destinée à l'éditorialiste Will Stevens, du *San Francisco Examiner,* le quatrième journaliste qu'il a invité à son exécution. Ils sont convenus d'un code gestuel qui doit indiquer à Stevens si la mort par asphyxie au gaz de cyanure est une épreuve épouvantable ou bien une façon plutôt agréable de basculer dans l'au-delà.

« Quand vous lirez cette lettre, écrit Chessman à son ami, j'aurai troqué un cauchemar de douze années contre l'oubli. Et vous aurez assisté au dernier acte, définitif, mortel, rituel. J'espère, et je crois, que vous pourrez dire que je suis mort avec dignité, sans peur animale et sans bravade. En mourant, je veux affirmer mon espoir que ceux qui se sont fait entendre en ma faveur continueront à combattre les chambres à gaz. [...] À ma façon, j'ai fait tout ce qui était en mon pouvoir pour que le monde prenne conscience de l'existence de ces lieux de torture. Il me faut mourir en sachant que je laisse derrière moi d'autres hommes qui vivent leurs derniers jours dans le couloir de la mort. Or, j'affirme qu'en tuant rituellement et avec préméditation l'homme jette l'opprobre sur la civilisation, sans rien résoudre. [...] »

Il achève sa lettre sur l'affirmation « solennelle et sans réserve » qu'il n'est pas « l'infâme bandit à la lumière rouge ».

« La Californie a condamné un innocent. Elle s'est entêtée à refuser d'admettre l'éventualité d'une erreur, et plus encore de la corriger. Le moment venu, le monde aura la preuve de sa cruelle erreur... »

Chessman vient de commencer une deuxième lettre quand la longue et maigre silhouette de Mike Van Brunt, le directeur adjoint du pénitencier, apparaît entre les barreaux.

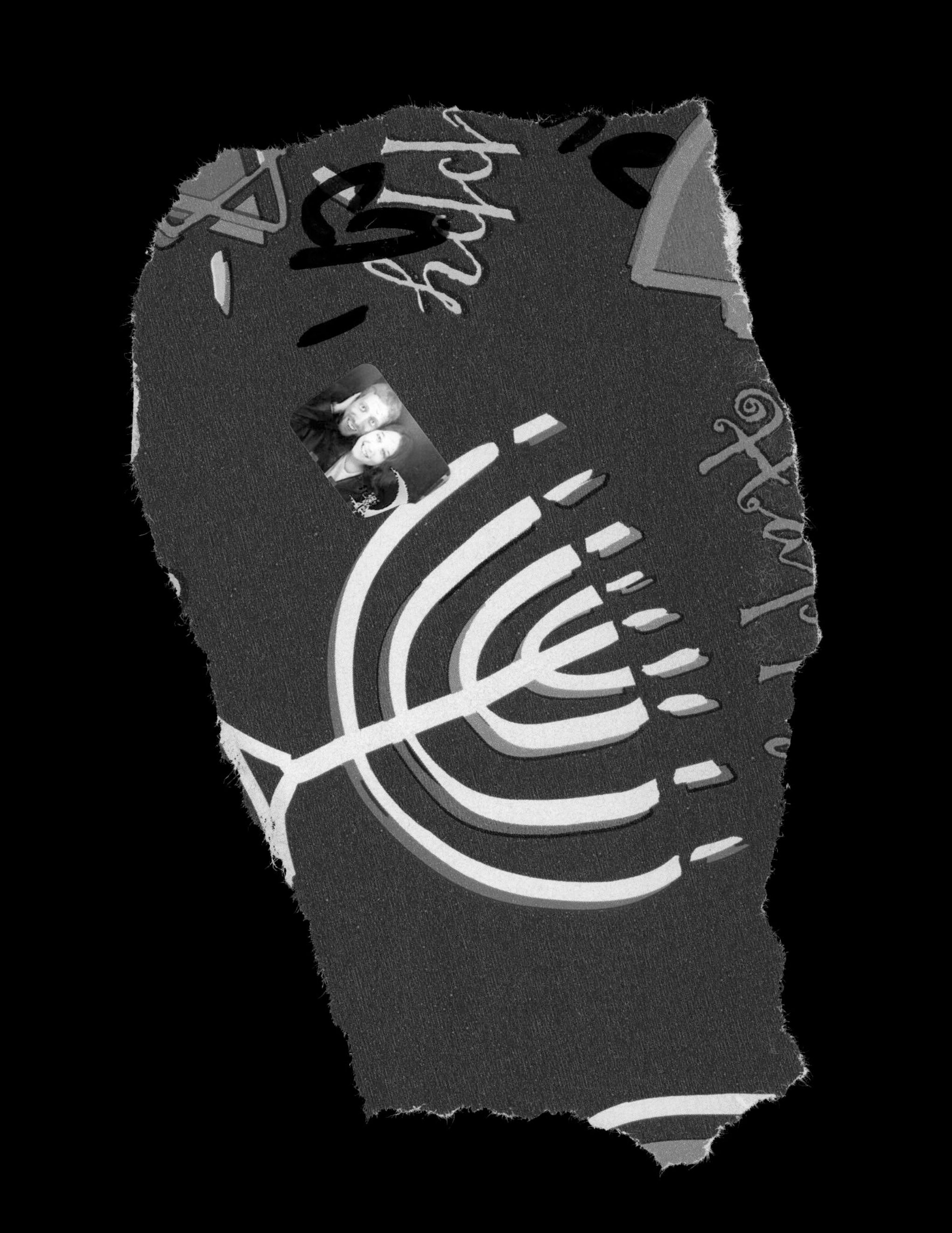

– Caryl, c'est l'heure.

Chessman sort le feuillet engagé dans sa machine et se lève.

– Je ne vous attendais pas si tôt, dit-il. Mais je suis prêt.

Il désigne une pile de livres dans le fond de sa cellule.

– Pourrez-vous faire remettre ces volumes au nouvel occupant de la cellule 2455. Ce sont des ouvrages de droit. Il en aura besoin...

Ses yeux s'arrêtent alors sur le pot de beurre de cacahuète qui sert d'aquarium à Prométhée, le hareng de la baie qu'il a recueilli à la mort de son voisin saxophoniste.

– Vous serez également aimable de faire porter ce poisson au prisonnier James Hooton pour qu'il profite de sa compagnie jusqu'à son exécution.

Avant de sortir, Chessman pose un long regard sur la cage de béton et d'acier où il a passé presque un tiers de sa vie.

– Je suis prêt, répète-t-il en prenant sous le bras l'enveloppe qui contient sa correspondance et un bloc de papier à lettres.

Il s'avance d'un pas ferme dans le Couloir. Sur son passage, des mains s'agrippent aux barreaux des cellules, d'autres se tendent vers lui.

– Adieu, vieux frère ! crie un prisonnier.

– Courage, *Viejito* ! lance un autre.

– *Go to hell !* (Va en enfer !) vocifère un troisième que Chessman a, un jour de bagarre, laissé à demi mort dans la cour de récréation de la prison.

Il passe sans s'arrêter, en effleurant les mains de ses compagnons. Arrivé au bout du Couloir, il tourne à droite. Deux gardiens le font entrer dans une petite pièce où il est sommairement fouillé. Puis, toujours accompagné du directeur adjoint, il s'engage dans la longue galerie et s'arrête devant la porte de l'ascenseur que manœuvre un détenu.

Il arrive en quelques secondes au rez-de-chaussée. Demain, il n'aura que sept pas à faire jusqu'au macabre fauteuil. La petite cage où on l'enferme pour sa dernière nuit est si basse de plafond qu'il doit courber l'échine pour s'y tenir debout. Pour seul mobilier, elle comprend un matelas et un trou d'aisances encastré dans un des angles.

Un gardien apporte un pantalon, une chemise neuve

et une paire de chaussons. Au lieu d'être bleue comme sa tenue carcérale, cette chemise est d'une blancheur immaculée. Cette teinte relève d'un choix délibéré : les vapeurs verdâtres du nuage asphyxiant se distinguent mieux sur un fond blanc.

Après avoir demandé au prisonnier de se déshabiller, le gardien inspecte les moindres recoins de son anatomie. Il s'assure que le condamné à mort n'a pas dissimulé de quoi attenter à sa vie. Rien ne doit entraver le cours normal de la justice.

Quand il a terminé, le gardien offre sa grosse main :

– Merci, Chess, et surtout, bonne chance pour demain !

– Bonne chance pour toute ta vie ! répond Chessman, pressé de se retrouver seul et de commencer la longue lettre qu'il destine à son amie Mary Crawford. Il aura du mal à trouver quelques moments d'intimité, tant l'administration pénitentiaire de Californie entoure de sollicitude les derniers instants de ses prisonniers. Le directeur adjoint Van Brunt est revenu.

– Caryl, qu'aimeriez-vous pour votre dîner ? demande-t-il.

La question fait partie du rituel des veilles d'exécution. Les condamnés peuvent assouvir tous leurs caprices pour ce dernier repas. Neuf jours plus tôt, le saxophoniste noir Laurence Wade ne s'en est pas privé. Il a réclamé des Gumbo shrimps, une spécialité de sa Louisiane natale. Deux employés du pénitencier ont dû aller à San Francisco chercher des crevettes à la créole dans un restaurant du port.

– Un sandwich au poulet et un Coca-Cola suffiront amplement, répond Chessman.

N'ayant pu emporter sa machine à écrire, c'est à la main, avec un stylo à bille marqué du sceau de San Quentin et sur un bloc de papier jaune rayé, qu'il écrit sa lettre à Mary Crawford.

« Chère Mary, on dit que l'enfant est le père de l'homme. Demain matin, ignorant les ultimes tentatives de mes avocats, le bourreau m'exécutera. L'homme physique mourra. Qu'adviendra-t-il de l'enfant ? Qui était ce garçon qui, moralement parlant, engendra Caryl Chessman ?... »

Il est déjà presque cinq heures du soir. Le gardien allume la radio. C'est l'heure des nouvelles. Le prisonnier s'approche des barreaux pour mieux entendre.

« Caryl Chessman se trouve depuis quatre-vingt-trois minutes à sept pas de la chambre à gaz », annonce le speaker avant de préciser que c'est toujours le lendemain à huit heures du matin, soit deux heures avant le moment fixé pour l'exécution, que les juges de la Cour suprême de Californie doivent se réunir pour se prononcer sur le dernier recours introduit par les avocats du condamné. Il indique qu'il n'existe pratiquement aucune chance de voir la Cour suprême modifier ses votes précédents, et conclut : « À moins d'un miracle, le rendez-vous de Caryl Chessman avec la mort aura donc lieu demain à dix heures, comme prévu... »

Le 18 février précédent à la même heure, Chessman avait entendu la même voix dire les mêmes mots, avec les mêmes accents dramatiques. Il reprend tranquillement la rédaction de sa lettre.

Il est bientôt interrompu par la visite de l'aumônier catholique de la prison. Bien qu'il se dise agnostique, Chessman a toujours trouvé du réconfort dans ses rencontres avec le père Marens qui cache des trésors d'humanité derrière une apparence un peu brusque. Il aime parler avec lui de politique et de philosophie.

– Que Dieu te bénisse et t'accorde Sa miséricorde, Caryl, dit le visiteur d'une voix émue en prenant congé.

Chessman se laisse bénir avant d'étreindre le prêtre avec une émotion qui ne lui est pas habituelle. Sa large écriture se remet à courir sur le feuillet jaune.

« Il semble s'être écoulé trois siècles au lieu de trois décennies depuis que le petit garçon de huit ans aux cheveux bouclés que j'étais comptait les jours qui le séparaient de son neuvième anniversaire, confie-t-il à Mary. Maintenant, autant que je sache, l'homme qu'est devenu ce petit garçon n'a plus d'anniversaire à espérer... »

Une voix dans le couloir l'interrompt à nouveau.

– Chess, ton dîner !

Caryl Chessman prend le sandwich et la bouteille de Coca-Cola des mains du gardien. À peine a-t-il entamé son dernier repas qu'un surveillant vient lui annoncer le retour de Rosalie Asher. Les condamnés ont le droit de s'entretenir avec leurs avocats jusqu'à minuit la veille de leur exécution.

– *Hi*, Rosalie ! s'exclame-t-il quand elle apparaît derrière les barreaux de sa cage. Vous devez être morte de fatigue !

La jeune femme avoue humblement que c'est le cas.

– Pauvre Rosalie !

Le gardien déverrouille la porte, et la visiteuse vient s'asseoir sur la paillasse à côté de son protégé. Pour empêcher que son émotion ne la trahisse, elle allume une cigarette et s'empresse d'ouvrir son porte-documents. Elle a encore une bataille à livrer pour tenter d'arracher un nouveau sursis. Elle va attendre le verdict de la Cour suprême de Californie qui doit se prononcer demain matin entre huit et neuf heures. S'il est négatif, elle sautera dans un taxi pour courir avec George Davis au cabinet du juge fédéral Louis Goodman, seule autorité habilitée à faire retarder ou différer l'exécution afin de permettre le réexamen des nouvelles preuves d'innocence présentées dans son dernier recours. Une dramatique course contre la montre pour un résultat plus qu'incertain.

Chessman s'inquiète de savoir si ses affaires sont bien en ordre pour le cas où il devrait entrer dans la chambre à gaz : son testament, son incinération, le transfert de ses cendres auprès de Hallie, sa mère, dans le cimetière de Los Angeles où elle repose ; la destination de ses possessions personnelles, la destruction de certains manuscrits... Rosalie le rassure. Oui, tout est en règle.

Bientôt, le gardien annonce l'arrivée d'un autre visiteur. Le second avocat de Chessman, George Davis, compense sa petite taille et son crâne lisse comme un œuf par une agitation qui impose sa présence partout où il se trouve. Chessman a engagé cette grande vedette du barreau californien à la demande de Rosalie. Les révélations des journalistes d'*Argosy* l'ont tellement convaincu de l'innocence de son client qu'il veut en appeler au président des États-Unis. Sa détermination, son énergie répandent une bouffée d'espoir dans cette antichambre funèbre. Le pire n'est pas sûr. Les adieux entre le prisonnier et ses deux avocats sont brefs. Tous trois, Rosalie surtout, s'efforcent de dédramatiser cet instant particulièrement cruel.

Dès qu'il se retrouve seul, Chessman reprend la rédaction de sa lettre à Mary Crawford.

« Vous m'avez demandé ce qu'on aurait pu faire pour transformer l'adolescent rebelle et tourmenté que j'étais, plein de méfiance envers le monde et envers lui-même, en un citoyen utile. Il n'y a pas de réponse facile... Mais il me semble que quelques-unes de mes pensées sont claires. »

En plusieurs feuillets d'une écriture ferme et régulière, il stigmatise encore une fois l'erreur que commet la société en croyant que le châtiment peut apporter « un correctif ou une guérison » à la criminalité des jeunes.

« On peut comparer le jeune délinquant à une bouilloire pleine d'eau sous laquelle on a allumé du feu, explique-t-il. À mesure que l'eau chauffe, la vapeur monte. Pour empêcher que cette vapeur ne fasse sauter le couvercle, on appuie dessus. Les châtiments que nous infligeons ne font que maintenir ce couvercle. Nous laissons la pression augmenter jusqu'à l'inévitable explosion. Certes, les jeunes ne sont pas des bouilloires, mais il y a en eux des pressions (conflits, besoins, angoisses, désirs, espoirs, rêves) qui doivent trouver un exutoire. Tant que nous ne saurons pas donner à ces pressions des exutoires légitimes et positifs, nous ne résoudrons pas le problème de la criminalité juvénile.

« Je meurs avec l'espérance que la société fera un jour appel à sa raison et à son humanité plutôt qu'à ses bourreaux et à son désir de punir, conclut-il. Je voudrais croire qu'aucun homme, jamais plus, ne connaîtra les douze années d'enfer que j'ai traversées... »

L'arrivée d'un nouveau visiteur l'interrompt. Il est presque deux heures du matin. Ernest Pritchard est venu sans escorte. Il fume un cigare. Il est joufflu, jovial, et son air paternel inspire confiance. C'est lui qui, demain, regardera sa montre et dira au bourreau que le moment est arrivé de faire tomber le poison dans le bac d'acide. En sa qualité de directeur du pénitencier, il vient vérifier que les dernières heures de son célèbre prisonnier se déroulent aussi sereinement que possible.

– Merci, Ernest, tout va bien, assure Chessman. – Puis, sur le ton de la plaisanterie, il ajoute : Vous fumez trop, Ernest. Le cancer du poumon vous tuera !

Le directeur sourit.

– Bah ! Mourir de ça ou d'autre chose...

– À choisir, il vaut peut-être mieux respirer un bon coup l'odeur de fleur de pêcher des œufs de cyanure, n'est-ce pas ? Ça va plus vite !

Le rire des deux hommes surprend les surveillants postés à proximité. Retrouvant son sérieux, le directeur pose une main amicale sur l'épaule du condamné. Deux fois déjà, Chessman a vu apparaître devant sa cellule du couloir de la mort sa face ronde éclairée d'un large sourire. C'était chaque fois pour lui annoncer que son exécution était différée. Cette nuit, aucune joie ne se lit sur le visage du fonctionnaire. Il cherche quelques mots de réconfort :

– Tenez bon, Caryl ! Il y aura peut-être du nouveau demain.

– Je garde toujours de l'espoir, mais je suis prêt à mourir, déclare Chessman.

Le directeur lève le pouce en signe d'encouragement et tire sur son cigare. Quand le nuage se dissipe, il a disparu.

À trois heures du matin, le prisonnier écoute les informations.

« Il ne reste plus que sept heures avant que le condamné à mort Caryl Chessman s'assoie sur le fauteuil de la chambre à gaz », annonce une voix sur ce ton un peu forcé qu'adoptent certains speakers américains pour communiquer une nouvelle dramatique.

Chessman fait signe au gardien d'éteindre le poste.

Trois heures, quatre heures, cinq heures. La nuit bascule vers un nouveau matin dans une odeur de cigare froid. Déjà, au fond de la baie ruisselante de lumières, sur les collines autour de San Francisco, le jour se lève.

Caryl Chessman s'est endormi.

Deux œufs au bacon avec des toasts

Une journée de printemps digne du premier jour de la création du monde. Dans le ciel sans nuages virevolte un inlassable ballet d'hélicoptères. Le boulevard menant à l'entrée principale du pénitencier grouille d'une foule multicolore qui donne un faux air de kermesse. Au-dessus des têtes apparaît une potence au bout de laquelle se balance un mannequin qui représente le gouverneur Brown. Des gens sont venus de tous les coins de Californie avec des pancartes et des banderoles. « Chessman doit vivre, il a payé », proclament les unes. D'autres demandent : « Halte à cet assassinat légal ! » « Grâce ! » implore un calicot géant. Du haut d'un escabeau, un homme aux cheveux longs bouclés harangue l'assistance.

– La peine de mort est inhumaine ! hurle-t-il. Il faut l'abolir. Chessman ne doit pas mourir !

Des ovations saluent l'orateur. Je l'ai reconnu. C'est Marlon Brando.

Plus loin, les paroles volubiles d'un individu coiffé d'un feutre gris cherchent à capter l'attention :

– Chesman doit mourir ! crie-t-il. Il mérite la mort ! Je veux le voir mourir. Je veux être là quand il paiera enfin pour ses crimes !

Un brouhaha hostile couvre ces vociférations.

Nombre de manifestants ont apporté des transistors pour suivre les bulletins d'informations de plus en plus rapprochés. Un speaker interrompt le programme musical d'une des stations de radio et anonce : « La Cour suprême de Californie vient de rejeter, par quatre voix contre trois, la demande d'appel introduite par Rosalie Asher et George Davis, les avocats de Caryl Chessman. Le condamné sera donc exécuté dans une heure, à dix heures précises. »

Ces mots résonnent un instant dans l'air immobile. Quelqu'un près de moi constate :

– Plus que cinquante-huit minutes !

*

Caryl Chessman s'est réveillé vers huit heures.

– Qu'est-ce qui te ferait plaisir pour ton petit déjeuner ? lui a demandé le gardien.

– Deux œufs au bacon avec des toasts, un café crème et un jus d'orange, a-t-il répondu aimablement.

Le plateau est arrivé moins d'un quart d'heure après. Chessman a déjeuné de bon appétit. Puis il a pris une cigarette et demandé au garde d'allumer la radio. Quelques notes de musique ont précédé le bulletin d'informations annonçant le rejet de l'appel. Pas un muscle du visage du condamné n'a bougé.

Il achève de se raser quand apparaît Ernest Pritchard. Cette fois, le directeur du pénitencier est accompagné du gardien-chef de la prison et d'un homme vêtu d'une blouse blanche qui lui tombe jusqu'aux chevilles. Le docteur Eliott Wilson est le médecin légiste du comté de San Marin. C'est lui qui devra constater l'effet mortel des gaz et proclamer le décès du condamné. Sa sacoche contient les instruments de sa fonction : une électrode, un casque d'écoute, un chronomètre, une sangle en caoutchouc et un rouleau de sparadrap.

La lourde porte à barreaux grince sur ses gonds. Le prisonnier a un imperceptible sursaut en voyant la blouse blanche du médecin. Ses lèvres pâlissent.

– Caryl, déclare Ernest Pritchard, soucieux de faire vite, je suis au regret de devoir vous informer que la Cour suprême a rejeté...

Chessman le coupe :

– Je suis au courant, dit-il calmement.

Après quelques secondes, il ajoute :

– Eh bien Ernest, je suppose que, maintenant, ça y est !

Pritchard confirme en inclinant la tête et fait entrer le docteur Wilson. Il lui laisse la place et se retire.

– À tout à l'heure, Caryl.

*

Dehors, une foule de plus en plus nombreuse guette les informations diffusées par les postes à transistors. Des gens pleurent. D'autres prient à genoux. Un speaker annonce que les avocats du condamné viennent de demander au gouverneur de repousser l'exécution d'une heure afin de leur permettre d'introduire un ultime recours. Mais cette fois personne ne semble plus croire que Caryl Chessman peut être sauvé. La porte du pénitencier s'ouvre, et je vois apparaître Mike Van Brunt, le directeur adjoint. Il s'avance vers la foule.

– Les personnes munies d'un laissez-passer sont priées de s'avancer vers le poste de garde !

La loi de Californie exige qu'au moins douze citoyens « de bonne réputation » soient présents à chaque exécution capitale. Les autorités ont d'habitude la plus grande difficulté à trouver des volontaires pour ce macabre spectacle. Il faut souvent au dernier moment désigner des gardes ou des policiers afin de compléter l'indispensable quorum. Pour l'exécution de Chessman, la direction de San Quentin n'a pas eu ce souci. Elle a reçu plusieurs milliers de lettres de personnes désireuses d'assister à sa mise à mort. Il a fallu procéder à un tirage au sort. Cinquante candidats ont été choisis, des hommes et des femmes d'âges divers, de toutes origines et de toutes conditions sociales. Il y a des commerçants, des employés de l'administration, quelques ouvriers, un enseignant et un dentiste. Il y a aussi un homme en uniforme bleu marine. L'agent Dick Brennam est un des policiers qui ont arrêté Chessman au terme de la course-poursuite et de la fusillade de Vermont Avenue. Par la suite, il a épousé Regina Johnson, l'une des deux victimes du bandit à la lumière rouge. Il est fier d'être là. L'élimination de Chessman sera pour lui le couronnement d'une carrière tout entière consacrée à la lutte contre le crime.

Une dizaine de journalistes, obligatoirement de nationalité américaine, ont également été autorisés à assister à l'exécution. Parmi eux se trouvent les quatre invités personnels du condamné, Mary Crawford, Pony Black, Ed Montgomery et Will Stevens. J'ai passé la nuit chez Mary Crawford, la journaliste du *San Francisco News Call Bulletin,* à boire du café et à réciter des poèmes pour réprimer notre angoisse.

Le groupe des témoins et des journalistes s'est formé en une double colonne. Pony et Mary, toutes deux en larmes, m'adressent un petit signe de la main. Elles montrent leur laissez-passer rose et passent sous le portique détecteur de métal. Ceux qui les suivent en font autant, sous le regard vigilant de plusieurs gardes d'une parfaite courtoisie. Les autorités de San Quentin ont mis en scène chaque phase de l'opération « Exécution Chessman » comme une cérémonie officielle. Selon l'habitude américaine, les médias ont fait l'objet de soins particulièrement attentifs. Une note d'information détaillée nous a été distribuée. Nous sommes plusieurs dizaines de journalistes américains et étrangers, de photographes, de cameramen et de commentateurs de télévision à investir ce matin l'esplanade de la prison. Des rangées de chaises et plusieurs micros ont été installés dans le foyer du personnel en prévision de la conférence de presse que donnera le directeur « environ quinze minutes après la fin de l'exécution », ainsi que le précise la notice qui nous a été remise.

Le contrôle se poursuit. « Inscrivez vos nom, prénoms et qualité sur le registre », répète un garde. Ces formalités terminées, le groupe est conduit par un gradé dans le parloir principal du pénitencier.

– Mesdames et messieurs, je vous demande un peu de patience, déclare le garde sur le ton d'un guide de musée. On va venir vous chercher dans un instant.

*

– Voulez-vous, s'il vous plaît, retirer votre chemise, demande aimablement le docteur Wilson au condamné.

Chessman connaît le rituel. Dès l'entrée du médecin dans sa cage, il a commencé à déboutonner la chemise blanche qu'on lui a donnée la veille. Il présente son torse nu au praticien. Celui-ci ajuste ses lunettes et promène lentement ses doigts sur la poitrine pour localiser le cœur aussi précisément que possible. Il badigeonne la zone avec un peu de mousse avant de raser les poils, puis il applique une électrode à ventouse qu'il fixe avec deux morceaux de sparadrap. Quand le condamné entrera dans la chambre à gaz, le médecin branchera un câble sur cette électrode. Ainsi relié à travers la cloison étanche, il pourra entendre dans ses écouteurs les battements du cœur du supplicié.

– Vous pouvez vous rhabiller, monsieur Chessman, dit le docteur Wilson.

Seize boules de cyanure et un bac d'acide sulfurique

Une exécution capitale par asphyxie gazeuse n'est pas une opération aussi simple que je le croyais. C'est au contraire une opération hautement technique et complexe. Son déroulement doit suivre plus de trente recommandations consignées dans un document de vingt pages constamment mis à jour. Ce mode d'emploi résulte de l'expérience acquise au cours de centaines d'exécutions.

La première mise à mort par asphyxie gazeuse eut lieu le 8 février 1924 dans une prison du Nevada. Le condamné était un Américain d'origine chinoise reconnu coupable de plusieurs meurtres. Par cette innovation, les Américains avaient encore une fois fait preuve d'un rigoureux esprit de progrès dans la solution d'un problème de société. L'idée était née des expérimentations menées durant la Première Guerre mondiale sur les gaz de combat et leurs effets sur les organismes humains. Le principe était simple : il s'agissait de faire respirer une vapeur toxique mortelle au condamné maintenu dans un espace hermétiquement clos. Après avoir essayé diverses substances sur des animaux, les ingénieurs américains avaient finalement sélectionné le gaz de cyanure qui a la propriété de paralyser l'action des enzymes respiratoires assurant le transport de l'oxygène du sang aux cellules. Privées d'oxygène, les cellules meurent. Les centres du cerveau sont rapidement atteints. La mort cérébrale survient en général avant l'arrêt cardiaque. Comme la Californie, d'autres États avaient renoncé à la chaise électrique, à la potence ou au peloton d'exécution pour adopter ce mode d'exécution d'apparence moins barbare. Mais l'indignation soulevée par l'horreur des chambres à gaz nazies avait incité plusieurs États à l'abandonner à leur tour. En ce début de mai 1960, huit États américains seulement appliquaient la peine capitale par asphyxie.

Un incident technique est évidemment la hantise des bourreaux. Dès huit heures du matin, ceux de San Quentin ont commencé à vérifier les commandes des leviers qui libèrent la chute des boules de cyanure dans le bac d'acide sulfurique placé sous le fauteuil, les clapets, les attaches des sangles utilisées pour ligoter le condamné. Par précaution, ils ont même pulvérisé un produit d'étanchéité sur les joints en caoutchouc de la porte de la cabine. Dans certains États, les condamnés participent à cette répétition. La veille de leur exécution, ils doivent essayer le fauteuil de leur supplice afin que l'on vérifie si leur taille et leur poids ne posent pas de difficultés particulières.

Des techniciens des télécommunications sont venus de leur côté tester la ligne téléphonique spéciale reliée au bureau du gouverneur Brown à Sacramento. Ils ont synchronisé à la seconde près la pendule qui trône sur sa cheminée avec l'horloge murale proche de la chambre à gaz. S'il doit annoncer la grâce ou un nouveau sursis, le gouverneur n'aura qu'à décrocher le téléphone pour donner l'ordre de faire surseoir à l'exécution. Cet ordre devra impérativement arriver avant que les boules de cyanure tombent dans l'acide. Une fois le poison libéré, rien ne pourra empêcher l'asphyxie du condamné. Tous, à San Quentin, gardaient le souvenir horrifié d'avoir entendu le téléphone sonner alors que le jeune Noir Greg Balwin respirait déjà les vapeurs mortelles. Le prédécesseur de Brown, le gouverneur Goodwin Knight, avait appelé dix secondes trop tard.

*

Neuf heures trente.

Les mains du bourreau chargé de préparer la solution mortelle s'activent avec une dextérité résultant d'une longue pratique. Il est le plus âgé des trois exécuteurs dont l'identité restera confidentielle. Son travail consiste d'abord à peser avec précision les boules de cyanure de potassium fournies par le laboratoire technique du pénitencier et à les introduire dans deux petits sacs de toile qui seront arrimés au-dessus du bac d'acide sulfurique placé sous le fauteuil du supplicié. Le moment venu, ces sacs seront libérés de leur support et tomberont dans l'acide. Chaque sac contient huit boules et pèse environ cinq cents grammes. C'est donc un kilo de cyanure qui servira ce matin à tuer Chessman. Le bourreau prépare ensuite la solution d'acide, qu'il fera couler dans le bac après lui avoir ajouté un litre d'eau distillée afin de provoquer une meilleure réaction chimique. Il contrôle enfin l'étanchéité de la cabine au moyen d'une injection d'air comprimé. L'opération dure moins d'une minute, mais son sifflement caractéristique de freins de camion qui se relâchent alerte Chessman. Il comprend que tout est prêt pour sa mise à mort.

*

Dans dix minutes, il sera dix heures, l'heure fatidique. La porte s'ouvre et un gradé en uniforme vert olive fait son entrée.

– Mesdames et messieurs, veuillez, s'il vous plaît, vous mettre en colonne par trois !

Mary Crawford et Pony se raidissent. C'est donc bien fini : il n'y a plus d'espoir. Guidé par le gradé, le groupe se met en marche. Il traverse une cour où des prisonniers jouent au basket-ball dans une apparente ignorance du drame qui se prépare. Il atteint la porte métallique du bâtiment de la chambre à gaz. « ABSOLUTELY NO SMOKING (Défense absolue de fumer) », prévient une pancarte. Au centre d'une galerie circulaire vient d'apparaître la cabine octogonale peinte en vert. Il y a une bousculade. Ceux qui sont impatients de voir mourir Chessman veulent une place au premier rang, juste devant un hublot, et si possible dans l'axe du fauteuil où il sera ligoté. Pony Black et son confrère Will Stevens se retrouvent par hasard exactement en face du fauteuil. Des gardes prennent position à chaque angle de l'octogone. Le dos tourné à la cabine, ils ont pour mission de surveiller l'assistance, de prévenir tout incident, de porter secours aux spectateurs qui auraient un malaise.

*

Neuf heures cinquante-huit.

Les cheveux courts en désordre après une nuit sans sommeil, les yeux rougis d'avoir pleuré, Me Rosalie Asher vient d'entrer, à San Francisco, dans le cabinet du juge Louis Goodman, le magistrat aux dents serties d'or qui préside la cour d'appel fédérale. Elle est accompagnée de son confrère George Davis. Tous deux croient avoir une dernière carte à jouer. L'avocate de Chessman présente une photographie au juge.

– Votre Honneur, voici le vrai bandit à la lumière rouge !

Le juge examine le document. Il est presque dix heures. Davis se dépêche d'énumérer toutes les raisons qui font de Charles Terranova le véritable coupable et qui, du même coup, innocentent Caryl Chessman. Le juge médite un instant ce qu'il vient d'apprendre.

– Votre thèse me semble recevable, déclare-t-il enfin. Je vais étudier attentivement tous vos documents et...

Rosalie Asher l'interrompt :

– Votre Honneur, Caryl Chessman est peut-être déjà dans la chambre à gaz ! C'est une question de secondes !

– Dans ce cas, je vais faire suspendre l'exécution pendant une heure, dit le juge.

Rosalie a l'impression que son cœur va exploser. Elle regarde sa montre et voit avec angoisse la trotteuse poursuivre sa course. Comme dans un rêve, elle entend le juge demander à sa secrétaire :

– Miss Hickey, veuillez appeler d'urgence le directeur du pénitencier de San Quentin.

*

Dix heures et une minute.

Ernest Pritchard a volontairement laissé passer de

quelques secondes l'heure fatidique. Il essuie son front, et se lève. L'instant sans doute le plus dramatique de sa carrière est arrivé. Il sait que le condamné ne fera pas de difficultés, mais c'est écrasé par le poids de sa tâche qu'il se dirige vers la cage du condamné.

Chessman attend, assis sur sa paillasse. S'il a peur, il ne le montre pas.

– Caryl, je suis désolé, articule Pritchard avec difficulté. Le moment de nous séparer est arrivé.

Sa gorge s'est complètement nouée au moment de prononcer ces derniers mots qui ne font pas partie du discours habituel. Une expression de sympathie s'imprime dans le regard du condamné.

– Je suis prêt, Ernest, répond-il en se levant.

Les deux hommes sont face à face.

– Je vous remercie, vous et votre personnel, ajoute Chessman. Vous avez tous été très corrects avec moi.

Il cherche sa respiration et, regardant cette fois le directeur dans les yeux, il ajoute encore, d'une voix appuyée :

– Je ne suis pas le bandit à la lumière rouge, Ernest. J'espère que mes épreuves aideront à la suppression de la peine de mort.

Il hoche la tête et se raidit brusquement.

– Allons-y, Ernest.

Deux gardes ont déroulé dans le passage un tapis de couleur grise sur lequel le condamné doit faire ses derniers pas. Personne ne sait pourquoi le règlement prescrit cette curieuse formalité ni pourquoi le condamné doit se rendre pieds nus au lieu de son supplice.

La responsabilité de son installation dans la cabine de mort incombe au capitaine Juan Chicoy, trente-huit ans, un ancien cow-boy d'origine mexicaine aujourd'hui surveillant-chef à San Quentin. La tâche de ce géant d'un mètre quatre-vingt-quinze au gabarit de pilier de rugby n'est pas toujours aisée. Nombre de condamnés se révoltent au moment de mourir. Il a dû en porter certains littéralement jusqu'au fauteuil. Il conserve sur l'avant-bras la cicatrice d'une sauvage morsure infligée par un Mexicain. Bien que leurs relations n'aient pas toujours été des plus cordiales, Chessman a eu maintes fois l'occasion d'apprécier l'humanité du capitaine Chicoy et ses efforts pour atténuer l'inutile brutalité de certains règlements dans le couloir de la mort.

« Respire un grand coup, Chess ! »

Le surveillant-chef aurait donné gros pour être ailleurs ce matin. Il contient difficilement son émotion en invitant le prisonnier à le suivre. Chessman avance comme un automate. Deux gardes ferment la marche. Aucun lien n'entrave les mains ni les pieds du condamné qui se plie, impassible, au cérémonial de sa mise à mort. Espère-t-il encore ? À quoi pense-t-il ? À celle qu'il a surnommée « la grande faucheuse » et qui s'est montrée plus obstinée que ses illusions ? Le bout de sa route n'est plus qu'à quelques pas. Pritchard l'observe. Il paraît si solide, si maître de lui : serait-il en fait soulagé d'en finir avec son interminable agonie ? Arrivé à la porte de la chambre à gaz, Chessman tourne la tête vers le directeur. Est-ce pour guetter la bonne nouvelle d'un sursis ? Est-ce pour un dernier adieu ? Il lui fait un clin d'œil et se remet en marche.

C'est alors qu'il découvre pour de bon le spectacle qu'il a si minutieusement décrit dans ses livres. Il ne peut réprimer un léger haut-le-cœur : sans doute est-ce plus terrifiant que tout ce qu'il a imaginé. D'abord les deux sièges en métal au dossier droit solidement ancrés avec leurs sangles au centre de la petite cabine octogonale comme des fauteuils d'astronaute, puis les parois peintes en vert pâle, avec les huit hublots derrière lesquels sont figés des dizaines d'yeux. « Vous êtes seul quand vous mourez, mais on vous regarde mourir. Une mort rituelle, laide, dépourvue de sens », a-t-il écrit dans *Cellule 2455*. Derrière la vitre du hublot central, il reconnaît son amie Pony Black et Will Stevens. Il leur fait un petit signe de la main. Il scrute les autres visages, sans doute à la recherche de Mary Crawford, mais ne peut l'apercevoir. La jeune femme s'est placée derrière l'imposante stature du policier qui a arrêté Chessman il y a plus de douze ans. Elle est venue parce qu'il le lui a demandé, mais elle ne veut rien voir de l'atroce spectacle.

Le rituel s'accélère. Chicoy fait signe à Chessman de s'asseoir sur le fauteuil marqué de la lettre B, celui qui se trouve le plus proche des spectateurs. D'un geste rapide et sûr, il soulève la chemise du condamné et branche l'électrode fixée sur sa poitrine au fin tuyau noir relié aux écouteurs du docteur Wilson. Deux gardes viennent accrocher les sacs de cyanure sous le fauteuil. Le ballet de courroies et de sangles qui claquent et virevoltent ensuite pour arrimer les bras, les jambes et la poitrine du supplicié au fauteuil ne dure que quelques secondes.

Le surveillant-chef Chicoy s'assure d'un dernier coup d'œil que tout est en ordre. Avant de sortir, il pose sa lourde main de cow-boy sur l'épaule du condamné.

– Essaie d'inspirer un grand coup, Chess, pour que ça aille plus vite, recommande-t-il.

– Qu'en sais-tu ?

Chicoy sait. Il a vu mourir trop d'hommes dans cette chambre de torture pour ignorer que l'asphyxie par le gaz ne peut être rapide et sans excès de souffrances qu'avec la participation active du condamné. En respirant à pleins poumons le gaz toxique, le supplicié perd conscience en dix ou quinze secondes. S'il tente au contraire de retenir sa respiration, l'agonie se prolonge. Il peut garder conscience pendant plusieurs minutes, avec des douleurs intenses. Chicoy a vu un condamné essayer de retarder l'effet du gaz. Ce fut le spectacle le plus horrible dont il eût été témoin, et pourtant il avait déjà participé à quarante-deux exécutions. On aurait dit qu'une interminable crise d'épilepsie avait frappé le condamné. Des crampes et des contractions musculaires n'en finissaient pas de secouer son corps d'atroces soubresauts. Le malheureux n'était mort qu'au bout de seize minutes. Une éternité !

Chicoy adresse un dernier salut amical au supplicié et sort. La lourde porte se referme aussitôt. Un garde visse le volant qui assure au dispositif une étanchéité aussi hermétique que celle de l'écoutille d'un sous-marin. Un autre garde enclenche la manette du système qui permet de maintenir tout au long de l'exécution une pression atmosphérique constante dans la chambre à gaz. C'est une opération extrêmement importante, car l'efficacité de l'intoxication repose sur le volume et la nature du mélange respiré.

« Voici venu l'épouvantable, l'ultime moment, avait écrit Caryl Chessman en imaginant sa mort. Pendant les préparatifs et tant que vous bougiez, les choses ne paraissaient pas réelles. Le mouvement vous ôtait la possibilité de réaliser ce qui se passait. C'était comme regarder un film dont une scène passionnante tournée en accéléré vous emporte dans l'action de façon irrésistible. Vous ne vous rendiez que confusément compte où tout cela menait. Mais maintenant que vous êtes physiquement immobilisé, quel changement déchirant ! Le film a repris sa vitesse normale. Vous voyez. Vous vous pénétrez de chaque image. La scène se déroule avec une terrifiante clarté. Pendant un instant, le temps semble s'être arrêté. Vos pensées, vos perceptions se fragmentent, vous transpercent comme autant de poignards. Vous comprenez que vous allez mourir... »

Tout est paré. Il suffit que le directeur du pénitencier en donne l'ordre et la cuve sous le fauteuil se remplira de l'acide sulfurique dans lequel viendront tomber les boules de cyanure. Ernest Pritchard consulte à nouveau sa montre. Elle indique exactement la même heure que la pendule murale. L'exécution a pris quatre minutes de retard.

*

Dix heures et quatre minutes.

Miss Hickey, la secrétaire du juge Louis Goodman, bataille pour trouver le numéro de téléphone de San Quentin. Son répertoire n'en fait pas mention et les renseignements téléphoniques qu'elle espérait interroger persistent à ne pas répondre. Excédée, elle finit par courir jusqu'au greffe du tribunal. Elle obtient l'information qu'elle note en hâte sur son bloc sténo. Pour gagner du temps, elle le porte directement au juge afin qu'il compose lui-même le numéro sur sa ligne directe. Un premier essai se révèle infructueux, un deuxième aussi. Au comble de l'énervement, Rosalie Asher s'empare du combiné pour appeler elle-même San Quentin. Elle s'apercoit alors que le numéro noté par la secrétaire est incomplet. Dans sa hâte, Miss Hickey avait oublié un chiffre.

*

Dix heures et cinq minutes. Ernest Pritchard incline la tête. Avec une précision scientifique, l'exécution commence aussitôt. Le garde qui a préparé les sacs de cyanure déverrouille la vanne qui commande l'arrivée de la solution d'acide sulfurique et d'eau distillée dans la cuve. Chessman peut entendre le bruit du liquide qui coule sous son fauteuil. Une extrême tension règne à l'extérieur de la cabine. Le docteur Wilson a coiffé son casque d'écoute. Le cœur du supplicié bat avec une régularité de métronome à soixante pulsations minute.

Pritchard regarde le téléphone mural. S'il sonnait maintenant, l'exécution pourrait être stoppée in extremis car les boules de cyanure ne sont pas encore tombées dans l'acide sulfurique. On pourrait décompresser la cabine et déverrouiller la porte pour détacher le condamné. Dans quelques secondes, il sera trop tard. Avec la chute des boules de cyanure, le processus de mise à mort sera devenu irréversible. Pritchard ignore qu'à quelques kilomètres de là, dans un bureau du centre administratif de San Francisco, deux avocats et un juge essaient frénétiquement d'entrer en contact avec lui.

Il consulte une dernière fois sa montre puis, très lentement, comme à regret, incline à nouveau la tête. D'un geste sec, le garde abaisse le levier qui libère les sacs de poison. Chessman peut maintenant distinguer le bruit qu'ils font en tombant dans l'acide et le gargouillement de la réaction chimique qui s'ensuit. Pony Black voit sa tête pivoter vers elle. Il lui sourit. Il articule des mots et elle comprend qu'il lui demande : « Dites à Rosalie au revoir pour moi. » Puis il lui fait un clin d'œil. Pony peut lire encore sur ses lèvres : « OK. »

C'est alors que retentit la sonnerie du téléphone. Pritchard se précipite et décroche le combiné. Sa grosse face ronde d'ordinaire toute rose devient blême. « Je suis désolé, lâche-t-il dans un souffle. L'exécution est commencée. Les boules de cyanure sont tombées. »

Rosalie, la dévouée, la généreuse Rosalie, a perdu de quelques secondes à peine son ultime sprint pour sauver Caryl. Les vapeurs mortelles montent déjà de la cuve. Un petit brouillard verdâtre a atteint les genoux. Chessman a eu un sursaut en sentant l'odeur d'amande amère et de fleur de pêcher, âcre et écœurante. Il inspire profondément.

« Soudain la tête vous tourne, avait-il écrit. On tire sur ses liens et l'obscurité se referme sur vous. On respire et on expire à nouveau. La tête vous fait mal. Une violente douleur vous brûle la poitrine. Mais souffrir de la tête ou de la poitrine n'est rien. À peine en a-t-on conscience. Votre tête bascule en arrière. Pendant un bref instant, vous flottez en liberté... »

Pony Black voit un jet d'écume jaillir de sa bouche et des éclairs d'épouvante lui embraser les yeux. Elle a l'impression qu'il cherche quelqu'un parmi les spectateurs. Le regard de Chessman s'arrête sur Will Stevens, le journaliste de l'*Examiner* avec lequel il est convenu d'un code pour communiquer. Sa bouche s'ouvre, comme celle d'un poisson hors de l'eau. Des larmes coulent sur ses joues. « Il pleure », observe un témoin. Ses yeux se ferment, puis sa poitrine se gonfle. Ses mains serrent les bras du fauteuil. Son corps est bientôt secoué de convulsions, tandis que sa tête se met à osciller de gauche à droite. C'est le signe convenu. « Oui, je souffre et c'est horrible », indique par ce balancement Chessman à son ami. Il rouvre les yeux. Son regard brille un instant avant de s'éteindre sous la brûlure du gaz dont le nuage verdâtre enveloppe à présent son visage. Sa tête s'immobilise puis tombe brusquement sur sa poitrine.

– C'est fini, soupirent plusieurs témoins, comme soulagés.

Ils se trompent. Le docteur Wilson entend encore les battements du cœur qui martèlent la cage thoracique au rythme d'une quarantaine à la minute. Il est surpris par leur vigueur et leur régularité. Plusieurs secondes s'écoulent. Chessman parvient à redresser la tête. N'en pouvant plus, Pritchard détourne son regard du hublot pour le poser sur le médecin et suivre sur son visage les progrès de l'agonie. Le rythme cardiaque chute bientôt au-dessous de trente pulsations minute. Pony Black s'étonne que des joues rendues si blêmes par douze ans d'emprisonnement puissent pâlir encore. Le docteur Wilson presse les écouteurs sur ses oreilles. Il a du mal à percevoir les battements qui deviennent de moins en moins audibles. La poitrine se gonfle de trois inspirations courtes, saccadées, puis la tête retombe en avant. Le médecin croit entendre encore quelques signes de vie, et plus rien. Le cœur de Caryl Chessman s'est arrêté. Pony aperçoit un flot de salive qui s'échappe de ses lèvres et coule le long du col de sa chemise et de la sangle qui arrime sa poitrine. Ses traits se détendent dans une expression de surprenante béatitude. Même les profonds sillons qui barraient son front paraissent gommés. Il a l'air de dormir. Pony se dit que son calvaire est enfin terminé.

Le docteur Wilson arrête son chronomètre. Il retire ses écouteurs, et se tourne vers le directeur du pénitencier :

– Le condamné est légalement décédé. Il est mort au bout de neuf minutes. Mais il a perdu conscience en moins d'une centaine de secondes.

C'est la formule officielle.

– Une exécution idéale, en somme, remarque Pritchard, amer et anxieux de trouver un élément positif dans un tel contexte.

– Idéale, s'empresse de confirmer le médecin légiste.

Mike Van Brunt, le directeur adjoint, fait son entrée dans la galerie des témoins.

– Mesdames et messieurs, l'exécution est terminée, annonce-t-il haut et fort. Caryl Chessman est mort à dix heures quatorze minutes... – Après une pause, il ajoute vivement : Mesdames et messieurs, n'oubliez pas de signer le livre d'or avant de sortir.

Avant de s'éloigner, Pony Black s'est retournée vers la cabine à hublots. Elle a une dernière fois regardé la tête inerte de Chessman penchée sur sa poitrine.

« Ce n'était pas le Caryl débordant de vie et de santé que je connaissais, me dira-t-elle. C'était un pantin désarticulé, un de ces cadavres d'accidentés de la route que j'avais vus au cours de ma carrière de reporter. »

*

Je suis alors témoin d'un spectacle étonnant. Je vois surgir comme une horde sauvage les correspondants dont les journaux ont fait installer des lignes spéciales à la porte même de la chambre à gaz. L'Amérique et le monde vont ainsi apprendre quasiment en direct que tout est consommé. Ni Pony Black ni Mary Crawford ne font bien sûr partie de cette ruée, non plus que Will Stevens, l'ami auquel Chessman a fait savoir l'horrible souffrance qu'il endurait, ni Ed Montgomery, du *Chronicle*. Ce dernier est livide. À peine a-t-il fait un pas dehors que je le vois arracher la prothèse auditive qu'il porte à l'oreille droite. Il ne veut plus rien entendre des bruits du monde.

*

Toute trace de l'exécution va promptement disparaître. De puissants aspirateurs rejettent déjà dans le ciel les vapeurs mortelles de la cabine de mort. Les canalisations souterraines installées sous le fauteuil évacuent les résidus du mélange toxique. Lorsqu'elle est totalement vide, la cuve d'acide reçoit plusieurs jets d'eau sous pression afin d'être purifiée de toute substance dangereuse.

Efficacité américaine oblige, cette série d'opérations se déroule en moins de trente minutes. Le bourreau peut à présent déverrouiller la porte de la cabine. Accompagné de deux aides qui portent un masque comme lui, il pénètre dans la chambre verte. Les trois hommes détachent prestement le corps du condamné et le transportent sur une table métallique où ils le déshabillent et le lavent au jet. Ils pulvérisent de l'eau de Javel sur ses vêtements et les enferment dans un sac en plastique destiné à être incinéré. Généreuse, l'administration pénitentiaire de Californie fournit à ses suppliciés une toilette mortuaire. Chessman est habillé d'une chemise blanche, d'un costume de toile bleue, et chaussé d'une paire d'espadrilles assorties. Le défunt est ensuite porté dans la pièce voisine qui sert de morgue.

Un long fourgon Cadillac attend déjà devant la porte. Le temps de déposer le corps dans un cercueil et le véhicule repart. Je le regarde traverser lentement la cour jusqu'à l'imposant portail qu'a franchi, douze ans plus tôt, un jeune malfaiteur de vingt-sept ans en révolte contre la société. Les sentinelles du poste se figent au garde-à-vous et saluent. Journalistes et photographes inclinent la tête. J'ai du mal à refouler mes larmes. Très vite, le long fourgon n'est plus qu'un point noir au bout de l'allée de palmiers.

Chessman avait demandé à être incinéré. Cette ultime formalité lui sera offerte par l'État qui l'a exécuté. Seule l'épitaphe qu'il voulait voir graver sur l'urne de ses cendres sera à sa charge. C'était son dernier message : « S'il y a quelque part une note de triomphe, ce sera que le fils de Hallie Chessman est mort dignement. »

*

Une sonnerie avait retenti quelques instants plus tôt dans le poste du gardien à l'étage du couloir de la mort. Elle avait mis les prisonniers en émoi. Ils guettaient tous fébrilement le retour de leur camarade ou l'appel téléphonique qui confirmerait que son exécution avait eu lieu. La voix du gardien les renseigna. Chessman était mort. Le gardien fit appel à un collègue et à un détenu pour aller débarrasser la cellule 2455 des vestiges de douze années de présence, quelques effets personnels, des papiers et des livres. Une surprise les y attendait. Prométhée, le petit hareng, avait bondi hors du pot de beurre de cacahuète qui lui servait de bocal. Son corps inerte gisait à côté de la machine à écrire Underwood.

*

– Monsieur le Directeur, la presse vous attend !

Ernest Pritchard embrassa du regard l'océan Pacifique ruisselant d'éclats argentés. Des buissons de roses qui s'étalaient sous sa fenêtre montait l'enivrante senteur du printemps. Alentour, tout n'était que lumière et beauté. Il tira encore une bouffée de son cigare et, s'arrachant à ses pensées, se dirigea d'un pas ferme vers le foyer où l'attendaient les journalistes. Les projecteurs de la télévision illuminaient la salle. Son arrivée déclencha une salve de flashes. Aussitôt, un journaliste demanda :

– Quels sont les derniers mots que vous ait dits Chessman ?

Pritchard cligna des yeux sous l'éblouissante lumière.

– Ses derniers mots ? répéta-t-il avec respect. C'est un message. Il m'a dit qu'il espérait que ses souffrances et sa mort contribueraient à faire supprimer un jour la peine capitale.

Les questions fusèrent alors de l'assistance. Comment Chessman a-t-il occupé ses dernières heures ? Quels ont été ses derniers visiteurs ? A-t-il vu un prêtre ? A-t-il écrit des lettres ? À qui ? Qu'a-t-il commandé pour son dernier petit déjeuner ? A-t-il su qu'un juge voulait repousser son exécution ? S'est-il défendu d'être le bandit à la lumière rouge ? A-t-il laissé entendre qui pouvait être l'individu en question ? A-t-il eu peur en entrant dans la chambre à gaz ? S'est-il laissé attacher calmement ? A-t-il souffert ?

La meute tortura pendant plus d'une heure l'infortuné directeur. Cela faisait partie du jeu. Enfin quelqu'un posa une question susceptible de clore honorablement l'interrogatoire.

– Et vous, Ernest, êtes-vous pour ou contre la peine capitale ? demanda familièrement un reporter de télévision.

L'homme qui, dans les mois à venir, devait faire exécuter une quarantaine de condamnés baissa la tête.

– Désolé, s'excusa-t-il, il m'est interdit de faire des commentaires ayant un rapport avec l'exercice de mes fonctions.

Puis il fixa la salle d'un regard pathétique et cria, vibrant :

– La peine de mort est une infamie !

Le retour du bandit à la lumière rouge

L'exécution de Caryl Chessman suscita peu de réactions aux États-Unis. Presque soulagés, les Américains tournèrent cette longue et pénible page de leur histoire judiciaire. Il en fut autrement à l'étranger où Chessman incarnait pour les adversaires de la peine de mort le symbole de leur croisade. À Lisbonne, des manifestants bombardèrent les fenêtres de l'ambassade des États-Unis d'Amérique d'un déluge de pierres. Des milliers de Madrilènes arborèrent des cravates noires en signe de protestation. À Montevideo, des groupes d'étudiants se précipitèrent vers l'ambassade aux cris d'« Assassins ! ». À Pretoria, en Afrique du Sud, des cortèges hérissés de banderoles dénonçant la justice américaine défilèrent à travers la ville. Le *Manchester Guardian* britannique exprima l'opinion de presque toute la presse mondiale en qualifiant l'exécution de véritable scandale.

Ce fut toutefois en Californie que se produisit le phénomène sans doute le plus intéressant. Dix-neuf jours après l'exécution de celui dont la police et la justice avaient fait « le bandit à la lumière rouge », deux femmes, Mme Oberti et Mme Solbert, trente-cinq et trente-sept ans, ainsi qu'une jeune fille, Sandra, âgée de dix-sept ans, furent kidnappées dans la banlieue de San Francisco par des malfaiteurs équipés de gyrophares analogues à ceux de la police. Après les avoir dévalisées, leurs ravisseurs les traînèrent dans un champ et leur firent subir des violences sexuelles.

Rien ne pouvait démontrer avec plus d'éloquence la vanité du principal argument avancé par les partisans de la peine capitale : sa valeur dissuasive. Rien ne pouvait contredire avec plus de force la bonne conscience de ceux qui s'étaient réjouis de la mort de Chessman au nom de l'exemplarité.

Chessman avait espéré que son interminable calvaire et sa mort contribueraient à l'abolition rapide de la peine capitale en Californie. Sept ans après qu'il eut respiré le gaz mortel, ses vœux furent enfin exaucés. En 1967, la Cour suprême des États-Unis imposa un moratoire sur les exécutions à la vingtaine d'États qui appliquaient le châtiment suprême. Le couloir de la mort de San Quentin fut fermé et les installations de la chambre verte rangées au magasin des accessoires. Mais les conceptions ancestrales d'une justice fondée sur la loi du talion étaient trop ancrées dans les mœurs américaines pour qu'une telle mesure ne fût pas un jour remise en question. En 1977, la Cour suprême autorisa les États à réintroduire la peine capitale dans leur législation. Alors que la plupart des démocraties européennes votaient son abolition définitive – la France le fera en 1981 –, dix-huit États américains supplémentaires profitèrent de l'autorisation de la Cour suprême pour y recourir à leur tour.

Jamais la peine de mort ne s'est aussi bien portée aux États-Unis qu'aujourd'hui. Un sondage de la chaîne de télévision CNN devait révéler que soixante-quinze pour cent de la population – trois Américains sur quatre – lui sont favorables, même au risque d'exécuter des innocents. La victoire du parti républicain au Congrès en novembre 1994 n'a fait que renforcer la détermination de ses partisans. Plus de trois cents détenus ont été exécutés depuis la fin du moratoire. C'est le Texas qui détient la palme avec une centaine d'exécutions. En juillet 1997, il y avait trois mille cent vingt-deux condamnés à mort dans les prisons américaines. Parmi eux se trouvaient quarante-neuf femmes et quarante et un détenus qui étaient mineurs au moment de leurs crimes. La Californie comptait à elle seule quatre cent sept prisonniers en instance d'exécution ; le Texas, trois cent quatre-vingt-dix-huit ; la Floride, trois cent quarante-deux, et la Pennsylvanie, cent quatre-vingt-six.

Chessman avait dénoncé l'un des aspects les plus barbares de la peine capitale, cette loterie macabre qui préside à son application. Près de quarante ans après sa mort, cette loterie entachée d'injustice demeure plus réelle que jamais. D'abord, par le mode d'exécution. Si la Californie reste fidèle à ses chambres à gaz, d'autres

États pratiquent l'injection mortelle, la chaise électrique, la pendaison ou le peloton d'exécution. Certains États utilisent plusieurs de ces méthodes dont ils laissent le choix aux condamnés. Loterie aussi à cause de critères spécifiques. L'Arkansas, curieusement, exécute avec une prédilection particulière les meurtriers d'enseignants ; le Connecticut, les vendeurs de drogues illégales dont l'absorption a entraîné la mort ; le Mississippi, les adultes ayant violé un enfant de moins de quatorze ans ; le Texas, les assassins de pompiers ; l'Idaho, les auteurs d'enlèvement « aggravé » ; le Montana, les prisonniers violents coupables de tentative de meurtre. La loterie ne s'arrête pas là : la couleur de la peau fait une différence – quarante-huit pour cent des condamnés à mort sont des Noirs. Le taux de criminalité est certes plus élevé parmi les citoyens de couleur, mais ceux-ci ne représentent que douze pour cent de la population. L'âge du meurtrier entre également en ligne de compte, puisque neuf mineurs ont été exécutés au cours des dix dernières annés – dont cinq au Texas. Alors que les États-Unis ont signé des traités internationaux interdisant la peine capitale pour des mineurs, la Cour suprême l'a autorisée le 26 juin 1989. Vingt-six États l'appliquent aujourd'hui et, dans le Montana, il est même licite d'exécuter un enfant de douze ans. Au 1er juillet 1997, trente et un mineurs étaient en instance d'exécution.

Comme au temps de Caryl Chessman, nombreux sont les condamnés qui attendent leur exécution pendant plusieurs années. Huit ans en moyenne au Texas, et sept ans en Californie. Les républicains se sont préoccupés de ce problème. En 1995, la Chambre des représentants a prévu de réduire à une année la période durant laquelle les condamnés pourront faire appel. Cette disposition raccourcira, certes, les séjours dans les couloirs de la mort, mais elle rendra les exécutions si expéditives que l'on peut craindre qu'il ne soit impossible de rectifier à temps les erreurs judiciaires. De toute façon, le Congrès s'inspirait moins de considérations humanitaires que de préoccupations matérielles. La peine de mort aux États-Unis entraîne des procédures qui totalisent souvent plus de cinquante mille pages. Si les seize boules de cyanure qui ont asphyxié Chessman ne représentaient qu'une dépense de six dollars, l'action judiciaire qui conduisit à son exécution a, d'après les experts, coûté au moins deux millions de dollars. Certains États ont calculé très exactement le prix d'une peine capitale. La palme revient encore au Texas avec plus de six millions de dollars, contre quatre millions et demi pour la Californie, et seulement sept cent mille dollars pour l'Oregon.

Dans l'une des lettres écrites la nuit de sa mort, Chessman avait exprimé son espoir que ceux qui s'étaient fait entendre en sa faveur poursuivraient leur combat contre « les chambres à gaz, les bourreaux et la justice répressive ». Quarante ans plus tard, les défenseurs des droits civiques continuent de souligner avec acharnement la barbarie d'un châtiment dont le caractère dissuasif n'a jamais été démontré. Mais le zèle vengeur de nombreuses couches de la société américaine, autant que le climat politique général et l'accroissement de la criminalité, fait de la sentence de mort un symbole de fermeté sociale. Porté par le regain de popularité dont bénéficie la peine capitale, le président Clinton a même étendu son champ d'application à une longue liste de crimes supplémentaires.

Pauvre Chessman qui, la nuit précédant son exécution, écrivait à son amie Mary Crawford qu'il mourait « en espérant que cette barbarie appartiendrait un jour au passé » ! Avant de déplorer avec Voltaire que, « hélas, plus l'abus est ancien, plus il est sacré ».

2

Un petit coin de paradis sous un pin parasol

À vingt-neuf ans, je n'étais encore qu'un bleu dans ce drôle de métier de journaliste. Ce reportage américain m'avait durement secoué. Mon rédacteur en chef s'en aperçut. Au lieu de m'expédier dès mon retour de San Quentin dans les djebels d'Algérie avec les paras de Bigeard, il m'offrit quelques jours de vacances à Saint-Tropez. Cette générosité tombait à merveille : j'avais justement rendez-vous avec le notaire du petit port pour concrétiser l'événement dont je rêvais – l'achat d'un bout de vigne et d'un minuscule cabanon dans la presqu'île.

L'aventure de cet achat durait depuis trois ans. Il avait commencé par un défi, un défi complètement fou lancé par une vieille dame si amoureuse de sa presqu'île qu'elle ne cessait d'y comploter l'installation de ses amis.

– Toi qui aimes tellement passer tes vacances dans ce paradis, tu vas te réjouir, m'annonça-t-elle un jour sur le ton de la confidence. En promenant mes chiens, j'ai rencontré un paysan qui possède quelques arpents de vigne et de maquis juste derrière Pampelonne. Je crois qu'il ne serait pas contre l'idée de...

– De vendre ?

– Tu as deviné.

Je restai sans voix. Je finis par demander :

– Savez-vous combien gagne un reporter de *Paris Match* ?

L'auguste douairière balaya l'objection d'une moue agacée.

– Il y a un cabanon où tu pourrais te faire une chambre et un petit bureau, et deux hectares de terrain.

Il m'a parlé de cent francs le mètre carré, ce qui ferait deux millions d'anciens francs. En discutant bien, tu pourrais sûrement avoir le tout pour... – elle hésita – pour trois ou quatre fois moins. Et peut-être même en payant en plusieurs fois. »

Seul un inconscient pouvait prendre au sérieux une hypothèse aussi chimérique et se lancer dans pareille affaire. Mais l'objet du défi – un morceau de cette presqu'île magique – valait à mes yeux toutes les peines et tous les sacrifices. Trois années d'âpres négociations furent nécessaires.

Eugène Giovanni, le vendeur, était un homme d'une soixantaine d'années, sec et noueux à l'image des sarments des vignes qu'il avait taillés toute sa vie. Comme beaucoup d'habitants de cette région, il était d'origine italienne. Ses parents avaient fui la misère de leur Piémont natal au tournant du siècle pour se réfugier dans ce coin de Provence. Ces Italiens avaient travaillé dur dans les domaines viticoles et fait souche. Les plus chanceux avaient fini par s'acheter un bout de terre pour y planter des légumes et quelques vignes. L'arrivée des soldats de Mussolini en 1940 avait été pour beaucoup l'occasion de joyeuses retrouvailles avec des proches. On avait abondamment bu, dansé et chanté sous les ramades de la presqu'île pendant toute une partie de la guerre.

Ce diable d'Italien avait, hélas, un penchant prononcé pour l'anis. Je dus venir le voir à l'aube pour discuter les conditions de l'achat de son bien et lui arracher quelques concessions. À partir de sept heures du matin, l'effet du pastis avait embrumé son cerveau pour la journée. Je devais parfois tambouriner pendant dix minutes à la porte de son cabanon pour me faire ouvrir. Les aboiements de son bâtard de griffon et les bêlements terrifiés des cinq biques qu'il abritait sous son toit finissaient par le tirer de son lit. Il apparaissait alors sur le seuil dans une vieille liquette rapiécée. « *Non è una ora di cristiano* », bougonnait-il en levant la tête vers le ciel encore noir.

Son cabanon ne comportait qu'une seule pièce avec un lit, deux chaises, une table et une cheminée qui lui servait de fourneau. Il me fallut plusieurs visites pour m'habituer à l'odeur d'anis et de crottes de chèvre qui prenait à la gorge dès l'entrée. Et d'autres visites encore pour me résoudre à boire le jus noir brûlant au goût de pastis qu'il préparait en guise de café matinal. Il avait vidé plusieurs bouteilles de son apéritif préféré dans son puits pour être bien sûr que l'eau destinée à sa toilette et à son café matinal ait l'odeur et le goût de l'anis. Ma persévérance en tout cas fut récompensée. Je parvins presque à obtenir le prix et les délais de paiement que les promesses chimériques de la vieille dame m'avaient fait espérer. Il ne restait plus qu'à signer l'acte d'achat. Je mesurais la portée de cette formalité qui allait me faire entrer dans le cercle très fermé de la société locale. Les Tropéziens de souche allaient pouvoir me décerner le rarissime label d'*estranger du dedans*. Distinction subtile qui me différencierait à jamais des *estrangers du dehors,* ces envahisseurs plus attirés par le parfum du scandale qui s'attachait à l'image du petit port qu'à ses valeurs profondes.

*

La maison du notaire, au bout de la rue Gambetta, était une belle et noble bâtisse à deux étages, avec des persiennes ajourées et des fenêtres à petits carreaux. Au-dessus de l'encadrement de la porte en pierre de serpentine verte, une plaque révélait qu'une des gloires du village, le général Jean-François Allard, officier de Napoléon et chef des armées du sultan de Lahore, l'avait fait construire en 1835. J'hésitai avant d'appuyer sur la sonnette. J'avais le trac. Les crépitements d'une batterie de vieilles machines à écrire semblaient venir de la bande sonore d'un film des années trente. Dans une vaste pièce tendue de rideaux tamisant la lumière et les rumeurs du dehors, une dizaine d'employés s'activaient comme des fourmis. Une odeur de cire fraîche embaumait ce temple besogneux. Dès mon entrée, un petit homme replet aux manches de lustrine, antithèse de la faune des boutiques et des cafés, délaissa ses piles de dossiers pour venir me saluer. Ferdinand Mignone occupait les fonctions de premier clerc de l'étude. Depuis une génération, la jolie écriture ronde de sa plume Sergent Major rédigeait les actes des transactions immobilières de la presqu'île.

– *Peuchère*, vous voilà enfin ! me lança-t-il avec l'accent chantant des gens de Provence. Votre vendeur se ronge tous les sangs de sa bonne mère. Il craignait déjà que notre presqu'île ne vous soit tombée du cœur. Allons vite le rassurer !

Le paysan m'attendait dans le bureau du notaire.

– Salut, le Parisien ! dit-il en gardant son mégot au coin des lèvres.

Pour l'occasion, Eugène Giovanni s'était habillé d'un costume un peu trop large et gominé le crâne d'une pâte à l'odeur de berlingot.

– Maintenant qu'acheteur et vendeur sont réunis, nous pouvons commencer, dit le notaire avec cette autorité à la fois solennelle et pateline propre à sa profession. Comme le veut la loi, je vais vous donner lecture de l'acte.

Giovanni acquiesça d'un raclement de gorge. Ses yeux brillants et le tremblement de ses mains ne me laissèrent aucun doute. Il avait dû s'offrir une bonne demi-douzaine de pastis dans les cafés de la place des Lices avant de venir à notre rendez-vous.

– « ... Une parcelle de vigne, de lande et de maquis d'une superficie totale de deux hectares, un are et quatre centiares, délimitée au nord par un pin parasol, et au sud par... », lisait au galop le notaire, comme si ces précisions allaient de soi pour chacune des parties devant lui.

Le notaire se trompait. Je n'avais jamais pu obtenir que Giovanni me montre à dix ou vingt mètres près les limites exactes de son bien. Je crois qu'il ne les connaissait pas lui-même. J'avais cherché des indications dans tous les actes qui, depuis un siècle et plus, avaient sanctionné les différentes transactions de ce coin de presqu'île. Sans succès. Parfois, un texte mentionnait une croix sur un rocher, une pierre plantée, un vieux chêne, mais presque jamais une distance précise entre ces repères. La terre dans ce coin excentré de la côte méditerranéenne n'avait jamais eu grande valeur. Quelques pins, quelques bruyères de plus ou de moins, cela ne faisait guère de différence. Certains propriétaires indélicats avaient profité de ce flou dans les bornages pour s'agrandir pendant la dernière guerre, en grignotant parfois plusieurs dizaines de mètres à un voisin prisonnier en Allemagne. On racontait que beaucoup d'hectares avaient ainsi changé de mains.

Le notaire arrivait au bout de sa lecture. Je guettais les réactions de Giovanni à l'énoncé des délais de paiement que j'avais eu tant de mal à lui arracher. Je craignais que trois années ne lui paraissent soudain une bien longue éternité. Mais le notaire eut l'habileté d'accélérer son débit. Il n'y eut pas d'incident.

Je pus alors remettre mon premier chèque.

– Ça fait quelques bouteilles de pastis, dis-je.

– T'as raison, l'ami ! acquiesça Giovanni.

Le notaire nous invita à apposer nos signatures au bas de l'acte. Sa main guida celle du paysan. Une intense émotion m'envahit à la vue de ce paraphe maladroit s'inscrivant à côté de mon nom. C'est alors que retentit la voix du notaire.

– Cette vente n'est valable que si la mère de M. Giovanni, usufruitière du bien, accepte de contresigner la transaction, annonça-t-il.

– Pourquoi cette personne n'est-elle pas ici ? demandai-je, surpris.

– Elle est impotente, expliqua le notaire. Elle réside à l'hospice des vieux, à côté de l'hôpital. Nous devons nous transporter à son chevet.

Notre arrivée dans la salle commune de l'hospice suscita une vive curiosité. Tout un groupe de personnes âgées se trouva bientôt réuni autour de nous. Mme Giovanni était une petite vieille tout en noir, au fin visage éclairé de grands yeux bleus d'un éclat intense. Elle était si dure d'oreille que le notaire dut élever la voix. Mais la vieille dame leva sa canne pour l'interrompre.

– Alors, c'est vous qui allez vous installer dans notre colline, dit-elle avec un fort accent italien. Vous avez une bougre de chance. Il n'y a pas de plus belle « campagne »... – Elle me fit signe d'approcher. Il y a dans notre colline, juste devant le cabanon, un pin parasol, dit-elle alors à voix presque basse. Ce pin est le plus beau et le plus grand de toute la presqu'île. Il a au moins deux cents ans, peut-être plus. Un jour, j'ai vu mon Eugène s'en approcher, une scie à la main. Il voulait le couper parce qu'il faisait de l'ombre au potager. Je me suis précipitée sur lui. J'ai crié à mon petit que cet arbre était le bon Dieu qui montait de la terre vers le ciel. Je lui ai interdit d'y toucher. Je lui ai dit que cela nous porterait malheur. Je lui ai arraché la scie des mains...

Des larmes coulaient sur ses joues ridées. Nous la regardions en silence. J'étais bouleversé.

– Monsieur, je vous prie de respecter cet arbre à votre tour, reprit-elle très lentement. Il sera vos racines. Il sera votre bénédiction.

*

Dès que j'eus en poche mon acte de propriété, j'allai saluer le pin parasol. La vieille dame avait raison. C'était un seigneur. Son tronc majestueux à l'écorce d'un brun rosé, striée de bandes noires comme la peau d'un tigre, soutenait une couronne de verdure d'une telle ampleur qu'on pouvait l'apercevoir de toutes les collines de la presqu'île. Devenues tortueuses avec l'âge, ses branches puissantes s'entrelaçaient sous une voûte si épaisse qu'elle arrêtait la lumière. Au sol, ses racines tourmentées affleuraient comme les tentacules d'une pieuvre avant d'aller plonger très loin dans la terre pour y trouver sa nourriture. Il était si gourmand que rien, pas même une herbe, ne poussait à des mètres à la ronde. Pachyderme végétal, géant de la nature, monstre touffu, il commandait l'admiration et le respect.

Assis contre son tronc, j'ai respiré le parfum de ses aiguilles. Je lui ai parlé, longuement, amoureusement. Je l'ai exhorté à continuer de prospérer, à s'arc-bouter contre les assauts furieux du mistral, à répandre sur nos têtes la manne de ses délicieux pignons, à nous protéger par son ombre apaisante des excès du soleil provençal. Surtout, je lui ai demandé de rester notre sentinelle, notre témoin, notre vigie. Bref, d'être vraiment notre bénédiction, selon la si jolie promesse de celle qui avait été sa compagne pendant soixante ans. Pour l'encourager sur toutes ces voies, je décidai de rebaptiser mon petit coin de campagne et de l'appeler « le Grand Pin ».

D'autres pins parasols plus modestes formaient à chaque bout de la vigne de superbes champignons de verdure. Il y avait aussi quelques grands chênes verts aux gracieuses feuilles dentées dont les branches abritaient des familles d'écureuils, des chênes-lièges au tronc rasé de leur épaisse écorce élastique, et quelques pins maritimes aux aiguilles jaunies par la mystérieuse maladie qui décimait cette essence dans la région. À côté des rangées de pieds de vigne qu'il avait cultivés avec amour, Eugène, mon prédécesseur, avait laissé fructifier des îlots sauvages de garrigue et de maquis : buissons de cistes, rameaux de buis à l'odeur suave, lauriers sauvages à longues feuilles triangulaires. Soudain, un pied de thym lançait une bouffée parfumée, relayée par un bouquet de lavande ou une pousse de romarin comme celles que les colonisateurs grecs et romains de la presqu'île brûlaient dans leurs encensoirs. Plus loin encore, les baies rouges ou noires d'une touffe de lentisques, l'arbuste fétiche de Don Quichotte, embaumaient l'air de cette senteur fruitée si propre à la Provence.

Cet herbier aux mille trésors était parsemé de débris de poterie, de fragments de pierres taillées ou de verre, de morceaux de silex dont certains remontaient sans doute à la nuit des temps. Des générations de Phéniciens, de Phocéens, de Grecs, de Romains, de Sarrasins s'étaient succédé sur cette vieille terre paysanne recrue d'histoire. Mon petit morceau de vigne n'était que le dernier avatar d'un antique paysage de cultures de céréales, d'olivettes et d'amandiers qui s'était peu à peu paré de ces superbes vignobles qui donnaient aujourd'hui les fameux vins des côtes de Provence aux bouteilles galbées comme des hanches de femmes.

Aux abords de la vigne, la garrigue grouillait de papillons, de capricornes, d'escargots, de chenilles, de mantes religieuses, de sauterelles. Des cocons d'araignée pendaient comme des touffes de coton aux branches basses des bruyères. Des crottes de lapin, de crapaud, de mulot, de renard, de couleuvre attestaient la présence d'une foule de petits prédateurs sous la friche du maquis, mais j'eus beau guetter trous et terriers, aucun ne daigna se montrer en plein jour, sauf un gros lézard ocellé qui festoyait d'une famille de cloportes débusquée sous une pierre. De nombreux oiseaux s'ébattaient en revanche dans le ciel au-dessus du Grand Pin. Pigeons, geais, fauvettes voletaient de parasol en chêne-liège.

Combien de temps me faudrait-il pour percer tous les secrets de ce petit paradis ? Toute une vie, sans doute. Rien ne pouvait me pousser vers cette aventure avec plus de plaisir que l'assourdissant concert qui embrasait la campagne ce jour-là. Le chant rauque et strident des cigales disait mon bonheur d'avoir acheté le Grand Pin.

*

Le départ d'un paysan et son remplacement par un jeune journaliste parisien ne semblèrent causer aucun émoi chez mes voisins. Mon arrivée passa inaperçue. Je trouvai cependant courtois d'aller me présenter à ceux qui m'entouraient. J'eus un coup de foudre immédiat pour le truculent vigneron qui me bordait à l'ouest. Antoine Navaro était un personnage tout en rondeurs et en exubérance méditerranéenne. Ses joues avaient l'exacte couleur pourpre de son vin et sa voix chantait plus qu'elle ne parlait.

– Si Dieu existe, c'est ici qu'il a fait son Ciel, me déclara-t-il en levant le bras vers ses vignes, soyez le bienvenu !

Il remplit à ras bord deux grands verres de rosé et nous trinquâmes joyeusement. Antoine était un seigneur. Les étagères bourrées de livres qui encombraient les pièces de sa vieille ferme couverte de glycine révélaient que la vigne n'était pas sa seule culture. Il recevait de plusieurs clubs de lecture tellement d'ouvrages qu'aucune nouveauté littéraire n'échappait à la curiosité de ses petits yeux noirs pétillants de vivacité. L'installation dans son voisinage de quelqu'un qui sortait un peu de son ordinaire campagnard l'enchantait visiblement.

Il me pressa de questions sur mes derniers reportages. Avais-je rencontré des gens du FLN algérien ? Quelle solution les Américains pouvaient-ils trouver à leur guerre au Viêt-nam ? Fidel Castro allait-il mettre le feu au monde ? La rencontre promettait de durer, mais Antoine avait l'éternité pour lui. Afin de mieux savourer mes réponses, il m'entraîna dans son chais où régnait, dans une odeur saisissante de vinasse, une délicieuse fraîcheur. Il tira deux verres de rosé à l'une des barriques, m'offrit un fauteuil et s'allongea dans le grand hamac oriental tendu entre deux pressoirs où il faisait sa sieste quotidienne. Les yeux mi-clos, ses doigts boudinés croisés sur le plastron de sa salopette de coutil gonflée par sa bedaine, il avait l'air d'un bouddha. À trois kilomètres seulement des excentricités de Saint-Tropez, j'étais sur une autre planète.

Le dépaysement ne fut pas moins total chez l'hurluberlu qui vivait un peu plus loin dans une ancienne ferme qu'il avait transformée en une réserve d'animaux. Gonzague de Chastelas avait dû être fort bel homme mais son air renfrogné, sa voix de crécelle, sa trogne imbibée d'alcool, son torse velu et l'odeur animale qu'il dégageait n'attiraient plus vraiment la sympathie. Ce curieux personnage avait été, dans les années cinquante, un journaliste parisien de renom. Il avait un jour quitté son hôtel du Marais décoré de meubles anciens et d'objets rares pour se reconvertir dans la gestion d'une agence immobilière à Saint-Tropez. En promenant ses chiens, il avait découvert un toit de tuiles enfoui dans les pins parasols. La maison et sa vigne étaient à vendre. Gonzague liquida son agence, fit ses valises et sauta dans son cabriolet blanc pour mettre en marche, à quatre kilomètres de là, l'aventure de sa vie : créer un zoo pour lui tout seul.

Sa réussite était complète. Il avait peuplé son royaume de centaines d'oiseaux de toutes espèces. Il y avait là de majestueux émeus aux airs d'autruches, des ibis, des grues couronnées, des flamants roses, des paons, des perroquets, et une variété infinie de canards, d'oies, pigeons et autres volatiles. Des moutons, des chèvres, un sanglier apprivoisé, deux juments noires, trois poneys, un cheval nain, un âne qui habitait son salon, une tribu de chats et de chiens, qu'il promenait en slip les soirs d'été, complétaient sa ménagerie.

Merveilleux Gonzague ! Il m'accueillit au portail de sa propriété, opportunément baptisée « le Zoo », comme un maharaja aux frontières de son État. Le vieux berger qui lui servait de factotum, de valet, de partenaire au gin-rummy et de souffre-douleur avait, pour la circonstance, fait sortir l'âne du salon et placé une bouteille de pastis et deux verres sur une commode Louis XVI en noyer qui servait de coffre à fourrage. Gonzague était ce jour-là d'une humeur exécrable. « Des chiens ! Tous des chiens ! » pestait-il sans que je sache si sa révolte s'adressait à ses animaux ou à des gens. Je finis par savoir que son horticulteur, qu'il refusait de payer parce que les plantes fournies étaient mortes, avait réussi à faire mettre en vente sa maison. Les affichettes jaunes d'une prochaine adjudication apparaissaient déjà sur les murs de Saint-Tropez et des communes voisines. La mise à prix était tellement alléchante que la moitié de la presqu'île allait se précipiter. Dans un élan de compassion, je lui pris la main. Il se dégagea en poussant un cri d'orfraie. Le berger accourut.

– Marcelin, appelez les gendarmes ! Cet homme veut abuser de mon malheur.

Le berger eut l'air étonné, mais il obtempéra. Heureusement, le numéro de la gendarmerie était occupé.

– Payez ! dis-je alors. Payez tout ce que l'on vous

réclame. La vente se trouvera automatiquement annulée.

Ces mots le frappèrent comme la foudre tombant du ciel. Son visage s'apaisa dans une soudaine expression de sérénité qui gommait presque sa disgrâce.

– Merci, dit-il, je n'y avais pas pensé.

*

À l'est de ma « campagne » vivait un autre personnage non moins pittoresque. À cause de l'éternel béret à pompon vert qu'il portait sur le crâne, les gens du quartier l'appelaient « l'Écossais ». En fait, il était belge. Nathanael Van Boven devait avoir plus de quatre-vingts ans. Trente ans avant Brigitte Bardot, il avait été le roi des nuits de la presqu'île. L'Amiral, son célèbre café-concert, ses boîtes de jazz, ses discothèques étaient alors les temples attitrés des noctambules. À la Libération, il avait eu l'idée d'ajouter à son empire nocturne la colonisation méthodique de la sublime plage de Pampelonne par d'immenses campings. Son fleuron, le Kon-Tiki, était un gigantesque camp de toile et de caravanes où venaient s'entasser chaque été, dans une promiscuité affolante, dix ou quinze mille touristes accourus de toute l'Europe. Persuadé que le mythe tropézien était voué à disparaître, Van Boven avait un jour tout vendu et décidé de prendre sa retraite. Alors qu'il avait les moyens de s'acheter la plus somptueuse maison de la presqu'île, il avait choisi de s'installer dans un petit cabanon au confort sommaire. Depuis, sa marotte était l'élevage des cactus. Il en faisait pousser toutes les variétés imaginables dans des boîtes de conserve récupérées sur la décharge municipale. Il leur consacrait ses journées, leur faisant de tendres discours, les changeant de place selon la course du soleil, les arrosant à l'aide d'un compte-gouttes, les déplaçant d'un quart ou d'un demi-tour comme de précieuses bouteilles d'une cuvée millésimée de champagne ou les rarissimes orchidées de quelque jardin botanique tropical.

Il m'accueillit en exhibant dans chaque main une boîte de fer-blanc contenant un petit cierge végétal hérissé de piquants.

– Acceptez ces modestes cadeaux de bienvenue, déclara-t-il avec son pittoresque accent du Brabant. Ce sont des cactus candélabres. Vous les planterez de chaque côté de votre porte. Ils vous protégeront comme des sentinelles. Savez-vous que vous avez fait une sacrée bonne affaire ? Moi, j'ai eu le tort de vendre trop tôt. Demain, un lopin de terre dans la presqu'île de Saint-Tropez vaudra plus cher que tout un quartier de Manhattan...

*

Ma tournée de voisinage s'acheva chez le patriarche local dont le vaste domaine viticole d'appellation côtes de Provence, de bois et de maquis bordait toute une partie de ma petite campagne. Avec sa grandiose allée de palmiers centenaires, sa double haie de lauriers écarlates et blancs, ses buissons de bougainvilliers qui recouvraient d'une superbe tenture violette l'entrelacs des bâtiments, l'arrivée chez Alphonse Cuissard ne manquait ni d'allure ni de noblesse. Un ouvrier marocain me conduisit au maître des lieux occupé dans son hangar à redresser un soc de charrue. Une solide carrure paysanne, des joues roses et fraîches, un regard malicieux, le père Cuissard ne paraissait pas ses soixante-quinze ans. Mon apparition le laissa aussi indifférent que le vol du frelon qui se cognait aux fenêtres. Il poursuivit ses travaux en tirant de courtes bouffées sur sa gitane maïs collée au coin droit de sa bouche. J'allais faire demi-tour quand il consentit à s'apercevoir de ma présence.

– Alors, c'est vous le Parisien à qui ce vaurien de Giovanni a vendu sa campagne ? gronda-t-il en laissant retomber son marteau sur l'enclume.

Des révolutionnaires irakiens aux Tupamaros argentins, j'avais amadoué pas mal de durs à cuire. Mais, devant ce seigneur provençal, je me sentais désarmé et même un peu coupable. En me traitant de « Parisien », il m'avait d'emblée rejeté, exclu, maudit.

J'avais cru m'offrir un petit coin de paradis. J'allais être précipité en enfer. Le surlendemain de notre rencontre, Georges, notre facteur mélomane, apporta une lettre recommandée. Cuissard m'y annonçait que les limites de mon terrain n'étaient pas celles que m'avait indiquées le vendeur. Il revendiquait la propriété d'une des parcelles que j'avais achetées. Il menaçait de m'attaquer en justice. À peine ébauché, mon rêve risquait de s'écrouler.

3

Deux jeunes loups sur les chemins de l'Histoire

La terreur ! Dès que le museau chromé de la 4CV noire apparaissait à l'horizon, c'était l'affolement dans tout le régiment. Avant même que la voiture eût franchi le poste de garde, les hommes avaient rectifié la position de leurs bérets et craché sur leurs rangers pour qu'ils brillent comme des miroirs. Malgré sa petite taille, le colonel baron Norbert de Gévaudan – dit « Han-Han » à cause du raclement de gorge qui précédait toutes ses interpellations – terrorisait littéralement ses officiers et ses hommes. Rien n'échappait à son impitoyable monocle, qu'il s'agisse de trois poils de barbe sur le menton d'un appelé, d'un couvre-bouche manquant sur le canon d'un char, ou d'un chaudron de soupe trop liquide pour que son stick de cavalier y reste planté.

Oui, « Han-Han » était notre terreur à tous. Le régiment qu'il commandait, le 501ᵉ des char de combat, était une des plus prestigieuses unités de l'armée française. Force de frappe de la légendaire division Leclerc, il avait pris part aux combats d'Afrique du Nord, de Normandie, libéré Paris et Strasbourg, franchi le Rhin, foncé au cœur de l'Allemagne. Sa devise « EN TUER » s'étalait sans vergogne sur son fanion ainsi que sur l'écusson du béret noir que je portais. Le 501ᵉ était un « melting-pot » de paysans quasi illettrés, de privilégiés comme moi (faire son service à Rambouillet, à quarante kilomètres de Paris, c'était le rêve), de sous-officiers de retour d'Indochine, au sang dévoré de paludisme ou brûlé par le *choum*, l'alcool local qui rendait fou. Avec leur particule, leur badine, leur culotte de peau, leurs bottes étincelantes, certains officiers paraissaient de vraies caricatures de la cavalerie de papa. Mais l'apparence était trompeuse. Dix ans plus tôt, mon chef d'escadron avait lancé son peloton de tanks Sherman sur les canons antichars allemands pour arriver le premier sur le parvis de Notre-Dame. Les bérets noirs du 501ᵉ RCC avaient payé un lourd tribut à la libération de la France et de sa capitale.

Le 14 juillet 1954, presque dix ans après l'historique descente des Champs-Élysées par le général de Gaulle et les chars libérateurs de Leclerc, j'eus l'honneur de défiler sur l'avenue triomphale avec tous les blindés de mon régiment. Mon char portait le nom mythique de « Maréchal Leclerc ». Du haut de mes quarante-deux tonnes, j'aperçus tout à coup ma mère postée au coin de la rue Washington. Elle pleurait de joie en lançant des pétales de rose devant mes chenilles. Cette participation du 501ᵉ au défilé militaire de la fête nationale n'était pas uniquement une tradition. C'était aussi un geste politique concerté. Une des missions permanentes de notre unité était de foncer aussitôt sur Paris en cas de soulèvement communiste.

*

Après douze mois de mariage forcé avec mon mastodonte d'acier, le secrétaire du colonel apparut un matin au pied de ma tourelle. Han-Han désirait me voir immédiatement. Depuis un an que j'étais à Rambouillet, je n'avais jamais été convoqué par le colonel commandant mon régiment. À mon arrivée, je lui avais pourtant adressé un exemplaire dédicacé du livre racontant le voyage de noces sans argent que j'avais accompli avec ma jeune femme autour du monde [1]. Le colonel avait refusé cet hommage et m'avait fait rapporter mon livre par un planton, sans la moindre explication.

– Han-han !

Le raclement de gorge si redouté me figea dans un garde-à-vous apeuré. Le colonel baron Norbert de Gévaudan s'était levé de sa table pour m'accueillir à la

1. *Lune de miel autour de la terre*. Préface d'André Maurois. (Grasset, 1953.)

porte de son bureau. C'était la première fois que je pouvais l'observer de si près et sans le béret qui lui mangeait d'habitude la moitié du visage. Ses cheveux teints, soigneusement plaqués en arrière avec de la gomina, exhalaient une odeur suave. Il souriait de toutes ses petites dents de lapin.

– Toutes mes félicitations, mon cher ami, vous l'avez enfin obtenue, votre mutation ! Le régiment va vous perdre : je viens d'être avisé par le ministère des Armées que vous êtes nommé traducteur au Shape [1].

Ma promotion au grade de général ne m'aurait pas causé plus de bonheur. Abandonner mon treillis maculé de cambouis pour aller passer mes derniers six mois de service dans un état-major interallié, quelle métamorphose !

– Merci pour cette grande nouvelle, dis-je.

Déjà Han-Han enchaînait, patelin :

– À propos, cher ami, vous souvenez-vous qu'il y a un an vous m'avez envoyé votre livre *Lune de miel autour de la terre* avec une charmante dédicace ?

– Parfaitement, mon colonel, et permettez-moi de profiter de cette occasion pour vous dire que vous m'avez humilié en me le renvoyant de cette façon.

Han-Han prit un air contrit.

– Votre indignation est tout à fait légitime, mon cher. Mais je vais vous donner une explication pour essayer de me disculper. Savez-vous que le régiment recrute traditionnellement une partie de ses effectifs parmi la population paysanne de l'Indre-et-Loire ?

– Je ne vois pas très bien le rapport...

– Eh bien, figurez-vous qu'à chaque incorporation les parents des appelés m'envoient une avalanche de jambons et de rillettes pour que je veille au bien-être de leurs rejetons. Naturellement, je renvoie aussitôt ces victuailles à leurs expéditeurs. Je me suis ainsi fait une règle de ne jamais accepter de cadeaux mais je serais très flatté si vous acceptiez de renouveler aujourd'hui l'envoi de votre ouvrage.

Estomaqué par tant d'aplomb, je me contentai de claquer les talons comme j'avais vu faire dans les films. J'ajustai mon béret noir à l'écusson « EN TUER », saluai à l'équerre, fis un demi-tour réglementaire et sortis en

1. Le grand quartier général des forces alliées en Europe.

courant pour aller dire adieu à mon cher « Maréchal Leclerc »[1].

Un jeune Américain qui aimait la France

Vingt kilomètres seulement séparaient la vieille caserne de Rambouillet du sémillant campus de Rocquencourt où la plus grande coalition militaire de tous les temps avait élu domicile. J'eus l'impression de changer d'univers. Je me trouvai soudain dans un monde feutré, peuplé d'hommes et de femmes galonnés qui paraissaient perpétuellement en route vers quelque réunion mondaine. Le vaste et lumineux bureau qu'on m'assigna aurait convenu à un PDG de banque. Dès mon arrivée, le colonel responsable de l'équipe des traducteurs, un Anglais moustachu, véritable sosie du maréchal Montgomery, vint me souhaiter la bienvenue et me mettre au courant des habitudes du service. À ma surprise, il ne s'agissait pas des consignes de sécurité relatives aux documents confidentiels que j'allais devoir traduire, ou d'instructions spéciales en cas de coup de force communiste ou d'attaque soviétique. Il tenait seulement à me familiariser avec les heures des pauses quotidiennes. Matin et après-midi, je pouvais délaisser mon travail pendant une demi-heure pour aller me désaltérer à la cafétéria britannique de l'état-major. Comme tous mes « collègues », du général en chef au planton le plus humble, je pris l'habitude de m'y rendre deux fois par jour en espérant que les armées du pacte de Varsovie n'auraient pas le mauvais goût d'attaquer l'Europe du Shape à l'heure rituelle de mes pauses café.

Un matin, en trempant un *doughnut* dans ma tasse, je fis dans cette cafétéria la rencontre qui allait un jour

1. Dix ans plus tard, grand reporter à *Paris Match,* j'entendis soudain retentir, rue Pierre-Charron, le fameux « han-han ». C'était le colonel de Gévaudan qui m'interpellait du trottoir en face du journal. Un réflexe instinctif me pétrifia au garde-à-vous. Je traversai la rue pour aller le saluer. Il était en civil, son éternel monocle sur l'œil. Son attitude n'avait rien perdu de sa superbe, mais son regard était cette fois plein de malice.

– Mon cher ami, aujourd'hui, c'est vous l'ancien! annonça-t-il. – Prévoyant ma surprise, il enchaîna, sur le ton de la confidence : J'ai quitté l'armée et je viens d'entrer dans les services administratifs de *Paris Match.* Je compte sur vous pour me tuyauter sur la façon de rédiger mes notes de frais.

orienter ma vie. Parmi quelques conscrits américains se trouvait un grand garçon à lunettes, au visage fin et ouvert, qui faisait pouffer de rire ses camarades en leur racontant d'inénarrables histoires irlandaises avec un accent plus vrai que celui des habitués des pubs de Dublin. Il s'appelait Larry Collins. Fils d'un avocat du Connecticut, diplômé de la prestigieuse université de Yale, il se destinait à une carrière de manager dans une grande firme commerciale quand la mauvaise fée du « *draft* » l'avait obligé à endosser l'uniforme des GI. Mais une autre fée, une bonne celle-là, l'avait expédié en Europe, avant qu'une troisième, meilleure encore, l'affectât comme rédacteur au service de presse du Shape. Pour ce jeune Américain qui n'avait jamais connu d'autre décor que celui de sa tranquille province de Nouvelle-Angleterre, débarquer tout à coup aux frais de l'oncle Sam à vingt kilomètres de Paris était un vrai conte des *Mille et Une Nuits*.

Une sympathie immédiate me porta vers lui. Je l'invitai à passer les fêtes de Noël dans le pittoresque village du Dauphiné où la famille de ma femme possédait une vieille demeure aux fenêtres à meneaux. Ensemble, nous suivîmes dans la neige la procession des bergers marchant avec leurs vaches et leurs moutons vers la crèche illuminée. Je me souviens avec tendresse de ces moments de chaleureuse convivialité, dépaysants sans doute pour ce Yankee. Je lui fis déguster les délices de notre terroir, foie gras, truffes, cèpes, et même les grenouilles et les escargots. Je lui fis découvrir l'armagnac, le sauternes, l'eau-de-vie de poire, et les petits vins de pays qui effacèrent pour toujours de son palais le goût du Coca-Cola. Je lui fis connaître nos musées, nos cathédrales, nos châteaux. Un jour, je l'emmenai même à Rambouillet où le colonel baron du 501e nous reçut avec effusion. Le premier résultat de notre amitié fut que Larry Collins tomba amoureux de la France.

Un matin, il apparut à la porte de mon bureau, le visage décomposé. Lui, toujours si joyeux, si optimiste, avait l'air complètement défait. Ses yeux étaient rouges derrière ses lunettes. Il avait sans doute pleuré. Je pris peur.

– Il m'arrive une catastrophe, m'annonça-t-il lugubrement. Je viens de recevoir l'avis de ma démobilisation. Je rentre en Amérique après-demain.

J'étouffai avec peine un éclat de rire.

– C'est affreux ! dis-je pour lui faire sentir ma solidarité, avant d'ajouter aussitôt : Dans l'armée française, quand arrive la « quille », nous, nous sablons le champagne ! Allez, viens ! On va déboucher une bouteille.

J'invitai tout le bureau, y compris le colonel, à célébrer l'événement. Entrechoquant nos coupes, nous souhaitâmes tous bonne chance à Larry et lui fîmes promettre de revenir avant le prochain Noël.

Le surlendemain, j'accompagnai Larry à la gare du Nord. Il partait s'embarquer à Bremerhaven sur un transport de troupes à destination de New York. Sur le quai, en marchant vers le wagon, je saisis soudain son bras.

– Écoute, dis-je, je crois que je t'ai trouvé une raison « familiale » de revenir bientôt en France. Ce matin, ma femme m'a annoncé que nous allions avoir un enfant. Nous aimerions que tu sois son parrain.

Une lueur de surprise, suivie d'une intense émotion, traversa son visage.

– Ce sera un garçon, ou une fille ? demanda-t-il.

– Nous ne savons pas.

– Si c'est une fille, comment l'appellerez-vous ?

– Alexandra [1].

*

Quelques semaines après son retour aux États-Unis, Larry reçut une alléchante proposition de la firme Procter & Gamble, le géant mondial du savon et des détergents. Le salaire, les conditions de travail, les nombreux avantages rendaient cette offre irrésistible, même s'il fallait émigrer à Cincinnati, la ville industrielle de l'Ohio où se trouvait le QG de la société. Chaudement encouragé par sa famille, Larry signa la proposition d'engagement et la posta en « express ». C'était un vendredi soir. Elle serait sur le bureau du directeur du personnel à la première heure le lundi suivant. Au cours du week-end, un coup de téléphone inattendu balaya le mirage d'une prestigieuse carrière dans la poudre à laver. L'agence United Press offrait à Larry un job de rédacteur de légendes au service photos de son bureau de Paris. Un

1. Alexandra est née le 14 novembre 1955. Elle fut portée sur les fonts baptismaux par son parrain Larry Collins.

salaire de misère, aucun avantage, un travail de forçat. Mais Paris !

Larry attendit fébrilement le lundi matin pour appeler au téléphone Procter & Gamble.

– Mademoiselle, dit-il à la secrétaire du directeur, veuillez déchirer sans l'ouvrir ma lettre express. J'ai trouvé un job à Paris !

Quatre mois à peine après l'avoir conduit à la gare du Nord, j'eus ainsi la joie d'accueillir à Orly le futur parrain de ma fille. Entre-temps, j'avais moi-même été démobilisé, et j'étais entré comme reporter stagiaire à *Paris Match*. Pendant les quatre années qui suivirent, nous ne perdîmes jamais une occasion de nous retrouver pour approfondir la précieuse amitié née sous l'uniforme. Larry monta rapidement en grade. United Press l'envoya bientôt diriger son bureau de Rome, puis il partit pour le Moyen-Orient couvrir les tragiques événements de la première guerre du Liban et l'affaire de Suez. *Newsweek,* le prestigieux hebdomadaire d'information, ne tarda pas à engager ce journaliste exceptionnel.

Souvent, nos destins de reporters nous réunissaient sur les points chauds de l'actualité mondiale. Notre amitié devait alors s'effacer devant la concurrence acharnée que se livraient nos rédactions. Un jour, Larry m'enferma à clef dans ma chambre d'hôtel de Bagdad pour m'empêcher d'envoyer à *Match* les photos de la révolution irakienne dont il avait arraché l'exclusivité pour *Newsweek.* Quelques semaines plus tard, je me vengeai en lui indiquant un faux horaire pour le train qui partait de Djibouti vers Addis-Abeba, ce qui me permit d'être l'un des derniers journalistes à interviewer le négus d'Éthiopie. Nos liens se renforcèrent à travers ces coups tordus qui nous permettaient d'entrevoir quelle serait notre force si nous pouvions unir nos talents au lieu de les opposer. Cette idée fit son chemin : « Pourquoi ne pas écrire ensemble un livre qui intéresserait des lecteurs aussi bien français qu'anglophones ? » Larry rédigeait ses reportages en anglais, moi en français, mais nous étions tous les deux pratiquement bilingues. Nous pourrions nous partager l'écriture et nous traduire mutuellement. À nous deux, nous pouvions toucher trois cents millions de lecteurs potentiels. Il suffisait de trouver un bon sujet.

La chance ne tarda pas à nous sourire sous la forme

d'une courte dépêche en provenance d'Allemagne publiée dans *Le Figaro*. Selon des documents récemment découverts dans les archives de la Wehrmacht, Paris aurait dû être complètement détruit au mois d'août 1944. D'après ces sources, « Adolf Hitler avait donné quatorze fois l'ordre d'anéantissement au général qu'il avait nommé à la tête de la défense de Paris ». Pourquoi cet ordre quatorze fois renouvelé n'avait-il pas été exécuté ? Quel miracle avait préservé la capitale de mon pays ?

Nous avions trouvé notre sujet : Paris avait été sauvé de la folie hitlérienne par l'arrivée providentielle de vingt mille GI américains et de vingt mille soldats français combattant au coude à coude. La libération de Paris était la plus magnifique épopée qu'un Français et un Américain pouvaient rêver de raconter ensemble. D'autant qu'en dépit de notre jeune âge nous avions l'un et l'autre des souvenirs inoubliables de ces heures historiques.

Paris sera un nouveau Stalingrad

J'étais, cet été-là, l'un des sept ou huit cent mille écoliers parisiens qui attendaient comme leurs parents le jour magique de la Libération. Les Allemands occupaient Paris depuis cinquante-deux mois. La destruction des voies de communication et la bataille qui faisait rage dans toute une partie de la France nous avaient privés de nos lieux de vacances habituels. Nos terrains de jeu étaient les jardins et les parcs de la ville ; nos plages, les bassins des fontaines et les berges de la Seine. Une grande partie de nos journées consistait aussi à patrouiller dans les rues et les avenues à bicyclette à la recherche d'un magasin d'alimentation qui aurait quelque chose à vendre. Pour me permettre de profiter de la moindre occasion, une livre de navets, une salade, un chou-fleur miraculeusement arrivés de la campagne, ma mère avait cousu un billet de cent francs dans le revers de ma culotte. Car, ce dernier été d'occupation, la principale préoccupation des Parisiens était de trouver à se nourrir. Nous avions faim. En ce mois d'août, ma mère n'avait pu acheter avec nos cartes de rationnement que deux œufs, cent grammes d'huile et quatre-vingts grammes de margarine. Notre ration quotidienne de pain noir était tombée à moins de deux cents grammes. Celle de viande était si réduite que les chansonniers prétendaient qu'on pouvait l'envelopper tout entière dans un ticket de métro – à condition qu'il n'ait pas été poinçonné.

Les gens avaient transformé leurs baignoires, leurs placards, leurs chambres d'amis en poulailler. Rue Jean-Mermoz, où j'habitais avec ma petite sœur et mes parents, on s'éveillait chaque matin au chant du coq. Le coffre à jouets de ma chambre abritait quatre lapins. Pour les nourrir, j'allais à l'aube arracher quelques touffes de gazon interdit dans les plates-bandes des jardins des Champs-Élysées. La poulette blanche que j'élevais sur notre balcon pondit son premier œuf le 30 juillet, le jour de mes treize ans.

Mais, plus encore que leurs estomacs vides, c'était l'avenir immédiat de leur cité qui angoissait les Parisiens. Alors que Londres, Berlin, Vienne, Budapest, Tokyo, et tant de villes n'étaient plus qu'un monceau de ruines, la capitale de la France, en cette cinquième année de guerre, était sortie intacte du conflit le plus destructeur de l'Histoire. Les Allemands allaient-ils mettre fin à ce miracle en faisant de Paris un nouveau Stalingrad ? De nombreux signes permettaient de le craindre. Je voyais apparaître chaque jour quelque nouveau blockhaus ou casemate. Des soldats de l'organisation Todt et des ouvriers creusaient des tranchées là où je jouais aux billes. Les avenues autour des Champs-Élysées se hérissaient sans cesse d'obstacles antichars. Des pancartes « ACHTUNG MINEN » avaient fait leur apparition. Le spectacle pitoyable des convois hétéroclites couverts de feuillages qui faisaient retraite jour et nuit du front de Normandie ne calmait guère notre appréhension. Mon père rentra un soir à la maison le visage décomposé. Ancien fonctionnaire du ministère des Colonies révoqué par le gouvernement de Vichy, il occupait un modeste poste à l'Hôtel de Ville de Paris. Le maire, Pierre Taittinger, avait réuni cet après-midi-là ses collaborateurs pour leur raconter son entrevue avec le nouveau gouverneur militaire allemand de la capitale. Affolé d'apprendre que ses forces commençaient à miner les ponts sur la Seine, le responsable de la municipalité s'était précipité au QG de ce général à l'hôtel Meurice, pour le supplier d'interrompre ces opérations qui mettaient en danger la vie de dizaines de milliers de Parisiens. Le récit que nous fit mon père nous donna la chair de poule.

« Imaginez, monsieur le Maire, qu'un coup de feu soit tiré sur un de mes soldats depuis un immeuble de l'avenue de l'Opéra, avait déclaré le général allemand en pointant le doigt sur un plan de Paris. Eh bien, je ferai brûler les immeubles de toute l'avenue et fusiller leurs habitants. »

Il disposait des moyens nécessaires pour de telles représailles.

« Mes forces, avait-il déclaré, comptent plus de vingt-deux mille hommes, en majeure partie SS, une centaine de chars Tigre et quatre-vingt-dix avions de bombardement. »

À ce moment de l'entrevue un incident s'était produit. Le général, qui souffrait d'asthme, avait soudain été pris d'une crise d'étouffement. Il avait entraîné son visiteur vers le balcon de son bureau. Tandis qu'il reprenait son souffle, le maire avait trouvé dans l'admirable perspective s'étendant sous leurs yeux les arguments qui pourraient peut-être émouvoir l'Allemand.

« Les généraux ont le pouvoir de détruire, rarement celui d'édifier, avait-il dit en levant le bras en direction des tours de Notre-Dame, de la Sainte-Chapelle, du dôme du Panthéon, des façades dentelées du Louvre, de la gracieuse silhouette de la tour Eiffel. Imaginez qu'un jour vous reveniez ici en touriste, que vous contempliez à nouveau tous ces témoins de notre histoire et que vous puissiez dire : " C'est moi qui aurais pu les détruire et qui les ai sauvés ! " »

Après un long silence, le général allemand, visiblement ému, s'était tourné vers le maire de Paris.

« Vous êtes un bon avocat pour votre cité, avait-il dit, vous avez fait votre devoir. Mais, de la même façon, moi, général allemand, je dois faire le mien. »

Les Parisiens ne connaîtraient le nom de ce général qu'en découvrant sa signature au bas des proclamations musclées qu'il fit placarder sur les murs de leur ville. Il s'appelait Dietrich von Choltitz. On assurait dans l'entourage du maire qu'il avait été nommé à ce poste par le Führer lui-même en raison de ses états de service exceptionnels et de sa loyauté totale à la cause nazie.

L'envoyé de Hitler s'empressa de montrer sa force à la population parisienne. Le 14 août à midi, il fit défiler les troupes de la garnison à travers la capitale.

Je n'avais jamais vu autant de blindés, de pièces d'artillerie, de camions remplis de soldats. Venant des jardins des Tuileries, les colonnes remontaient les Champs-Élysées, obliquaient dans l'avenue Matignon avant d'emprunter les Grands Boulevards et l'avenue de l'Opéra. J'assistai, des heures durant, à l'incroyable parade qui s'allongeait sur des kilomètres et paraissait ne jamais vouloir finir. Un détail finit cependant par m'intriguer. J'eus l'impression de reconnaître un visage sur la tourelle de l'un des chars, celui d'un officier portant une drôle de cicatrice sur la joue et une croix de fer autour du cou. Son blindé arborait le numéro 246. Quarante minutes après son deuxième passage, le n° 246 surgissait une troisième fois devant mes yeux au même endroit. J'eus envie de rire. Peut-être le général allemand n'était-il pas aussi puissant qu'il avait voulu le faire croire au premier magistrat de notre cité.

Des rumeurs de plus en plus alarmistes allaient bien vite balayer cette hypothèse rassurante : des renforts massifs étaient sur le point d'arriver à Paris. D'autres bruits couraient annonçant l'imminence d'un soulèvement de la résistance parisienne. On prétendait aussi que les Allemands s'apprêtaient à faire sauter les installations d'eau, de gaz et d'électricité. Déjà le gaz ne fonctionnait plus. Ma mère cuisait le tapioca ou les pâtes de nos maigres réserves alimentaires sur un réchaud que j'alimentai en combustible avec les pages roulées en boule de mes cahiers d'écolier. L'électricité nous était donnée une ou deux heures par jour à des moments toujours imprévisibles. Je me précipitai alors sur les boutons de notre poste de radio pour repérer à travers les brouillages la voix magique de la radio anglaise. En prévision d'une coupure totale de la distribution d'eau, ma mère remplit à ras bord la baignoire de la salle de bains.

Je fus un matin le témoin direct de l'arrivée de ces premiers renforts tant redoutés. Contrairement aux colonnes en retraite, cette unité d'autocanons flambant neufs arrivait de l'Est. La place Saint-Philippe-du-Roule était déserte quand déboucha le véhicule de tête occupé par un officier aux épaulettes noires des Waffen SS. Visiblement, l'Allemand cherchait sa route. Il m'interpella.

– Garçon ! Garçon ! cria-t-il, *Wo ist die Brücke von Neuilly ?*

Je m'assurai que j'étais bien tout seul sur la place.

– *Die Brücke von Neuilly ist dort !* n'hésitai-je pas à répondre avec le peu d'allemand scolaire que je savais en levant le bras en direction du faubourg Saint-Honoré. C'était la direction opposée.

– *Danke sehr !* cria l'officier en faisant signe à sa colonne de le suivre.

Je m'enfuis à toutes jambes, terrifié par l'inconscience de l'acte que je venais d'accomplir [1].

*

Des rafales de mitrailleuse et des canonnades ébranlèrent un beau matin le ciel d'été. L'insurrection des résistants de la capitale avait commencé. Du balcon de notre cinquième étage, j'assistai à ces duels de mitraille qui ressemblaient aux feux d'artifice de la fête du 14 Juillet. Le troisième jour, nous aperçûmes une épaisse colonne de fumée qui obscurcissait le ciel. C'était le Grand Palais qui brûlait. Les verrières de l'édifice abritaient, cet été-là, le dernier grand cirque d'Europe qui existât encore après cinq années de guerre, le cirque du Suédois Jan Houcke. Dans ce Paris affamé, les cages de sa ménagerie étaient pleines de lions, de tigres, de panthères, ses écuries pleines de chevaux et d'éléphants. Cette fin tragique allait offrir aux Parisiens un numéro que le propriétaire du cirque n'aurait jamais imaginé inscrire à son programme. Rendus fous de peur par la fusillade, des chevaux s'étaient détachés et galopaient à travers le bâtiment en feu. L'un d'eux parvint à s'échapper sur les Champs-Élysées. Mais touché par une balle perdue, il culbuta et roula dans la poussière.

Je vis alors une scène inoubliable : sortis des immeubles en bordure de l'avenue avec un couteau et une casserole, des habitants dépecèrent en quelques minutes l'animal encore chaud.

1. Vingt ans plus tard, Larry racontera cette anecdote à la radio américaine en assurant les auditeurs que « l'acte de bravoure accompli ce jour-là par le jeune Parisien Dominique Lapierre permit aux Alliés d'entrer deux jours plus tôt dans Paris ». L'exagération était significative de la sympathie que portait Larry à un témoin de ces journées historiques de la Libération.

« Parisiens, c'est la délivrance ! »

C'était le soir du jeudi 24 août. Le courant était subitement revenu. Je m'étais jeté sur notre poste de radio. Comme des centaines de milliers d'habitants, j'entendis une voix qui criait : « Parisiens, Parisiens, gardez l'écoute ! Les chars des premiers libérateurs viennent d'arriver ! Vous allez entendre un soldat français, le premier soldat entré dans Paris. » Une soirée fantastique, la plus belle de mon enfance commençait. « Parisiens, c'est la délivrance ! criait le poste. Répandez la nouvelle ! Il faut que partout la joie éclate ! » Du haut de la tourelle d'un tank, un reporter, la voix brisée par l'émotion, s'était mis à citer Victor Hugo.

« Réveillez-vous ! déclamait-il. Assez de honte ! Redevenez la grande France ! Redevenez le Grand Paris ! » Je me précipitai sur le balcon de notre immeuble. Des gens écartaient leurs rideaux, ouvraient leurs volets, tombaient dans les bras les uns des autres, se ruaient dans la rue. Sur les balcons, les pas des portes, aux fenêtres, les habitants de cette rue Jean-Mermoz qui était depuis quatre ans notre village chantaient *La Marseillaise* en chœur avec la radio. Dans tout Paris, les mêmes scènes se déroulaient. Reprenant l'antenne, le speaker demanda à tous les curés de faire sonner les cloches de leurs églises. Pendant toute l'Occupation, sur l'ordre des Allemands, ces cloches étaient restées muettes. Et voici qu'aujourd'hui elles revenaient à la vie. En l'espace de quelques minutes, le ciel résonna de centaines de carillons. Je cherchai à identifier dans ce vacarme les cloches de notre paroisse de Saint-Philippe-du-Roule, mais aucun son ne me semblait venir de notre église. Je me jetai sur le téléphone pour appeler le curé. Mais sa ligne était continuellement occupée.

« Mes bien chers frères, déclarera notre curé en montant en chaire le dimanche suivant, je remercie tous ceux qui m'ont téléphoné jeudi soir pour me demander de sonner les cloches en l'honneur de la Libération. Hélas, notre paroisse n'a ni clocher ni cloches. »

Avec un sourire malicieux, il s'empressera de proposer

que la quête de ce premier dimanche de libération soit consacrée à offrir des cloches à l'église Saint-Philippe-du-Roule !

*

La bataille entre les soldats de von Choltitz et les libérateurs fit rage toute la matinée du lendemain 25 août. Paris payait cher le prix de sa liberté. Des blockhaus construits sur l'emplacement de mes terrains de jeux partaient des rafales d'armes automatiques. On entendait des coups de canon du côté de l'Étoile, et aussi vers la place de la Concorde. Je guettais désespérément une accalmie car je m'étais fait la promesse d'être le premier de la famille à embrasser un soldat américain.

Vers trois heures de l'après-midi, n'en pouvant plus, je m'échappai par l'escalier de service pour courir jusqu'à l'avenue des Champs-Élysées. Je me faufilai sous les marronniers le long du restaurant Ledoyen et du théâtre Marigny. Je connaissais chaque buisson, chaque massif de fleurs, chaque arbre. Ici, devant le théâtre de Guignol, le 11 novembre 1940, presque quatre ans plus tôt, j'avais vu un officier allemand abattre devant moi un étudiant qui avait crié : « Vive de Gaulle ! » J'avais neuf ans.

J'entendis soudain un fracas de chenilles. Un tank arrivait du pont des Invalides, toutes écoutilles fermées, canon pointé droit devant lui. Je me cachai derrière un arbre. C'était peut-être un panzer allemand. Le tank vira sur la gauche et vint s'immobiliser devant l'entrée principale du Grand Palais. Je sursautai : une superbe étoile blanche ornait son blindage. C'était un char américain. De la tourelle émergea un géant blond, tête nue, la combinaison maculée de cambouis et de poussière. Mon premier libérateur ! Je m'élançai comme une flèche vers cette vision magique. Je voulais crier ma joie à cet Américain, le remercier, l'embrasser. Mais je ne parlais pas l'anglais. Comme d'autres écoliers parisiens, j'avais étudié l'allemand durant les années d'occupation. Tant pis ! Je courus quand même, au risque d'attraper une balle perdue. Quand j'atteignis l'Américain et son tank, miracle ! Je me souvins subitement que je connaissais quand même deux mots dans la langue de Shakespeare. Ils symbolisaient les temps que nous traversions. Je toisai le GI de ma petite taille et lui criai de toutes mes forces :

« *Corned beef !* » Une seconde de stupéfaction marqua son visage mal rasé, aussitôt suivie d'un retentissant éclat de rire. Il me fit signe de ne pas bouger et je le vis escalader son blindé, enjamber la tourelle et disparaître à l'intérieur. Dix secondes plus tard, il réapparut en brandissant une énorme boîte de conserve. « *Corned beef for you !* » clama-t-il avant de sauter du char pour me mettre la boîte dans les bras. Il m'assomma à moitié d'une grande tape sur l'épaule et se frotta le ventre. « *Very good !* insista-t-il. *Yum yum for you !* » C'est alors qu'une giclée de balles tirées des verrières du Grand Palais siffla à nos oreilles. L'Américain sauta d'un bond sur son char pour s'emparer de sa mitrailleuse. Je lui lançai plusieurs « merci » émerveillés et détalai à toutes jambes.

La réaction de mes parents fut le contraire de ce que j'avais imaginé. J'eus beau raconter par le détail l'inoubliable rencontre que je venais de faire, mon père examina avec la plus extrême méfiance la boîte que je rapportais. Il me poussa précipitamment dans la salle de bains en me montrant la baignoire pleine d'eau. « Jette ta boîte ! m'ordonna-t-il. C'est peut-être un engin explosif. » Mon pauvre père avait des excuses : tant d'histoires terribles couraient dans Paris en ces jours de folie.

Après deux heures de bain forcé, la boîte de corned-beef n'avait montré aucune velléité de nous sauter à la figure. Mon père entreprit alors de l'ouvrir avec des précautions dignes d'un artificier désamorçant un obus de 75. Le résultat dépassa toutes mes espérances. Au terme de quatre années de privations, je découvris avec extase une indisposition depuis longtemps oubliée... une indigestion.

Le lendemain, samedi 26 août, mes yeux de petit Parisien se remplirent du plus fabuleux spectacle qu'ils verront jamais : le défilé triomphal de la Libération sur les Champs-Élysées avec, à sa tête, marchant à pied, la haute et fière silhouette de Charles de Gaulle, cet homme dont nous avions, pendant quatre années, entendu la voix sans connaître le visage. Entraîné par mes parents, la main fermement accrochée à celle de ma sœur, je me frayais un chemin à travers la multitude jusqu'à la place de la Concorde.

Au moment où de Gaulle et son cortège débouchèrent sur la place, un coup de feu retentit. À ce bruit, une fusillade éclata de tous côtés. Les milliers de personnes qui s'entassaient sur la place se couchèrent les unes sur les autres. Ma mère me poussa avec ma sœur sous un half-track. C'est alors qu'une voix dans la foule cria : « C'est la cinquième colonne ! » Le tireur d'un blindé qui se trouvait face à l'hôtel Crillon braqua aussitôt son canon sur la cinquième colonne du bâtiment, et fit feu. Nous vîmes s'écrouler la colonne dans un nuage de poussière.

Le général de Gaulle prit place dans une voiture découverte. Insensible aux balles qui sifflaient de tous côtés, il saluait inlassablement la foule de ses grands bras. Ma mère pleurait de bonheur avec des milliers d'autres Parisiens. En regardant ce personnage qui nous avait rendu la liberté et redonné l'honneur, je me sentis envahi de fierté. C'était ma première émotion d'homme.

*

West Hartford, Connecticut, USA. Ce même 26 août 1944, vers trois heures de l'après-midi, une vingtaine d'élèves de la Loomis High School attendent dans leur salle de classe l'arrivée du professeur. Ils vont assister à leur premier cours de français. Larry Collins, quinze ans, fait partie du groupe. C'est à la demande pressante de son père, fervent admirateur de la France et de sa culture, qu'il s'est résigné à sacrifier quelques heures de ses vacances pour s'initier à la langue de Victor Hugo. La guerre qui fait rage depuis cinq ans dans diverses parties du monde n'a en rien altéré l'existence choyée de ces jeunes Américains. Ils n'ont pas connu les réveils en sursaut au rugissement des sirènes, les descentes précipitées dans les abris creusés sous leurs terrains de jeu, les parades des occupants, les rafles, les violences, les peurs, quotidiennement vécus par leurs camarades des pays occupés. Surtout, ils n'ont pas connu les privations. Les hamburgers, les chips, les ice-creams et mille autres régals dont j'ignorais jusqu'à l'existence étaient restés leurs menus quotidiens. Les jeunes Américains avaient traversé cette guerre sans vraiment s'apercevoir de son existence ni connaître ses enjeux. L'Europe, le Japon, c'était si loin ! Et voilà que, soudain, pour une vingtaine d'entre eux, la tragédie qui déchire l'univers prend un visage, celui d'un vieux monsieur portant sur le bout du nez un accessoire bizarre inconnu des adolescents d'outre-Atlantique : un pince-nez. L'homme qui le porte pleure de bonheur, de joie, d'émotion.

– *Boys*, s'écrie-t-il, c'est le plus beau jour de ma vie ! Paris est libre !

Il explique alors ce qu'il vient d'entendre à la radio : les forces françaises et américaines sont entrées dans la capitale française, les défenseurs allemands se sont rendus, les Parisiens ont envahi les rues pour acclamer leurs libérateurs.

Le spectacle de ce vieil homme pleurant pour la libération de Paris bouleversa les élèves de la Loomis High School.

« Son souvenir ne me quittera jamais, dira Larry Collins. Pour moi, c'était comme si la guerre s'était terminée ce jour-là. »

*

Seize ans plus tard, l'ancien élève de la classe de français de la Loomis High School et l'ex-écolier de la rue Jean-Mermoz s'étaient réunis pour évoquer dans un livre cette page d'histoire franco-américaine. Seize ans, c'était un recul idéal pour aborder un événement historique de cette ampleur. La plupart des témoins étaient encore en vie, et l'on pouvait espérer faire parler ceux qui jusqu'ici avaient gardé leurs secrets. Enfin, après un tel délai, beaucoup d'archives et de documents jusqu'alors inaccessibles ou inconnus risquaient de devenir disponibles, tels ces ordres de destruction de Paris émanant du quartier général de Hitler dont la révélation par la presse nous avait donné l'idée de nous jeter dans cette aventure.

Les trois pièces de mon appartement parisien de l'avenue Kléber devinrent le PC de notre enquête. Nous tapissâmes les murs du salon de plans de Paris sur lesquels nous avions porté le moindre incident, les emplacements des barricades, ceux des points d'appui allemands, les objectifs conquis par la Résistance, l'itinéraire des convois retraitant de Normandie, les axes d'arrivée des renforts allemands et ceux des colonnes alliées. Nous disposions ainsi d'une vision instantanée de la situation. Ma salle à manger, ma chambre, et jusqu'à ma salle de bains accueillirent les piles de dossiers et de classeurs contenant le fruit de nos recherches.

Les anciens occupants de mon appartement auraient été fort surpris de découvrir cette marée de papiers dans les pièces où ils avaient vécu. J'habitais en effet au numéro 26 de l'avenue Kléber, c'est-à-dire juste en face de l'ancien hôtel Majestic qui abritait, pendant la guerre, le quartier général de l'armée allemande en France. L'immeuble avait été réquisitionné pour y loger des officiers supérieurs. Au fond de la cave, un passage permettait encore de communiquer avec le bâtiment mitoyen de la rue Lauriston où la Gestapo française de Bony et Lafon torturait ses prisonniers.

Ces anciens occupants auraient été également fort étonnés d'apprendre l'identité de la dame au grand chapeau noir qui habitait le troisième étage de ce même 26, avenue Kléber. Chaque fois que je la rencontrais dans la cour, entrant ou sortant de sa 2CV grise qu'elle préférait à la Peugeot 604 noire avec chauffeur mise à sa disposition par le gouvernement français, elle m'adressait un grand sourire : « Alors, Lapierre, vous avez enfin libéré Paris ? » Venant d'elle, la question ne manquait pas d'humour. Elle était la veuve du libérateur de Paris, la maréchale Leclerc de Hauteclocque.

Passionnée par notre enquête, elle m'invita à venir feuilleter les documents laissés par son mari, ainsi que ses albums de souvenirs. Un jour, mon attention fut attirée par un tract. La maréchale me raconta que cette feuille de papier avait été lancée d'un avion anglais en 1941. Elle l'avait ramassée dans le poulailler de la propriété familiale des Hauteclocque, en Picardie, où elle s'était réfugiée avec ses six enfants après que son époux fut parti rejoindre le général de Gaulle en Angleterre. Elle ignorait qu'en arrivant à Londres il avait changé son nom pour celui de « Leclerc » afin d'éviter des représailles à sa famille. Au dîner ce soir-là, elle lut à ses enfants le message tombé du ciel. « Grande victoire française, disait celui-ci. L'important poste africain de Koufra a capitulé devant une colonne française commandée par le colonel Leclerc. » Le texte ajoutait que les soldats de cette unité avaient bravé la soif et traversé sept cents kilomètres de désert pour attaquer l'ennemi. « Je ne sais pas qui est ce colonel Leclerc, avait-elle commenté devant ses enfants, mais il m'est très sympathique : il a agi comme le ferait votre père. » Dix mois plus tard, Thérèse de Hauteclocque reçut la visite de deux gendarmes et d'un huissier du gouvernement de Vichy qui lui annoncèrent que son mari Philippe de Hauteclocque, dit

« Leclerc », avait été déchu de la nationalité française et que tous ses biens étaient confisqués.

*

Il nous faudra quatre années pour découvrir tous les secrets de cette formidable page d'Histoire qui avait eu pour acteurs les quatre millions d'habitants de Paris, leurs quarante mille libérateurs, et les vingt mille soldats allemands chargés de défendre jusqu'à la mort la dernière capitale encore aux mains de leur Führer en ce fatal été de 1944. Quatre ans d'un labeur acharné, la nuit, les fins de semaine, pendant les vacances, tout en continuant d'assurer nos tâches de journalistes dans nos rédactions respectives. Quatre ans pour recueillir et disséquer les souvenirs de mille deux cents protagonistes et témoins civils ; retrouver et rencontrer deux mille libérateurs et défenseurs allemands du *Gross Paris* ; analyser et traiter près d'une tonne d'archives allemandes, américaines, et françaises, la plupart inédites. Quatre ans pour reconstituer avec les principaux chefs des armées alliées, de l'insurrection parisienne et des forces de Hitler, la bataille qui eut pour enjeu la capitale de la France et l'histoire secrète du miracle qui l'épargna.

Promenade dans les souvenirs d'un général nazi

Un jour de novembre 1963, nous allâmes sonner à la porte d'un appartement dans un petit immeuble des faubourgs de la ville thermale de Baden-Baden, juste de l'autre côté de la frontière française. L'homme qui, dix-neuf ans plus tôt, avait menacé le maire de Paris de faire sauter l'avenue de l'Opéra et d'en fusiller tous les habitants si un seul coup de feu était tiré sur ses soldats coulait ici une retraite paisible auprès de sa femme Uberta et de son chat Pumper. Une confortable veste de tweed beige sur un pantalon de flanelle grise avait remplacé la vareuse arborant la croix de fer et les culottes de général à bandes rouges que nous avions vues sur ses photos. En fait, le général Dietrich von Choltitz faisait plutôt penser à un retraité des Postes qu'à un ancien officier supérieur des armées hitlériennes.

C'était pourtant bien ce petit homme court sur pattes et portant monocle, la nuque puissante, les lèvres minces comme des lames de couteau, qu'Adolf Hitler avait nommé le 7 août 1944 à la tête du camp retranché de Paris, avec mission de défendre la ville jusqu'au dernier de ses hommes et d'en faire, le cas échéant, « un champ de ruines ».

Notre enquête nous avait montré toute l'importance qu'attachait le maître du IIIe Reich à la possession de la capitale française. Elle représentait un enjeu stratégique et sentimental de premier plan. Pendant quatre ans, de 1914 à 1918, le caporal Adolf Hitler et six millions de ses camarades s'étaient battus sur le sol de France au cri magique de « *Nach Paris !* ». Deux millions d'entre eux avaient payé de leur vie cette ambition déçue. Une génération plus tard, devenu le chef de la plus puissante force militaire d'Europe, le petit caporal avait, au terme d'une conquête éclair, obtenu son rendez-vous avec la ville de ses rêves. Peu de Parisiens avaient vu sa Mercedes noire s'arrêter, ce 24 juin 1940 à sept heures du matin, devant l'esplanade du Trocadéro. Un long moment, le conquérant avait contemplé l'admirable perspective qui s'étendait sous ses yeux : la Seine, la tour Eiffel, les jardins du Champ-de-Mars, le dôme doré de la tombe de Napoléon aux Invalides et, au loin sur la gauche, les tours de Notre-Dame. Quatre ans plus tard, il pouvait suivre sur les cartes d'état-major de son bunker l'avance des forces d'invasion vers cette capitale. S'il perdait la bataille de France, il ne lui en resterait plus qu'une seule à livrer : la bataille d'Allemagne. Pour retarder cette échéance, il avait toutes les raisons de vouloir s'accrocher à Paris. Paris était l'axe autour duquel tournait la France. Perdre Paris, c'était aussi perdre les bases de lancement des armes nouvelles dont il attendait un renversement de la situation. C'était permettre aux armées alliées d'arriver aux portes de l'Allemagne. Il avait donc décidé de faire de Paris un formidable hérisson capable de ralentir la ruée ennemie. Tapant du poing sur la table de conférence de son bunker, il avait crié à ses généraux : « Celui qui tient Paris tient la France ! »

Pour accomplir cette mission suprême, le haut commandement de la Wehrmacht avait choisi un obscur général de corps d'armée affecté au front de Normandie, dont les états de service révélaient qu'il n'avait « jamais discuté un ordre, quelle qu'en fût la dureté ». Fils, petit-fils et arrière-petit-fils de militaires formés à la rude discipline des Cadets de Saxe, c'était au feu que Dietrich von Choltitz avait gagné ses galons.

Nous avions patiemment reconstitué le parcours de ce militaire sans états d'âme. En se posant, le 10 mai 1940, sur l'aérodrome de Rotterdam à la tête du 16e régiment d'infanterie aéroportée, il avait été le premier envahisseur à pénétrer à l'Ouest. Devant la résistance hollandaise, il n'avait pas hésité à faire raser la ville par la Luftwaffe. Deux ans plus tard, c'était devant Sébastopol qu'il avait reçu ses épaulettes de général. Lorsque commença le siège du grand port de la mer Noire, son régiment comptait quatre mille huit cents hommes. Le 27 juillet 1942, il ne restait que trois cent quarante-sept survivants, mais Choltitz, le bras traversé par une balle, avait pris la ville. Pour remporter cette victoire, il avait forcé des prisonniers russes à porter les obus sur leur dos jusqu'à ses canons et à charger ses batteries. Par la suite, affecté à l'arrière-garde du groupe d'armées du Centre, il était devenu le spécialiste de la terre brûlée. Tel était le chef de guerre que Hitler avait envoyé aux Parisiens le 9 août 1944. Il avait quarante-neuf ans.

Seize jours plus tard, ce général capitulerait presque sans combattre et sans avoir exécuté les ordres apocalyptiques de son Führer. Pourquoi ? C'était pour essayer de le savoir que nous lui avions arraché un rendez-vous dans sa retraite de Baden-Baden.

*

Un accueil courtois mais glacial nous attendait dans le petit salon encombré de meubles rustiques hérités du château familial de Silésie. Frau Uberta von Choltitz, une dame potelée aux cheveux gris relevés en chignon, avait préparé du café et quelques friandises. Mais le visage fermé, presque hostile, du général laissait mal augurer le succès de notre visite. Un parfum de Nuremberg flottait encore à travers l'Allemagne en ce début des années soixante et peu d'anciens officiers de Hitler consentaient volontiers à se laisser aller au jeu des confidences. De toute façon, Choltitz souffrait, nous assura-t-il, d'une très mauvaise mémoire. Il n'avait gardé qu'un vague souvenir des brèves journées qu'il avait passées à Paris.

Qu'à cela ne tienne ! Nous nous étions munis de tout ce qu'il fallait pour réveiller sa mémoire, une valise entière bourrée de documents : les cartes d'état-major, les copies des ordres arrivés du bunker du Führer et des différents QG de la guerre à l'Ouest, la transcription de la plupart des communications téléphoniques qu'il avait reçues ou données depuis son poste de commandement de l'hôtel Meurice, les comptes rendus de ses conférences militaires, les plans de bataille, les programmes de destruction dans Paris, etc.

Nous lui avions même apporté un surprenant petit bout de papier que j'avais trouvé à Munich chez son ancienne secrétaire à l'état-major de l'hôtel Meurice. C'était la facture d'un tailleur parisien établie à son nom pour l'achat d'un pardessus de gros lainage. Elle portait la date du 16 août 1944. Pourquoi le commandant du Gross Paris s'était-il acheté un manteau d'hiver en plein été – un été accablant de chaleur –, alors qu'il avait reçu la mission de défendre Paris jusqu'au dernier de ses hommes et d'y mourir lui-même dans ses ruines ?

Choltitz considéra la facture avec suspicion.

– *Nein, nein, nein !* grogna-t-il en secouant énergiquement la tête. Je n'ai jamais acheté ce manteau.

Il y eut un silence gêné. Puis nous vîmes Frau Uberta se lever et quitter discrètement la pièce. Elle réapparut un instant plus tard les bras chargés d'un vieux pardessus civil tout élimé. J'ouvris le vêtement. Cousue sur la poche intérieure, il y avait la griffe du tailleur Knize, 84, avenue des Champs-Élysées, et au-dessous, brodés à la main, le nom du général et la date du 16 août 1944.

De grosses gouttes de sueur perlaient sur le front de Choltitz. Il avait du mal à respirer. Il se leva et s'approcha de la fenêtre qu'il ouvrit pour respirer un peu d'air frais. Il emplit plusieurs fois ses poumons. Puis, dans un souffle, il dit :

– Je me doutais qu'il ferait très froid l'hiver suivant dans le camp de prisonniers où j'allais survivre à cette guerre.

*

L'incident du manteau et la marée de documents militaires qui jonchait tout à coup les tables, le buffet, le tapis du salon agirent comme un électrochoc. Le général avait retrouvé la mémoire et l'idée de rechausser pour nous ses bottes de commandant du Gross Paris parut soudain l'enchanter. Notre interrogatoire pouvait commencer. Nous l'avions préparé avec la minutie de deux juges instruisant le procès du siècle. Il allait durer seize jours, plus de temps que notre hôte n'en avait passé à Paris.

Parmi le tourbillon d'événements qu'avait vécu le général pendant ces heures fatidiques, aucun ne nous paraissait plus déterminant que son entrevue avec le chef de l'Allemagne nazie, le 7 août 1944, deux jours avant de prendre le commandement de la forteresse parisienne. Notre enquête nous avait fourni la certitude que cette rencontre avait influé de façon prédominante sur son comportement à Paris. Peut-être même avait-elle été la cause du miracle qui l'avait finalement conduit à épargner la capitale. Larry, que l'expérience acquise à *Newsweek* avait rendu maître dans l'art de l'interview, ouvrit le débat avec une première question.

– Général, quand vous rencontrez Hitler le 7 août 1944 dans son QG de Rastenburg, c'est la deuxième fois que vous êtes en présence du chef de l'Allemagne nazie. La première fois, c'était, d'après nos sources, un an plus tôt, sur le front russe, au cours d'un déjeuner sur les bords du Dniepr. Pour un général de la Wehrmacht, déjeuner en face du Führer était un privilège extraordinaire. Quels souvenirs gardez-vous de cette première rencontre ?

Les yeux de Choltitz se mirent à pétiller. Il semblait acquis au jeu des questions-réponses.

– Un fait me frappa d'abord : l'optimisme contagieux qui émanait du corps du Führer malgré ses tics nerveux. Sa description de la situation, ses assurances, ses prévisions nous électrifièrent. Au dessert, tous ceux qui avaient partagé son repas étaient convaincus que l'Allemagne allait gagner la guerre.

– Votre affectation un an plus tard sur le front de Normandie vous permit de confronter la réalité avec les promesses que vous avait faites Hitler, fis-je remarquer.

Choltitz soupira.

– J'ai compris en Normandie que l'Allemagne avait perdu la guerre.

– Quand vous arrivez à Rastenburg, le 7 août, pour rencontrer à nouveau le Führer, intervint alors Larry, les avant-gardes de l'Armée rouge sont à moins de cent kilomètres. Dans quel état d'esprit êtes-vous ?

Choltitz ferma les yeux, comme pour mettre en ordre ses idées. Finalement, au bout d'un long silence, il dit :

– Je croyais à la mission historique de l'Allemagne. J'étais prêt à me laisser regonfler par le Führer. Cette entrevue était pour moi une sorte de pèlerinage. J'espérais en ressortir avec de nouvelles forces, rassuré et convaincu qu'il existait encore une chance de changer l'issue de la guerre. Hitler se tenait debout derrière un simple bureau de bois.

« L'homme que je découvris alors n'était pas celui que j'avais connu un an plus tôt. C'était un vieillard. Son visage était grisâtre, ses traits tirés. Ses yeux saillants s'étaient vidés de toute flamme et ses épaules s'étaient voûtées. Je remarquai même que sa main gauche tremblait et qu'il cherchait à dissimuler ce tremblement avec sa main droite. Mais surtout, ce qui me frappa, ce fut sa voix. Elle n'était plus qu'un vague grondement. Un an auparavant, cette voix m'avait subjugué.

« Hitler commença par me donner un cours sur l'histoire du national-socialisme. Il évoqua les circonstances dans lesquelles il avait créé le parti nazi et glorifia l'outil parfait qu'il en avait fait pour mener le peuple allemand au destin historique qui était le sien. Puis, parlant plus fort et de façon plus distincte, il prédit la victoire prochaine grâce aux armes nouvelles qui allaient renverser le cours de la guerre. Il changea alors brusquement de sujet pour aborder l'affaire de l'attentat du 20 juillet où il avait failli perdre la vie. Il leva la main vers moi de façon presque menaçante et se mit à rugir : “ *Herr General*, savez-vous que des dizaines de généraux se balancent en ce moment au bout d'une corde pour avoir voulu m'empêcher de poursuivre mon œuvre ? Mais cette œuvre, qui est de conduire le peuple allemand à la victoire, personne ne pourra m'empêcher de la mener jusqu'à son terme... ” »

Choltitz était comme envoûté par l'évocation de la scène. Il s'était mis à imiter la voix et les gestes de Hitler.

– De la bave coulait des commissures de ses lèvres. C'était impressionnant : il se levait comme un diable jaillissant de sa boîte, gesticulait, se laissait tomber dans son fauteuil, et son regard s'incendiait alors de lueurs féroces. Il vitupéra encore un long moment contre la clique de généraux prussiens qui avaient essayé de l'éliminer. Puis il se calma. Après un long silence, il leva enfin les yeux vers moi. En sortant du bunker, j'ai noté dans mon carnet les ordres précis qu'il me donna alors. Je les ai si souvent relus que je peux vous les répéter de mémoire presque mot pour mot. Il m'a dit : « Vous allez à Paris, *Herr General*. À Paris où l'on ne se bat que pour les meilleures places dans les mess d'officiers. Quelle insulte pour nos soldats qui livrent en Normandie le plus grand combat de l'Histoire ! Vous commencerez donc, *Herr General*, par mettre de l'ordre dans tout cela. Puis vous ferez de Paris une ville du front et vous veillerez à ce qu'elle devienne la terreur des embusqués et des fuyards. Je vous ai nommé à cet effet commandant en chef du Gross Paris et vos pouvoirs seront les plus étendus qu'un général ait jamais eus à la tête d'une garnison. Je vous accorde toutes les prérogatives d'un commandant dans une forteresse assiégée. »

« Il me laissa entendre que de dures journées se préparaient à Paris et que des ordres impitoyables pourraient m'être donnés. Il attendrait de moi une obéissance aveugle. " Vous écraserez toute tentative de révolte de la population civile, ajouta-t-il encore. Vous réprimerez sans pitié tout acte de terrorisme, tout sabotage contre nos forces armées. Soyez assuré que pour cela, *Herr General*, vous recevrez de moi tout l'appui dont vous aurez besoin. "

« Je ne devais jamais oublier le regard cruel et presque inhumain qui accompagna ces derniers mots. J'étais venu à Rastenburg afin d'être galvanisé par un chef. J'avais trouvé un malade. Ma déception était immense. »

Choltitz avait prononcé ces derniers mots avec une insistance presque douloureuse. Je regardais ses tempes rasées à la prussienne et je l'imaginais avec sa casquette de général arborant l'aigle à croix gammée, sa croix de fer sur la poitrine, son revolver à la ceinture, menaçant le maire de Paris d'un bain de sang au moindre incident. À ce rude visage, je superposais celui de mon père, décomposé, le jour où il nous annonça que le nouveau général allemand envoyé par Hitler n'hésiterait pas à nous massacrer au premier coup de feu contre ses soldats. J'avais peine à croire que dix-neuf années seulement séparaient ces instants tragiques de cette rencontre sincère et chaleureuse dans ce salon bourgeois sentant si bon la cire fraîche.

Choltitz nous raconta qu'il s'était arrêté ici, à Baden-

Baden, en sortant du bunker de Hitler pour embrasser sa femme et ses enfants – Maria-Angelika et Anna-Barbara, qui avaient alors quatorze et huit ans, et Timo, né quatre mois plus tôt.

– Je me disais que c'était peut-être la dernière fois que je les verrais, nous avoua-t-il.

Outre l'issue incertaine de sa nouvelle affectation, une inquiétude particulière étreignait le général ce jour-là. Dans le train qui l'avait ramené la veille du bunker du Führer, il avait rencontré un haut dignitaire nazi. Le *Reichsleiter* Robert Ley venait de faire signer par Hitler une nouvelle loi qui rendait les femmes et les enfants des officiers allemands solidaires des défaillances de ces derniers. Dans certains cas, ils pourraient être condamnés à mort et exécutés.

*

Notre enquête nous l'avait révélé : les seize jours et seize nuits passés par le général von Choltitz à Paris avaient été un cauchemar. Une forteresse assiégée habitée par quatre millions de civils était une responsabilité bien différente de celle d'une armée en campagne. Aucune académie militaire, aucun commandement au front n'avait préparé l'officier prussien à cette tâche à la fois civile et militaire, aux infinies ramifications. Certes, son premier devoir était de garantir la sécurité de ses troupes, mais c'était une obligation singulièrement complexe et délicate dans une ville en état insurrectionnel. Devait-il mettre à exécution les menaces faites au maire de Paris, au risque de provoquer un soulèvement général ? Signer une trêve avec les « terroristes » ? Accepter l'offre de la Luftwaffe d'écraser tout le nord de Paris à partir de l'aérodrome du Bourget ? Devait-il, comme l'exigeait Hitler, faire sauter les quarante-cinq ponts enjambant la Seine à Paris et autour de Paris, les sites industriels, les installations d'électricité, de gaz et d'eau, les édifices publics ? Fallait-il renforcer sans relâche les défenses de la capitale en prévision d'une résistance désespérée, comme à Stalingrad ? Fallait-il réclamer l'envoi urgent et massif de renforts ?

Autant de questions qui s'effaçaient devant l'interrogation suprême, celle qui s'imposait à Choltitz depuis son entrevue avec Hitler : la défense et la destruction de la capitale française pouvaient-elles changer le cours de la guerre ? Le général prussien savait que la réponse était évidemment négative. Mais il n'en devait pas moins faire son devoir et exécuter les ordres reçus. À moins que... À moins qu'une arrivée foudroyante des Alliés ne batte de vitesse l'arrivée de ses propres renforts, l'empêchant ainsi de remplir sa mission.

Le soir du 23 août, le général reçut un télégramme estampillé « URGENCE MAXIMUM » provenant du GQG du Führer. Il lui répétait les instructions formelles de Hitler : « Paris ne doit pas tomber aux mains de l'ennemi, ou l'ennemi ne doit trouver qu'un champ de ruines. » Curieusement, ce message négligeait de lui fournir la seule information qui pouvait lui donner les moyens d'empêcher la chute de Paris, à savoir que deux divisions blindées SS, la 26e et la 27e Panzer rappelées de Hollande et du Danemark, étaient en route vers la capitale. Personne non plus n'avait songé à l'informer que le mortier géant Karl, dont il s'était servi pour écraser Sébastopol, avait atteint la région de Soissons et qu'il serait à Paris au plus tard le surlendemain.

Ignorant l'arrivée imminente de ces renforts, Choltitz ne vit qu'un seul moyen de sortir de l'impasse : précipiter l'entrée des Alliés dans Paris. Il décrocha son téléphone et pria le consul de Suède Raoul Nordling de lui rendre visite de toute urgence. Le diplomate se dépensait depuis plusieurs jours pour empêcher que Paris ne devienne un champ de bataille.

– Le consul eut du mal à cacher sa surprise quand je lui proposai d'aller trouver les Alliés, nous raconta Choltitz avec une lueur de malice dans le regard.

En raccompagnant son visiteur à la porte, le général allemand lui avait pris la main. « Faites vite, monsieur le Consul, avait-il supplié. Vous avez vingt-quatre heures, peut-être quarante-huit. Après, je ne peux garantir ce qui se passera ici. »

Victime d'un incident cardiaque à l'instant du départ, Raoul Nordling avait demandé à son frère Rolf de traverser les lignes à sa place, muni du sauf-conduit du commandant du Gross Paris. Et le lendemain soir, au terme d'une ruée fantastique, les premiers chars des libérateurs arrivaient sur la place de l'Hôtel-de-Ville, salués par le carillon de toutes les cloches de Paris.

Choltitz était en train de dîner avec quelques membres

de son état-major au premier étage de l'hôtel Meurice quand il entendit soudain le fracas de ces cloches.

– Je vis un éclair de surprise sur plusieurs visages, nous raconta-t-il. Agacé, je demandai si un seul des convives de ce dîner s'attendait à un autre dénouement.

« – Vous semblez étonnés, dis-je. Mais qu'attendiez-vous donc ? Depuis des années que vous somnolez ici dans votre petit monde de rêve, que savez-vous vraiment de la guerre ? Vous ignorez donc ce qui est arrivé à l'Allemagne en Russie et en Normandie ?

« Je donnai libre cours à mon indignation.

« – Messieurs, je vous annonce ce que la douce vie de Paris semble vous avoir caché : l'Allemagne a perdu cette guerre et nous l'avons perdue avec elle.

« Ces paroles mirent un terme brutal à la gaieté factice de notre dîner d'adieu, poursuivit Choltitz. Je me retirai alors dans mon bureau et appelai au téléphone le groupe d'armées B dont dépendait directement la garnison de Paris. Je venais de recevoir confirmation qu'une avant-garde alliée venait à l'instant de pénétrer au centre de Paris. Je savais qu'à l'aube, derrière cette avant-garde, surgirait le gros des troupes ennemies. Je reconnus au bout du fil la voix du général Speidel, le chef d'état-major, un ancien professeur de philosophie.

« – Bonsoir Speidel, lui ai-je dit, j'ai une surprise pour vous, écoutez donc, s'il vous plaît. – J'approchai l'écouteur de la fenêtre grande ouverte sur la nuit qu'emplissaient les carillons. Vous entendez ? demandai-je avec impatience.

« – Oui, me répondit-il, ce sont des cloches, n'est-ce pas ?

« – En effet, *Herr General*, ce sont les cloches de Paris qui sonnent à toute volée pour annoncer à la population que les Alliés sont arrivés.

« Je sentis un silence gêné. Speidel n'était pas un fanatique. Lui aussi savait que la destruction de Paris ne pouvait changer l'issue de la guerre. Je l'informai néanmoins que j'avais, conformément aux instructions, achevé les préparatifs de destruction des ponts, des gares de chemin de fer, des installations d'eau, de gaz et d'électricité, et des bâtiments occupés par l'armée allemande.

« Je lui demandai s'il avait un dernier ordre à me donner. Speidel me répondit qu'il n'en avait pas.

« – Alors, mon cher Speidel, il ne me reste plus qu'à

vous faire mes adieux, lui ai-je dit. Permettez-moi de confier à votre protection ma femme et mes enfants qui se trouvent à Baden-Baden.

« – Comptez sur moi, m'a-t-il assuré.

« Il semblait très ému. »

*

Conformément aux ordres du commandant du Gross Paris, les différents points d'appui allemands, devant et dans Paris, opposèrent toute la matinée du lendemain une vive résistance à la progression des colonnes alliées.

– Je n'avais pas l'intention de rendre la ville sans combattre, nous déclara Choltitz. C'eût été contraire à mon honneur de soldat. Mais je voulais éviter des destructions inutiles et des pertes parmi la population. De toute façon, les jeux étaient faits. Mon seul souci était que mes soldats tombent entre les mains de troupes régulières et non entre celles de la populace.

*

La reddition du général von Choltitz et de toutes les forces sous son commandement, dans l'après-midi du 25 août 1944, fit taire le bruit de la bataille dans les rues de Paris. Mais elle n'avait pas fait disparaître les dangers qui pesaient encore sur la ville du fait de la volonté destructrice de Hitler. Le lendemain 26 août, alors que s'achevait la mise en place du défilé triomphal du général de Gaulle sur les Champs-Élysées, le général Jodl, chef d'état-major du Führer, appela au téléphone le maréchal Model, commandant en chef à l'Ouest, dans son QG de Margival, à une centaine de kilomètres à l'est de Paris. Il souhaitait lui transmettre personnellement l'ordre de Hitler de procéder immédiatement au bombardement de Paris par toutes les rampes de lancement d'armes V1 et V2 dispersées dans le Pas-de-Calais, le nord de la France et la Belgique.

Par bonheur, l'intraitable maréchal Model était absent. C'est son adjoint, le général Speidel avec lequel Choltitz s'était entretenu le soir précédant sa reddition, qui répondit. Speidel assura Jodl que les instructions du Führer seraient transmises au maréchal Model dès son retour. Mais il n'en fit rien. Jugeant qu'un tel bombardement serait un acte insensé maintenant que Paris était tombé, Speidel s'abstint finalement de communiquer l'ordre de Hitler à son supérieur, épargnant à la capitale un effroyable massacre. Sept jours plus tard, il sera arrêté par la Gestapo.

*

Au bout de quatre ans de travail, le livre fut terminé. Restait à trouver le titre. Celui à qui nous l'empruntâmes ne pourrait jamais nous réclamer de droits d'auteur. Un soir de l'hiver 1963, comme je prenais un whisky en compagnie du général Walter Warlimont, ancien chef d'état-major adjoint de la Wehrmacht, celui-ci me raconta qu'il avait vécu toutes les journées dramatiques d'août 1944 aux côtés du Führer dans son « repaire du loup » de Prusse-Orientale. Il avait participé à toutes les conférences stratégiques quotidiennes, tant pour le front de l'Ouest que pour les opérations à l'Est. Chaque soir avant de se coucher, cet homme méticuleux transcrivait dans son journal les événements dont il avait été le témoin pendant la journée. Il avait conservé ce cahier relié de cuir vert dans un coin de sa bibliothèque. À la date du 25 août 1944, j'avais pu lire : « 15 heures, première conférence stratégique. Un officier apporte le rapport d'opérations du groupe d'armées B pour la demi-journée. Il annonce que les forces alliées ont atteint le centre même de Paris où elles attaquent nos points d'appui avec leur artillerie et leur infanterie. Le Führer entre dans une de ses colères qui lui sont devenues familières. Il se tourne vers le général Jodl et tonne que, depuis huit jours, il ne cesse de donner des ordres pour que la capitale française soit défendue jusqu'au dernier homme. Il répète que la chute du verrou de Paris risque d'entraîner la dislocation de tout le front de la Seine. Il est secoué par un accès de rage. Il crie qu'il a donné les ordres nécessaires pour que la ville soit anéantie. Ces ordres ont-ils été exécutés ? Il frappe alors la table d'un violent coup de poing et hurle : “ *Brennt Paris ?* (Paris brûlet-il ?) ” »

Cette terrible question devint le titre de notre livre.

« Merde, ils sont de retour ! »

Paru en France en juin 1964, presque vingt ans jour pour jour après la Libération, *Paris brûle-t-il ?* devint aussitôt l'un des livres phares de la collection « Ce jour-là » créée par notre éditeur Robert Laffont. Comme Larry et moi-même l'espérions quand nous nous étions lancés dans cette aventure littéraire en deux langues, *Is Paris burning ?* publié à New York chez Simon & Schuster, grimpa de même en tête de la liste des best-sellers du *New York Times*. Par la suite, le livre fut traduit et publié dans une trentaine de pays, atteignant un tirage global de quelque cinq millions d'exemplaires.

En 1966, deux ans après la publication française, nous invitâmes l'ancien commandant du Gross Paris à revenir dans la ville que Hitler lui avait ordonné de défendre jusqu'à la mort, après l'avoir transformée « en un champ de ruines ». Le moment le plus émouvant de ce retour eut lieu sur le balcon de l'hôtel Meurice, devant l'ancien bureau qu'il avait occupé. Évoquant la scène qui s'était déroulée sur ce même balcon quand le maire de la capitale, Pierre Taittinger, l'avait supplié d'épargner Paris, je désignai au général l'admirable perspective qui s'étendait devant nous. Collins lui rappela l'appel pathétique que lui avait adressé le maire de Paris en août 1944.

Le général Dietrich von Choltitz mourut quelques mois après ce voyage, sans avoir vu la superproduction cinématographique aux cinquante stars que René Clément tourna d'après notre ouvrage dans les rues de Paris. Son personnage, incarné à l'écran par l'acteur allemand Gert Froebe, nous apparut plus vrai que nature. Durant tout un été, les caméras de Clément se promenèrent à travers la capitale pour filmer en décor réel les scènes les plus marquantes racontées dans le livre. Pour épargner aux Parisiens trop de désagréments, les prises de vues se déroulaient au petit matin. La place de la Concorde, où le tank Sherman d'Yves Montand devait éperonner un Panther allemand, fut fermée à la circulation pendant une matinée entière. Trouvant que le béret noir du personnage qu'il jouait, le tankiste breton Marcel Bizien, ne lui allait pas, Montand exigea un calot : caprice d'acteur qui suscitera par la suite les protestations indignées des vétérans du 501e régiment de chars de combat, cette unité dans laquelle j'avais moi-même accompli une partie de mon service militaire. Tourner *Paris brûle-t-il ?* dans les rues mêmes de la capitale fut un des défis les plus fous de l'histoire du cinéma. Je n'oublierai jamais la toute première scène que réalisa Clément vers six heures du matin. Des soldats allemands, casqués, bardés de grenades et de mitraillettes, apportaient des caisses de dynamite pour miner le tombeau de Napoléon. Satisfait de cette première séquence, Clément envoya ses acteurs boire un café au bistrot Le Vauban situé juste en face du tombeau des Invalides. La stupéfaction de la patronne voyant ces soldats nazis débouler chez elle, poser leurs mitraillettes contre son comptoir et réclamer « Un petit crème ! » avec l'accent parigot restera à jamais gravé dans ma mémoire.

Quelques instants plus tard, alors que ces mêmes « Allemands » regagnaient leur lieu de tournage, je fus témoin d'une scène encore plus surréaliste. À la vue de tous ces « Boches » au milieu de l'avenue, un facteur parisien qui passait par là en se dandinant sur son vélo poussa un cri. « Merde, ils sont de retour ! » lâcha-t-il avant de s'étaler sur les pavés, terrassé par la surprise.

La première cinématographique de *Paris brûle-t-il ?* eut lieu au cours d'une grande soirée de gala donnée au palais de Chaillot en présence de tous les acteurs et de presque tous les personnages que ceux-ci interprétaient. Du haut de la tour Eiffel illuminée par les faisceaux tricolores des projecteurs, Mireille Mathieu chanta *Paris en colère* sur la musique du film composée par Maurice Jarre. Aux milliers de Parisiens massés dans les jardins du Champ-de-Mars, sur le pont d'Iéna et sur la place du Trocadéro, la capitale offrit un somptueux feu d'artifice. Assis dans une loge aux côtés de la maréchale Leclerc, du général Koenig, de Jacques Chaban-Delmas, du colonel Rol et de tant d'autres héros de cette épopée, Larry et moi ressemblions à deux écoliers à la distribution des prix.

4

Un misérable Andalou à la conquête de la gloire

« Il va falloir te laisser pousser la barbe comme papa Hemingway et t'habituer à fumer le cigare, m'annonça Larry Collins en me tendant le télégramme qui venait d'arriver des États-Unis. Le *Reader's Digest* nous offre d'aller en Espagne pour écrire un article sur un Espagnol encore plus célèbre que le général Franco. Une enquête sur le torero El Cordobés, ça te tente ? »

C'était trop beau pour être vrai. L'Espagne était mon jardin des Hespérides. Depuis l'âge de vingt ans, je ne cessais d'y retourner, envoûté par ses multiples merveilles. Une grande partie de ma famille avait été séduite par la magie de ce pays. Mon unique sœur Bernadette s'y était mariée à dix-huit ans. À leur retraite, mes parents s'étaient installés à Madrid aux côtés de leurs petits-enfants, Xavier et Carlos. Je parlais assez correctement l'espagnol et suivais depuis longtemps l'évolution politique et économique de ce pays où j'avais réalisé de nombreux reportages pour *Paris Match.* J'y avais même été pendant quelques heures l'hôte involontaire d'un cachot de la Garde civile pour m'être faufilé jusqu'aux abords du pavillon de chasse en pleine Sierra de Cordoue, où le roi des Belges Baudouin et la reine Fabiola cachaient leur lune de miel. Certes, ma culture tauromachique était modeste, mais je n'en sentais pas moins brûler dans mon cœur la flamme d'une authentique *afición.* La proposition du *Reader's Digest* était donc un vrai bonheur, d'autant plus excitant qu'il nous offrait l'occasion, à Larry et à moi, de poursuivre notre fructueuse collaboration littéraire, même si celle-ci se limitait cette fois à écrire un article qui devait tracer le portrait d'un seul personnage.

Quelques soirs plus tard, par une nuit glaciale, un taxi de Cordoue nous déposa devant le portail d'une propriété entourée de chênes-lièges et d'oliviers sauvages. La grille arborait l'emblème du maître des lieux, un chapeau andalou à fond plat et le nom de l'ancien traîne-savates dont cette luxueuse demeure symbolisait aujourd'hui la réussite : « Hacienda Manuel Benitez El Cordobés ». Pelotonnés près d'un feu qu'ils avaient allumé à quelques mètres du portail, trois jeunes garçons étaient en train d'écrire à l'aide d'un morceau de charbon de bois quelques mots sur un bout d'étoffe que l'un d'eux avait arraché à sa chemise. Ils étaient faméliques. Tout autour d'eux étaient éparpillées les écorces des glands qui constituaient leur seule nourriture. L'inscription terminée, ils nouèrent soigneusement chaque coin du morceau de toile aux barreaux noirs du portail. « Manolo, disait le message, nous te félicitons pour ton triomphe au Mexique. Nous voulons connaître comme toi la gloire. Donne-nous une chance de nous exercer dans ton arène. » C'étaient des *maletillas*, des « apprentis toreros ». L'un d'eux, Antonio Carbello, était le dernier d'une famille de seize enfants, dont cinq seulement vivaient encore. Son père était berger. Le gringalet à côté de lui, qu'une bastonnade de la Garde civile avait rendu presque infirme, était le quatrième fils d'un mendiant aveugle. Le troisième avait été abandonné à sa naissance devant la porte d'un couvent de Huelva. Un éclair d'espoir s'alluma dans leurs yeux quand ils virent le portail s'ouvrir pour nous laisser entrer.

On nous conduisit jusqu'au salon où une vingtaine d'admirateurs faisaient cercle autour d'un grand garçon dégingandé aux cheveux longs ébouriffés, vêtu d'une chemise à carreaux et d'une paire de jeans sur des bottes andalouses. Il trépignait en battant des mains devant une superbe fille brune qui l'accompagnait en tapant des pieds et en ondulant des bras. De sa voix rauque jaillissaient les accents déchirants d'un *cante hondo,* ce chant tragique de l'âme andalouse. Nous n'osions nous approcher de peur de troubler la magie de ce duo que le maître de maison interrompait à tout moment pour donner une robuste claque sur l'épaule d'un invité, pour plaquer quelques accords sur une guitare, pour boire une bière à même le goulot, pour éclater de rire. El Cordobés était dans la vie ce qu'il était dans l'arène : un être instinctif, fantasque, aussi animal que les *toros* sauvages qu'il combattait.

Dès qu'il nous vit, il se précipita. Larry s'était fait escorter d'une interprète, une charmante jeune Anglaise. Son visage de madone italienne suscita l'intérêt immédiat du matador. Avec un grand sourire juvénile, il l'invita à danser. Rougissante de joie et de fierté, la jeune fille se laissa emporter. Le salon retentit alors du martèlement forcené des pieds des danseurs. L'assistance frappait des mains en cadence. Surprenante assistance exclusivement composée de messieurs en costume sombre fumant de gros cigares : éleveurs de toros, organisateurs de corridas, propriétaires d'arène. Le garçon qui dansait devant eux était le héros du nouvel âge d'or qui faisait leur fortune. Jamais en Espagne on n'avait dépensé autant d'argent pour assister à des courses de toros. On annonçait plus de mille corridas pour la seule année à venir. Trois critiques tauromachiques, un capitaine bedonnant de la Garde civile et un jeune ecclésiastique rubicond en soutane noire complétaient la petite cour. Le padre Juan Arroyo était aussi un guitariste de talent. C'était grâce à la musique qu'il avait fait la connaissance d'El Cordobés. Un jour que le matador revêtait son habit de lumière avant une corrida, le prêtre avait fait irruption dans sa chambre d'hôtel avec sa guitare pour lui chanter la ballade qu'il avait composée en son honneur. Intitulée *Le sourire d'El Cordobés,* la chanson était devenue un tube. Depuis, la fonction qu'occupait le padre Arroyo auprès du torero n'avait rien de sacerdotal. Le plus célèbre matador d'Espagne ne savait ni lire ni écrire. Le prêtre était son précepteur.

La soirée s'éternisait. Bière, vin, whisky coulaient à flots. Le maître de maison montrait une capacité inépuisable à boire, à rire, à jouer de la guitare, à chanter, à danser. Sa joie de vivre, son exubérance, sa spontanéité enchantaient ses invités. Notre jeune interprète anglaise nageait en plein bonheur. Elle savait qu'elle vivait le rêve de millions de jeunes Espagnoles. Soudain, El Cordobés la quitta pour aller décrocher un fusil du râtelier fixé au mur. C'était son dernier jouet. Il le fit examiner par chacun de nous, ouvrit la culasse, caressa l'acier en s'extasiant. L'arme, qui portait la signature prestigieuse de

Purdey & Purdey, venait d'arriver de Londres. C'était une fantaisie bien modeste, à côté de celles que nous allions découvrir au-delà de la salle à manger voisine, une grande pièce aux murs décorés de têtes de toros empaillés.

Les servantes avaient empilé sur la table des montagnes de morceaux de chorizo, de jambon *serrano*, de fromage *manchego*, de portions d'omelette, de beignets de langoustines et de calamars, et tout un assortiment de pâtisseries. On sentait dans la démesure de cet amoncellement de victuailles la revanche du crève-la-faim pour qui la richesse, c'est d'abord un ventre plein. D'après la légende, il avait englouti son premier cachet de torero dans l'achat d'un jambon entier, afin de pouvoir s'en tailler une tranche à toute heure du jour ou de la nuit.

Brusquement, tous les lustres de la pièce s'éteignirent tandis que coulissaient les doubles rideaux qui décoraient le fond de la salle à manger. De puissants projecteurs trouèrent l'obscurité. Ce qu'ils illuminaient était encore une revanche sur la misère. Une fois le ventre plein, El Cordobés avait acheté avec ses premiers cachets un signe patent de sa réussite, une 4CV Renault. Cinq ans après, il possédait une écurie automobile. De l'autre côté de la vitre, nous découvrîmes une Jaguar décapotable bleu roi, une grosse limousine Mercedes grise et une Alpine de course blanche. Dans le fond du garage, deux chevalets supportaient la coque rutilante d'un Chris Craft. Ce garage était contigu à la salle à manger, ce qui permettait au propriétaire des lieux de contempler à loisir les symboles de sa réussite à chacun de ses repas.

Nous n'étions pas encore au bout de nos surprises. Le matador appuya sur un bouton qui fit coulisser une des baies vitrées de la pièce. Devant la piscine illuminée apparut alors, tenu à la longe par un *vaquero*, un sublime étalon gris pommelé piaffant de plaisir. Ce magnifique spécimen de la race andalouse venait d'entrer dans l'écurie d'El Cordobés pour servir au triage des toros de son élevage. Il s'appelait « Amor de Dios ». Le cheval ne marchait pas, il dansait. Chaque foulée suscitait l'enthousiasme bruyant de notre hôte qui battait des mains en cadence. L'Andalousie de l'homme et de l'animal communiaient dans une même incantation sauvage.

*

Manuel Benitez El Cordobés était né à Palma del Rio, petite bourgade andalouse au bord du Guadalquivir, entre Cordoue et Séville. Son père, un ouvrier agricole, louait ses bras aux grands propriétaires locaux. Chez les Benitez, on n'avait le ventre plein que deux fois dans l'année, à la cueillette des oranges et à celle des olives. La naissance de ce quatrième enfant, au début de mai 1936, ne pouvait tomber plus mal. Comme tant d'autres villes et villages d'Espagne, Palma la socialiste était en pleine insurrection contre l'ordre établi. Grèves et pillages se succédaient, obligeant nombre de propriétaires terriens à s'enfuir. Pour se nourrir, les Palmenos égorgèrent les toros sauvages des élevages les plus prestigieux de la fiesta nationale, allant jusqu'à sacrifier les *sementales*, les reproducteurs dont les gènes perpétuaient depuis des siècles les qualités de bravoure et de noblesse de la race. En ce printemps 1936, une odeur insolite s'était répandue jusque dans les plus misérables taudis de la ville : l'odeur de la viande grillée. Trois mois plus tard, revenus dans le sillage des soldats du général Franco, les grands propriétaires s'étaient vengés. La guerre civile venait de commencer. Palma del Rio fut le théâtre de sanglants massacres. Ici comme ailleurs, commencèrent des années de peur, de misère, de faim. Début 1939, les privations emportèrent la mère du petit Manuel. Son père succomba peu après aux mauvais traitements reçus dans un camp de travail franquiste. Le drame des Benitez était celui de millions de familles espagnoles.

Comme tant d'autres jeunes, le gamin de Palma ne connaissait qu'un chemin vers une vie meilleure, le chemin espagnol du courage et de la mort qui passe par les cornes des toros sauvages. Pendant des années, il avait erré sur les routes, son balluchon de *maletilla* sur le dos, à la recherche d'une *opportunidad*, une chance de s'entraîner avec des vachettes et d'apprendre au bout de leurs cornes les rudes lois de la tauromachie. À pied, accroché à l'arrière des camions, sur les tampons des trains, il avait traversé l'Espagne, allant d'élevage en élevage, de ville en ville, dormant dans les champs, les gares, les chantiers ; se nourrissant de fruits volés, d'herbes, de glands, de déchets. Mais les portes étaient restées closes devant l'adolescent en guenilles. Désespéré, il avait un jour sauté en pleine corrida dans l'arène de Madrid devant vingt-cinq mille spectateurs dans l'espoir de faire connaître son courage. Ce geste de folie faillit lui coûter la vie et se termina en prison. Des années s'écoulèrent avant qu'une petite corrida organisée par le curé de son village lui permette de prendre une timide revanche. Trop pauvre pour louer un habit de lumière, il avait combattu les toros dans ses guenilles de vagabond. Mais il était sorti de l'arène porté sur les épaules de la foule, brandissant à bout de bras les oreilles et la queue des monstres qu'il avait tués. Un long chemin séparait encore l'ancien voleur d'oranges de la vraie gloire des grandes arènes. Sa rencontre avec un ancien marchand de crustacés devenu manager de toreros allait lui permettre de conquérir cette gloire. Rafael Sánchez était plus connu sous son sobriquet d'El Pipo. Considérant qu'un torero se lance comme une marque de lessive, il décida d'exploiter le courage inconscient du jeune Andalou, avec la ferme intention d'en faire au plus vite le matador le mieux payé d'Espagne. Il commença par changer son nom. Son protégé s'appellerait désormais « El Cordobés » (le Cordouan), en hommage à la ville qui avait donné à la fiesta des dieux tels que Belmonte et Manolete.

« Dimanche, j'ai rendez-vous avec la mort »

Pour le faire connaître, El Pipo s'attaqua d'abord à l'Andalousie. Il mit en gages les bijoux de sa famille, loua des arènes, organisa corrida sur corrida, courut les élevages pour choisir les toros les plus « commodes », leur fit limer le bout des cornes pour réduire la précision de leurs coups, truqua les tirages au sort, acheta les journalistes, écrivit lui-même leurs comptes rendus, fit coller sur les murs des affiches portant la photo du jeune Benitez accompagnée de slogans racoleurs qui disaient : « Venez me voir dimanche, j'ai rendez-vous avec la mort », inonda les journaux de publicité, distribua lui-même les oreilles, la queue, les pattes des toros estoqués.

Un été suffit à ce magicien pour mettre son phénomène sur orbite. Le moment ne pouvait être mieux choisi. Par son mépris des traditions, son refus d'obéir aux règles, sa manière folle, improvisée, spontanée d'affronter les toros, ce fils d'un ouvrier misérable mort des suites de la guerre civile faisait passer sur le sable des arènes un vent de révolte comparable à celui qui commençait à souffler sur tout le pays.

Vingt ans de dictature franquiste avaient figé l'Espagne dans un passé médiéval. Son réseau routier au milieu des années cinquante était à peine plus développé que celui de la Yougoslavie. Près d'un Espagnol sur trois ne savait ni lire ni écrire. Le parc automobile ne comptait que deux cent cinquante mille voitures, soit une pour cent vingt habitants, contre une voiture pour onze Français. L'industrie nationale ne fabriquait pas de réfrigérateurs, de machines à laver, de postes de télévision, ni aucun des appareils ménagers qui emplissaient les vitrines des autres pays d'Europe. L'Espagne vivait dans un isolement rigoureux et volontaire. Aucun étranger ne pouvait y entrer sans visa, aucun Espagnol en sortir sans un permis spécial de la police. Pourtant, trois millions d'Espagnols – un citoyen sur dix – avaient abandonné leurs foyers pour aller chercher ailleurs les conditions d'une vie meilleure.

L'irruption, au début des années soixante, d'El Cordobés sur la scène espagnole coïncidait avec l'avènement d'une ère nouvelle. L'Espagne commençait à secouer les chaînes d'un système rigide et archaïque. L'invasion annuelle de quinze millions de touristes étrangers avait détruit le mythe de l'isolement espagnol et semé du même coup les germes d'une révolution économique et sociale irréversible. L'Espagne d'El Cordobés avait découvert le néon, la télévision, le Coca-Cola, les dollars de l'aide américaine, l'industrialisation, les gratte-ciel surgissant dans l'aridité lunaire de la Castille, les petites automobiles dont la pétarade remplaçait jusqu'au fond des campagnes le grincement archaïque des charrettes à âne. Comme une fièvre éruptive, une couronne de stations balnéaires avec leurs buildings et leurs palaces, leurs bars et leurs boîtes avaient jailli sur les rivages hier déserts. L'Espagne du flamenco, des pèlerinages et des mantilles, la noble et belle Espagne célébrée par Hemingway et Montherlant, était en train de s'effacer devant la marée montante de la modernité. Sa jeunesse, assoiffée de vivre, tournait le dos aux drames du passé et rêvait de secouer la tyrannie de l'obscurantisme officiel.

Les jeunes portaient des blue-jeans, les bikinis de Bardot, les cheveux longs des Beatles. Ils mâchonnaient du chewing-gum, chevauchaient des scooters, dansaient le jerk, lisaient Sartre et répudiaient les tabous sexuels de leurs aînés.

Pour des millions d'Espagnols en quête d'une vie meilleure, aucune personnalité n'incarnait mieux cette transformation que ce jeune Andalou qui, par son courage et son acharnement, avait réussi à conjurer le spectre de la faim et de la misère.

*

Ce mythe, une invention nouvelle allait le répandre à travers la péninsule jusqu'au plus humble de ses villages. Avant El Cordobés, aucun torero n'avait bénéficié de la télévision. J'étais à Madrid pour la première grande course de la feria de la San Isidro qui affichait en vedette l'ancien crève-la-faim de Palma del Rio. Elle allait être retransmise en direct sur l'unique chaîne du pays. Vingt millions d'Espagnols allaient pouvoir vibrer ensemble aux prouesses de leur idole. Ce chiffre colossal dépassait sans doute celui de tous les spectateurs de toutes les corridas de l'histoire de la *fiesta brava*. La vie de l'Espagne s'était brusquement arrêtée. Madrid était une ville fantôme. On aurait dit qu'elle s'était vidée à l'annonce d'un débarquement de Martiens. Les magasins avaient tiré leurs rideaux de fer, les camelots plié leurs étalages, les cinémas fermé leurs portes. Même les mendiants et les aveugles qui vendaient les billets de la loterie nationale avaient disparu. Deux heures avant le fatidique *cinco de la tarde,* les Madrilènes, comme tous les Espagnols, avaient pris place devant le petit écran. Les bars et les cafés qui possédaient un poste étaient envahis par une foule bruyante et joyeuse qui avait payé jusqu'à cent pesetas le droit de s'installer sur un tabouret pour voir la corrida. Rue Serrano, rue Garcia de Paredes, sur la Castellana, dans les quartiers résidentiels, chaque étage distillait la voix suave de Lozano Sevilla, le commentateur tauromachique attitré de la télévision espagnole. La même atmosphère régnait dans les quartiers populaires, où la foule se massait devant les cafés. Tous voulaient voir entrer dans l'arène l'ancien vagabond devenu milliardaire. Car c'était cela qui faisait d'El Cordobés un mythe : quelle que soit l'opinion des spécialistes sur son art, il était le torero du peuple, ce peuple qui n'avait jamais pu acheter un billet de corrida mais qui, grâce à la télévision, pouvait aujourd'hui rêver, à travers cette silhouette, à des lendemains meilleurs. Des centaines de familles avaient acquis leur premier poste de télévision à cette occasion. De nombreux établissements scolaires, usines, grands magasins, banques, bureaux avaient fermé plus tôt que d'habitude pour permettre à leurs élèves ou à leurs employés de suivre la retransmission de la corrida. Les journaux annonçaient que le chef de l'État en ferait de même. Confortablement installé devant son poste dans l'un des boudoirs de son palais du Pardo, près de Madrid, le général Franco ne voulait manquer pour rien au monde d'assister au triomphe du seul Espagnol dont la notoriété dépassât la sienne.

*

Derrière un *burladero* du *callejón*, ce couloir autour de l'arène – au ras du sable, des toros, des chevaux, des hommes, des bruits, des odeurs –, le spectacle vous empoigne avec une violence qu'aucun spectateur des gradins ne peut connaître. Ici, le danger, la peur, le courage, l'émotion, la mort sont tangibles, la menace de la tragédie plus présente. On est sur le ring au lieu d'être dans le public.

Le premier toro jaillit du toril comme une fusée. Après une minute d'observation, El Cordobés s'avança à sa rencontre. Il voulait le provoquer au centre de l'arène, le point le plus éloigné de tout secours éventuel. À cinq mètres du fauve, il s'immobilisa, ouvrit les bras, et cita l'animal. Ce fut le début d'un spectaculaire ballet de figures ponctué d'appels au toro poussés d'une voix rauque. Faisant voltiger d'un coup de poignet la cape au-dessus de sa tête, l'enroulant autour de lui dans une volte de danseur, ou bien la tenant derrière ses hanches, il entraînait la bête dans un tourbillon de passes si audacieuses qu'au centre de chaque figure l'homme et le toro paraissaient soudés l'un à l'autre. Vingt-six mille voix rythmaient chaque étreinte d'un ouragan de « *olé !* ». Mais ce qu'attendait le peuple, c'était la pose des banderilles. D'ordinaire, les matadors laissent l'exécution de cette gracieuse séquence aux banderilleros de leur *cua-*

drilla. El Cordobés, lui, ne ratait jamais l'occasion de montrer l'étendue de son art. Il saisit les deux banderilles que lui tendait un péon et les montra au public d'un air provocateur. Puis il fit le geste qui avait tant contribué à sa renommée de trompe-la-mort : cassant les bâtons en deux sur la tranche de la *barrera*, il ne garda dans les mains que deux morceaux de la taille d'un crayon. Le visage illuminé d'un sourire éclatant, il avança alors à pas coulés vers l'endroit où attendait le fauve. À cinq ou six mètres des cornes, il s'arrêta. Une rumeur d'effroi monta des gradins. Il s'était jeté à genoux sur le sable. Y avait-il un défi plus dangereux que de planter à genoux des demi-banderilles, le dos à la barrera ? La moindre déviation dans la trajectoire de l'animal et la corne risquait de lui entrer dans l'œil, ou dans la bouche, de lui fracasser la tête, de lui transpercer les poumons. Ces blessures étaient fatales. Aucun chirurgien ne peut stopper l'hémorragie d'un poumon déchiqueté par la corne vrillante d'un toro.

Chaque spectateur retenait sa respiration, comme si le moindre souffle pouvait déclencher une tragédie. El Cordobés leva les bras, les bâtonnets au bout des doigts, bomba le torse et cria : « *Venga, toro !* » L'animal hésita puis, brusquement, il chargea. Le temps d'un éclair, je crus qu'il allait embrocher l'homme qui le défiait. Mais un péon agita un bout de cape par-dessus la barrera, ce qui détourna pendant une fraction de seconde l'attention du toro. Alors que la corne passait en sifflant au ras de sa tête, Manuel Benitez planta ses demi-banderilles dans le cou de la bête. Toute l'arène s'était mise debout d'un même élan. Les gens hurlaient, gesticulaient, tapaient des pieds. Un sourire de bonheur illuminait le visage du matador. Lentement, il se releva, essuya la sueur de son front avec le dos de sa main et remercia d'un clin d'œil son banderillero. Puis il tendit les bras vers le public qui l'ovationnait, lui lançait des fleurs, des chapeaux, des chaussures, des sacs, des gourdes pleines de vin. Les gens étaient hystériques. Même le toro paraissait stupéfait. Une sonnerie de clarine annonça alors le troisième et dernier *tercio*, celui de la mise à mort. L'année précédente, lors de la cérémonie de son alternative – sa confirmation officielle au rang de matador de toros –, El Cordobés avait volontairement cherché à faire taire les controverses au sujet de son art en offrant au public exigeant et connaisseur de Madrid une *faena* sobre, dépouillée, sans fioritures inutiles. Un an plus tard, face à ce toro belliqueux et d'une grande noblesse, il voulait montrer à ce même public toute l'étendue de ses capacités et de son courage. C'était en s'approchant des cornes plus près qu'aucun autre torero qu'il était devenu le *número uno*.

Les cheveux en bataille, le visage transfiguré par un rictus de joie, il marchait vers l'empoignade finale. Se figeant à vingt mètres de la bête, il déploya sa muleta et l'appela. Le fauve démarra d'un bond furieux. Alors qu'il était en pleine charge, il se retourna avec grâce pour terminer son demi-tour à l'instant précis du passage de l'animal. La figure n'avait duré qu'une seconde et donné la chair de poule à toute l'arène. Excité par l'audace de ce nouveau défi, El Cordobés se déchaîna. Comme enragé, il courut rattraper le toro, secoua son chiffon rouge jusque devant son mufle écumant, le piqua d'un coup d'épée pour déclencher sa charge. Ce fut l'affrontement de deux monstres. Hypnotisé par l'étoffe qui frôlait le sable, le toro chargeait, s'éloignait, se retournait, chargeait encore. À chaque passage, l'étreinte se resserrait, enfermant le matador dans un cercle plus restreint. Pendant de longues secondes, il resta ainsi prisonnier de ce tourbillon mortel, ne gardant l'équilibre qu'en s'agrippant à l'échine sanguinolente de l'animal. Devant ce démon échevelé, les ventres se tordaient de crampes, les dos se glaçaient de sueurs froides. La plaza vibrait, criait, pleurait de joie. On sentait qu'elle partageait la colère, l'amour, et l'instinct sauvage d'un être encore plus primitif que la bête qu'il combattait. Il y eut des moments insupportables comme celui où il se jeta à genoux devant l'animal, le faisant passer à droite, puis à gauche, à hauteur de sa poitrine ou de sa tête. Changeant de main, il présentait sa muleta sous tous les angles, devant, derrière, de côté, de loin, de près, de si près que les gens hurlaient de frayeur. À tout moment, je m'attendais à voir les cornes l'embrocher. Mais, chaque fois, il esquivait la charge, avant de se planter, souriant, devant le toro qui s'était arrêté pour reprendre son souffle. Le répit ne durait que quelques secondes. Déjà, El Cordobés enchaînait par un bouquet de « naturelles » de la main gauche, qui soulevèrent les gradins d'une vague d'enthousiasme scandée de « *olé !* ». Il termina par une passe qui obligea l'animal à racler ses cornes le long de sa poitrine. Souriant de toutes ses dents éclatantes de blancheur, son habit de lumière rougi par le sang de son adversaire, il leva son épée et sa muleta vers le public. Un ouragan ébranla la plaza. Encore une fois, elle s'était mise debout d'un seul et même élan, tapant des pieds, applaudissant, criant. La fanfare attaqua un paso doble. Trois minutes plus tard, le toro s'écroula, foudroyé d'un seul coup d'épée. Un déluge de chapeaux, de souliers, de sacs, de fleurs, de coussins s'abattit sur le sable. Admirateurs et détracteurs, unis dans une même fièvre enthousiaste saluaient le courage à l'état pur.

*

Tant de bravoure avait un prix. Cent quarante-huit centimètres de cicatrices marquaient le corps de notre héros. Les chirurgiens des plazas d'Espagne, de France et d'Amérique du Sud lui avaient transfusé plus de trente-neuf litres de sang. Quatre fois – à Valence, Barcelone, Grenade et Madrid –, on lui avait administré l'extrême-onction. L'année précédente, lors de son alternative, le toro Impulsivo l'avait laissé à demi mort sur le sable devant les vingt millions de spectateurs de sa première corrida télévisée en direct. Sur les *ramblas* de Barcelone, sous les arcades de la Plaza Mayor de Salamanque, dans les cafés de Séville, une Espagne inquiète s'était mise à l'écoute de la radio. À Cordoue, les églises se remplirent de fidèles venus prier la Madone. La chapelle des carmélites débordait d'hommes et de femmes qui récitaient le rosaire devant le tableau fétiche des toreros cordouans, représentant Jésus tombant sous le poids de la croix sur le chemin du Golgotha. À Lima, à Caracas, à Mexico, les stations de radio interrompirent leurs programmes pour donner des nouvelles du blessé.

Un peu avant minuit, une rumeur avait couru autour de la clinique des toreros de Madrid : « *El Cordobés es muerto.* » Un moment plongée dans la stupeur, l'Espagne explosa de joie quand la nouvelle fut démentie. La photo d'El Cordobés repoussant sur le sable les cornes qui l'assassinaient parut à la une de toute la presse. Même des journaux aussi éloignés du monde de la tauromachie que le *New York Times*, le *Times* de

Londres, *Le Monde*, le *Mainichi* de Tokyo rapportèrent en détail l'événement. Une foule impressionnante monta la garde des jours durant autour de la clinique. Des visiteurs apportèrent des médailles miraculeuses, des remèdes de leur invention, des formules pour conjurer le mauvais œil, des gâteaux, des fruits, des poulets. Le standard téléphonique se trouva submergé d'appels. Deux jeunes Françaises qui avaient pris l'avion pour Madrid afin d'être plus près de leur idole se proposèrent comme standardistes bénévoles. Des télégrammes – dont certains portaient pour toute adresse : « El Cordobés, Espagne » – affluèrent par milliers. Ils venaient d'actrices de cinéma, de garçons de café, de responsables politiques, d'ouvriers, de dignitaires ecclésiastiques. L'un d'eux était signé par l'homme dont la Garde civile avait autrefois traqué le petit voleur d'oranges dans les vergers autour de Palma del Rio : Francisco Franco.

Toutes les blessures n'avaient heureusement pas la même gravité que celle-là. Mais son style condamnait El Cordobés à être sans cesse accroché, bousculé, projeté en l'air, piétiné. Sa volonté d'être le meilleur était si forte qu'un jour, au moment de l'estocade, il oublia de lâcher l'épée. Le toro donna un coup de tête, et l'on vit le spectacle extraordinaire de Manuel Benitez tournant comme une roue dans les airs, la main tenant toujours l'épée qui était ressortie du cou de l'animal après y être entrée jusqu'à la garde. Le toro s'écroula, mort. Mais l'incroyable pirouette avait déboîté l'épaule du matador. Condamné à l'immobilité pendant trois semaines, il se retira dans sa propriété de Cordoue.

Pendant que Larry reconstituait la guerre civile en Andalousie, j'allai chaque matin le retrouver pour l'interroger sur son enfance, sur sa famille, sur son dur chemin jusqu'à la célébrité, sur la peur, le courage, la mort. Ce repos forcé était ma seule chance de l'avoir pendant une heure ou deux à portée de mon carnet de notes. Car nulle notion ne lui était plus étrangère qu'un rendez-vous, une date, un horaire. Il pouvait décider tout à coup de sauter sur un cheval et d'aller galoper avec ses vaqueros à la recherche d'un taurillon égaré. Ou bien il prenait un fusil et s'en allait tirer des oiseaux. Ou encore il réclamait du pain et du saucisson, qu'un domestique allait chercher en courant, pour s'apercevoir à son retour que Manuel Benitez avait disparu. Peut-être avait-il pris sa Mercedes pour foncer jusqu'à Cordoue afin de faire ajouter un étage à l'hôtel qu'il y faisait construire. Une nuit, après toute une soirée passée à danser le flamenco dans un cabaret de Cordoue, il me fit monter dans son Alpine de course et démarra en trombe vers Madrid. Il voulait aller manger une omelette aux pommes de terre chez sa sœur Encarna.

Ce fut un voyage terrifiant. Les virages se succédaient comme dans les montagnes russes d'un manège. Les pneus arrachaient l'asphalte en hurlant. Chaque arbre me semblait destiné à être celui de notre cercueil. Manuel chantait à tue-tête et lâchait le volant pour me donner de violentes tapes sur la cuisse. « *Tranquilo, Dominique, tranquilo !* » Je maudissais le *Reader's Digest*, les toros, l'Espagne. Enfin, au bout de cent cinquante kilomètres, épuisé, il s'arrêta sur la place d'un village endormi. Nous descendîmes de voiture et nous nous allongeâmes côte à côte auprès de la fontaine. En quelques minutes, nous avions tous les deux sombré dans un profond sommeil. Une heure ou deux plus tard, alors que les premiers rayons du soleil caressaient mes joues, j'ouvris les yeux. J'eus peine à croire ce que je voyais. Tous les habitants, le visage transfiguré, faisaient cercle en silence autour de nous. Pour les pauvres gens de cette bourgade perdue de la sierra, le corps endormi du dieu de la fiesta sur la place de leur village était une apparition aussi miraculeuse que celle de la Vierge aux enfants de Fatima.

*

Un matin, je le trouvai en extase sur le balcon de sa chambre. Un groupe de toros sauvages s'était approché de la clôture. Parmi eux se trouvait sans doute le frère ou le cousin du monstre qui lui avait presque arraché l'épaule. La souffrance creusait son visage mais sa passion transcendait n'importe quelle douleur : « *Dominique, mira que bonito el número 14 !* (Regarde comme le numéro 14 est beau !) » Il me décrivit l'animal, la parfaite symétrie des cornes, la petite tête, l'énorme masse de muscles qui enveloppait le cou, l'échine luisante, le galbe puissant de la croupe. Je compris à cet instant l'un des secrets d'El Cordobés. « Pour être torero, il faut d'abord être toro », m'expliqua-t-il. En cette communion instinctive d'homme à bête résidait le secret de sa réussite. Notre enquête s'en trouvait sérieusement compliquée. Comment parler de la peur quand on n'a jamais éprouvé cette émotion ?

Fidèles à notre souci d'authenticité, Larry et moi décidâmes d'affronter nous-mêmes un toro. Un ami éleveur nous prêta une cape et lâcha une jeune vache brave sur le sable de son arène privée. Pour nous assurer qu'il y aurait un survivant capable de rédiger le compte rendu de cette expérience, nous décidâmes de tirer à pile ou face. Hélas, le sort me désigna. Bien qu'il fût à peine plus gros qu'un caniche, la férocité, la puissance, l'agilité de ce petit monstre désintégrèrent en quelques secondes tout le courage que j'avais rassemblé. À peine avais-je déplié l'étoffe écarlate que j'eus l'impression qu'une locomotive me passait au ras du ventre. Ce seul effet de souffle faillit me faire perdre l'équilibre. Heureusement, aucun chroniqueur tauromachique n'était présent, mais, s'il s'était trouvé là un chronométreur d'une compétition olympique, il m'aurait décerné la médaille d'or du cent mètres de course à pied, tant ma fuite devant ce petit fauve assassin avait été rapide. Je n'eus pas besoin d'une seconde charge pour comprendre ce qu'El Cordobés n'avait pu m'expliquer. Aucun duel ne demande plus de vrai courage que celui d'un homme à pied contre un toro sauvage.

*

Ce fut peut-être la saison la plus folle de toute l'histoire de la tauromachie. El Cordobés participa cette année-là à cent soixante-quinze corridas, record jamais égalé par aucun matador. J'eus la chance de l'accompagner dans une partie de ce tourbillon infernal. Un après-midi, nous étions à Málaga, le lendemain à Bilbao, le jour suivant à Algésiras, presque au point de départ de l'avant-veille. La cuadrilla dormait dans la grosse Mercedes à strapontin qui la trimballait des nuits durant d'un bout à l'autre de l'Espagne, et même jusqu'en France, avec sur son toit les malles aux effigies du matador pleines de capes, de muletas, d'épées, d'habits de lumière de toutes les couleurs.

El Cordobés, lui, se déplaçait dans son avion personnel, un bimoteur Piper Aztec acheté cent mille dollars et sur lequel il avait fait peindre son nom en lettres d'or. Pour piloter cette Rolls-Royce volante, il n'avait pas hésité à débaucher un jeune colonel de l'armée de l'air espagnole. Précaution toute théorique. À la grande terreur de ceux qu'il emmenait, c'était lui qui, sitôt après le décollage, s'emparait du manche avec une impulsivité égale à celle qu'il montrait au volant de son Alpine ou de sa Jaguar, ou quand il s'agenouillait sur le sable le dos aux toros. L'écoute de la radio du bord montrait que sa célébrité s'imposait dans les cieux comme sur la terre. Il suffisait qu'il demande l'autorisation d'atterrir, et aussitôt les contrôleurs aériens chassaient du ciel tous les appareils qui s'apprêtaient à se poser. Parfois, il s'agissait de jumbo-jets qui venaient de traverser l'Atlantique avec des centaines de passagers à leur bord. Qu'importe ! En Espagne, le dieu Cordobés avait la priorité. Un jour, tous les camions de pompiers de l'aéroport de Madrid se précipitèrent autour de notre petit avion pour lui offrir l'aubade de leurs canons à eau, à l'instar des bateaux pompes du port de New York saluant Lindbergh à son retour d'Europe. Une autre fois, ce fut tout le personnel des boutiques, des douanes, des ateliers qui fit une escorte triomphale à celui qui donnait, à chacune de ses corridas, la chair de poule à toute l'Espagne.

« Comment des hommes peuvent-ils tourner autour de la Terre ? »

L'enquête commandée par le *Reader's Digest* avait pris la dimension d'un livre. Nous étions partis en Andalousie pour trois semaines. Deux ans plus tard, nous y étions toujours. Le destin de cet Espagnol qui avait brisé le carcan de la faim et de la misère en choisissant une voie que seule l'Espagne pouvait offrir, celle qui passait devant les cornes de toros sauvages, nous avait fasciné au point de nous fournir la matière d'un grand récit historique. À travers ce personnage, à travers l'histoire du village où il était né, les destins de ses sœurs, du gros cafetier de Palma, du sergent de la Garde civile, du curé don Carlos, du grand propriétaire don Felix et de cent autres comparses, c'était en effet une vaste fresque sur la dernière génération de l'Espagne que nous pouvions composer, cette génération qui était née dans les horreurs de la guerre civile et qui était à l'origine, trente ans plus tard, d'une révolution économique et sociale unique dans l'histoire nationale.

Nous empruntâmes à notre héros lui-même le titre de ce livre. Le premier soir où le jeune Manuel Benitez avait pu revêtir un habit de lumière pour gagner quelques pesetas, sa sœur Angelita, qui l'avait élevé, s'était jetée en pleurant dans ses bras pour le supplier de ne pas risquer sa vie devant les cornes des toros sauvages.

« Ne pleure pas, Angelita, lui avait-il calmement répondu. Ce soir, ou je t'achèterai une maison, *ou tu porteras mon deuil.* »

Angelita nous fit visiter la magnifique maison qu'il lui avait offerte en plein cœur de Palma del Rio. Mais, chaque fois qu'il descendait sur le sable d'une arène, la pauvre femme s'agenouillait devant la statue de la Madone pour l'implorer de ne jamais la laisser porter le deuil de son petit frère.

*

Une nuit, à la fin de la folle *temporada* aux cent soixante-quinze corridas, Manuel Benitez se réveilla en sursaut. Il venait de faire un cauchemar : la corne d'un énorme toro noir transperçait son corps de part en part. Comme le soir de son alternative à Madrid, El Cordobés sentit tout à coup sa vie « partir par le trou béant de cette blessure ». Il réveilla son chauffeur, sauta dans l'une de ses voitures, fila jusqu'à Cordoue et appela son manager à Madrid pour annoncer qu'il abandonnait les jeux de l'arène.

Quatre jours plus tard, pareille à un long cortège funèbre, une file de limousines noires s'arrêta devant le portail de sa propriété. De chacune de ces voitures descendit un des empereurs du monde de la corrida. Il y avait le directeur des arènes de Madrid, les responsables des plazas de Séville, de Cordoue, de Barcelone ; des imprésarios de corridas ; bref, tous ceux que le cauchemar du propriétaire de cette hacienda risquait d'acculer à la ruine. Dès l'annonce de sa retraite, des centaines de spectateurs se précipitèrent à la Maestranza de Séville afin de se faire rembourser leur abonnement pour la prochaine feria. Le propriétaire du plus grand hôtel de la station balnéaire de Castellón de la Plana déclara que, sans El Cordobés, il n'y aurait dans sa ville « ni feria ni touristes ». Un économiste réputé calcula que la retraite du matador ferait perdre aux hôtels, aux chauffeurs de taxi, aux revendeurs de billets, aux propriétaires de restaurant et à une foule d'autres commerces l'équivalent de quelque trente millions de francs. Pour tous les directeurs d'arène, les corridas auxquelles ne participerait pas le torero représentaient une perte sèche d'environ vingt-cinq millions de francs.

Manuel Benitez, vêtu d'une chemise de sport, accueillit ses visiteurs sous un buste de Manolete et la statuette d'un autre Cordouan célèbre drapé dans une toge, le philosophe Sénèque. Pendant près d'une heure, ces potentats supplièrent El Cordobés de revenir sur sa décision pour sauver la fiesta d'un désastre. Manuel eut la faiblesse de se laisser convaincre. Il retourna au tourbillon infernal des toros et des foules capricieuses. Mais quelque chose en lui avait changé.

Larry et moi l'accompagnions régulièrement au rendez-vous qu'il n'aurait manqué pour rien au monde chaque fois qu'il revenait chez lui à Cordoue. Nulle maîtresse, nulle danseuse de flamenco, nul éleveur de toros ne l'attendait à ce rendez-vous. Seul un prêtre était là pour l'accueillir, le *padre* Juan Arroyo que nous avions rencontré, une guitare à la main, chez lui le soir de notre arrivée à Cordoue. El Cordobés lui avait un jour crié avec désespoir : « Padre, faites de moi un homme ! » Et depuis, le modeste salon du prêtre servait de salle de classe. Manuel Benitez venait y apprendre à « devenir un homme ».

Je regardais toujours avec une extrême émotion la main qui avait mis à mort plus de mille toros recopier sur un cahier d'écolier les simples mots que le prêtre inscrivait : « *Yo soy Manuel Benitez* (Je suis Manuel Benitez). » « *Me gusta mucho torear* (J'aime beaucoup toréer). » Apprendre à tracer son nom avait exigé de patients exercices. Pour que la signature du jeune milliardaire tienne tout entière au bas de ses chèques, la banque de Cordoue avait dû faire doubler le format de ses chéquiers.

Parfois, à titre de récompense, le padre Arroyo agrémentait l'apprentissage de l'écriture d'une leçon de français, langue qui semblait fasciner l'analphabète andalou. Pour se mettre à la portée des préoccupations de son élève, l'ecclésiastique avait choisi les mots les plus usuels. La première page du cahier commençait par « Bonjour » et continuait par « Mademoiselle ».

La leçon de lecture avait elle aussi son originalité. Le maître préférait inciter Manuel Benitez à déchiffrer un texte manuscrit plutôt qu'un texte imprimé. Un impératif pratique dictait ce choix : la nécessité où se trouvait le torero de lire lui-même les contrats établis en son nom et dont les clauses financières étaient toujours rédigées à la main.

Des sujets moins scolaires complétaient l'éducation du célèbre matador. Dans un gros volume de sa bibliothèque intitulé *Pensées et Maximes*, le padre Arroyo trouvait les réflexions qu'il livrait à l'imagination et au raisonnement de son élève. Un jour, c'était un conseil de Pythagore : « Ne permets pas à ton corps de devenir la tombe de ton âme. » Un autre, c'était une affirmation d'Auguste Comte : « Vivre pour les autres n'est pas seulement un rigoureux devoir, c'est le bonheur. » Un autre, une pensée de Kant : « L'amitié est la beauté de la vertu. » Celui qui n'avait si longtemps connu du monde où il était né que l'indicible misère des siens, les bastonnades de la Garde civile, les barreaux des prisons, la jungle des villes, et qui, aujourd'hui, endurci mais vainqueur, vivait dans un univers de rapacité et de flatterie, ouvrait grands ses yeux et cherchait à comprendre ces mots étranges de bonheur, de vertu, d'âme. Se servant d'images simples, le prêtre les lui expliquait. Il était poignant de voir un homme comblé par la gloire et la fortune découvrir ainsi le sens des valeurs de l'existence. Le plus grand torero d'Espagne n'était jamais au bout de ses découvertes. Intrigué par des images qu'il avaient vues à la télévision, il demanda un jour : « Padre, je ne comprends pas ces histoires d'astronautes. Comment des hommes peuvent-ils tourner autour de la Terre ? »

L'ecclésiastique alla dans la pièce voisine chercher un globe terrestre. Montrant à son élève les mers qu'avaient sillonnées Christophe Colomb, Vasco de Gama et tant de navigateurs espagnols, il fit tourner la boule dans les mains de Manuel. Au fur et à mesure que ses doigts caressaient les continents explorés par ses ancêtres cinq siècles plus tôt, El Cordobés comprenait qu'il était en train de découvrir un mystère. Il répétait avec extase : « *Fenomenal, fenomenal, fenomenal...* » Jusqu'alors, le plus célèbre matador du monde ignorait en effet que la terre fût ronde.

*

Aucun homme n'est moins seul qu'un dieu de l'arène. La compagnie d'une foule innombrable fait partie de sa légende. C'est la drogue qui lui rappelle sans cesse son importance et sa popularité. Il n'était aucune porte d'Espagne que Manuel Benitez ne pût franchir. Les duchesses le suppliaient d'honorer leurs bals, les agents de publicité des stars de cinéma l'imploraient de dédier un toro à leur vedette afin qu'elle puisse profiter de sa célébrité. Bravant les foudres de la société protectrice des animaux des États-Unis, il offrit un jour la mort d'un toro à Jacqueline Kennedy. On l'invita à Londres, à Paris, à Rome. Il fut partout accueilli dans des transports de joie et de respect. Pourtant, il ne se sentait vraiment à l'aise que dans les espaces pierreux de ses propriétés, où il vagabondait sans veste ni cravate. Là seulement, il pouvait échapper aux embarras de la vie mondaine, contrairement à ce jour où, pendant le festival du cinéma de Saint-Sébastien, il fut obligé de demander à sa voisine, une ravissante starlette, de lui découper son poisson parce qu'il ne savait pas se servir de ses couverts.

Martine, une jolie brune originaire de Biarritz, réussit l'exploit qu'Angelita, la sœur d'El Cordobés, n'avait pu accomplir malgré ses cauchemars. À la fin de la saison 1970, le dieu fou des arènes d'Espagne fit éclater une nouvelle bombe dans l'univers de la tauromachie en déclarant qu'il se retirait définitivement. L'idole poursuivie par des meutes d'admiratrices avait succombé au charme et à l'obstination tranquille de cette Française qui avait résolu de l'arracher aux cornes des toros. Manuel et Martine s'installèrent ensemble au cœur de la sierra de Cordoue, dans une propriété plantée de plusieurs milliers d'oliviers, au milieu d'immenses pâturages abritant des centaines de toros sauvages. Pendant cinq ans, dédaignant l'institution du mariage, ils vécurent ensemble et eurent plusieurs enfants. Enfin, après le refus solennel de l'évêque de Cordoue de baptiser leur dernier-né, ils se marièrent. C'était à la fin de l'été 1975. Les journaux annoncèrent la nouvelle en première page. Des milliers d'aficionados et de modestes villageois des environs accoururent à la fête que donnèrent les jeunes mariés.

Cependant, la nostalgie des arènes n'en continuait pas moins de hanter l'ancienne idole de l'Espagne. Choqué par les actes terroristes qui endeuillèrent le pays durant les dernières années de la dictature du général Franco, El Cordobés annonça un jour qu'il voulait offrir une corrida au profit des veuves et des orphelins des policiers victimes du terrorisme. Le douloureux souvenir de l'exécution, sur l'ordre du Caudillo, de cinq jeunes Basques accusés d'avoir abattu des policiers était encore dans toutes les mémoires. La proposition fit scandale. Le matador reçut des menaces de mort et d'enlèvement de ses enfants. La presse rapporta qu'il se terrait dans sa propriété sous la protection d'une escouade de gardes du corps. Il fut photographié avec une jambe dans le plâtre, et un communiqué annonça qu'un accident de cheval l'obligeait à annuler la corrida.

Manuel Benitez El Cordobés, aujourd'hui âgé de soixante et un ans, n'a rien perdu de sa fougue, de son charme, de sa chaleureuse convivialité. Après un timide essai de reconversion dans le chant et la comédie musicale, il s'est définitivement retiré sur la terre qui l'a vu naître, entouré de sa femme et de ses enfants, au milieu de ses toros et de ses oliviers. Chacune de nos retrouvailles est l'occasion d'évoquer, dans des flots de bière et de *vino tinto*, les inoubliables souvenirs des extravagantes temporadas des années soixante.

Franco est mort à l'aube du 20 novembre 1975. Près d'un quart de siècle plus tard, les cohortes faméliques de garçons en guenilles portant leur rêve dans un baluchon accroché à une vieille épée continuent de s'écouler sur les routes de campagne de l'Espagne nouvelle, aujourd'hui sillonnée d'autoroutes. Pour la plupart, leur rêve s'écroulera sans qu'ils aient jamais pu franchir la porte d'une arène. Mais de ces ombres surgira peut-être un jour un nouveau dieu plus doué, plus intrépide, plus audacieux que toutes les stars actuelles de la fiesta brava.

5

L'homme discret qui sauva Israël

La reine des villes m'apparut soudain, plantée sur son paysage lunaire, telle une « fiancée descendue du ciel pour son époux [1] ». Quel choc ! Mon chauffeur de taxi m'avait fait le somptueux cadeau de m'emmener directement au sommet du mont des Oliviers. Devant moi, dans un foisonnement de coupoles, de minarets, de clochers, de terrasses, dans un entrelacs de ruelles et de passages secrets, s'étalait la Vieille Ville de Jérusalem, capitale d'Abraham, de David, de Salomon ; cité de Jean, de Marie et de Jésus ; conquête de Godefroi de Bouillon, de Saladin, des Anglais d'Allenby, des légionnaires d'Abdallah, des parachutistes de Moshe Dayan.

Je bénis ma chance. J'étais arrivé un vendredi. Leurs dévotions à Allah terminées, des foules d'hommes en keffieh et de femmes en longue robe palestinienne brodée quittaient les mosquées de l'esplanade du Haram. Les appels lancinants des muezzins du haut des minarets s'étaient tus. Bientôt, le soleil disparut derrière la chaîne des collines de Judée qui barrait l'horizon. La complainte rauque des *shofars* juifs annonçant le début du sabbat emplit alors le ciel de l'antique cité. Puis, quand vint le crépuscule, ce fut au tour des clochers des églises chrétiennes de sonner à toute volée l'heure bénie de l'angélus. C'était par la glorification de Dieu que je faisais connaissance avec Jérusalem. Mais que de sacrifices avaient été imposés au nom de Dieu à cette ville au cours de sa longue histoire !

1. Apocalypse de saint Jean.

Je venais d'apercevoir un témoignage de ce destin mouvementé sur l'étroite route qui montait de Tel-Aviv vers ses murailles. Dans le défilé des collines gisaient, sur les bas-côtés de la chaussée, les épaves de dizaines de camions calcinés. Certains étaient décorés de fleurs, d'autres d'inscriptions en hébreu, d'autres de plaques commémoratives. J'interrogeai mon chauffeur sur la signification de ce chemin de croix de tôles déchiquetées sur la route de Jérusalem. Ma question parut le scandaliser. Ne savais-je rien de la tragédie qui s'était déroulée ici au printemps de 1948 ? Il arrêta son taxi derrière les débris de l'un des camions et, d'une voix pleine de respect, il me raconta.

Au printemps de 1948, quelques semaines avant la naissance de l'État d'Israël, Jérusalem se trouvait assiégée par le chef arabe palestinien Abd el-Kader el-Husseini et ses partisans. Privés d'eau et de nourriture, les cent mille habitants juifs étaient sur le point de succomber. Pour empêcher cette tragédie, David Ben Gourion, alors le chef de la communauté juive de Palestine, avait réquisitionné tous les camions et véhicules de transport disponibles afin d'apporter des vivres et de l'eau à cette population à l'agonie. Dans la nuit du 23 au 24 mars 1948, un convoi de trois cents camions, conduit par des immigrants tout juste arrivés d'Europe, s'était élancé vers Jérusalem. Prévenus par leurs guetteurs, les partisans d'Abd el-Kader s'abattirent comme des sauterelles sur l'interminable colonne, massacrèrent les conducteurs, incendièrent ou pillèrent les denrées vitales qu'elle transportait. Ce fut une nuit de feu, de sang, d'horreur. Pas un gramme de nourriture, pas un litre d'eau ne parvint aux cent mille Juifs de Jérusalem. Le cimetière de ferraille qui, depuis, jonchait les bas-côtés de la route perpétuait le souvenir de ces jours terribles au cours desquels le futur État juif avait failli disparaître avant même de voir le jour.

Le récit de mon chauffeur de taxi et la vision magique de la sainte cité enflammèrent mon imagination. Aucun doute : c'était ici que Larry et moi devions planter le décor d'une nouvelle collaboration littéraire.

L'idée enthousiasma mon partenaire au point qu'il faussa compagnie aux maçons qui lui édifiaient à Ramatuelle un petit mas juste derrière le Grand Pin. Il sauta dans le premier avion et me rejoignit à Jérusalem. Ce livre, nous en tombâmes d'accord, raconterait les événements qui, de New York à Tel-Aviv et à toutes les capitales arabes, avaient, durant l'hiver et le printemps 1947-1948, eu Jérusalem pour principal enjeu, avec la naissance de l'État d'Israël et le début du conflit israélo-arabe pour conséquences. Notre enquête, nous le pressentions, serait longue, difficile et complexe à cause des passions, et des haines, qui empoisonnaient cette région du monde. Mais quelle belle aventure ce serait de relever le défi !

*

Il commença, ce défi, dans un décor plutôt insolite. Au lendemain de la guerre des Six Jours, la luxueuse résidence des Israéliens Miles et Guita Sherover accueillait à Jérusalem tout ce que le pays comptait d'élites. À leur table, réputée pour le raffinement de sa cuisine chinoise, se pressaient des responsables politiques, des chefs militaires, des princes de la finance et de l'industrie, des représentants de l'intelligentsia artistique, littéraire et religieuse, d'importants visiteurs étrangers. C'était toujours une fête d'aller chez les Sherover. J'y rencontrai Vivian Herzog, qui avait été, en 1948, le chef d'état-major de la fameuse 7e brigade, chargée par Ben Gourion d'ouvrir à tout prix la route de Jérusalem ; Ezer Weizman, qui avait, aux commandes du premier avion de chasse de l'armée de l'air israélienne, mitraillé les colonnes égyptiennes fonçant vers Tel-Aviv ; Moshe Dayan, auréolé de sa toute fraîche conquête de la Vieille Ville de Jérusalem à la tête de ses paras, et qui s'était emparé en 1948 des deux grandes cités palestiniennes de Lydda et de Ramleh. L'éminent archéologue Yigael Yadin, spécialiste des manuscrits de la mer Morte, était, lui aussi, un familier des Sherover. Vingt ans plus tôt, alors qu'il était un jeune officier de la Haganah, l'armée juive secrète de Palestine, il avait reçu de Ben Gourion l'ordre d'empêcher la chute de Jérusalem. Au cours d'une confrontation dramatique, il avait refusé d'obéir au vieux chef qui lui ordonnait de consacrer toutes ses forces pour sauver la future capitale d'Israël. Mais, ce soir-là, les Égyptiens étaient aux portes de Tel-Aviv et les Syriens déboulaient du nord. « Je suis né à Jérusalem ! avait crié Yadin à Ben Gourion. Ma femme est à

Jérusalem. Mon père et ma mère sont là-bas. Tout ce qui vous attache à Jérusalem m'y attache encore plus que vous. Mais, ce soir, nous avons besoin de toutes nos forces pour faire face à des périls encore plus grands que ceux qui menacent Jérusalem. » À ces mots, le vieux leader avait rentré le cou dans les épaules, il s'était calé dans son fauteuil et, fixant Yadin droit dans les yeux, il avait répété son ordre, clair et sans appel : « Vous empêcherez la chute de Jérusalem. »

L'un des habitués des dîners chez les Sherover était un petit homme rondelet, aux yeux bleus pétillants d'intelligence. Bien que son nom fût relativement peu connu du grand public, Ehud Avriel, cinquante-quatre ans, était l'un des pères fondateurs de l'État d'Israël. Il rentrait d'un long séjour en Afrique où il avait tissé des liens privilégiés entre son pays et le continent noir. Le Premier ministre Golda Meir venait de le nommer ambassadeur à Rome. Une mission officielle qui en cachait une autre, celle de réactiver secrètement les réseaux européens d'immigration juive vers Israël. Que le Premier ministre ait choisi Avriel pour remplir cette tâche n'était guère surprenant : cet homme timide et réservé avait déjà été l'inspirateur et l'exécuteur des deux épopées qui avaient permis la naissance de l'État d'Israël puis sa survie : l'immigration clandestine massive des juifs d'Europe, et l'achat des premières armes qui sauvèrent le pays.

Une sympathie immédiate nous attira l'un vers l'autre. Il m'invita à partager l'austère hospitalité de Neoth Mordechai, son kibboutz de Haute-Galilée où avait commencé, en 1938, sa propre aventure d'immigrant en Palestine. Cette communauté de planteurs de pommiers et de fabricants de sandales enfouie dans les eucalyptus, à portée des canons syriens, était depuis presque trente-cinq ans le port d'attache de cet infatigable combattant d'Israël. Il en était l'un des créateurs avec sa femme Hannah, une robuste Viennoise mère de ses trois enfants. Déjouant la vigilance des policiers britanniques, ils avaient en une nuit planté les premières baraques puis, avec une poignée d'autres immigrants européens et quelques bourricots, asséché les marécages alentour infestés de serpents et de moustiques.

Sa mémoire phénoménale, son goût du détail, son talent de conteur étaient un tel régal que nos sessions de travail se prolongèrent comme une fête durant des jours et des nuits.

*

Ce 13 mars 1938, le destin du jeune Ehud Avriel, vingt ans, est sur le point de basculer. C'est une éclatante journée de printemps. Vienne, sa ville natale, est en liesse. Les gens s'agglutinent aux fenêtres, sur les toits, dans les arbres, au sommet des réverbères. Une débauche d'oriflammes, de drapeaux, de banderoles éclabousse de rouge et de noir les vieilles façades grises du centre historique. Au cœur de tous ces ornements apparaît un emblème nouveau, une grosse araignée noire, la croix gammée. Ce jour-là, la capitale autrichienne accueille l'entrée des troupes hitlériennes, première étape de la conquête de l'Europe par les nazis.

Depuis le salon de la maison familiale, sur la rue Marc-Aurèle, le garçon voit passer des autos-canons couvertes de fleurs, des soldats casqués d'acier, de lourds blindés à croix noire. Issu d'une vieille famille de négociants parfaitement intégrée à la bonne société viennoise, il achève des études de droit. Il veut être avocat. En fait, au fond de son cœur, c'est loin de Vienne qu'il a l'intention de construire son avenir. Depuis trois ans, il milite dans une organisation sioniste qui anime, en Autriche, des fermes-écoles où de jeunes Juifs autrichiens s'initient au travail de la terre en prévision de leur départ pour la Palestine. Ni lui ni ses parents n'ont jamais visité la Terre promise. Leur seul lien charnel avec elle est l'odeur d'un *etrog*, ce citron de Jaffa embaumant le jasmin dont les Juifs palestiniens se servent pour célébrer, chaque automne, la fête des moissons de Soukkot. Chez les Avriel, il y a toujours un etrog rapporté par quelque voyageur ami, vibrante évocation d'un ailleurs lointain, inconnu, et pourtant si présent, un ailleurs que les cris de « Un peuple, une nation, un Führer ! », inlassablement scandés ce matin dans les rues de Vienne, rendent soudain encore plus désirable.

Le jeune Ehud et les deux cent vingt mille Juifs de la communauté israélite autrichienne ne tardent pas à découvrir le sort que leur réservent les hommes en noir du département central des Affaires juives de la Gestapo. La nouvelle province du Grand Reich doit, comme l'Allemagne, « être promptement débarrassée de la vermine juive qui l'infeste », ainsi que l'annonce la presse sous obédience nazie. Arrestations, bastonnades, pillages de magasins, emprisonnements, expulsions, humiliations diverses, l'arsenal de la terreur hitlérienne s'abat sur une communauté que rien n'a préparée à un tel châtiment. Du jour au lendemain, les consulats étrangers de Vienne sont assiégés par des milliers de familles terrorisées en quête de visas. Rares sont les privilégiés qui trouvent une terre d'asile. Quant à prendre ouvertement le chemin de la Palestine, il n'en est pas question. Les autorités mandataires britanniques de ce petit pays observent une stricte application des quotas d'immigration en vigueur. Ceux-ci sont déterminés deux fois par an. Sous la pression de ses alliés arabes, Londres en a réduit le montant à un chiffre presque symbolique. En 1935, l'année où les lois raciales de Nuremberg ont été promulguées, les Anglais n'ont accordé que 61 854 certificats d'immigration. Depuis, ce chiffre n'a cessé de s'amenuiser. En 1938, moins de 40 000 Juifs seront autorisés à entrer officiellement en Palestine. Le jour où Hitler s'empare de l'Autriche, le coffre-fort de l'Agence juive ne possède que 16 autorisations d'entrer en Palestine pour toute la population juive autrichienne. Cette situation intenable va bouleverser bien des vies et d'abord celle du jeune Avriel. Puisque les Anglais refusent de laisser entrer en Palestine les Juifs que persécutent les nazis, il faut d'urgence organiser leur immigration clandestine. Les chefs de la Haganah passent à l'action. Ils jettent les bases d'un réseau qui se chargera d'acheminer en secret le plus grand nombre possible de gens. Ce réseau, ils le baptisent prosaïquement « Institution pour une immigration parallèle », en hébreu, *Mossad.* Par la suite, l'activité du Mossad s'étendra à toutes sortes d'actions associées à la protection du peuple juif. Il incarnera la capacité des Juifs à inventer les moyens de leur survie.

La modeste chambre de la rue Marc-Aurèle d'où Avriel et ses camarades sionistes ont coordonné le recrutement des fermes-écoles devient une ruche bourdonnante. Les chefs de la Haganah ont choisi Vienne comme capitale des opérations d'immigration clandestine. Ehud devient le plus jeune membre du réseau. Une seule préoccupation anime l'équipe : agir vite. Mais soudain, un discours fait naître une folle espérance. Le 22 mars 1938, neuf jours après l'occupation de Vienne par les nazis, le président des États-Unis, Franklin Roosevelt, propose une conférence internationale à trente-trois États, dont la France, la Grande-Bretagne et l'Italie, afin de définir une action commune en faveur des réfugiés politiques chassés d'Allemagne et d'Autriche. Hitler réplique qu'il espère bien que « les pays qui s'apitoient sur le sort de ces criminels sauront convertir leur compassion en aide pratique ». Il se déclare prêt, pour sa part, à « leur remettre cette racaille, au besoin à bord de paquebots de première classe ».

La conférence qui s'ouvre le 6 juillet 1938 sous les lambris de la salle de bal de l'hôtel Royal d'Évian-les-Bains, la paisible station thermale française au bord du lac de Genève, fait immédiatement comprendre au jeune Avriel que le salut des Juifs ne devra dépendre que d'eux-mêmes. Aucune autorité juive n'a été invitée à Évian afin de présenter le point de vue des persécutés. La principale solution susceptible de résoudre le sort des réfugiés, à savoir leur immigration illimitée en Palestine, a été réglée d'avance. Les États-Unis et l'Angleterre se sont entendus pour l'exclure des débats. Le coup est d'autant plus terrible qu'aucun pays n'exprime l'intention d'ouvrir ses frontières aux victimes de la folie hitlérienne. Le représentant de l'Australie fait savoir que son pays « ne souhaite pas introduire un problème racial sur son territoire alors que cette malédiction lui a été épargnée jusqu'ici ». De son côté, la Nouvelle-Zélande ne voit pas comment lever les restrictions en vigueur. Quant à la Grande-Bretagne, elle se contente d'informer la conférence que l'empire colonial britannique ne dispose d'aucun territoire susceptible d'accueillir d'importantes colonies de réfugiés juifs. Même le nom de Palestine est soigneusement omis du discours de son délégué. Une poignée de pays déclarent qu'ils accepteront de recevoir à la rigueur quelques agriculteurs. D'autres refusent l'entrée sur leur territoire de certaines professions, tel le Pérou qui s'oppose catégoriquement à l'immigration de médecins et d'avocats de peur de créer un prolétariat intellectuel susceptible d'inquiéter la classe au pouvoir. D'autres pays sud-américains excluent non seulement les intellectuels, mais aussi les commerçants.

L'Argentine et la France font valoir les gestes de solidarité accomplis dans le passé pour s'abstenir d'en faire d'autres. Seuls la Hollande et le Danemark s'engagent à ouvrir plus largement leurs frontières. Il y a cependant dans ce concert d'égoïsmes un petit miracle. La République de Saint-Domingue annonce qu'elle accueillera cent mille réfugiés. On peut croire que ce geste va susciter d'autres générosités. Il n'en est rien. Les États-Unis se contentent d'annoncer qu'ils honoreront pour la première fois la totalité du quota légal annuel d'immigrants en provenance d'Allemagne et d'Autriche, soit 27 370 personnes. Par ces chiffres ridicules, les États-Unis démontrent leur volonté d'ignorer la gravité, l'urgence et l'ampleur du problème. Derrière les cinq cent mille Juifs d'Allemagne et d'Autriche se profile en effet le sort de sept ou huit millions de Juifs polonais, roumains, hongrois, tchèques, bulgares, russes que l'impérialisme hitlérien va bientôt menacer.

Le gouvernement allemand commenta à sa façon la rencontre d'Évian. Le ministre de la Propagande Goebbels déclara qu'Évian avait révélé « le danger que représentait la juiverie mondiale, justifiant ainsi la politique de l'Allemagne envers les Juifs ». Une jeune inconnue coiffée d'un fichu de paysanne sut tirer la conclusion la plus percutante de ce débat stérile. Venue spécialement de Jérusalem plaider la cause des Juifs au nom de l'Agence juive, elle n'avait pas eu le droit de s'exprimer. À un journaliste qui lui demandait quel souhait lui inspirait cette conférence, elle répondit : « Le souhait qu'avant ma mort mon peuple n'ait plus jamais besoin de marques de sympathie. » Elle s'appelait Golda Meir.

Un jeune Juif face à Eichmann

Ehud Avriel et l'équipe du Mossad rentrèrent d'Évian convaincus que la seule chance des Juifs résidait en un départ clandestin et massif vers la Palestine. Pour cela, il fallait trouver des bateaux. Ils dépêchèrent des agents dans les ports roumains et bulgares de la mer Noire, sur la côte turque, en Grèce. Il fallait agir avec discrétion pour ne pas alerter les espions britanniques, et avec discernement pour démasquer les innombrables escrocs attirés par ce genre d'opération. De petites embarcations avaient plus de chance de tromper la surveillance britannique que de grosses unités. En revanche, des allées et venues nombreuses risquaient d'attirer l'attention. Se souvenant que Christophe Colomb avait découvert l'Amérique à bord d'une caravelle de quarante-neuf tonneaux, Avriel opta pour un premier transport clandestin de modestes dimensions. Le 12 juin 1938, soixante-six jeunes Autrichiens débarquèrent sans encombre dans la crique de David, au sud de Haïfa. Grisés par cette réussite, Avriel et ses compagnons dénichèrent dans le port grec du Pirée un vieux rafiot d'origine russe, l'*Attrato*, capable de transporter six cents passagers. L'opération serait difficile, car il fallait faire transiter les immigrants de façon clandestine à travers plusieurs pays des Balkans jusqu'à un port d'embarquement. Chaque candidat au départ avait besoin d'un visa pour traverser la Hongrie, la Yougoslavie, la Roumanie et la Grèce. Ce document n'était accordé que sur présentation d'un passeport dûment revêtu du visa d'entrée dans le pays de destination. La Palestine étant exclue, il fallut chercher un pays de complaisance. Cela prit des mois. Finalement, ce ne serait pas pour le pays des Prophètes et des Juges que partiraient officiellement les passagers de l'*Attrato*, mais pour le Mexique.

Grâce à ce bateau et à plusieurs autres, des milliers de Juifs échappèrent à la terreur nazie. Pourtant, leur nombre restait insignifiant et les Allemands montraient de plus en plus d'impatience à voir tous les Juifs quitter les territoires du Reich. Cette impatience valut au jeune Avriel d'être un jour convoqué à la direction centrale des Affaires juives. Trente ans plus tard, il garderait le souvenir horrifié de cette visite en enfer.

– Le palais du baron Louis de Rothschild où les nazis de Vienne avaient leurs bureaux était à peine éclairé, me raconta-t-il en tirant nerveusement sur une cigarette. La plupart des trésors qui le meublaient avaient été volés par les conquérants. Ici ou là, un tableau ou une tapisserie oubliés dans le pillage donnait aux lieux un air ambigu de musée abandonné. Des panneaux et des pancartes avaient été cloués sur les boiseries anciennes qui tapissaient les murs. Un garde SS me conduisit le long de couloirs interminables jusqu'au bureau du responsable qui m'avait convoqué. Celui-ci portait un uniforme noir et des bottes brillantes comme des miroirs. Il attendait debout au fond de la pièce, un pied sur un fauteuil et un fouet à la main. C'était Adolf Eichmann.

« – Approchez ! aboya-t-il tandis que je m'avançai vers

lui. Approchez encore ! – Puis il y eut un rugissement : Maintenant, trois pas en arrière !

« La lanière de son fouet fendit l'air et claqua comme un coup de feu. Je compris qu'il avait tracé une frontière entre nous. Il s'installa à son bureau et je vis une grimace déformer son visage aux traits plutôt fins. Il aboya de nouveau :

« – Les progrès sont trop lents ! Vous ne travaillez pas assez vite !

« Suivit alors un ouragan de récriminations. Pourquoi avions-nous fait passer si peu de gens par le Danube en direction de la mer Noire ? Et si peu de gens par la Yougoslavie vers l'Adriatique et la Palestine ? Pourquoi n'avions-nous pas contraint les Anglais et les Américains à accueillir plus de Juifs ? Ne savions-nous pas que le gouvernement allemand en avait assez des Juifs ? Qu'il était grand temps que le Reich soit purifié de leur vermine ?

« – Nous faisons tout ce qui est en notre pouvoir, protestai-je timidement, avant d'expliquer qu'il était de plus en plus difficile de trouver des bateaux en raison de la tension internationale croissante, et parce qu'il fallait aussi les faire naviguer dans le plus grand secret sous peine de voir les Anglais les arraisonner.

« – Des prétextes ! glapit Eichmann en faisant claquer son fouet.

« Si nous allions si lentement, c'était parce que nous ne voulions emmener que des jeunes. Or, les jeunes n'ont pas d'argent, ce qui expliquait pourquoi nous manquions de ressources. Il fallait emmener aussi des riches, même s'ils étaient malades ou vieux. Il refusait de perdre son temps pendant que nous satisfaisions nos caprices.

« J'essayai de faire comprendre à cette brute que le seul critère qui dictait le choix des immigrants était les difficultés du voyage. Arrivés à proximité du rivage, ils devaient sauter à la mer et nager assez vite pour échapper aux patrouilles britanniques.

« – Foutaise ! coupa Eichmann, visiblement exaspéré qu'un *sous-homme* puisse lui tenir tête. Faites sauter aussi les vieillards et les malades dans la mer. C'est un ordre.

« Le chef nazi fit alors claquer à nouveau son fouet sous le lustre en cristal du baron Louis de Rothschild. Notre entretien était terminé. »

*

Le jeune militant juif resterait à jamais marqué par cette rencontre avec l'un des futurs organisateurs de la solution finale. Pourtant, en ces mois qui précédèrent la Seconde Guerre mondiale et le début de l'holocauste, Eichmann se révéla paradoxalement un partenaire fort complaisant du Mossad. Ses interventions auprès des consulats balkaniques facilitèrent l'obtention de visas de transit. Des milliers de Juifs allemands et autrichiens purent ainsi gagner les ports d'embarquement. Certes, ils n'arriveraient pas tous à destination. Les Anglais ne cessaient de durcir leur attitude. Dans un livre blanc publié le 17 mai 1939, Londres annonça la fin de toute immigration officielle juive en Palestine et l'interdiction aux Juifs déjà installés sur place d'acheter de nouvelles terres arabes. David Ben Gourion, le leader de la communauté juive de Palestine, répliqua que « l'immigration juive ne pourrait être stoppée que par les baïonnettes ». C'était une déclaration de guerre. Tous les kibboutzim, toutes les colonies juives dispersés le long de la côte de Palestine reçurent l'ordre de se préparer à accueillir de nuit, les armes à la main, des embarcations transportant des immigrants clandestins. Le 2 septembre 1939, un misérable rafiot, le *Tiger Hill*, arriva devant Tel-Aviv avec mille quatre cents Juifs de Roumanie. Les garde-côtes anglais ouvrirent le feu. Les trois femmes et l'homme qui tombèrent ce jour-là foudroyés sur le pont furent les premiers morts de la guerre qui venait d'éclater quelques heures plus tôt entre les Alliés et l'Allemagne nazie. Quelques semaines plus tard, au large d'Istanbul, les Britanniques interceptèrent un autre transport qu'ils conduisirent sous escorte jusqu'à Haïfa. L'annonce que tous ses passagers seraient déportés au Paraguay déclencha un mouvement général de révolte dans toute la Palestine juive. Des grèves éclatèrent. La Haganah répliqua en faisant sauter plusieurs installations militaires britanniques. Impressionnés par cette flambée de violence, les Anglais renoncèrent à leur projet de déportation et internèrent les immigrants dans des camps aux alentours de Haïfa. Par la suite, d'autres bateaux tentèrent de forcer le blocus au terme de semaines d'errances cauchemardesques en haute mer. Un millier de personnes manqua mourir de soif à bord d'un rafiot prévu pour soixante passagers. On les conduisit de force à Haïfa, pour les transférer sur un cargo français en partance pour l'île Maurice. Des commandos de la Haganah firent sauter le bateau avant l'appareillage. Bilan : plus de trois cents morts. Bien d'autres tragédies devaient endeuiller les efforts d'Avriel et de ses compagnons pour soustraire quelques milliers de Juifs à l'extermination qui se préparait. Beaucoup de navires étaient en si piteux état qu'ils ne purent résister aux tempêtes de la mer Noire et de la mer de Marmara. Le *Salvador* disparut avec cent sept femmes et soixante-six enfants, le *Struma* avec sept cent soixante-neuf réfugiés roumains. Heureusement, de nombreux succès compensaient ces échecs. Chaque fois qu'une embarcation réussissait à débarquer ses passagers en Terre promise, le message codé : « Les tentes sont bien arrivées » traversait l'Europe en guerre pour atteindre les oreilles impatientes de l'équipe de Vienne. Mais, à mesure que les hostilités embrasaient de nouveaux pays, l'organisation de ces départs devint de plus en plus difficile. Sous la pression des Britanniques qui menaçaient de suspendre leurs achats de pétrole, les Roumains fermèrent leurs frontières aux Juifs qui rejoignaient les bateaux du Mossad dans les ports de la mer Noire. En Yougoslavie, un convoi de mille cent réfugiés fut bloqué par les glaces qui gelaient le Danube. Transférés dans un camp du petit port fluvial de Sabac, près de Belgrade, pour y passer l'hiver dans l'attente du dégel et de leur embarquement, ils virent arriver, le 7 avril 1941, les envahisseurs nazis de la Yougoslavie, qui disposèrent des mitrailleuses aux quatre coins du camp. Il n'y eut aucun survivant.

Avriel et ses compagnons durent abandonner leur QG de Vienne et se replier sur Istanbul. Les transports illégaux reprirent de plus belle. Les noms de *Maritza*, de *Morina*, de *Bulbul*, de *Mekfure*, et de tant d'autres bateaux illustreraient l'épopée de l'immigration juive en Palestine.

– Nous passions une grande partie de notre temps plongés dans la lecture des Psaumes en louange au Seigneur qui tenait entre Ses mains le destin de Ses enfants, me racontera Avriel au souvenir des attentes anxieuses qui suivaient le départ des bateaux.

Bientôt, ils achetèrent toute une flottille d'embarcations de pêche. Ces chalutiers qui arrivaient à contenir une centaine de passagers étaient si petits qu'ils n'apparaissaient pas sur les écrans radars des patrouilleurs anglais. Ils atteignaient la côte de Palestine de nuit, en des points fixés à l'avance. Des équipes de kibboutznikim, dans l'eau jusqu'à la ceinture, attendaient les passagers pour les aider à gagner la terre ferme, après quoi des camions les emmenaient dans les kibboutzim et les colonies de la région. Quand arrivaient les patrouilles anglaises, il n'était plus possible de distinguer ceux qui venaient d'arriver des anciens.

Un prince russe très spécial

La fin de la guerre provoqua un changement radical dans la nature de l'action. À Vienne, puis à Istanbul, Avriel et ses compa- gnons s'étaient battus pour arracher les Juifs aux chambres à gaz. Leur mission avait été strictement humanitaire. La paix revenue, cette mission devenait politique. Il fallait faciliter la venue de Juifs en Palestine non seulement parce qu'ils n'avaient pas d'autre terre d'accueil, mais surtout pour augmenter à tout prix le peuplement juif du pays et démontrer aux Anglais que le droit des Juifs à revenir sur leur terre n'était pas négociable.

« Nous avons désormais un seul adversaire : le gouvernement de Sa Majesté », annonça Ben Gourion. Visionnaire, le leader juif imaginait déjà la naissance d'un État hébreu souverain et indépendant. Mais, pour que cet État fût viable, il fallait que les Juifs d'Europe viennent en masse rejoindre leurs frères de Palestine.

En décembre 1945, Ben Gourion réunit Avriel et ses compagnons dans une petite chambre de l'hôtel Claridge, à Paris. Avriel se souvenait des paroles du vieux chef comme d'un verset de la Bible.

« Je vous ai réunis d'urgence parce qu'il va falloir agir très vite, et sur un très large front, expliqua-t-il. Nous devons faire venir en Palestine des dizaines de milliers de survivants de l'holocauste. Nous devons créer de nouveaux kibboutzim dans le désert et sur les frontières, et nous avons besoin de gens pour les construire. Les rescapés des chambres à gaz seront les artisans de cette tâche. »

Le petit homme s'était interrompu pour réfléchir. C'était toujours le signe que ce qu'il avait à ajouter était grave. Son regard était particulièrement sombre.

« Nous devons donner aux immigrants une formation militaire avant leur arrivée en Palestine, déclara-t-il en martelant ses mots. Cette formation sera plus facile à réaliser ici en Europe que là-bas, où le gouvernement anglais reste hostile. Après quoi, il nous faudra apporter les armes dont nous aurons besoin pour nous défendre quand surviendra l'inévitable confrontation. L'heure des grandes batailles et des grandes décisions est arrivée. Êtes-vous prêts à assumer vos responsabilités ? »

Comme d'habitude avec Ben Gourion, la question était de pure forme. Il n'attendait pas de réponse.

*

La France devint le centre opérationnel des nouvelles actions ordonnées par le leader juif. Ce choix était logique : la cause sioniste comptait de nombreux supporters dans les milieux influents français, y compris au gouvernement. Quant à l'opinion, révoltée par la barbarie hitlérienne, elle ne marchandait pas ses sympathies aux rescapés du génocide hitlérien. Avriel s'installa donc à Paris avec plusieurs de ses compagnons. Ils louèrent un petit appartement au 53, rue de Ponthieu, à quelques pas des Champs-Élysées, qui devint le quartier général du Mossad en Europe. La bienveillance des autorités françaises était un tel atout que les Juifs ne voulaient à aucun prix risquer d'embarrasser leurs hôtes, surtout dans leurs rapports avec leurs alliés britanniques. Toutes les opérations de transit à travers la France, ou de regroupement dans des camps à proximité des ports d'embarquement, devaient avoir l'apparence d'entreprises d'immigration légitime à destination de pays tiers autres que la Palestine. Pour cela, il fallait obtenir d'authentiques visas d'immigration pour les pays en question. Une nouvelle gageure qui allait mettre l'imagination d'Avriel à de rudes épreuves.

À l'heure de l'apéritif, le bar parisien de l'hôtel Claridge se transformait en une ruche fréquentée par une faune extrêmement variée. Avriel ne manquait pas d'y faire une escale quotidienne dans l'espoir d'y rencontrer quelqu'un d'intéressant ou d'y retrouver une ancienne relation de travail. Un jour, sa constance fut récompensée par une violente tape dans le dos.

– Votre prénom n'est-il pas Ehud ? lui demanda un grand escogriffe au fort accent autrichien.

Avriel reconnut l'un des Juifs de Vienne qu'il avait, en août 1938, arraché aux griffes d'Eichmann en lui fournissant un certificat d'immigration pour la Palestine. L'homme serra son bienfaiteur dans ses bras.

– Que puis-je faire pour vous ? demanda-t-il avec effusion.

– J'ai besoin de trois mille visas d'immigration, répondit Avriel.

– Pour quel pays ?

– N'importe lequel.

L'homme ne montra aucun étonnement.

– Vous pouvez compter sur moi.

Dès le lendemain, il présentait Avriel à un prince russe, envoyé spécial en Europe du souverain d'un pays africain. Naguère, dans les temps bibliques, ce pays avait eu d'étroites relations avec le peuple juif. Obtenir trois mille visas du négus Hailé Sélassié paraissait donc un objectif réalisable. L'Éthiopie avait besoin d'artisans, d'ouvriers qualifiés, de commerçants pour reconstruire son économie dévastée par la guerre. Les volontaires en provenance des camps de personnes déplacées y seraient sans nul doute généreusement accueillis. Le prince russe promit de suggérer l'idée à l'empereur. Il ne doutait pas de son accord. Le projet paraissait fort séduisant, mais il y avait un hic. Malgré toute sa sympathie pour l'Éthiopie, ce n'était pas à la reconstruction du pays de la reine de Saba qu'Avriel destinait ses immigrants... De déjeuner chez Maxim's en dîner dansant chez Monseigneur, le prince russe tint son interlocuteur en haleine pendant plusieurs semaines. Ne s'était-il pas trop avancé ? Le prix de un dollar par visa proposé par Avriel avait-il été jugé insuffisant ? Au QG du Mossad, on commençait à désespérer.

C'est alors qu'une boîte de carton soigneusement enveloppée arriva au 53, rue de Ponthieu. Elle contenait cent feuilles de papier à lettres blanc à en-tête de la légation d'Éthiopie à Paris, ainsi qu'une collection de cachets officiels. Chaque feuille pouvait contenir une trentaine de noms. C'était le miraculeux sésame tant espéré. Trois mille réfugiés allaient pouvoir traverser la France en toute légalité sans que la Grande-Bretagne puisse incriminer son alliée d'un quelconque manquement à son endroit. L'Éthiopie n'était pas la Palestine.

Quelques précieuses feuilles inutilisées resteront dans un tiroir du bureau d'Ehud Avriel. Deux ans plus tard, elles rendront à son pays un service crucial.

*

Électrisés par l'appel messianique de leur vieux chef, les envoyés du Mossad redoublèrent d'efforts. De Roumanie jusqu'au Languedoc, sur plus de trois mille kilomètres de côtes, pas un port, pas un chantier naval, pas une crique n'échappa à leurs investigations. Trouver des bateaux devint leur obsession. La pénurie de navires n'empêcha pas quelques départs retentissants. Le 4 avril 1946, mille quatorze réfugiés en provenance de plusieurs camps de personnes déplacées s'embarquèrent sur un vieux rafiot acheté par le Mossad, le *Fede*, mouillé dans le port italien de La Spezia.

Le prétendu objet du voyage, une croisière en Sardaigne, ne parvint pas à endormir la vigilance de l'Intelligence Service qui veillait dans tous les ports de Méditerranée. Des patrouilleurs de la Royal Navy bloquèrent le chenal de sortie tandis que des officiers britanniques montaient à bord et sommaient les passagers d'évacuer le bateau. En guise de réponse, le représentant du Mossad fit hisser le drapeau sioniste sous les acclamations des dockers italiens de cœur avec les clandestins du *Fede*. Une offre de les interner provisoirement dans un camp en attendant que Londres décidât de leur octroyer des certificats d'immigration réguliers fut également rejetée. Le Mossad s'empressa de profiter de l'incident pour ameuter l'opinion mondiale en organisant sur place des conférences de presse et des manifestations de soutien. Le portail d'entrée du port fut rebaptisé « porte de Sion ». Des télégrammes partirent par la radio du bord à destination de Staline, Truman et Attlee. Le jour de la Pâque, les familles juives de La Spezia servirent un repas sur le pont du bateau décoré de drapeaux juifs et italiens. Un policier italien, qui avait été arrêté puis relâché par les Anglais, fut porté en triomphe sur la passerelle.

Au bout d'un mois, les passagers, toujours immobilisés sur leur bateau, entamèrent une grève de la faim et annoncèrent que dix d'entre eux se suicideraient chaque jour. On vit apparaître des panneaux sur chaque pilier du portail d'entrée du port. L'un indiquait depuis combien d'heures durait la grève de la faim, l'autre le nombre de passagers qui avaient perdu connaissance à cause du manque de nourriture. À mesure qu'augmentaient les deux chiffres, la foule massée autour des grilles devint de plus en plus menaçante envers les soldats britanniques qui isolaient le port. À Gênes, les dockers cessèrent le travail par solidarité. À Jérusalem, les chefs de l'Agence juive commencèrent à leur tour une grève de la faim et déclarèrent qu'ils la poursuivraient jusqu'à la libération du bateau et l'arrivée de tous ses passagers en Palestine.

Devant la détermination juive, les Anglais finirent par capituler. Ils firent savoir que tous les occupants du navire rebelle recevraient un certificat pour émigrer légalement en Palestine. La confrontation avait duré trente-trois jours. Pour faire voyager les rescapés de cette dure épreuve dans de meilleures conditions, le Mossad affréta un second navire qui prit à son bord la moitié des rescapés du *Fede*. Les deux bateaux furent triomphalement accueillis à Haïfa. Ils allaient refaire la même traversée quatre mois plus tard, mais clandestinement cette fois, avec mille huit cent quarante-six immigrants illégaux.

Le gouvernement britannique décida de faire payer aux Juifs l'humiliation subie à La Spezia. Le samedi 29 juin 1946, jour du sabbat, des unités de parachutistes soutenues par des escadrons de policiers se lancèrent à l'assaut du siège de l'Agence juive de Jérusalem et de quarante-neuf villes et kibboutzim des principales zones de colonisation. L'opération visait à liquider militairement l'aventure sioniste en arrêtant ses principaux dirigeants et en saisissant toutes les armes et munitions légales ou illégales. Prévenus à temps, les chefs de la Haganah disparurent dans la clandestinité et la plupart des dépôts d'armes changèrent de cachette. La riposte vint de l'Irgoun, l'une des organisations terroristes juives, qui fit sauter un mois plus tard l'hôtel King David de Jérusalem abritant le grand quartier général britannique. L'attentat fit quatre-vingt-onze morts.

Dix mille fusils pour sauver Israël

L'engrenage de la violence devint vite irréversible. L'odyssée de l'immigration juive vers la Palestine atteignit les sommets de l'horreur avec le retour forcé dans leurs camps d'origine des quatre mille cinq cent cinquante-quatre passagers de l'*Exodus*, partis de Sète le 10 juillet 1947.

« Mais cette fois le temps travaillait pour nous, rappellerait Avriel. Le jour inévitable où l'Angleterre devrait renoncer à son mandat était imminent. »

Il survint le samedi 29 novembre, cinq mois seulement après la tragédie de l'*Exodus*.

Réunis dans une ancienne patinoire de la banlieue de New York, les représentants des Nations unies votèrent ce jour-là, par trente-trois voix contre treize et dix abstentions, le partage de la Palestine en un État juif et un État arabe. Cette double naissance deviendrait effective le 15 mai 1948, soit sept mois plus tard. Le chef visionnaire de la communauté juive de Palestine devait immédiatement tirer les conséquences de cette décision historique. Quelques heures plus tôt, une vieille Ford grise s'était arrêtée devant cette même maisonnette du kibboutz de Haute-Galilée où j'étais en train de recueillir le récit d'Ehud Avriel. Après de longs mois d'absence à l'étranger, le militant du Mossad venait d'y retrouver sa femme Hannah et leur petite fille âgée d'un an.

– Va te laver et change de vêtements, annonça le chauffeur de la Ford. Je t'emmène à Jérusalem. Le patron veut te voir.

Trois heures plus tard, Avriel entrait dans une vaste pièce tapissée de livres au deuxième étage du bâtiment de l'Agence juive à Jérusalem. Assis derrière un bureau encombré de dossiers et de documents, David Ben Gourion l'attendait. Avec encore plus de gravité que lors de leur dernière rencontre à Paris, le leader juif lui expliqua que la survie du futur État d'Israël dépendrait du succès de la mission dont il allait le charger.

– Écoute-moi bien, déclara-t-il. La guerre va éclater dans moins de six mois. Les Arabes se préparent. Cinq armées régulières vont nous envahir au départ du dernier soldat britannique, le 15 mai prochain. Mais, avant même cette invasion, une révolte arabe va mettre ce pays à feu et à sang.

Ben Gourion confia à son visiteur qu'il le renvoyait en Europe où son expérience devait servir à l'objectif désormais le plus vital, l'achat d'armes.

– Nous devons changer radicalement de tactique, expliqua-t-il. Nous n'avons plus le temps d'attendre l'arrivée à Haïfa de quatre malheureux fusils cachés dans les pneus d'un tracteur. Tu as un million de dollars à ta disposition à l'Union de banques suisses à Genève pour acheter un armement massif.

Sortant de sa poche une feuille de papier soigneusement pliée sur laquelle se trouvaient six lignes tapées à la machine, il ajouta :

– Voici la liste de nos besoins immédiats.

Avriel lut : « Dix mille fusils, un million de cartouches, un millier de mitraillettes, quinze cents mitrailleuses ». Quand il releva les yeux, Ben Gourion lui tendit une deuxième feuille de papier. C'était une lettre.

– Il se trouve à Paris un homme d'affaires juif nommé Klinger qui affirme pouvoir nous procurer ce matériel, reprit-il. Il faut que tu ailles le voir immédiatement.

Le leader juif se leva et fit le tour de son bureau. Il posa sa main sur l'épaule du jeune militant.

– Ehud, tu dois nous envoyer ces dix mille fusils.

*

Deux jours plus tard, Ehud Avriel décollait de l'aérodrome de Lydda à bord du vol 442 de la Swissair à destination de Genève et Paris. Pour tout bagage, il emportait une brosse à dents, une bible reliée en cuir noir et l'exemplaire de *Faust* que sa femme Hannah lui avait offert lors de leur mariage. Dans la poche de sa veste se trouvait un passeport palestinien au nom de Georges Alexander Überhale lui attribuant la profession de directeur commercial de l'entreprise de travaux publics Solel Boneh.

Une surprenante coïncidence voulait qu'il ne soit pas le seul dans cet avion à se trouver investi d'une mission si particulière. Quelques rangs derrière lui était assis un jeune capitaine syrien en civil. Abdul Aziz Kerine appartenait au ministère de la Défense de Damas. Il se rendait à Prague pour confirmer une commande de dix mille fusils, de mille mitraillettes et de deux cents mitrailleuses auprès de l'une des principales fabriques d'armes européennes, la Zbrojovka Brno de Tchécoslovaquie. Comparé à ceux de la Seconde Guerre mondiale, cet ordre d'achat pouvait paraître bien modeste. Il représentait pourtant deux fois plus d'armes que n'en possédaient toutes les armureries de la Haganah réunies.

*

La première journée d'Ehud Avriel à Paris commença par une série d'échecs. Il eut pourtant l'impression, ce premier soir, que tous les marchands d'armes d'Europe avaient défilé dans sa chambre de l'hôtel California, rue de Berri. Toutes les propositions, et d'abord celle transmise à Ben Gourion par le commerçant Klinger, s'étaient finalement révélées inacceptables. Le dernier espoir d'Avriel reposait sur l'élégant visiteur assis en face de lui, un cigare à la bouche. Sur un ton qui trahissait quelque honte, Robert Adam, Juif roumain qui dirigeait à Paris une petite affaire d'import-export, raconta à l'envoyé de Ben Gourion qu'il avait réussi, en 1943, à entrer en Palestine à bord d'un petit voilier, mais qu'il n'y était pas resté. La Terre promise lui avait paru trop exiguë, et les conditions de vie qui y régnaient trop spartiates.

– J'aime trop la belle vie, avoua-t-il. J'aime les chevaux, j'aime les femmes. Aussi, dès la fin de la guerre, je suis venu m'installer à Paris. Si je n'avais pas été aussi exigeant, je serais encore en Palestine. Et c'est moi que Ben Gourion aurait envoyé chercher des armes à votre place.

Devant la surprise de son hôte, il révéla qu'il avait été autrefois l'agent en Roumanie de l'une des plus grandes manufactures d'armes d'Europe et qu'il était resté très lié avec ses dirigeants.

– Ils nous vendront tout ce dont nous avons besoin, affirma-t-il en sortant deux catalogues de sa serviette.

Adam précisa que l'achat de ce matériel était cependant soumis à une condition unique et importante. Le fabricant ne pouvait traiter avec un simple particulier, mais seulement avec le représentant accrédité d'une nation souveraine. Comme l'État juif n'aurait pas d'existence officielle avant près de six mois, Avriel devrait fournir des lettres de créance d'un autre pays.

L'envoyé de Ben Gourion réfléchit un instant. Il décrocha son téléphone et demanda qu'on lui apporte un dossier rangé dans un tiroir de son ancien bureau, rue de Ponthieu. Ce dossier contenait huit feuilles de papier à en-tête de la légation d'Éthiopie à Paris. Un sourire complice éclaira le visage de son visiteur. C'étaient exactement les documents qu'il fallait pour la transaction. Il sortit alors deux enveloppes de sa poche et en tendit une à Avriel. Le Roumain avait pensé à tout : il s'agissait de deux billets d'avion pour la ville où se trouvait la manufacture qu'il avait autrefois représentée.

Tandis qu'Avriel se réjouissait de sa chance, à plus de deux mille kilomètres de là, un autre voyageur se félicitait lui aussi du succès de sa mission en Europe. Le capitaine syrien Aziz Kerine sortait du grand immeuble moderne de Prague où il venait de conclure un marché satisfaisant. Là, au siège social de la société Zbrojovka Brno, 20, avenue Belchrido, il avait signé une première commande ferme pour dix mille fusils Mauser de type E-18 et cent mitrailleuses MG-34. Il avait même organisé leur transport jusqu'à Damas. Au moment où il commençait à dîner, le Juif Ehud Avriel replaçait sa brosse à dents, sa bible et son exemplaire de *Faust* dans sa serviette. Lui aussi avait rendez-vous le lendemain matin à Prague, au 20, avenue Belchrido.

*

Ben Gourion aurait toutes les raisons d'être satisfait. Son envoyé spécial en Tchécoslovaquie acheta en moins d'une heure les dix mille fusils, le million de cartouches, les mitrailleuses et les mitraillettes demandés. Grâce au papier à lettres à en-tête de la légation d'Éthiopie, il obtint sans mal les autorisations d'exportation et de transit international nécessaires. Maintenant, il fallait trouver un bateau prêt à forcer le blocus britannique pour acheminer le tout en Palestine. La plupart des assurances maritimes étaient souscrites à Londres et rares étaient les compagnies disposées à couvrir des bateaux à destination de Haïfa. Pour éviter de mettre en danger ses précieux achats, Avriel risquait d'être contraint de les entreposer en Europe jusqu'à la naissance officielle de l'État d'Israël. La seule question était de savoir si cet État survivrait assez longtemps pour les utiliser. Ben

Gourion manifesta son impatience par une avalanche de télégrammes exigeant l'expédition immédiate des premiers fusils. Après plusieurs semaines de recherches, Avriel finit par découvrir dans le port yougoslave de Rijeka un caboteur, le *Nora*, disposé à embarquer une partie des armes. Pour qu'elles n'attirent pas la curiosité des douaniers britanniques à l'arrivée, il eut l'idée de les recouvrir de cent tonnes d'oignons plus ou moins avariés. Il espérait que la puanteur du chargement tiendrait à distance les gabelous de Sa Majesté.

Ces armes légères permirent aux forces de la Haganah de résister aux attaques des Arabes palestiniens. Mais que pourraient-elles contre les tanks, les canons, l'aviation des armées arabes régulières dont Ben Gourion prévoyait l'intervention le jour où les Anglais quitteraient la Palestine ? Avriel reçut une nouvelle avalanche de télégrammes le pressant cette fois d'acheter du matériel lourd, des tanks, des canons, et même des avions. Mais avec quel argent ?

Il en fallait énormément. Au moins vingt-cinq ou trente millions de dollars pour commencer. Où trouver des sommes pareilles ?

*

Ehud Avriel me conduisit un matin dans sa vieille Fiat auprès de celle qui avait accompli l'exploit de récolter cet argent. Elle habitait un modeste appartement de deux pièces dans un quartier populaire de l'ouest de Jérusalem. Les deux grosses voitures américaines hérissées d'antennes et bourrées de gardes du corps en civil qui montaient la garde dans la rue indiquaient l'importance de ce personnage. L'ardente jeune militante qui avait, à la conférence d'Évian trente ans plus tôt, émis le souhait qu'avant sa mort son peuple n'ait plus jamais besoin « de marques de sympathie », était aujourd'hui Premier ministre d'Israël. Golda Meir portait allègrement ses soixante-dix ans. Elle nous accueillit dans sa cuisine aux murs tapissés d'une collection de casseroles étincelantes comme des soleils.

– *Breakfast is ready!* annonça-t-elle de cette grosse voix autoritaire que connaissaient bien les journalistes.

Elle avait disposé devant chacune de nos places un bol de café et une assiette de beignets odorants. Il n'y avait pas le moindre serviteur à l'horizon : le jour du sabbat, la *mamma* d'Israël régnait seule sur son domaine privé. L'idée de s'évader, en compagnie de son vieux complice, dans le récit des prouesses du temps passé l'enchantait tellement qu'elle en oubliait d'éteindre le mégot d'une cigarette avant d'en allumer une autre. Avriel participait activement à cette tabagie, ce qui m'obligeait à prendre mes notes à l'aveuglette au cœur d'un nuage de fumée.

Cinquante millions de dollars pour la messagère de Jérusalem

– Trouver de l'argent pour acheter les armes de notre survie était une obligation vitale, commença-t-elle en plantant solidement son regard au fond de mes yeux. Un soir de janvier 1948, je fus convoquée avec tous les dirigeants de l'Agence juive pour entendre un rapport de notre trésorier Éliezer Kaplan qui venait de rentrer les mains presque vides d'un voyage aux États-Unis où il était allé collecter des fonds. La communauté juive américaine, qui avait si longtemps été le principal soutien du mouvement sioniste, commençait à se lasser de nos appels. Kaplan déclara qu'il ne fallait pas s'attendre à recevoir des États-Unis plus de cinq millions de dollars pendant les mois à venir. Ce rapport nous frappa comme un coup de poignard. Nous savions que, pour équiper une armée capable de résister aux tanks, aux canons, aux avions des armées arabes régulières, il fallait au minimum cinq ou six fois la somme prévue par notre trésorier. Ben Gourion annonça qu'il allait immédiatement partir pour les États-Unis afin de convaincre les Américains de la gravité de la situation.

« Je me suis alors souvenue des jours où je quêtais dans les rues de Denver pour la cause sioniste. J'ai demandé la parole et j'ai offert à Ben Gourion de partir à sa place aux États-Unis. »

– Quelle fut sa réaction ? demandai-je.

Golda Meir se mit à rire.

– Il est devenu tout rouge ! Il détestait qu'on l'interrompe. Il dit que la question était vitale et que c'était lui qui devait la résoudre. Soutenue par plusieurs de mes collègues, j'ai demandé qu'on procède à un vote. Deux jours plus tard, c'est moi qui suis partie.

« Ce départ fut tellement précipité que je n'ai même pas eu le temps de monter jusqu'à Jérusalem pour y prendre une valise avec quelques vêtements. J'ai débarqué à New York par un froid polaire avec pour tout bagage une robe légère et mon sac à main. J'arrivais en Amérique pour essayer de ramasser des millions de dollars, et je n'avais dans mon porte-monnaie qu'un unique billet de dix dollars. Un douanier me demanda avec étonnement comment je comptais vivre aux États-Unis avec si peu d'argent. Je lui ai répondu : j'ai de la famille ici. Et le surlendemain, tremblante d'émotion, je me suis trouvée face à l'élite de cette famille sur l'estrade de la salle de bal d'un grand hôtel de Chicago. »

– Qui étaient ces gens ?

– Il y avait là la plupart des grands financiers de la communauté juive américaine. Ils étaient venus des quarante-huit États pour examiner le programme d'aide économique et sociale à apporter aux Juifs nécessiteux d'Europe et d'Amérique. Le plus étonnant, c'est que leur réunion et ma présence étaient une pure coïncidence.

– Vous deviez être très intimidée, remarquai-je.

– Terriblement ! confirma Golda Meir en croquant dans un beignet. Je n'étais pas revenue aux États-Unis depuis plusieurs années et, lors de mes précédents voyages, je n'avais eu pour interlocuteurs que des sionistes fervents qui partageaient en général le même idéal socialiste que moi. Ces gens de Chicago représentaient au contraire un vaste éventail de l'opinion juive américaine. Mes amis de New York m'avaient exhortée à renoncer à cette confrontation parce que la plupart des délégués étaient indifférents, ou même hostiles, à la cause que je représentais. Ils étaient déjà harcelés de demandes de fonds pour leurs œuvres américaines, pour leurs hôpitaux, leurs synagogues, leurs centres culturels, etc. – Golda Meir s'arrêta pour jeter un regard malicieux à Avriel. Comme nous l'avait rapporté notre trésorier Kaplan, ils étaient las des sollicitations étrangères, et en particulier des appels des Juifs de Palestine. Mais j'avais tenu bon et, bien que l'ordre du jour de la réunion eût déjà été arrêté, j'avais annoncé mon arrivée à Chicago. J'ai sagement attendu l'appel de mon nom et je suis montée sur l'estrade. »

– Vous aviez des notes ?

– Aucune. Je voulais seulement laisser parler mon cœur...

*

Larry et moi avions retrouvé la retranscription exacte du discours prononcé par Golda Meir ce soir de janvier 1948 devant ce parterre de Juifs a priori hostiles aux valeurs qu'elle défendait. C'était un pathétique morceau de bravoure.

« Mes amis ! Il vous faut me croire si je vous dis que je ne suis pas venue aux États-Unis dans la seule intention d'empêcher que sept cent mille Juifs ne soient rayés de la surface du globe ! s'était exclamée Golda. Durant ces dernières années, les Juifs ont perdu six millions des leurs et ce serait, de notre part, une grande présomption que de rappeler aux Juifs du monde entier que quelques centaines de milliers de leurs frères sont aujourd'hui en danger de mort. Mais, si ces sept cent mille Juifs viennent à disparaître, il n'est pas douteux que pendant des siècles il n'y aura plus de peuple juif, plus de nation juive, et que ce sera la fin de toutes nos espérances. Dans quelques mois, un État juif va naître en Palestine. Nous luttons pour qu'il voie le jour. Nous savons qu'il nous faut payer pour cela et verser notre sang. Les meilleurs d'entre nous tomberont, c'est certain. Mais, ce qui est également certain, c'est que notre moral, quel que soit le nombre de nos envahisseurs, ne flanchera pas. »

Après avoir révélé à ses auditeurs que les envahisseurs attaqueraient avec de l'artillerie et des blindés, elle s'était écriée :

« Contre de telles armes, notre courage, tôt ou tard, n'aura plus de raison d'être puisque nous aurons cessé d'exister. À moins que nous ayons pu acheter à temps les armes lourdes qui nous permettront d'affronter les canons arabes. C'est le motif de ma présence ici : je suis venue demander aux juifs d'Amérique trente millions de dollars pour acheter ces armes.

« Sachez, mes amis, que nous vivons un présent très bref, avait-elle conclu. Lorsque je dis que nous avons immédiatement besoin de cette somme, ce n'est pas le mois prochain, ou dans deux mois. C'est tout de suite ! Il ne vous appartient pas de décider si nous devons ou non poursuivre le combat. Nous nous battrons. Jamais la communauté juive de Palestine ne hissera le drapeau blanc devant le Grand Mufti de Jérusalem. Mais il vous appartient, à vous, de décider qui remportera la victoire, nous ou le Mufti. »

*

L'émotion que Golda Meir avait éprouvée en se laissant tomber sur sa chaise après cette dure confrontation était perceptible à vingt ans de distance. Elle hocha plusieurs fois la tête et fixa longuement Avriel. Ses petits yeux noirs étaient humides.

– J'étais épuisée, dit-elle lentement. Un lourd silence s'était abattu sur l'auditoire et, un instant, je crus que j'avais échoué. Puis l'assistance tout entière se leva et un tonnerre d'applaudissements éclata. L'estrade fut prise d'assaut par les premiers délégués qui venaient annoncer le montant des sommes qu'ils s'engageaient à offrir. Avant la fin de la réunion, plus d'un million de dollars avaient été réunis. Pour la première fois dans l'histoire des collectes de fonds sionistes, cet argent était immédiatement disponible. Des délégués téléphonèrent à leurs banquiers et souscrivirent des emprunts sur leur nom pour des montants qu'ils estimaient pouvoir recueillir plus tard dans leurs communautés. Avant la fin de cet incroyable après-midi, je pus télégraphier à Ben Gourion que j'étais certaine de réunir les trente millions de dollars dont nous avions besoin.

« Étonnés par ce succès, les dirigeants sionistes américains me pressèrent alors de parcourir toute l'Amérique. Accompagnée par Henry Morgenthau, l'ancien secrétaire aux Finances de Roosevelt, et par un groupe de financiers, j'entrepris un pèlerinage de ville en ville. Renouvelant mon plaidoyer, j'eus la chance de soulever partout le même enthousiasme spontané qu'à Chicago. À chaque étape, la communauté juive répondait à mon appel avec une égale générosité. J'envoyais chaque soir un télégramme à Tel-Aviv communiquant le total des sommes récoltées dans la journée. »

– N'avez-vous jamais eu le moindre moment de découragement tout au long de ce voyage ? m'inquiétai-je.

– Si, un seul. C'était à Palm Beach, en Floride. En regardant les bijoux et les fourrures de l'élégante assemblée de convives réunis devant l'estrade, en apercevant le reflet de la lune sur la mer derrière les baies vitrées de la salle à manger, j'ai soudain pensé aux soldats de la Haganah tremblant dans le froid des collines de Judée. J'ai alors senti mes yeux se remplir de larmes. Je me suis dit que ces gens n'avaient aucune envie d'entendre parler de la guerre et de la mort en Palestine. Je me trompais. Avant la fin de la soirée, bouleversés par ce que je leur ai raconté, les élégants dîneurs de Palm Beach avaient offert un million et demi de dollars, de quoi acheter un manteau pour chaque soldat de la Haganah.

*

Arrivée à New York avec un billet de dix dollars, Golda Meir était repartie cinq semaines plus tard avec cinquante millions de dollars. Cette somme représentait dix fois celle qu'avait espéré obtenir le trésorier Kaplan et presque deux fois celle que Ben Gourion s'était fixée comme objectif. Elle dépassait toutes les recettes du pétrole encaissées pendant l'année 1947 par l'Arabie Saoudite, le plus gros producteur du Moyen-Orient. Ben Gourion vint attendre la messagère de Jérusalem à son retour à l'aéroport de Lydda. Personne mieux que lui ne pouvait apprécier l'ampleur du succès qu'elle venait de remporter et son importance pour la cause sioniste.

« Le jour où l'on écrira l'Histoire, lui déclara-t-il solennellement, on dira que c'est une femme qui a permis à l'État juif de voir le jour. »

*

Le lendemain de chacune des étapes américaines de Golda Meir, une petite feuille de papier rose à l'en-tête de la Zivnostenka Banka parvenait au client de la chambre 121 de l'hôtel Alcron de Prague. Elle annonçait le virement de la somme récoltée lors de la manifestation de la veille. Ehud Avriel pouvait à présent acquérir les tanks, les canons, les avions que réclamait Ben Gourion.

Afin d'acheminer ce matériel, Avriel réussit à convaincre ses amis tchèques de lui laisser la disposition d'un aérodrome proche de la petite ville de Zatec, dans la région des Sudètes récemment libérée des occupants allemands. Le modeste terrain et ses quelques hangars ne tardèrent pas à devenir une authentique base aérienne abritant des avions de toutes origines et de toutes tailles. Les émissaires de la Haganah les avaient achetés dans les dépôts de surplus militaires de la Seconde Guerre mondiale dispersés à travers l'Europe et l'Amérique. L'un de ces avions, un DC-4, transporterait le premier chasseur Messerschmitt 109 qu'Avriel avait acheté avec les dollars récoltés par Golda Meir. Cet appareil et d'autres après lui étaient attendus avec impatience : chaque nuit, l'aviation égyptienne bombardait Tel-Aviv sans rencontrer la moindre opposition. Une bombe tombée sur la gare des autocars venait de tuer quarante et une personnes. Il fallut plusieurs heures d'efforts pour faire entrer le fuselage du Messerschmitt dans le ventre du DC-4. Puis on bourra les soutes de bombes et de bandes de mitrailleuse afin que ce premier chasseur peint de cocardes à l'étoile de David entre en action dès son arrivée.

Avriel était devenu le meilleur client des usines d'armement tchécoslovaques.

*

Au printemps 1949, un armistice conclu dans l'île de Rhodes sous l'égide des Nations unies entre Israël, l'Égypte, la Jordanie, le Liban et la Syrie mit fin au conflit que les Israéliens appelleront leur « guerre d'Indépendance ». La jeune nation avait survécu à l'assaut conjugué de quatre armées arabes et payé cher sa victoire. Environ six mille de ses citoyens avaient donné leur vie pour la naissance du nouvel État. L'homme discret qui avait tant contribué à cette victoire était rentré en Israël six mois plus tôt. Aucune délégation gouvernementale, aucune fanfare, aucune garde d'honneur n'était présente sur l'aérodrome de Lydda, rebaptisé Lod, pour l'accueillir. Ehud Avriel prit un *sherout*, un taxi collectif, pour la Haute-Galilée. Il regagnait son kibboutz de Neoth Mordechai où l'attendaient sa femme Hannah et leurs deux filles dans leur maisonnette préfabriquée fleurie de jacarandas. Ce soir-là, toute la communauté réunie dans le réfectoire offrit une fête à son héros. Puis, conformément à l'usage, on lui proposa une nouvelle occupation au sein du kibboutz. L'homme qui avait acheté de quoi équiper toute une armée aurait la charge de surveiller l'entretien des fusils affectés à la défense de la communauté.

Ce retour au bercail n'était que provisoire. L'État d'Israël avait encore besoin des services d'Ehud Avriel. Le pays qui lui avait vendu les armes de la survie des Juifs, la Tchécoslovaquie, le vit bientôt revenir en qualité d'ambassadeur, un poste stratégique qui lui permit d'assister au premier coup de force soviétique sur un État européen. Cinq ans plus tard, ce fut au tour de la Knesset, le Parlement israélien, d'accueillir comme député celui à qui tant de Juifs devaient d'avoir trouvé une patrie. Mais la cage dorée d'une assemblée ne pouvait convenir à un homme plus habitué aux défis de l'ombre qu'aux effets oratoires d'un prétoire. On retrouva Avriel en mission au Ghana, puis au Congo, au Liberia, à Rome, à Chicago. Ce dernier poste était, au milieu des années soixante-dix, plus important qu'une charge de ministre dans le gouvernement de Jérusalem. Le Middle West américain était en effet plein de jeunes Juifs qui rentraient du Viêt-nam et qu'il fallait convaincre d'émigrer en Israël. Ce serait sa dernière croisade.

Un soir d'avril 1980, alors qu'il se trouvait avec ma femme et moi sous le toit du Grand Pin pour quelques jours de repos, il fut frappé après le dîner par un malaise cardiaque. J'appelai aussitôt un cardiologue et passai la nuit à son chevet. Le lendemain matin, tout était rentré dans l'ordre. Cinq mois plus tard, pendant une conférence qu'il donnait à Jérusalem sur la diaspora juive américaine, un infarctus massif le terrassa. Il mourut en quelques minutes.

Depuis, je vais régulièrement avec ma femme lui rendre visite dans le petit cimetière de son kibboutz de Haute-Galilée. Il repose à l'ombre d'un bouquet de grands eucalyptus. Peut-être a-t-il lui-même planté ces arbres en 1937 pour assécher les marécages infestés de malaria autour des baraques de fortune où logeaient les premiers colons. La stèle de sa tombe porte, en lettres hébraïques et en lettres romaines, son nom, sa date de naissance et celle de sa mort. Aucune inscription ne rappelle que sous cette pierre moussue gît l'une des plus nobles figures de l'État d'Israël.

6

« Ils ont assassiné Preferido »

Une trêve généreuse proposée par ses enfants avait mis fin à la guerre de bornage que m'avait déclarée l'un de mes voisins. Je m'étais enraciné sur ma parcelle de presqu'île tropézienne. J'avais construit un petit mas provençal à la place du cabanon de planches de mon vendeur. Pour payer cette construction, j'avais arraché à l'administrateur de *Paris Match* une avance sur plusieurs mois de salaire.

Bâti en face du grand pin, le mas ne comptait ce premier hiver que trois petites pièces. Larry et moi y apportâmes de Paris les neuf cents kilos de la documentation de *Paris brûle-t-il ?* Puis, avec l'aide de deux secrétaires également chargées du ménage, des courses et des repas, nous commençâmes à écrire notre premier récit historique. Cette construction initiale ferait par la suite l'objet de divers agrandissements grâce au succès de chacun de nos livres. Il y aurait un jour la salle à manger « ... Ou tu porteras mon deuil », le salon « Ô Jérusalem », la chambre avec terrasse « Cette nuit la liberté », et même la piscine « Le Cinquième Cavalier ».

Comme tant de zones rurales françaises en ce début des années soixante, la presqu'île de Saint-Tropez était encore un vrai morceau de tiers monde. Je dus me prosterner plus bas que terre devant le responsable local de l'EDF pour obtenir qu'une ligne électrique alimente ma maison.

– Je ne peux vous attribuer qu'un seul et unique kilowatt, m'avertit le fonctionnaire en me faisant signer mon contrat.

– Un seul kilowatt ? répétai-je, interloqué.

– Cela veut dire qu'il vous faudra débrancher le réfrigérateur et éteindre toutes les lampes quand vous voudrez regarder la télévision, m'expliqua-t-il.

La ligne téléphonique, obtenue également à grand-peine, courait, elle, de pin en pin jusqu'à un appareil sans cadran comme dans les films d'avant-guerre. Pour obtenir un numéro, il fallait appeler une opératrice par l'intermédiaire d'une manivelle. Le moindre mistral suffisait à arracher ces fils précaires, nous condamnant à un isolement dont nos supplications seules limitaient la durée. L'appareil se trouvant sur son bureau, c'était d'habitude Larry qui répondait quand retentissait la sonnette aigrelette de cette installation de fortune. La friture sur la ligne et son français parfois incertain l'empêchaient de toujours bien comprendre ce que disaient ses interlocuteurs. Un matin, je le vis arriver dans ma chambre, le visage décomposé.

– Il ne nous reste plus qu'à essayer de récupérer nos jobs à *Match* et à *Newsweek*, me déclara-t-il, effondré.

Il venait de griffonner sous la dictée d'une opératrice le texte d'un télégramme envoyé par notre éditeur Robert Laffont après sa lecture du premier tiers du manuscrit de *Paris brûle-t-il ?* Court et lapidaire, le télégramme disait : « LIVRE FORT MINABLE – AMITIÉS – ROBERT. »

Au lendemain d'une nuit sans sommeil, nous recueillîmes des mains du facteur l'original du message. Je courus chercher une bouteille de champagne pour fêter la bonne nouvelle. C'était « LIVRE FORMIDABLE » qu'avait télégraphié Robert Laffont.

*

Notre studieuse et spartiate communauté s'agrandit cet hiver-là d'un nouveau membre, Crin Blanc, un fringant petit cheval barbe que j'achetai avec une carriole à un cirque de passage. C'était un animal malicieux et même cabotin, marqué par sa vie de saltimbanque. Quand je lui caressais le poitrail, il s'écroulait sur son arrière-train en poussant des hennissements frénétiques pour réclamer une récompense. Ses frasques m'obligèrent, hélas, à m'en séparer. J'en fis cadeau à la fille d'Antoine Navaro, le vigneron voisin. Celui-ci jouait déjà un grand rôle dans notre vie. Il était notre premier lecteur. Chaque samedi, après son retour du marché, il nous apportait une bonbonne de son rosé et nous lui remettions en échange les pages que nous avions écrites durant la semaine. Le lundi à l'heure de l'apéritif, il revenait, s'asseyait majestueusement sous le grand pin et nous faisait part de ses observations. L'œil critique de ce paysan fou de lecture était irremplaçable.

Le départ de Crin Blanc laissa un grand vide. Les pages locales de *Nice Matin* m'apprirent un jour que l'abattoir municipal de Draguignan s'apprêtait à mettre à mort un lot de chevaux en provenance d'Espagne. Je me précipitai et découvris parmi les condamnés une superbe jument alezane, la cuisse droite marquée d'un E surmonté d'une couronne, le fer du haras royal d'Espagne. Je l'arrachai au pistolet du bourreau et l'achetai au prix de la viande de boucherie. En l'honneur du grand pin parasol dont elle allait devenir la compagne, je la baptisai « Pomme de Pin » et la ramenai à la maison.

Mes efforts pour la seller s'avérèrent infructueux. Elle refusait le contact de la sangle. Dès que j'approchais mon pied de l'étrier, elle poussait un cri et se jetait de côté. J'avais beau lui murmurer mille tendresses, la gaver de carottes fraîches, elle repoussait mes avances et couchait les oreilles en essayant de me mordre. Un matin, submergé de découragement, je résolus de la ramener à l'abattoir. A-t-elle senti ma décision ? Car un miracle eut lieu. Elle qui se cabrait chaque fois que j'essayais de l'approcher offrit brusquement à ma monte le dos immobile d'une statue. Ce changement magique marqua le début d'une merveilleuse histoire d'amour qui devait durer plus de vingt-cinq années. Ce matin-là, à peine effleurai-je ses flancs que mon Andalouse s'élança au trot, puis au galop, survolant comme une gazelle les inégalités du terrain. J'étais dans un fauteuil volant. Hélas, j'étais un cavalier trop inexpérimenté pour profiter pleinement de cette bête qui savait danser, piaffer, changer de pied, reculer, comme une star des concours de dressage. Notre complicité se construisit sur d'autres bases. Chaque matin, avant d'écrire la première ligne de la journée, je m'évadais au galop dans les collines au-dessus du cabanon. C'était l'instant magique où la campagne immobile, presque silencieuse, recevait le don du jour.

Le ciel s'éclairait doucement d'une teinte rose. Puis, subitement, le disque rouge sortait de la mer à l'horizon. L'un et l'autre, nous respirions à pleins poumons l'air vivifiant de la nature. Je vivais avec extase ces somptueux moments d'hiver. Alors que partout ailleurs cette saison est synonyme de déclin, de tristesse, de grisaille, ici, elle éclatait comme un renouveau. Le moutonnement des pins parasols, les flambeaux vert foncé des cyprès, le miroitement argenté des oliviers s'affirmaient plus qu'en plein été. Empruntant les chemins des leveurs de liège ou des chasseurs de sangliers, les drailles des moutons, les passages des eaux, Pomme de Pin et moi explorions un coin de nature toujours différent. Les sous-bois denses et touffus arrêtaient parfois notre course, mais l'agilité de la jument permettait d'audacieuses acrobaties. Il m'était difficile de croire qu'à quatre kilomètres à peine de la fourmilière estivale de Saint-Tropez s'épanouissait une nature si sauvage que mon cheval et moi perdions parfois notre chemin. Je découvris au hasard de ces explorations les villages qui, de colline en colline, ceignaient la presqu'île d'un collier de forteresses. Les hautes maisons blotties derrière les remparts de Ramatuelle, de Gassin et de Grimaud témoignaient que cette région avait été une terre de tous les dangers.

Les paysans brûlaient dans les vignes des fagots de sarments qui répandaient dans la campagne une suave odeur d'encens. Les seuls oiseaux qui osaient se montrer en cette saison de chasse étaient les pies. Gorgées depuis l'automne de baies et de raisin, elles ressemblaient avec leur plumage blanc et noir à de rondouillettes bonnes sœurs. Mes promenades finissaient souvent dans les ruines d'un ancien moulin à huile situé juste au-dessus de Saint-Tropez. De cet observatoire s'offrait à moi l'un des plus beaux spectacles du monde : la grosse tache du village en contrebas avec, au centre, le clocher vernissé de son église, son petit port avec ses mâts entremêlés, et plus loin, moirées par la lumière de l'hiver, les eaux calmes de la baie piquetées de voiles blanches. Sur l'autre rive, j'apercevais le puzzle rouge et blanc des maisons de Sainte-Maxime et, derrière, barrant l'horizon d'une ligne blanchâtre, le moutonnement de la neige sur les premiers contreforts des Alpes.

Pouvoir contempler ces merveilles en chevauchant multipliait mon bonheur. Pomme de Pin partageait mon émotion. Elle, toujours si nerveuse, s'immobilisait dans une attitude de sculpture équestre, me laissant me recueillir dans une action de grâces toujours renouvelée. Puis nous rentrions au pas, rênes longues, aussi ivres de joie l'un que l'autre. Elle dégringolait alors vers la maison avec l'agilité d'un mouflon des cimes alpestres. Et moi, je fermais les yeux en priant pour que notre promenade ne finisse jamais.

*

Larry me suggéra de faire pouliner cette jument exceptionnelle. L'idée m'enthousiasma. Je voulus trouver pour père le plus bel étalon espagnol ou portugais de la région. J'appelai tous les élevages et haras que je connaissais, mais sans résultat. Ici, on me proposait un Quarter Horse américain, là un Appaloosa, là un Lipizzan, là encore un barbe ou un selle français. C'est alors qu'un ami cavalier me parla d'un cheval portugais qu'il avait aperçu près de Fréjus, dans un enclos sur les bords du canal du Reyran, derrière les entrepôts des magasins Leclerc. Il s'agissait, croyait-il, d'un cheval appartenant à l'un des employés. Je sautai dans ma voiture.

C'était une de ces mélancoliques journées d'équinoxe où la brume, la pluie, le froid dépouillent la presqu'île et la Côte de toute leur magie. Je me traînai derrière une file de camions, pestant contre la fumée noire de leurs diesels mal réglés et leurs jets de boue, maugréant contre nos éditeurs qui réclamaient nos chapitres avant même qu'ils soient écrits, maudissant le monde entier. Mon arrivée au dépôt Leclerc n'aurait pu tomber plus mal. Une catastrophe venait de se produire dans l'entrepôt principal. Sous l'effet de je ne sais quel séisme intérieur, une montagne de pots de confiture s'était abattue sur une montagne de rouleaux de papier hygiénique. Le résultat était hallucinant. L'immense entrepôt dégoulinait d'un fleuve gluant de confiture et de papier rose mêlés. Bottés jusqu'aux cuisses, les employés pataugeaient dans ce magma en essayant de l'évacuer à coups de balai. L'un d'eux était un petit homme au teint olivâtre, maigre et sec comme un banderillero de corrida espagnole. Il s'appelait Raymond Andreani. C'était lui le propriétaire du cheval. Je me présentai et lui exposai le motif de ma visite. Il émit un long sifflement modulé.

– Vous voulez une saillie de mon Preferido ? répéta-t-il sur un ton d'extrême révérence, comme si j'avais demandé au Centaure de la mythologie de me faire l'honneur de féconder mon humble jument.

– Si Preferido est bien le cheval portugais dont on m'a parlé, c'est exactement ce que je suis venu solliciter, répondis-je timidement.

Les joues olivâtres du petit homme s'empourprèrent.

– Preferido n'a encore jamais accordé ses faveurs, déclara-t-il, et il me faut les références de votre jument.

Je racontai mon histoire d'amour avec Pomme de Pin. Il parut touché.

– Bon, dit-il, mais d'abord vous devez faire connaissance avec mon cheval.

Il me fit signe de le suivre. Noyant ma déprime dans l'océan de boue gluante et rosâtre qui s'étalait autour de nous, je lui emboîtai le pas. Nous arrivâmes devant une porte qui donnait sur un étroit canal. À gauche, appuyée contre l'entrepôt, se trouvait une cabane de planches disjointes qui semblait toute branlante. Elle n'avait pas de fenêtre et un bout de fil de fer servait de serrure à son unique porte. Desserrant le fil de fer, Andreani fit pivoter le battant. Ce que j'aperçus alors dans l'ombre restera à jamais gravé dans mes yeux.

Un monstre de la préhistoire ! Une masse de muscles et d'os impressionnante de puissance et de beauté. Sa robe bai foncé était si brillante qu'elle reflétait le moindre rayon de lumière. Une épaisse crinière noire enveloppait son encolure de taureau. Tressés en longs faisceaux, les crins de sa queue descendaient en volutes majestueuses jusqu'au sol. Le plus surprenant était la placidité apparente de cette force mythologique dont le moindre tressaillement aurait pu faire voler en éclats la cage de planches qui l'enfermait. Son maître semblait entretenir avec le cheval une étonnante complicité. À une série de sifflotements, il répondit d'un hennissement tonitruant. Andreani se glissa à l'intérieur, passa sous son ventre pour lui caresser les deux énormes bourses qui pendaient entre ses cuisses. Puis il fit le tour de l'animal, le tapotant partout avec amour, avant de poser ses lèvres sur son museau. L'étalon se laissait faire avec un plaisir gourmand. Je n'étais encore qu'au début de mes surprises.

L'employé du dépôt Leclerc avait dans le sang un

autre virus que celui du commerce de grande distribution. Il m'entraîna le long du canal jusqu'à une vieille caravane. C'était là qu'il habitait. Il me demanda de patienter quelques instants et disparut à l'intérieur. Quelques minutes plus tard, il en surgit, métamorphosé. Je crus être la victime d'une hallucination. Il avait troqué son bleu de travail pour une chemise blanche à manchettes brodées, un gilet, une veste courte très ajustée et une paire de culottes grises rayées sur des bottes andalouses armées d'éperons. Un large sombrero à bord rond et à jugulaire, comme ceux des *vaqueros* des élevages de toros sauvages, complétait sa tenue.

Alors commença une longue et minutieuse toilette du cheval qui se laissait faire dans une immobilité voluptueuse, permettant à Andreani de passer et repasser sous son ventre pour l'étriller et le brosser jusqu'aux parties les plus intimes. Puis il posa sur son dos une selle andalouse ornée d'incrustations. Le contact de la sangle fit frémir Preferido d'impatience. Avant de l'enfourcher, Andreani conduisit son cheval à pied de l'autre côté de l'entrepôt. Je les suivis. Je découvris alors sur le terre-plein entre le canal et l'entrepôt un décor complètement surréaliste : une petite arène faite de traverses de chemin de fer plantées dans le sol. À proximité était garée une vieille 403 Peugeot. Sortant une cassette de sa poche, Andreani l'enfonça dans le lecteur du tableau de bord. Aussitôt éclatèrent les accents endiablés d'un paso doble. Attirés par la musique, des dizaines de gamins accouraient déjà des maisons alentour pour venir se jucher sur les traverses de chemin de fer. Il n'était pas tout à fait *cinco de la tarde,* mais les jeunes du coin savaient que chaque soir le *rejoneador* [1] du dépôt Leclerc offrait un spectacle peu commun.

S'armant d'une courte pique, Andreani enfourcha son étalon et fit une entrée majestueuse sur le sable de son arène de fortune. À son signal, l'un des spectateurs ouvrit la porte d'une cage en planches qui servait de toril. Je vis alors apparaître un toro de la taille d'un *novillo*, aussi noir que les Miura des grands espaces andalous. La bête s'élança aussitôt vers le cheval et son cavalier. L'arène était si petite que je crus le choc inévitable. Mais, d'un coup d'éperon, le cavalier avait arraché sa monture au contact des cornes. Excités par le duel, la musique, les

1. Matador à cheval.

cris, toro et cheval se poursuivaient à présent dans un galop circulaire de plus en plus serré. Andreani freinait, accélérait, changeait de trajectoire, obligeant son cheval à d'acrobatiques pirouettes aux limites de l'équilibre. C'était fabuleux. Les naseaux dilatés, le poitrail, l'encolure, les flancs dégoulinant d'écume, Preferido libérait sa force sauvage dans d'élégantes arabesques qui enthousiasmaient la jeune assistance. Le jeu continua jusqu'au dernier trémolo du paso doble. Épuisés, homme, cheval et toro s'immobilisèrent. Le cavalier et sa monture sortirent du cercle en quelques courtes et gracieuses foulées. Il n'avait manqué que Goya pour immortaliser ces quelques minutes de magie.

*

Je m'empressai de mener Pomme de Pin vers ce cheval mythique. Mais le brusque changement d'environnement la traumatisa tellement qu'elle se laissa littéralement mourir de faim pendant plusieurs jours. Elle repoussa toutes les avances de son amoureux par de vicieuses ruades qui entaillèrent profondément le poitrail de l'étalon. Il fallut la déferrer et entraver ses postérieurs à chaque présentation. Par bonheur, le cheval ne lui tint pas rigueur de cette mauvaise humeur. Patiemment, il renouvela ses tentatives. Pomme de Pin finit par se laisser séduire et je pus la ramener à la maison. Onze mois plus tard, elle me donnait une petite pouliche d'une délicate couleur cendrée. En l'honneur de son phénomène de père, je la baptisai Preferida, « la Préférée ».

Le choix de ce nom s'avéra d'une pertinence tragique. Quelques jours après la naissance, j'entendis soudain une voix sangloter au téléphone. C'était Raymond Andreani. Il m'appelait pour m'annoncer que Preferido avait été assassiné. Il avait l'habitude de le laisser libre les après-midi et les nuits d'été dans un petit parc aménagé près de sa caravane, le long du canal. Un matin, il l'avait retrouvé raide sur ses jambes, comme engourdi. Il pensa tout de suite à un coup de sang ou à une fourbure. Il appela un vétérinaire et ne quitta plus son cheval d'une minute, le soignant comme un enfant, à l'aide de perfusions, de cataplasmes, d'injections d'antibiotiques, de lavements. Des examens de sang, de salive, d'urine ne révélèrent aucune pathologie précise. Preferido se mourait pour une raison inconnue. Son maître installa un lit de camp dans la cabane. L'agonie dura quatre jours et quatre nuits. Au matin du quatrième jour, le puissant cheval qui se jouait des cornes d'un toro brave se coucha sur le flanc et rendit son dernier souffle. Fou de douleur, Andreani décida de faire pratiquer une autopsie. On découvrit que l'animal avait été tué par une balle de 22 long rifle qui s'était logée dans sa rate. L'orifice d'entrée du projectile était si petit qu'il était passé inaperçu. Les quelques gouttes de sang séché qui se trouvaient sur la peau à cet endroit pouvaient faire croire à une banale piqûre de taon.

– Dominique, ils ont assassiné Preferido, répétait le pauvre Raymond en pleurant.

Aussitôt, j'offris de lui donner la jeune pouliche née des amours de son cheval bien-aimé. Il retrouverait en elle ce qu'il avait si passionnément aimé en lui. Raymond déclina ma proposition. Aucun autre cheval ne pourrait jamais remplacer l'animal qui offrait chaque soir le frisson de la fiesta à une poignée d'enfants émerveillés d'un petit port de Provence.

7

Don Quichotte et vingt-cinq pirates contre les tyrans

Cinq cents journalistes du monde entier avaient envahi les hôtels du port brésilien de Recife comme une nuée de sauterelles. Même la Chine avait dépêché des reporters et des photographes. La cause de cette formidable mobilisation était un fait divers comme le monde n'en avait jamais connu : le kidnapping en haute mer d'un paquebot portugais, la *Santa Maria*, avec ses six cent trente passagers et ses trois cent quatre-vingt-dix hommes d'équipage.

L'auteur de cet incroyable exploit, le capitaine Henrique Galvão, soixante-sept ans, était un ancien militaire et administrateur des colonies africaines du Portugal. Par cet acte de piraterie, l'officier et sa petite bande de révolutionnaires portugais et espagnols à béret noir, voulaient attirer l'attention du monde sur les tyrannies fascistes qui écrasaient encore leurs deux pays. Ils avaient espéré conduire leur navire en Angola pour y fomenter un soulèvement en vue d'abattre les dictatures de Lisbonne et de Madrid. Leur tentative avait échoué. Cernée par une meute de bateaux de guerre américains, la *Santa Maria* croisait au large des côtes brésiliennes dans l'attente de débarquer ses otages. Personne ne savait où et quand s'opérerait cette libération, ni comment se terminerait l'aventure du capitaine et de ses compagnons. Toutes les polices du Brésil étaient sur le pied de guerre, et le bruit courait qu'un commando de la PIDE, la police politique portugaise, était arrivé de Lisbonne pour liquider Galvão dès qu'il descendrait à terre.

Je faisais partie de la horde de journalistes qui s'était

abattue sur Recife pour couvrir cet événement spectaculaire. La mission que m'avait confiée le rédacteur en chef de *Paris Match* était d'une extrême simplicité. Tous les rédacteurs en chef de tous les autres journaux avaient confié la même à leurs envoyés spéciaux : faire un reportage photographique à bord du bateau et obtenir du chef des pirates le récit exclusif de son extravagante aventure. Un grand gaillard blond, bardé de sacs d'appareils photos, m'attendait à l'aéroport. Vétéran de la guerre d'Indochine et d'une demi-douzaine d'autres conflits et révolutions, spécialiste des missions les plus difficiles, Charles Bonnay, vingt-huit ans, était un photographe vedette de notre profession. Sa présence indiquait à elle seule que je n'arrivais pas au Brésil pour une partie de plaisir.

– Sais-tu où se trouve ce fichu capitaine avec son bateau ? demandai-je ingénument.

Charles pouffa. Ses dents éclataient de blancheur dans son visage bronzé.

– Quelque part en haute mer. À cent ou cent cinquante milles d'ici. La marine américaine refuse de donner le moindre renseignement. À nous de le retrouver !

Cette audacieuse suggestion nous conduisit sur le port de Recife pour tenter de louer un bateau de pêche. Le yacht d'Aristote Onassis nous aurait coûté moins cher que le vieux langoustier à bord duquel nous passâmes la journée à vomir nos entrailles dans une houle de quatre mètres de creux sans jamais apercevoir un signe du paquebot pirate. Un matin, n'en pouvant plus d'impatience, Charles me prit le bras.

– Dégotte-moi un parachute. On va chercher le bateau par avion et je sauterai dessus.

– Un parachute ? répétai-je, incrédule.

Je savais que Bonnay avait participé à des opérations aéroportées au Tonkin et en Égypte, lors de l'expédition de Suez, mais l'idée de le jeter du ciel sur le pont d'un bateau me parut complètement folle.

– Et les requins ? m'inquiétai-je. Si tu tombes à côté, ils ne feront qu'une bouchée de toi. Le coin en est infesté.

Bonnay écarta l'objection avec mépris.

– Peuvent pas être pires que les Viets.

Repérer la *Santa Maria* par avion et parvenir à monter à son bord en pleine mer étaient évidemment notre meilleure chance de battre les photographes concurrents. Nous partîmes donc vers la base aérienne locale. Un petit colonel galonné nous reçut avec effusion. C'était le commandant de la base. Notre requête parut l'amuser énormément.

– Je vais vous prêter mon parachute personnel, déclara-t-il à Charles. Combien pesez-vous ?

– Quatre-vingt-dix kilos ! répondit mon camarade, qui oubliait les quelques kilos pris, depuis son arrivée, dans les bistrots brésiliens.

– Quatre-vingt-dix kilos ? C'est ennuyeux. Je ne pèse que soixante-cinq kilos et la voilure de mon parachute correspond à ce poids. Vous risqueriez de tomber un peu vite.

– Aucune importance, répliqua Charles, l'eau amortira la chute.

Nous emportâmes le parachute du petit colonel et partîmes à la recherche de l'aéro-club de Recife pour y louer un avion. En route, j'obligeai Charles à s'arrêter devant une droguerie où j'achetai un gros couteau de cuisine.

– Au moins, tu pourras couper les sangles du parachute si tu tombes dans l'eau, dis-je en lui offrant l'instrument.

– Tu penses à tout, s'étonna mon camarade.

– Attends, j'ai encore ça.

Il s'agissait d'une grosse enveloppe de cellophane contenant une poudre rose très fine.

– Qu'est-ce que c'est ? demanda Charles, intrigué. De la came ?

– Non, de la poudre antirequins. Tu la répands dans l'eau autour de toi et les bestioles déguerpissent à toute allure. Le type m'a juré que c'était radical pendant cinq à six minutes. Juste le temps de te sortir de l'eau car, après, les requins reviennent avec encore plus de férocité.

Le photographe acquiesça d'un petit sourire sardonique.

Les envoyés de *Life*, du *New York Times*, du *Times* de Londres, de l'*Asahi* de Tokyo et de quelques autres grands journaux avaient déjà raflé les meilleurs avions de l'aéro-club. Il ne restait qu'un vieux Piper décati. Son pilote, un Noir athlétique qui ressemblait à Cassius Clay, nous assura qu'il était capable de traverser l'Atlantique d'un coup d'aile. Il exigea cinq cents dollars, payables d'avance, pour deux heures d'exploration au large des côtes.

Charles endossa son parachute, fixa les sangles et arrima autour de sa jambe droite la mallette étanche contenant son matériel photographique. Je regardai le bagage avec inquiétude : son poids allait encore accélérer la chute de mon camarade.

La mer était d'un bleu presque noir, irisé par endroits de traînées d'écume blanche. Hormis un pétrolier de faible tonnage et quelques cargos, pas l'ombre d'un paquebot à l'horizon. Nous fûmes bientôt complètement seuls au-dessus de l'immensité, sans aucun point de repère. La terre avait disparu. J'épiais nerveusement le ronronnement du moteur. Une heure s'écoula. Le pilote annonça qu'il faisait demi-tour. Aussitôt, l'avion amorça un virage sur la droite. C'est alors que Charles poussa un cri :

– Regarde !

La *Santa Maria* était là, monumentale cathédrale, avec sa grosse cheminée jaune striée de bandes vertes et rouges. À quelques centaines de mètres veillait un destroyer de l'US Navy. Charles fit signe au pilote de perdre de la hauteur et de virer autour du paquebot. J'aperçus des passagers qui nous faisaient de grands signes. Le bateau avait été débaptisé. Son nouveau nom s'étalait en énormes lettres rouges sur la plage arrière du pont supérieur. Il s'appelait la *Santa Libertade*.

Charles examina attentivement l'état de la mer. Elle était plate comme un miroir, ce qui indiquait une absence quasi totale de vent. En sautant à la verticale du navire, il aurait une chance de se poser directement sur le pont supérieur. Il fit signe au gros Noir de tirer un peu sur le manche, car l'avion devait voler assez haut pour donner au parachute le temps de s'ouvrir. Le flegme de mon camarade m'émerveillait. L'idée de tomber dans une mer infestée de requins ne semblait pas l'effleurer.

Les ponts et les coursives du paquebot s'étaient remplis de monde. Des gens agitaient des drapeaux et des banderoles. L'une d'elles disait : « Libérons l'Espagne et le Portugal des fascistes. » Une certaine effervescence semblait également régner sur le destroyer américain.

– OK, vieux, rendez-vous à Recife ! Mets du champagne au frais.

Sur ces mots, Charles ouvrit la portière, prit appui sur le bord de l'aile et, d'un coup de reins, sauta dans le vide. Je poussai un soupir de soulagement à la vue de la corolle blanche qui s'ouvrit presque aussitôt, juste à la verticale du bateau. La descente me parut terriblement rapide. Et s'il tombait dans la cheminée ? Je vis Charles tirer sur les haubans et j'eus l'impression que sa chute ralentissait un peu. Mais ce n'était peut-être qu'une illusion. Je m'enfonçai les ongles dans les paumes. Les derniers mètres me parurent défiler à une vitesse éclair. En bas, les gens agitaient les bras avec de plus en plus de frénésie. Encore quelques secondes et mon camarade allait s'écraser sur le pont. Vision de cauchemar. Soudain la corolle échappa à ma vue. Je fouillai des yeux les structures du bateau et la mer alentour. Je la retrouvai enfin, flottant au milieu des vagues entre la *Santa Maria* et le bâtiment de guerre américain. Ouf !

Ce que je vis alors du haut de mon petit coucou se graverait à jamais dans ma mémoire. La vitesse de sa chute et le poids de sa mallette avaient entraîné Charles à plusieurs mètres sous la mer. Excellent nageur, il était réapparu à la surface au bout de quelques secondes. Mais le poids du parachute mouillé risquait de l'entraîner vers le fond. Les passagers hurlaient des encouragements. Le capitaine Galvão avait immédiatement fait mettre un canot à la mer. Le commandant du destroyer américain en avait fait de même, et les deux embarcations fonçaient au secours du naufragé. Un des marins américains se tenait debout à l'avant de sa chaloupe avec un fusil braqué vers les flots, prêt à foudroyer le premier requin qui ferait mine de s'approcher. Je suivais, le cœur battant, la course des deux embarcations vers Charles. On aurait dit qu'elles disputaient une compétition. Mais la partie était inégale. Les biceps des matelots portugais ne pouvaient rivaliser avec le puissant moteur du canot de la Navy. J'imaginais la rage, la frustration, le désespoir de mon camarade voyant s'approcher de lui ces sauveteurs en béret blanc sur le point de lui ravir son scoop, à cause d'une poignée de secondes. Je le vis même donner un coup de pied dans leur canot pour le repousser. C'était inouï. J'appris par la suite qu'il avait crié aux Américains : « Go away ! (Allez-vous-en !) »

Le destroyer avait mis à l'eau un deuxième canot avec un équipage muni de crochets et de gaffes. Malgré tout son courage, Charles allait être capturé comme un vulgaire espadon. Esquivant ses coups de poing et même son couteau de cuisine, quatre marins réussirent enfin à le saisir et à le hisser à bord de leur embarcation. Il fut aussitôt transféré sur le bâtiment de guerre. On lui donna des vêtements secs. Puis, après avoir confisqué ses appareils, le commandant fit enfermer l'envoyé spécial de *Paris Match* dans la prison du bord.

*

Les Américains ne libérèrent mon infortuné camarade qu'à l'arrivée du paquebot pirate, trois jours plus tard, dans le port de Recife. J'étais bien décidé à le venger. J'avais en poche deux mille dollars en petites coupures que je comptais offrir au capitaine Galvão en échange du récit exclusif de sa capture de la *Santa Maria*. Mais, à quai, le paquebot était d'un accès encore plus difficile qu'en haute mer. Dès le débarquement des passagers et de l'équipage, des dizaines de policiers brésiliens casqués l'avaient encerclé d'un cordon infranchissable. Le chef des pirates était resté à bord avec ses hommes. La rumeur courait qu'il avait l'intention d'emmener le bateau en haute mer pour le saborder et périr avec lui. Des centaines de journalistes impatients se pressaient contre les barrières de sécurité, prêts à tout pour monter à bord afin d'interviewer et de photographier le héros de cette rocambolesque aventure.

– Il faudrait qu'on se déniche un déguisement, déclara Charles, toujours en avance d'une idée.

À peine avait-il prononcé ces mots qu'un fourgon de pompiers s'immobilisa à nos côtés. Deux vestes de cuir et des casques rutilants pendaient à une vitre. Nous échangeâmes un regard complice. Moins de dix secondes nous suffirent pour endosser cette providentielle tenue. Franchir les contrôles et escalader l'échelle de coupée ne posèrent dès lors aucune difficulté. Qui oserait empêcher des pompiers de faire leur ronde ? Même si leurs bottes de soldats du feu étaient des mocassins de Gucci.

Nous trouvâmes le capitaine pirate au bar des premières classes en train de siroter paisiblement un whisky-soda avec son chef d'état-major. Les « corsaires » autour de lui ressemblaient davantage à des soutiers mal rasés qu'aux héros d'une croisade révolutionnaire. En revanche, Galvão nous impressionna par sa prestance. Grand et mince, le visage buriné illuminé par un regard bleu acier sous d'épais sourcils, il avait l'allure d'un condottiere de la Renaissance. Ses cheveux à peine grisonnants élégamment plaqués en arrière le faisaient paraître bien plus jeune que son âge. Ce qui frappait surtout, c'était le mélange d'autorité et de distinction qu'exprimaient son front dégagé, son menton énergique, ses lèvres minces. Velasquez ou Philippe de Champaigne se seraient plu à peindre ce personnage à la fois viril et romantique. Sa vie n'avait été qu'une succession d'aventures inspirées de passions diverses.

*

Né sur ces rives du Tage qui avaient enfanté tant d'explorateurs, Henrique Galvão avait embrassé à vingt ans la carrière des armes. Mais la vie militaire avait bien vite paru trop étouffante à ce caractère impétueux dévoré d'idées libertaires. Croyant combattre pour une cause juste et pure, il avait, dix ans plus tard, pris part à un putsch militaire qui avait balayé une république décadente et corrompue pour porter au pouvoir un obscur mais intègre professeur d'économie de l'université de Coimbra, nommé António de Oliveira Salazar. Sa récompense avait été un poste de gouverneur d'une province de l'Angola, alors la perle de l'Empire colonial africain du Portugal. Six années d'une sinécure dorée qui avaient fait du jeune officier un redoutable fusil de chasse – on disait qu'il avait tué une centaine d'éléphants et au moins cent cinquante lions –, et l'un des plus prolifiques écrivains portugais. Profitant de ses longues soirées, il avait dévoré des centaines d'ouvrages littéraires, appris le français, l'espagnol, l'anglais, ainsi qu'une demi-douzaine d'autres langues, et rempli sa mémoire de milliers de vers de Virgile, Byron, Goethe, et Hugo. Maniant la plume avec autant de bonheur que la carabine de chasse, il s'était essayé à tous les genres, produisant aussi bien des romans que des récits, des pièces de théâtre et même des drames en vers. Mais, surtout, cette expérience africaine avait permis au jeune officier épris de justice et de liberté de découvrir les turpitudes d'un système colonial esclavagiste et corrompu. Officiellement, le Portugal n'avait pas d'empire mais seulement des provinces d'outre-mer. Ces provinces représentaient vingt fois la taille de la métropole. C'étaient les plus vastes territoires d'Afrique noire possédés par l'homme blanc. Leurs gigantesques plantations de café et de coton aux mains d'une poignée de colons, leurs mines de diamant, de cuivre et de manganèse, leurs ressources en ivoire, en peaux, en bois précieux fournissaient à quelques privilégiés de la métropole des richesses qu'aucune autre nation coloniale ne tirait de son empire. Aux critiques, les Portugais répondaient que leurs possessions d'outre-mer ne pratiquaient aucune ségrégation entre communautés noire et blanche. Les mariages interraciaux n'y étaient pas interdits et aucune chambre d'hôtel n'était jamais refusée à un Africain en raison de la couleur de sa peau. À condition de parler le portugais, de se vêtir à l'européenne et de payer des impôts, tout Africain pouvait même revendiquer la qualité d'*asimilado* et jouir des mêmes privilèges que les Blancs venus de la métropole. Tels étaient du moins les principes, car la réalité, comme devait s'en apercevoir Galvão, était bien différente. Moins d'un Noir sur cent en Angola et au Mozambique était officiellement considéré comme *asimilado* et traité comme tel. Les quatre-vingt-dix-neuf autres souffraient de conditions de vie et de travail proches de l'esclavage. L'analphabétisme frappait la quasi-totalité de la population indigène. Il n'existait pas une seule école supérieure dans toute l'Afrique portugaise. Promu inspecteur de l'administration coloniale, Galvão n'avait eu de cesse de dénoncer ces carences. Mais ses rapports accusateurs avaient été régulièrement enterrés par un pouvoir qui n'appréciait guère les critiques.

Écœuré, il était allé s'adresser aux députés du Parlement de Lisbonne. Ses révélations sur les complicités de l'administration coloniale avec les trafiquants d'esclaves avaient fait sensation. Le pouvoir s'était durement vengé. Mis d'office à la retraite, Galvão avait dû quitter l'Afrique. La sanction avait renforcé sa volonté de combattre de toutes ses forces la dictature de celui qu'il avait contribué à porter au pouvoir. Une carrière de justicier et de révolutionnaire commençait. Mais la PIDE, la police politique de Salazar, surveillait étroitement les opposants au régime. Au cours d'une descente chez l'ancien gouverneur, ses agents découvrirent, au fond d'une potiche chinoise placée entre des ouvrages reliés de grand prix, un document qui exposait minutieusement le mécanisme d'un putsch visant à abattre le chef de l'État. Ce texte était de la main même de Galvão. Il eut beau prétendre qu'il s'agissait d'une pièce de théâtre dont l'action se déroulait dans un pays imaginaire, le prétexte était trop parfait pour ne pas mettre définitivement son auteur hors d'état de nuire. Henrique Galvão fut enfermé dans un cachot de la prison-forteresse de Caixas. Prétextant la folie, il réussit à se faire transférer dans un hôpital psychiatrique. Déjouant la vigilance de ses gardiens, il y reçut nombre d'amis et de sympathisants politiques, sans oublier quelques jolies femmes sensibles au charme de ce révolutionnaire si distingué.

Dix-huit mois plus tard, il s'échappa en empruntant la blouse blanche d'un médecin. Puis, déguisé en garçon livreur, il alla sonner à la porte de l'ambassade d'Argentine pour demander l'asile politique. Le dictateur Salazar laissa partir cet encombrant adversaire. « Qu'il aille se faire oublier le plus loin possible ! » déclara-t-il.

C'était mal connaître le personnage. À peine arrivé outre-Atlantique, Galvão adressa au dictateur du Portugal une lettre ouverte reproduite par de nombreuses publications internationales.

« Je me suis évadé de tes griffes, mon cher Salazar, disait-elle, de tes haines féroces, de ta Gestapo toute-puissante, de tes juges et tribunaux spéciaux, de tes tyranneaux enrichis, de tes mercenaires idolâtres, de ton armée d'occupation, de tes prisons et camps de concentration, de ta foire aux faveurs, de tes discours sans réponses et de tes mensonges magistraux. »

Galvão interpellait ensuite Salazar sur le bilan d'un régime qui, affirmait-il, avait « réduit un peuple simple et bon enfant à la misère morale et matérielle des peuples des pays totalitaires ». Il dénonçait le niveau de vie le plus bas d'Europe, une administration corrompue, une armée sans courage moral ni esprit militaire, un gouvernement de médiocres, une politique coloniale féodale.

« Nous avons l'illusion de vivre en paix, concluait-il, mais cette paix, comme celle de la Russie et de ses satellites, est la paix des troupeaux et des cimetières. »

L'auteur de ce réquisitoire ne se berçait pas d'illusions. Il savait qu'il faudrait bien plus d'une lettre ouverte pour briser le silence autour de la dictature et appeler les Portugais et le reste du monde à se mobiliser. Seule une opération spectaculaire pouvait abattre la tyrannie. La capture de la *Santa Maria* et de ses six cents passagers fut l'instrument de cette espérance.

Le pirate kidnappé

La soudaine irruption de deux journalistes déguisés en pompiers au bar de leur navire parut amuser le capitaine pirate et ses compagnons. Après avoir accepté un whisky, j'expliquai en français à Henrique Galvão l'objet de notre présence, et je sortis de ma poche une liasse de billets.

– Capitaine, puis-je vous offrir ces deux mille dollars en échange du récit exclusif de votre capture de la *Santa Maria* ?

Galvão considéra avec surprise le paquet de billets verts. Après une courte réflexion, il leva les yeux vers moi.

– C'est d'accord, dit-il en français. Je vous donnerai l'exclusivité de mon témoignage, mais je souhaiterais que nous puissions parler ailleurs que sur ce navire. Ici, nous risquerions d'être dérangés.

L'idée de pouvoir escamoter à mon profit celui que poursuivait la presse mondiale, celui que recherchaient toutes les polices du Brésil et du Portugal, me parut complètement délirante.

– Je peux vous offrir l'hospitalité de ma modeste chambre d'hôtel, dis-je aussitôt.

– Il ne nous en faut pas plus, acquiesça le Portugais.

J'entraînai alors le capitaine sur le pont pour permettre à Charles d'effacer par une spectaculaire série de photos sa tentative ratée de monter à bord en pleine mer. Puis, grâce à la complicité des pirates, nous quittâmes discrètement le bateau au fond d'un canot bâché. Une heure plus tard, un taxi nous déposa devant mon hôtel. Toutes les chambres des grands hôtels de Recife ayant été prises d'assaut, j'avais dû aller me loger à une vingtaine de kilomètres du centre, dans un établissement de catégorie inférieure qui n'en portait pas moins le joli nom de Boa viagem (Bon Voyage). Je n'arrivais pas à croire que j'avais réussi à kidnapper l'un des pirates les plus célèbres de l'Histoire.

La partie était pourtant loin d'être gagnée. D'abord, parce que j'étais presque aveugle. Un insecte m'avait piqué à l'œil, provoquant une infection très douloureuse. Galvão s'empara de mon flacon de collyre et me soigna lui-même. Dix fois au cours de la nuit, il renouvellera ces soins sans lesquels j'aurais été en peine de recueillir son récit. Mais cette infirmité passagère me préoccupait moins qu'un mystérieux va-et-vient de pas dans le couloir. Ces pas s'arrêtaient toutes les deux ou trois minutes devant la porte de ma chambre. Des pointes de souliers noirs apparaissaient alors dans le rai de lumière qui filtrait de l'extérieur. J'avais l'impression qu'une oreille se collait contre le panneau pour nous écouter. S'agissait-il d'un agent de la police politique de Salazar ? Ma chambre était tout à fait propice à l'une de ces exécutions discrètes dont les services secrets sont coutumiers. Il suffisait d'enfoncer la porte d'un coup d'épaule et de tirer avec un pistolet muni d'un silencieux. Les tueurs n'aimant pas les témoins, j'étais pratiquement assuré d'être sacrifié au passage.

Je fis part de mon inquiétude à mon invité mais ne recueillis qu'un haussement d'épaules désabusé.

– En me faisant assassiner, Salazar embarrasserait gravement le Brésil. Je le crois trop intelligent pour commettre une telle gaffe.

La voix chaude et veloutée du capitaine portugais avait quelque chose de si persuasif que je finis par oublier le danger. Il parlait un français recherché qu'il fleurissait à plaisir de subjonctifs et d'expressions rares et raffinées. Son bonheur de pouvoir s'exprimer dans la langue de ses idoles, Voltaire et Hugo, éclatait à chaque phrase.

*

– J'étais un homme seul, sans le sou, sans soutien politique, sans relations, sans amis, commença-t-il. L'Argentine m'avait accordé l'asile politique en m'interdisant toute activité contre le régime de Lisbonne. Je ne pouvais aller au Brésil où Salazar m'avait fait déclarer *persona non grata*. Sur le conseil de deux compatriotes en exil, j'allai finalement m'installer à Caracas, au Venezuela. J'y rencontrai quelques Portugais de bonne volonté disposés à se joindre à mon combat et un petit groupe de républicains espagnols qui avaient fui leur pays après la guerre civile. Je leur proposai de créer un mouvement de libération ibérique qui serait une réplique au pacte que Salazar avait conclu avec Franco.

Mais pour faire quoi ? L'Europe était loin et l'opinion mondiale se désintéressait totalement de notre cause. Je rêvais d'action. Mais quelle action ? Bientôt, je n'eus plus d'argent pour payer mon loyer. Des amis me recueillirent. Je trouvai un petit travail administratif dans une société immobilière. Je gagnais mille bolivars par mois, deux fois moins que ne coûtait une mitraillette d'occasion.

« Un matin où je me sentais particulièrement torturé par le doute, je suis tombé sur quelques lignes perdues au milieu du *Diario* de Caracas, le principal quotidien du Venezuela. Cet entrefilet annonçait que le paquebot portugais *Santa Maria* était arrivé au port vénézuélien de La Guaira, l'escale qu'il touchait chaque mois à l'occasion de sa croisière entre Lisbonne, le Venezuela, Curaçao et Miami. D'un coup, mon imagination s'enflamma. Si nous pouvions nous rendre maîtres de ce bateau et le conduire vers l'Afrique pour y lever une armée de libération, nous pourrions détrôner Salazar et Franco. Le monde entier serait alerté. Les mouvements d'opposition portugais et espagnols seraient obligés de passer à l'action. En bref, ce serait un formidable électrochoc capable de ranimer la confiance de mes compatriotes en une libération prochaine. Je décidai donc de m'emparer de la *Santa Maria*...

« Je mis mes plus proches compagnons dans la confidence. Ensemble, nous avons organisé la préparation de l'opération dans le plus grand secret, car nous étions espionnés jour et nuit par les agents secrets de Franco et de Salazar. Mon premier souci fut de donner un nom à l'opération. Comme Don Quichotte, j'étais persuadé que le patronage d'une dame était nécessaire pour tenter une grande aventure. *Des chevaliers sans amour sont des corps sans âme,* n'est-ce pas ? Je donnai donc à notre projet le nom de l'héroïne de Cervantès. L'opération s'appellerait " Dulcinée ". »

Le capitaine alluma une nouvelle cigarette à celle qu'il venait de finir et poursuivit :

– J'envoyai mes hommes à la recherche de toutes les informations possibles. Ils se déguisèrent en dockers et montèrent à bord de la *Santa Maria* dès l'escale suivante. Ils étudièrent chaque point qui nous intéressait : quelles étaient les ressources en combustible du navire ? Où s'approvisionnait-il en vivres, en eau douce, en mazout ?

Quel était le nombre moyen de passagers à chaque voyage ? Quelles étaient les opinions politiques de l'équipage ? Y avait-il des agents de la police secrète à bord ? Y avait-il un plan pour faire face à une menace venue de l'extérieur ? Existait-il des portes blindées pour empêcher l'accès à la passerelle ? Pendant ce temps, me faisant passer pour un honorable grand-père désireux d'offrir une croisière maritime à ses petits-enfants, j'allai me procurer au siège local de la compagnie de navigation tous les dépliants et plans disponibles. La compagnie avait même eu l'imprudence de faire réaliser une monumentale maquette du navire, qu'elle avait exposée au milieu du hall de l'agence de voyages Hulton, en plein centre de Caracas. Les yeux dissimulés derrière d'épaisses lunettes noires, la tête cachée sous une collection de chapeaux de formes et de couleurs toujours différentes, j'examinai jour après jour cette représentation de la *Santa Maria* pour m'imprégner de la configuration du bâtiment jusqu'au détail le plus infime. Ces heures d'observation minutieuse devant la réplique du navire restent l'un de mes souvenirs les plus poignants.

Quatre vieux fusils pour la piraterie du siècle

– Un jour, je suis enfin monté à bord poursuivit Galvão. Avec mes espadrilles et ma chemisette à fleurs, j'avais l'air d'un parfait touriste. J'ai pu me promener d'un bout à l'autre du bateau pendant deux heures sans que personne remarque ma présence. Je suis allé jusqu'à la passerelle de commandement. Elle était déserte. Pendant quelques secondes, j'ai même empoigné la barre. Puis je suis descendu un pont en dessous et j'ai aperçu le commandant qui discutait avec l'un de ses officiers.

« Le bateau comportait huit ponts. Il suffisait d'occuper les deux structures supérieures, c'est-à-dire l'étage de la timonerie et de la cabine radio, et l'étage des cabines des officiers, pour se rendre totalement maître du navire. Deux escaliers seulement accédaient à ces structures sensibles. Deux hommes en armes placés au bas de chacune empêcheraient toute contre-attaque. Je quittai la *Santa Maria* persuadé que sa capture serait un jeu d'enfant.

« En revanche, pour entraîner, équiper, armer le

commando de l'opération Dulcinée – au moins cent hommes –, j'avais besoin de trente mille dollars. Or, la misérable cagnotte que j'accumulais depuis des mois ne représentait même pas le tiers de cette somme. Je dus me résoudre à réduire nos effectifs à vingt-cinq hommes seulement. Notre armement était dérisoire. Il comprenait une mitraillette Thomson qui nous avait coûté trois cents dollars ; un pistolet-mitrailleur très usé qui avait dû pétarader dans toutes les révolutions de l'Amérique du Sud ; quatre vieux fusils ; six revolvers, et à peine autant de grenades.

« Le problème le plus crucial fut l'achat des billets du voyage. Un passage en troisième classe du Venezuela jusqu'à Lisbonne coûte huit cents bolivars, à peu près mille francs. Trois jours avant le jour J, il nous manquait l'équivalent de trois mille francs. J'ai dû remettre l'opération Dulcinée au mois suivant.

« Enfin, le jour de l'opération arriva. Un seul d'entre nous devait monter à bord sans billet. C'était moi. Mon nom était trop connu. Sa seule mention sur une liste des passagers risquait d'alerter les autorités et de faire capoter l'opération. Pour être sûr que personne ne me reconnaîtrait, je décidai de me grimer avec de fausses moustaches et de ne monter à bord qu'à l'escale de Curaçao, quelques minutes avant que la *Santa Maria* lève l'ancre pour Miami. Je pris donc un avion pour la petite île hollandaise, afin d'y attendre le passage du bateau.

« Mes compagnons, eux, devaient embarquer à La Guaira, au Venezuela. Ils avaient démonté leurs armes et en avaient réparti les pièces dans plusieurs valises identifiées d'une petite croix blanche. Nous avions acheté la complicité d'un douanier. Ce signe devait leur éviter d'être fouillées.

« À Curaçao, je me suis installé dans une modeste pension près du quai. Je ne possédais que quinze florins, juste de quoi payer la chambre. De ma fenêtre, je voyais le chenal par lequel arriverait la *Santa Maria* à huit heures le lendemain matin. Je n'ai pas dormi de la nuit. Mes hommes avaient-ils pu embarquer ? Leurs valises avec les armes étaient-elles à bord ? Des agents de Salazar étaient-ils montés sur le bateau au dernier moment ? Allions-nous subitement nous trouver en face d'un service de sécurité renforcé ?

« Le lendemain, un peu avant huit heures, j'ai vu de

ma fenêtre s'ouvrir le pont à bascule qui permet aux bateaux d'accéder au quai. La *Santa Maria* était là, magique et merveilleuse comme la Dulcinée de Don Quichotte. Elle est allée accoster très loin, et j'ai dû attendre plus d'une heure que mon adjoint, le commandant Jorge Soto Mayor, notre spécialiste en matière de navigation, puisse descendre à terre pour venir m'assurer que l'embarquement s'était parfaitement déroulé. Soto Mayor était un ancien officier de la marine républicaine espagnole couvert de décorations. Pendant la guerre civile, aux commandes de son destroyer, il avait coulé le croiseur franquiste *Baléares*. C'était à lui que j'avais confié la responsabilité de conduire la *Santa Maria* jusqu'aux côtes d'Afrique.

« Le soir à six heures, quatre heures avant l'appareillage pour Miami, coiffé du même chapeau de paille à large bord que je portais le jour de mon évasion de l'hôpital psychiatrique de Lisbonne, je montai avec Soto Mayor à bord du paquebot. J'étais en possession d'une carte de visiteur, délivrée par le représentant local de la compagnie. Quand j'ai vu que personne ne m'avait reconnu, je n'ai plus eu aucun doute : la *Santa Maria* était à moi. »

Totalement indifférent à l'inquiétant va-et-vient des pas dans le couloir devant ma chambre, le capitaine Henrique Galvão revivait son aventure comme une pièce de théâtre dont il était l'acteur principal.

– Un compagnon m'a conduit jusqu'à l'une des cabines de troisième classe que nous avions louées. Il y faisait une chaleur épouvantable parce que le système de ventilation était en panne. Elle était sans hublot, au milieu du pont inférieur, juste au-dessus des machines. De cette pièce aveugle, il n'était pas possible d'assister au départ. Mais soudain, j'ai senti une formidable vibration ébranler le navire. Les manœuvres d'appareillage commençaient. J'ai brusquement éprouvé une sérénité absolue. Nous avions accompli le plus dur. J'ai abandonné ma tenue de touriste pour une chemise et un pantalon de toile kaki, plus conforme à mon image de *libertador*. Puis, d'un pas rapide, j'ai enfilé la coursive jusqu'au pont des troisièmes classes où mes hommes m'attendaient.

« Il était neuf heures du soir. J'avais fixé l'heure H de la prise du bateau à une heure trente du matin, quand les passagers et les officiers, fatigués par deux escales rapprochées, seraient pour la plupart allés se coucher. Nous devions tous nous retrouver quelques minutes avant l'heure H sur la plage arrière du pont principal. J'avais scindé mes forces en deux groupes d'assaut. Le premier, sous la direction de Jorge Soto Mayor, occuperait la passerelle, la timonerie et la cabine radio. Le second devait s'emparer de l'étage inférieur et neutraliser les officiers dans leurs cabines. C'est à cet étage que nous nous attendions à la résistance la plus vive. J'avais donc décidé de prendre le commandement du groupe chargé de cette phase de l'opération. Une fois ces deux objectifs atteints, le reste des hommes irait se poster à l'entrée des différents escaliers pour empêcher toute tentative de contre-attaque de la part de l'équipage.

« Vers minuit, je fis procéder à la distribution des armes. Rojo et Fernandez, deux vétérans de la guerre civile espagnole, reçurent les deux mitraillettes. Les autres se partagèrent les fusils, les revolvers et les grenades. Les plus jeunes, moins expérimentés, durent se contenter de quelques machettes, couteaux et matraques.

« À une heure vingt-huit du matin, je suis arrivé sur le pont principal, notre lieu de rendez-vous. Mes vingt-cinq compagnons étaient là, avec leurs armes. C'était une nuit magnifique, digne de ce que nous allions accomplir. J'ai souhaité bonne chance à voix basse à chacun. Le plus jeune du groupe, José Ramos, âgé seulement de dix-huit ans, était le fils d'un instituteur communiste de Porto. Il m'a demandé de le bénir. Il était armé d'une de ces machettes avec lesquelles les seringueros brésiliens récoltent le latex des hévéas. Nous avons tous enfilé nos brassards vert et rouge, couleurs du Portugal. Les officiers ont attaché leurs épaulettes. Nous avons coiffé nos bérets noirs. J'ai consulté ma montre et j'ai dit : " On y va ! " »

Quarante-cinq minutes pour se rendre maître du palace flottant

Dans sa cabine décorée de boiseries en bois précieux d'Afrique, le commandant Mario Simoes Maya, quarante-six ans, dormait à poings fermés. À cause des ravitaillements en mazout, en eau douce, en vivres, et de l'embarquement de nombreux passagers, l'escale de Curaçao était toujours la plus fatigante du parcours. Le chef mécanicien, le commissaire et la plupart des officiers de son état-major dormaient eux aussi dans leurs cabines climatisées.

Juste au-dessus, à l'étage de la passerelle, l'officier de quart, le lieutenant José Nascimento Costa, vingt-sept ans, fils d'un paysan de l'Algarve, scrutait les ténèbres. Costa était le plus heureux des hommes. Ce matin, le radio du bord lui avait remis une dépêche. Sa femme, Lourdes, venait de mettre au monde un garçon de huit livres, prénommé António Le matelot-timonier José António Lopez de Souza, vingt-quatre ans, tenait la barre derrière lui.

C'est alors qu'un groupe d'hommes armés, surgissant de l'escalier tribord, se jeta sur eux. Plusieurs coups de feu claquèrent, tandis que se formait une brutale mêlée. Touché à la tête et à la poitrine, le lieutenant Costa roula à terre. Il ne connaîtrait jamais son fils. À côté de lui, le matelot-timonier de Souza gisait dans une mare de sang. L'attaque avait été fulgurante. Elle avait fait un mort et un blessé grave, mais la passerelle de la *Santa Maria* était aux mains des révolutionnaires. Prenant les commandes du poste de navigation, l'adjoint de Galvão, le commandant Soto Mayor, empoigna la barre et fit pivoter le bateau à quatre-vingt-dix degrés à droite pour lancer ses trente-cinq mille tonnes en direction des côtes d'Afrique. La cabine radio était également aux mains des pirates : aucun appel au secours ne risquait d'alerter le monde.

Les coups de feu avaient réveillé le commandant Maya. Persuadé que des noctambules éméchés s'amusaient avec des pétards, il s'était promptement retourné sur son oreiller pour se rendormir. Mais un coup frappé à sa porte le fit sortir de son lit.

*

– Il nous avait fallu moins de quarante-cinq minutes pour nous rendre maîtres de la *Santa Maria*, de son état-major, de ses trois cent quatre-vingt-dix hommes d'équipage et de ses six cent trente passagers endormis dans leurs cabines ou sur les ponts. Ce palace flottant était le premier morceau de ma patrie libérée. Scrutant la nuit, je pensais à Byron partant pour la Grèce libérer le pays d'Homère du joug des Turcs.

*

Aucun des six cent trente passagers, aucun membre de l'équipage, hormis les officiers du pont supérieur, n'avait entendu les coups de feu. En sortant le matin suivant de leur cabine pour aller prendre leur petit déjeuner, Bob et Gladys Boulton, deux Américains originaires de La Nouvelle-Orléans, remarquèrent des inscriptions peintes sur le plancher du pont arrière. Leur bateau avait changé de nom pendant la nuit. Il s'appelait désormais la *Santa Libertade.* Quand tout le monde fut attablé dans les salles à manger des différentes classes, un coup de gong retentit dans les haut-parleurs de la sono du bord. Une voix annonça :

« Le commandant Henrique Galvão, chef du Directoire révolutionnaire ibérique de libération, vous parle.

« Passagers et membres de l'équipage, je vous annonce que vous êtes désormais sur une parcelle de Portugal libérée de la dictature fasciste de Salazar, déclara-t-il. Nous ne nous rendrons à personne, mais nous nous portons garants de votre sécurité et même de votre confort. Nous ferons tout pour vous permettre de quitter le bateau le plus tôt possible. D'ici là, nous ne vous demandons pas de nous aider, mais de vous aider vous-mêmes en observant le calme le plus strict. »

Les passagers se regardèrent, médusés. C'était invraisemblable, incroyable, impensable : en plein XXe siècle, ils étaient aux mains de pirates !

Le nouveau maître de la *Santa Maria* donna alors des ordres pour que la croisière se poursuive normalement. Il fit même organiser une soirée de gala, dont son état-major et lui furent les invités d'honneur. Il s'assura que le programme des réjouissances quotidiennes se déroulait comme à l'accoutumée, apéritifs en musique, concours de tir au pigeon sur le pont A, courses de petits chevaux, tournois de bridge et soirées dansantes autour de la piscine. Pour nombre de passagères, l'irruption soudaine de ces jeunes révolutionnaires athlétiques et beaux garçons, d'une correction irréprochable, fut une surprise plutôt excitante, d'autant qu'ils étaient pour la plupart d'excellents danseurs. Quant à la cuisine du bord, elle continua d'offrir une égale richesse de menus. Seul changement sur la carte présentée aux passagers : ils ne se trouvaient plus à bord de la *Santa Maria* en route pour Miami, mais « À bord de la *Santa Libertade* en route vers la liberté ».

Un secret qui s'envole à cause d'un innocent

– Une fois réglés les différents problèmes de sécurité, d'intendance, et l'organisation de la vie des passagers, je n'eus plus qu'une obsession : aller le plus loin possible avant que le monde apprenne ce que nous avions fait, continuait Henrique Galvão. Pour cela, il nous fallait quatre jours de secret. Comme nous devions compter trois jours de navigation entre Curaçao et Miami, je décidai d'en gagner un quatrième en télégraphiant à Miami qu'une légère avarie de machine nous avait obligés à réduire notre vitesse. Puis j'ordonnai un silence radio total.

« Nous venions de doubler les îles de la Martinique et de Sainte-Lucie, quand le médecin du bord vint me dire que le matelot-timonier, blessé au cours de la prise du bateau, risquait de mourir s'il n'était pas opéré d'urgence. Il avait une balle dans le foie et une autre dans l'intestin grêle. J'ai aussitôt réuni mes officiers. Fallait-il ou non débarquer le blessé et prendre le risque d'être découvert ? Je savais que, d'un point de vue strictement militaire, rien ne m'y obligeait. En sauvant une vie, j'en mettais un millier d'autres en péril. Mes officiers me pressèrent de continuer notre route. Mais, au fond de mon âme, je sentais que je n'avais pas le droit de laisser mourir cet innocent. En résistant à notre attaque, il avait été le seul, avec l'officier de quart, à montrer quelque courage. J'ai donc donné l'ordre de faire demi-tour et de stopper à deux milles des côtes de Sainte-Lucie pour mettre un canot à la mer avec trois marins et un infirmier afin de conduire le blessé à terre. J'ai également fait porter dans le canot la dépouille de l'officier tué la veille. Avec le départ de cette embarcation s'envolait, je le savais, le secret de l'opération Dulcinée. »

*

Le comte d'Oxford and Acquit, cinquante-sept ans, administrateur de la petite île britannique de Sainte-Lucie, commençait toutes ses journées en promenant ses jumelles sur l'admirable perspective de la baie qui s'ouvrait sur le grand large. Ce matin-là, une apparition insolite l'intrigua.

– Un bateau portugais ! grommela-t-il.

Le comte vit le grand paquebot blanc venu du nord s'approcher très lentement, virer de bord et s'immobiliser au large. Il vit qu'une chaloupe était mise à l'eau et que plusieurs personnes s'y installaient. Il vit le navire s'éloigner aussitôt tandis que l'embarcation se dirigeait vers la terre.

Quelque chose d'anormal était en train de se passer sur cette parcelle d'Angleterre. Sans perdre plus de temps, il se dirigea à pas rapides vers le quai. La chaloupe venait d'accoster. Cinq hommes étaient à bord : un matelot blessé, un infirmier et trois marins. Il y avait aussi un mort enveloppé dans un drap blanc. Ne comprenant pas un seul mot de portugais, l'Anglais envoya chercher un habitant qui pût servir d'interprète. C'est ainsi qu'il apprit la nouvelle qui allait braquer tous les regards du monde sur la carte de l'Atlantique.

– *Piracy !* s'écria-t-il, avant de foncer en voiture chez son ami le Commodore Shand, responsable de la marine du secteur.

Le *Rothesay*, la frégate de Sa Majesté ancrée dans le port, reçut l'ordre d'appareiller immédiatement et de se lancer aux trousses du paquebot. Sous un ciel rouge d'orage, la chasse aux pirates commença dans les eaux caraïbes comme au bon vieux temps. Alertée par radio, la marine américaine dérouta les destroyers *Damato* et *Wilson*, et fit décoller de Porto Rico deux avions patrouilleurs. Mais les ravisseurs de la *Santa Maria* avaient une avance substantielle et l'étendue de leur zone de fuite rendait difficile leur repérage. Leur bateau n'était qu'un point minuscule au cœur d'un espace maritime six fois grand comme la France.

L'incroyable nouvelle se répandit comme une traînée de poudre. Les journaux de Lisbonne se déchaînèrent. « *Os Pirataes !* (Les pirates !) » titrèrent-ils en caractères d'affiche. Dans la capitale portugaise aux sourires impénétrables, la légende de Galvão, l'enfant terrible des années trente et quarante, revint sur toutes les lèvres. Fou de colère, Salazar plaça ses forces armées en état d'alerte et lança dans l'Atlantique tout ce que la marine portugaise pouvait faire flotter. Le général Franco se joignit à la poursuite avec plusieurs destroyers. Henrique Galvão pouvait être fier : il avait mobilisé contre son *Potemkine* des forces dignes de l'Invincible Armada.

« Appelez-la Libertade ! »

– J'étais convenu avec mon adjoint Soto Mayor de faire naviguer la *Santa Libertade* en zigzag afin de dérouter d'éventuels poursuivants, continuait de me raconter le capitaine. À partir du troisième jour, je fis rationner l'eau douce et réduire les menus servis en première et deuxième classe. J'autorisai tous les enfants voyageant en troisième classe à venir prendre leurs repas avec les enfants des classes supérieures. À part cela, la vie à bord continua d'être parfaitement normale. Ce n'est qu'au troisième jour que notre radio reçut un premier message. Il émanait de la chaîne américaine de télévision NBC. J'acceptai de m'entretenir par radiotéléphone avec l'un de ses journalistes. Ce premier contact déclencha un déluge d'appels. Tous les médias du monde voulaient m'interviewer. On m'offrait des ponts d'or pour connaître notre position. Des chaînes de télévision voulaient nous parachuter des opérateurs. C'était la folie. Mais curieusement, nous n'avions toujours pas été repérés. Notre incognito se prolongea même jusqu'au cinquième jour, lorsqu'un cargo danois croisa notre route. Nous étions à mi-chemin des côtes d'Afrique. Le cargo signala notre position. C'en était fini de notre cavale.

« Deux heures plus tard, un avion américain nous survola au ras des mâts. Son pilote me fit savoir par radio que les autorités américaines m'ordonnaient de conduire la *Santa Libertade* à San Juan de Porto Rico. Je répliquai vertement que je n'acceptais aucun ordre d'aucune autorité. Je proposai toutefois de recevoir à mon bord un émissaire afin de décider du sort des quarante-deux passagers de nationalité américaine se trouvant sur le navire.

« La vivacité de ma réaction parut surprendre l'officier de l'avion. Il m'annonça que le commandant en chef de la flotte américaine de l'Atlantique prendrait incessamment contact avec moi.

« Nous n'en poursuivîmes pas moins notre route vers l'Afrique. Malgré le rationnement en eau douce, l'atmosphère à bord continuait d'être excellente. Une passagère de troisième classe mit au monde une petite fille à l'infirmerie du bord. Je me précipitai pour trinquer avec elle à cette naissance. " Comment allez-vous l'appeler ? " demandai-je. La jeune femme hésita. " Appelez-la *Libertade* ! ", suggérai-je.

« Cette journée excitante s'acheva sur une très mauvaise nouvelle. Salazar et Franco s'étaient associés pour demander aux Anglais et aux Américains de nous barrer la route par tous les moyens. Deux contre-torpilleurs américains qui patrouillaient au large de la Côte-d'Ivoire s'étaient déroutés pour venir à notre rencontre. Nous n'avions plus aucune chance d'atteindre l'Afrique. Le commandant en chef américain de la flotte de l'Atlantique me proposa d'évacuer les passagers. Je lui répondis que je ne demandais pas mieux, à condition que ce fût dans un port neutre où j'aurais obtenu l'assurance de la sécurité des passagers, du bateau et de nous-mêmes. Je proposai le port de Recife.

« Ce soir-là, je fis organiser un dîner d'adieu dans les différentes salles à manger du bord. J'avais ordonné qu'on décore les tables de petits drapeaux du Portugal libre et de la République espagnole. Tandis que l'orchestre jouait *Ce n'est qu'un au revoir, mes frères*, la *Santa Libertade* vint jeter l'ancre à trois milles du chenal conduisant au port de Recife.

« À la fin du dîner, je me suis trouvé brusquement englouti par une marée de gens. Un instant, j'ai cru qu'ils voulaient me jeter par-dessus bord. Je me trompais. Les passagers de la *Santa Libertade*, réclamaient mon autographe sur le menu en souvenir de la croisière la plus mémorable de leur vie. »

*

Le lendemain, avec des centaines de confrères journalistes et photographes, et des milliers d'habitants descendus de toute la ville pour voir – comme deux siècles et demi auparavant – l'arrivée du corsaire, j'avais assisté à l'accostage spectaculaire du grand paquebot blanc qui, depuis douze jours, monopolisait l'actualité mondiale. Lentement, il s'était approché du quai au milieu d'un essaim de remorqueurs, sirènes hurlantes. Derrière lui, une impressionnante nuée orageuse d'un noir mauve montait de la mer comme une immense auréole. Des ponts, des coursives, des hublots jaillissait un charivari de cris, de rires, de chants, de pleurs, dans la chaleur tropicale et l'énervement de l'orage menaçant. Sur le quai, deux cents fusiliers marins contenaient la foule avec le plus grand mal. Quand le bateau s'immobilisa enfin, ce fut la folie. Des enfants passèrent de bras en bras. Une pluie de sacs, de ballots, de valises s'abattit de tous côtés. Les gens se bousculaient pour agripper les échelles, se jetaient sur les passerelles, trébuchaient les uns sur les autres dans un désordre et une cacophonie indescriptibles.

Du haut du pont supérieur, coiffé de son légendaire béret noir, le capitaine Henrique Galvão assistait, impassible, à la fin de son rêve.

*

– L'amiral brésilien m'avait promis de mettre à ma disposition un remorqueur pour me permettre de retourner dans les eaux internationales après le débarquement des passagers et de l'équipage, continuait de me raconter l'officier. J'avais pris ma décision. Si l'épopée de la *Santa Libertade* s'arrêtait là, parce que nous avions préféré sauver une vie humaine, une épave rappellerait à jamais la mémoire de ce grand bateau et de la poignée d'hommes épris de liberté qui l'avaient mené jusque-là. J'avais décidé de saborder la *Santa Libertade* après avoir fait évacuer tous mes hommes.

« À la fin du débarquement, l'amiral brésilien vint m'annoncer que les autorités de son pays ne pouvaient mettre à ma disposition un remorqueur pour repartir. J'étais trahi. L'amiral m'a cependant offert, pour mes hommes et pour moi, l'hospitalité du Brésil et une sortie honorable.

« Alors commença une longue dernière nuit à bord du grand navire vide. Devant témoins, nous fîmes le compte des quarante mille dollars que contenait la caisse du bateau, et j'y fis mettre les scellés. Pour notre dernier repas, nous mîmes en commun nos talents culinaires, et mes hommes allèrent se coucher tranquillement pour la première fois depuis de nombreux jours. Je montai ensuite sur la passerelle. Il faisait une nuit aussi magnifique que celle au cours de laquelle nous nous étions emparés du bateau. Devant moi, Recife brillait de toutes ses lumières, et je pensais à tous les événements qui s'étaient déroulés pendant ces derniers jours. J'étais content de ce que nous avions accompli, et mélancolique que notre aventure se soit arrêtée là. Je me sentais plus décidé que jamais à attirer l'attention du monde sur notre cause. J'avais la certitude qu'un jour moi ou d'autres réussirions à achever ce que nous avions commencé pour libérer le Portugal et l'Espagne de leurs tyrans.

« Pour moi, la *Santa Maria* s'appellerait à tout jamais la *Santa Libertade*.

« Voilà le récit de cette aventure. »

*

Il était presque cinq heures du matin. L'obscurité enveloppait encore l'océan devant la fenêtre de ma chambre d'hôtel. J'avais noirci au moins quarante feuillets d'une écriture serrée. Le capitaine avait dû fumer trois paquets de cigarettes. Il avait aussi vidé le flacon de collyre dans mon œil infecté. Ses traits n'accusaient aucune fatigue, juste une vague lassitude que j'attribuais à sa tristesse. J'avais faim.

– Allons manger quelque chose, dis-je après l'avoir remercié pour son passionnant récit. Le long de la plage, il y a des bistrots ouverts toute la nuit.

L'idée l'enchanta. J'examinai le rai de lumière qui filtrait sous la porte. Les souliers noirs semblaient avoir disparu. Je fis tourner avec précaution la clef dans la serrure et sortis sur le palier. Le couloir était vide. Sur la pointe des pieds, comme des conspirateurs, nous gagnâmes l'ascenseur. En bas, le hall était désert.

– Les policiers de Salazar ont des horaires d'employés de banque ! s'esclaffa le capitaine. Ils sont allés se coucher !

Sur le boulevard le long de la mer, il n'y avait pas âme qui vive. Nous marchions depuis un moment lorsque j'entendis le ronronnement d'un moteur derrière nous. Je me retournai. Une grosse limousine américaine noire nous suivait au ralenti, tous feux éteints. Elle roulait au milieu de la chaussée. Je cherchai en vain une ruelle ou un passage par lesquels nous échapper. Mais, d'un côté, il y avait la plage et la mer et, de l'autre, des villas aux volets fermés.

– Capitaine, nous sommes suivis, dis-je avec inquiétude.

J'avais vu trop de films américains pour ne pas imaginer comment risquait de se terminer cette filature. Je voyais déjà des canons de mitraillettes appuyés sur le rebord des portières. Le calme de mon compagnon ajoutait à ma peur. « Il est inconscient, pensai-je. Avec son béret noir et ses épaulettes couvertes de galons et d'étoiles, il se croit encore sur la passerelle de son bateau. Nous allons être abattus comme des lapins. » Par bonheur, j'aperçus à quelques dizaines de mètres l'auréole bleutée de l'enseigne du bistrot que je voulais atteindre. J'empoignai le bras du capitaine et accélérai le pas. La voiture nous suivait toujours. Encore quelques mètres, et nous serions peut-être à l'abri. La taverne avait une porte à mi-hauteur avec deux battants comme dans les saloons du Far West. L'éclairage était si parcimonieux qu'on y distinguait à peine les visages. Un juke-box hurlait un air de samba. L'endroit puait la bière et le vin de palme, mais on y servait, disait-on, les meilleurs crabes et langoustes grillés du Brésil. Des filles en mini-jupe, les joues dégoulinantes de maquillage, faisaient boire des clients. J'avisai, au fond de la salle, une table inoccupée avec deux chaises le dos au mur. Si nos poursuivants faisaient irruption, au moins nous les verrions entrer. N'était-ce pas la règle d'or observée par les gangsters quand ils s'attablaient dans un restaurant : avoir toujours l'œil sur la porte ?

Henrique Galvão semblait béat de plaisir. On aurait dit un jeune officier s'encanaillant dans les bordels de sa garnison. Pendant que le cuisinier faisait griller nos langoustes, j'allai au bar téléphoner à son adjoint, le commandant Soto Mayor, pour qu'il vienne d'urgence assurer la sécurité de son chef. Après plusieurs essais, je parvins à entrer en contact avec l'Espagnol et l'alertai sur la présence de cette mystérieuse voiture. J'en profitai pour réveiller Charles et lui suggérer de nous rejoindre.

Soulagé, je regagnai notre table. Ma chaise était occupée par une jolie putain aux yeux verts en amande. Visiblement, elle n'avait pas reconnu le célèbre capitaine. Elle examinait les lignes de sa main gauche.

– Elle me dit que j'ai une volonté capable de changer le cours de l'Amazone, traduisit Galvão en riant, et elle me voit...

Je n'ai pas entendu la suite. Le capitaine Jorge Soto Mayor et deux de ses hommes en armes venaient de faire irruption dans la taverne. Je poussai un ouf ! de soulagement qui fit sursauter la fille, et j'appelai le patron.

– Vite, du champagne pour tout le monde, et trois langoustes de plus !

*

Comme l'avait promis l'indomptable capitaine portugais, la fin de l'aventure de la *Santa Libertade* ne mit pas un terme à sa croisade pour libérer son pays de la dictature. Il se réfugia au Maroc. Toujours soucieux de frapper l'opinion par des actions spectaculaires, il fit détourner quelques mois plus tard vers Lisbonne l'avion Casablanca-Madrid, pour jeter des milliers de tracts sur la capitale portugaise. Il fut aussitôt arrêté et expulsé par les autorités marocaines. En février 1962, un tribunal spécial portugais le condamna par contumace à vingt-deux années de prison pour s'être emparé de la *Santa Maria*.

Interdit de séjour dans plusieurs pays, sous le coup de différentes procédures d'extradition lancées par le gouvernement portugais, Henrique Galvão revint alors se réfugier au Brésil. Mais, à son arrivée à Rio, la police l'attendait. Sur l'ordre du nouveau président du pays, il fut assigné à résidence dans l'État de Belo Horizonte, avec interdiction de se livrer à toute activité politique. Après quelques mois de ce purgatoire, il fut finalement autorisé à s'installer à São Paulo, où son épouse Maria et leur fille adoptive Lourdes vinrent le rejoindre. C'est là qu'il s'éteignit le 25 juin 1970, à l'âge de soixante-quinze ans, soutenant jusqu'au dernier instant par ses lettres et ses messages ceux qui se battaient pour la libération du Portugal.

Sa mort précéda de un mois et deux jours celle de son

vieil ennemi António Salazar, et de cinq années et cinq mois celle du général Franco. Avec la disparition de ces deux dictateurs s'accomplit enfin, sur tout le territoire de la péninsule Ibérique, le rêve de liberté et de démocratie auquel le capitaine courageux avait consacré sa vie.

8

« Mémé ! C'est comment, la France ? »

Dominique, boucle ton sac. Tu pars pour l'Algérie ! De Gaulle va passer deux jours en Kabylie. D'après mes renseignements, des types de l'OAS, ou au contraire du FLN, vont essayer de le descendre. Pendant tout le voyage, tu te colles à lui comme un morpion. Emporte un appareil photo. S'il arrive quelque chose, ça te sera plus utile qu'un stylo.

Comme toujours, mon rédacteur en chef s'exprimait sans états d'âme. Pour lui, les drames, les tragédies, les catastrophes n'étaient qu'une occasion de frapper les lecteurs du journal par des images spectaculaires. Il faut dire qu'il était sorti lui-même de la pire des épreuves. Bien qu'il n'en parlât jamais, il était un survivant des camps nazis. Jeune résistant raflé à dix-neuf ans par la Gestapo, il avait passé deux ans à creuser un tunnel sous les montagnes de Tchécoslovaquie. Tous ses camarades de commando étaient morts de privations, d'épuisement, sous les coups de trique des SS. Lui avait survécu. C'était un héros, mon rédacteur en chef. À trente-quatre ans, il portait la rosette de commandeur de la Légion d'honneur. Il pouvait nous envoyer où il voulait. Ses ordres ne se discutaient pas.

C'est ainsi que je me suis retrouvé sur la grand-place de Tizi Ouzou, une petite ville de Kabylie à une centaine de kilomètres d'Alger, aux côtés du général de Gaulle qui tentait de se frayer un passage au milieu de la foule qui le submergeait. Ses déclarations sur l'indépendance de l'Algérie avaient attiré en masse les musulmans de la région. Son célèbre képi dominait la multitude. Les toits, les terrasses, les arbres débordaient de grappes humaines qui scandaient son nom. Solennel, digne, visiblement ému, il serrait inlassablement les mains innombrables qui se tendaient vers lui. L'abattre dans cette mer humaine était un jeu d'enfant. Les remous avaient dispersé son escorte aux quatre coins de la place. On pouvait tirer depuis une terrasse, se glisser jusqu'à lui pour le poignarder, le mitrailler à bout portant. Le doigt crispé sur le déclencheur de mon Leica, je jouais des genoux, des hanches, des épaules, des coudes pour rester aussi près de lui que possible.

Au milieu de tous ces gens, je ne pouvais m'empêcher de penser à une scène presque identique qu'un ancien officier allemand m'avait racontée lors de l'enquête que nous avions menée, Larry et moi, pour notre livre *Paris brûle-t-il ?* C'était le jour de la libération de Paris. Le Korvet Capitan de la Kriegsmarine Harry Leithold défendait le ministère de la Marine, place de la Concorde. Soudain, d'une fenêtre, il avait vu déboucher sur la place une grosse voiture noire découverte. Assis sur la banquette arrière se trouvait un général français coiffé d'un képi. Il empoigna son fusil. À l'instant où il allait appuyer sur la détente, des dizaines de civils surgirent des trottoirs et entourèrent la voiture en acclamant son passager. Surpris, l'Allemand avait posé son arme. Quelques heures après, il avait été fait prisonnier. Deux ans plus tard, il avait reconnu sur la photo d'un magazine le général français qu'il avait tenu ce jour-là dans sa ligne de mire. C'était de Gaulle.

Maintenant, dix-huit ans plus tard, sur cette place de Kabylie où *Match* m'avait envoyé, un autre tireur tenait peut-être le même homme dans sa ligne de mire. Conformément aux instructions, je faisais l'impossible pour rester « collé à lui comme un morpion ». J'étais même si proche qu'à un certain moment un mouvement de foule me projeta devant lui. J'eus le réflexe de tendre la main. Le Général la serra comme il serrait toutes les mains.

Fort National, une autre bourgade de Kabylie, constituait la deuxième étape de ce voyage triomphal. Même accueil enthousiaste, même bain de foule, mêmes coups d'œil inquiets vers les terrasses d'où risquait de partir le coup de feu fatal qui préoccupait tant mon rédacteur en chef. C'est alors qu'une bousculade me projeta une deuxième fois en face du Général. Je m'excusai. Trop tard. Il avait déjà pris ma main avant de s'avancer vers d'autres. Deux heures plus tard, nous étions à Michelet, la dernière étape de la tournée kabyle. Le doigt toujours crispé sur le déclencheur de mon appareil, j'étais plus que jamais prêt à toute éventualité. Il y eut soudain un remous dans la foule. Une irrésistible force me poussa à une troisième reprise devant la silhouette impérieuse du chef de la France. À nouveau, sa main se tendit vers la mienne. Mais le geste s'arrêta pile. Il me lança un regard furieux.

– Encore vous ? Ah non !

*

Les informateurs de mon rédacteur en chef s'étaient trompés. Aucun assassin n'avait eu l'intention de supprimer le président de la République pendant cette visite algérienne. Mais ce n'était que partie remise : dans l'ombre, des tueurs, beaucoup de tueurs, se préparaient. Quelques mois après ce voyage, huit millions d'Algériens votèrent pour l'indépendance. Aux yeux du million de Français d'origine pour lesquels l'Algérie faisait partie intégrante de la France, ce vote était une tragédie. Pressés par le FLN de choisir entre « la valise et le cercueil », terrorisés par les fanatiques européens de l'OAS, les Français d'Algérie durent s'enfuir en abandonnant, pour la plupart, tout ce qu'ils possédaient. Un matin de juin 1962, j'assistai pour *Paris Match*, sur un quai du port d'Alger, à la ruée de quinze cents d'entre eux vers un bateau pour la France.

*

Tragique spectacle. Derrière les barbelés qui barrent l'entrée de la rue Figeac, j'aperçois au-dessus de la mêlée la tête d'une toute petite fille coiffée d'un chapeau blanc. Elle est perchée sur les épaules de son père, un géant barbu. Elle s'appelle Nathalie Tisson. Elle a six ans. Ballottée, tiraillée par les remous de la foule, elle pleure. Ils sont des milliers qui, autour d'elle, tentent de s'engouffrer dans l'étroit goulet gardé par des CRS. Des milliers qui sont descendus vers le port dans l'espoir de monter à bord du grand bateau blanc venu de Marseille dont ils distinguent, à trois cents mètres, la cheminée noir et rouge. Un commandant de CRS répète sans cesse : « Les femmes et les enfants d'abord. » Un homme crie : « J'ai quatre enfants ! – Moi, j'en ai six ! » réplique une femme. Puis on l'entend appeler : « René ! René ! Où es-tu ? » Une autre se lamente : « On arrive de Tizi Ouzou. On a été mitraillés sur la route. C'est la deuxième fois qu'on essaie d'embarquer ! Monsieur, je vous en supplie, laissez-nous passer, on ne peut plus revenir ! »

Sur les épaules de son père, Nathalie offre le visage de la détresse. Courbée dans la cohue, sa mère tire deux énormes valises. Les Tisson étaient instituteurs. Le père de Nathalie réussit à grignoter quelques centimètres. À côté de lui, un vieux monsieur coiffé d'un feutre noir, la rosette de la Légion d'honneur à la boutonnière, dit : « Jeudi dernier, plus de deux mille personnes n'ont pas pu embarquer. » La remarque provoque un rictus angoissé chez ceux qui ont entendu. Une jeune fille, à moitié étranglée par les sangles d'un sac à dos, commente alors avec violence : « À Paris, *ils* préfèrent qu'on crève tous ici plutôt que de nous voir arriver. » De brusques remous secouent alors la foule. On entend des appels : « Jacqueline ! Jacqueline ! Ne me perds pas de vue ! » Dans le groupe qui vient de passer, il y a les Tisson et le vieux monsieur avec la Légion d'honneur. À peine ce dernier a-t-il franchi le goulet qu'il se retourne et, le visage inondé d'une joie soudaine, se met à crier, les mains en porte-voix : « Vive de Gaulle ! Enfin, maintenant, je pourrai crier librement " Vive de Gaulle ! " » Écrasés par le malheur et la fatigue, les gens autour de lui restent sans réaction. Le quai de Fort-de-France ressemble à un parc à bestiaux. Un parc dont les animaux sont des êtres humains qui attendent que les autorités vérifient leurs autorisations de départ. Des centaines de valises jonchent le sol. Elles sont en carton bouilli, en bois, en moleskine, grossièrement attachées avec des ficelles ou des courroies. Elles contiennent les seuls biens qu'ont pu emporter les quinze cents candidats au voyage de cette journée d'exode.

Assise sur sa valise, une vieille dame sous un chapeau noir à voilette attend qu'un CRS appelle son numéro. Mais les numéros n'ont pas été distribués dans l'ordre ; parfois les derniers arrivés passent les premiers. Elle tient par la main une petite fille qui serre dans ses bras une poupée. C'est tout ce qui embarquera ce matin de la famille Guilloud. Les autres sont restés de l'autre côté des barbelés. Les Guilloud étaient installés à Boufarik depuis 1830, depuis que le premier bateau de la colonisation avait débarqué un Guilloud sur la terre d'Algérie. « Mémé, demande la petite Josette, c'est comment, la France ? »

Derrière les barrières de bois de l'enclos réservé aux passagers de quatrième classe, on se bouscule. Une femme supplie : « Faites-nous asseoir ! » Une autre gifle son petit garçon parce qu'il joue à la balançoire avec le tendeur d'une tente. Toutes les cinq minutes, un capitaine de marine armé d'un porte-voix lance des paroles apaisantes : « Mesdames, messieurs, ne vous énervez pas. Vous êtes maintenant sûrs de monter à bord. Présentez-vous aux différents services de contrôle pour les formalités d'embarquement ! » Appuyée au bras d'un matelot, la vieille Mme Marceau, veuve de l'ancien gardien-chef de la prison d'Alger, essaie de rassembler ses valises. Elle avait juré de ne jamais quitter son Algérie, mais sa fille l'a obligée à partir. En France, personne n'attend Mme Marceau, sauf ses deux fils tués à la guerre de 39-45 qui reposent quelque part du côté de Reims.

Dix heures trente. L'enseigne de vaisseau Couillaud regarde sa montre et dit : « Allez-y ! » Aussitôt, Lavoine, André, et Suznik, de la quatrième équipe de plongeurs-démineurs, sautent dans l'eau noire. Pendant vingt minutes, les trois hommes, équipés de scaphandres autonomes et de torches électriques, vont inspecter centimètre par centimètre la coque du *Ville de Marseille* pour s'assurer qu'aucune charge de plastic n'a été placée par les saboteurs de l'OAS. Dans l'autocar qui fait la navette entre le quai de Fort-de-France et l'embarcadère où continuent les formalités du départ, une femme tricote. Devant elle, une autre pétrit rageusement son mouchoir : « Mes tapis... J'ai laissé tous mes tapis... », gémit-elle. Dans le couloir, un homme en casquette et manches de chemise, accroupi sur une caissette métallique, roule tranquillement une cigarette. C'est Dédé, le mécanicien du garage Majestic de la rue Thiers. Il est parti en emportant sa boîte à outils.

Aux entrées du bateau, c'est l'embouteillage. Un père pousse un cri : « Martine ! ». Jupin, le commandant en second du *Ville de Marseille,* s'est précipité. Il a rattrapé in extremis la petite Martine qui allait tomber à l'eau.

Devant la pancarte « 4e classe », une jeune femme aux cheveux blonds essuie ses lunettes noires. Son visage est boursouflé de larmes. Au marin qui l'aide à porter ses deux valises, elle confie :

– Entre Orléansville et Alger, c'est la panique. Les trains sont pris d'assaut. Tout le monde fuit. Il n'y a plus de troupes dans le bled...

Dans les bras d'une petite fille aux longues nattes, un gros chat miaule lugubrement. Son petit frère pleure : il s'est coincé le pied dans un rail. Un marin vient le délivrer. Un hélicoptère décrit des cercles au-dessus du *Ville de Marseille*. À son bord, un capitaine de marine surveille l'embarquement à la jumelle. Les plongeurs-démineurs n'ont pas trouvé de charges explosives sur la coque, mais un tir de mortier ou de bazooka sur le bateau depuis les hauteurs de la ville est toujours possible. Et là-haut, ces blocs d'immeubles blancs dans les îlots de verdure, c'est le quartier de Belcourt, une citadelle de l'OAS.

Onze heures trente. Les Tisson atteignent la passerelle du bateau. Nathalie est toujours sur les épaules de son père qui transpire à grosses gouttes. À côté des Tisson, un petit homme trapu coiffé d'un képi vert attend patiemment son tour en lisant un journal. C'est le garde forestier de Gardimaou. Tout à l'heure, il a fait une confidence aux Tisson. Il leur a dit :

– Moi, je pars parce que le sous-préfet de Saint-Arnaud a annoncé aux populations musulmanes qu'elles pourraient faire paître leurs troupeaux dans *ma* forêt. Je venais de reboiser cinquante hectares. Dans un an, là-bas, ce sera le désert...

Soutenue par un CRS et un marin, Mme Marceau pénètre dans le navire. Comme tous les passagers, c'est à l'intérieur qu'elle acquittera les six mille trois cents anciens francs de son passage en quatrième classe vers l'exil. Derrière Mme Marceau, une femme en cheveux tient en laisse un berger allemand qu'elle appelle « Darling ». Elle semble désemparée. Au CRS qui contrôle les cartes d'embarquement, elle dit timidement :

– Monsieur, je vais au centre anticancéreux de Villejuif, que dois-je faire ?

1 524, 1 525, 1 526... Un quincaillier de Cherchell, sa femme, son fils et moi sommes les quatre derniers passagers à monter sur le navire en partance ce matin.

M. Mossi tripote nerveusement une clef : celle de la Simca Aronde toute neuve qu'il a abandonnée derrière les barbelés de la rue Figeac.

Il est midi. Le bateau est plein. L'embarquement a duré cinq heures. Soudain, un camion militaire bâché débouche en trombe sur le quai. Un civil aux cheveux en brosse saute à terre et parlemente avec les CRS. Ces ultimes passagers n'étaient pas prévus. Il s'agit de cinq familles de harkis que l'homme en civil, un ancien officier des Affaires indigènes, est allé chercher dans leur douar de Kabylie pour les soustraire aux vengeances des maquisards du FLN. On remet en place une coupée. Les yeux hagards, l'air de bêtes traquées, une vingtaine d'hommes, de femmes et d'enfants s'engouffrent précipitamment dans les flancs du navire sauveur.

Deux coups de sirène. Arraché par deux remorqueurs, le *Ville de Marseille* vire sur lui-même. Sur le quai, le chauffeur à béret rouge du camion qui a amené les harkis démarre lentement et, tout à coup, son klaxon se met à scander furieusement : ti-ti-ti – ta – ta, le cri de ralliement de l'Algérie française. Sur l'un des remorqueurs, deux marins répondent en déployant un drapeau tricolore marqué des trois lettres OAS. De la poupe à la proue, côté bâbord, la foule s'est massée en rangs serrés pour regarder une dernière fois Alger. Chaude et lumineuse, éclatante de blancheur, c'est une des plus belles cartes postales du monde qui défile lentement devant nos yeux. Par instants, le soleil étincelle sur le pare-brise d'une voiture qui file sur la route en corniche. Accrochée à la rambarde sur laquelle tant de soldats ont gravé : « La quille ! », une femme sanglote : « Marcel, Marcel... » Elle est désemparée. Marcel, c'est son mari. Un modeste fonctionnaire du gouvernement général dont le siège se dresse, là, juste en face, avec son imposant rectangle de béton et de verre, tel un navire de haut bord ancré au cœur de la ville. Le mari de cette femme a disparu depuis trois jours. Enlevé par l'OAS ou le FLN, elle ne sait pas. Hier, la fatma est venue lui dire qu'elle avait reçu l'ordre d'égorger ses trois enfants. Alors, la pauvre femme s'est affolée. Elle a rempli le petit logement de provisions pour le retour de Marcel et elle s'est enfuie avec les enfants. Ses cris sont déchirants. « Marcel ! Mon pauvre Marcel !... »

Tout à l'arrière du navire, sous le pavillon tricolore qui

bat mollement, un gamin pleure. Il a peut-être quinze ans, mais les larmes qui coulent sur son visage ravagé lui donnent l'air d'un vieillard. À travers ses larmes, il regarde la Casbah avec son enchevêtrement de maisons et de ruelles à flanc de colline. À droite, il reconnaît, au milieu des arbres, les murs ocre de son lycée, le lycée Bugeaud, où il n'y a plus ni élèves ni professeurs. Plus loin, au bout de la rue Mizon, ce grand immeuble un peu de guingois, c'était sa maison. Et à droite, presque au bord de l'eau, juste à côté de l'enceinte de l'hôpital Maillot, sous une dalle blanche parmi d'autres dalles blanches du cimetière de Saint-Eugène, il y a son papa et sa maman. Ils sont morts tous les deux dans un attentat, voici quatre ans.

Une fillette s'est approchée du gamin en pleurs. Dans un geste maternel, elle pose sa main sur son épaule. Son père était comptable dans un commerce de grains et sa mère standardiste à l'hôtel Aletti, le palace algérois des jours heureux. Ils sont à bord avec leurs six enfants. Mais personne en France n'attend la famille Simonneau.

Appuyés à la rambarde du pont supérieur, les Tisson montrent à leur fille Nathalie les coupoles de Notre-Dame-d'Afrique qui s'éloignent dans une lueur rose. Derrière eux, affalée sur des cordages, le visage dissimulé dans un mouchoir blanc, la vieille Mme Guilloud sanglote sous son chapeau noir. Sur sa passerelle, le commandant Latil hoche tristement la tête : « Pauvres gens », soupire-t-il. Puis il ajoute : « C'est l'*Exodus* que je commande aujourd'hui. » Hier encore, on dansait sur le *Ville de Marseille*, on se pressait dans le grand salon des premières pour jouer au loto ou aux courses de petits chevaux. Le bateau de France, c'était pour les Français d'Algérie le premier jour des vacances. Ce soir, il n'y aura ni course de chevaux, ni cinéma, ni bal sur le pont. Les musiciens ont été décommandés.

Je retrouve à bord un jeune avocat avec lequel j'ai fait le voyage aller. Il a couru jusqu'au palais de justice d'Alger où il devait plaider mais, au palais de justice d'Alger, il n'y a plus ni plaignant, ni greffier, ni rôle. Quand le juge a appelé son affaire, le jeune avocat a entendu quelqu'un annoncer que son client avait été assassiné la veille. Il ne lui restait plus qu'à remonter à bord. Il est bouleversé.

Dans le lointain, Alger n'est plus maintenant qu'une

tache blanchâtre sur le bleu de la mer. Assommé par cette terrible journée, chacun s'est fait une place, tant bien que mal, dans le fatras des valises, des paquets, des ballots. Des enfants jouent à cache-cache dans les coursives. Une musulmane allaite son bébé. Un vieux monsieur allume son transistor. Aussitôt, une voix rauque emplit l'entrepont B : de Gaulle parle à Bordeaux. Une femme se précipite pour arracher le transistor des mains du vieux monsieur et tourner le bouton.

Dans l'après-midi, la mer se creuse et le beau soleil d'Alger fait place à une brume grisâtre. Dans l'entrepont A, une femme s'évanouit pour la deuxième fois depuis le matin. Elle est cardiaque. Tout le monde la connaît : Mme Marti était épicière à Bab-el-Oued. Depuis le départ, elle ne cesse de raconter sa vie et ses malheurs à ses voisins. Ils savent que son mari a disparu. Quand elle s'est affalée contre le hublot, un petit homme moustachu s'est précipité :

– Je suis médecin, dit-il, laissez-moi faire !

Le docteur Lauta, le médecin du bord, accourt à son tour avec une seringue. Il est partout, le docteur Lauta, distribuant des cachets de Nautamine, faisant des piqûres, soulageant les multiples détresses de cette pitoyable cargaison. Au voyage précédent, il a accouché une femme.

Les deux médecins transportent sur le pont la grosse Mme Marti et lui font une injection de Solucamphre. Le soir, je les retrouve en tête à tête devant une bière au bar des premières. Le médecin d'Algérie contemple son verre d'un air songeur. D'une voix monocorde, il dit à son collègue de la métropole :

– Je suis parti en un quart d'heure. C'était hier... oui, hier seulement. Un Arabe est venu me prévenir. « Ne sors pas de chez toi, m'a-t-il dit, ils te préparent un mauvais coup. » J'ai barricadé la porte et j'ai dit à ma femme : « Fais vite une valise, on part. » Nous sommes sortis par-derrière et nous avons quitté le village en trombe. Au premier virage, une bande de musulmans armés de serpes, de couteaux, de haches, nous ont arrêtés. Nous avons cru qu'ils allaient nous égorger. Un ancien patient m'a reconnu. Il a dit : « C'est le toubib, laissez-le passer ! » Les plus jeunes ont proféré des menaces et nous sommes repartis.

Le lendemain matin, les yeux lourds de fatigue, les

passagers du *Ville de Marseille* rassemblent leurs bagages et montent sur le pont. Un gosse demande : « Papa, à quelle heure finit le couvre-feu ? » À la vue des côtes de France, je lis une expression d'inquiétude sur beaucoup de visages. Elle a remplacé l'angoisse d'hier. L'adolescent du lycée Bugeaud a séché ses larmes, mais son regard reste grave. Debout sur le pont avant, les Tisson, les Rossi, les Simonneau et tant d'autres se demandent quel sort les attend. Appuyée sur la rambarde bâbord du pont A, la vieille Mme Guilloud regarde Marseille venir vers elle. Elle hoche doucement la tête et dit : « Je m'en retournerai. »

*

Il n'y avait sur le quai de Marseille ni fanfare, ni haut-parleurs, ni banderoles de bienvenue, aucune délégation officielle ou locale, aucune équipe d'assistance médicale et sociale, à l'exception d'une petite antenne de la Croix-Rouge complètement débordée. Aucune distribution de nourriture, de boissons, de lait pour les enfants n'avait été prévue. La municipalité de la grande cité phocéenne n'avait pas envoyé de porteurs ni fait appel à des bénévoles pour aider les plus âgés ou les plus faibles à descendre leurs valises ou leurs ballots du bateau. Aucun transport collectif n'était disponible pour acheminer les arrivants jusqu'à la gare ou l'aéroport. Aucun centre d'hébergement n'avait non plus été affecté à l'accueil et au transit des plus démunis. Les 1 526 rapatriés du *Ville de Marseille* arrivaient sur le sol de France dans la plus complète indifférence. Ils seraient bientôt un million à faire le même voyage, dans quasiment les mêmes circonstances.

En me frayant un passage à travers le pitoyable troupeau, je sentis des larmes de honte couler sur mes joues. Mes trente ans pesèrent tout à coup des siècles. Mon voyage avec ces naufragés se terminait par la découverte que mon pays, toujours si prompt à exalter les valeurs d'humanité, pouvait faillir à la plus élémentaire générosité.

9

Un kamikaze en Terre sainte

L'homme n'avait pas hésité à traverser l'Atlantique dans son jet privé pour venir nous rencontrer à Paris. Larry et moi étions, affirma-t-il, ses « auteurs préférés » et il avait justement une idée de livre à nous proposer. Brandissant son étui à cigarettes en or de Cartier, il s'esclaffa, d'une voix teintée d'un fort accent germanique :

– Imaginons que Kadhafi réussisse à faire fabriquer une bombe H de cette taille, ou même un petit peu plus grosse, qu'il l'introduise dans New York et qu'il envoie une lettre au président des États-Unis pour lui annoncer qu'il la fera exploser si Israël ne se retire pas dans les quarante-huit heures de la partie orientale de Jérusalem et des territoires arabes occupés en 1967.

Notre interlocuteur fit mine de guetter notre réaction et nous enveloppa d'un sourire charmeur.

– Vous êtes les seuls à pouvoir raconter ce qui se passerait si une telle lettre arrivait un beau matin à la Maison-Blanche. Voilà le sujet de votre prochain livre !

Charlie Bluhdorn, cinquante-quatre ans, était le président de Gulf & Western, un conglomérat de plusieurs dizaines de sociétés coté quatre milliards de dollars à Wall Street. Au sein de son empire, ce magnat chérissait tout particulièrement deux sociétés qu'il traitait comme ses maîtresses. L'une était la Paramount, qui venait de battre des records au box-office avec *Le Parrain* et *Love Story*. L'autre était Simon & Schuster, une grande maison d'édition new-yorkaise qui, depuis *Paris brûle-t-il ?*, avait publié tous nos livres aux États-Unis.

Le scénario de ce quinquagénaire qui brassait chaque jour des millions de dollars avec du sucre, du zinc, de la pâte à papier et des pièces d'automobile nous parut formidable. Il nous offrait l'occasion de nous lancer dans une de ces grandes enquêtes que nous aimions tant. La surprenante réflexion de Charlie Bluhdorn aboutira, quatre ans plus tard, à l'un de nos livres préférés, *Le Cinquième Cavalier*.

Pour notre duo, l'entreprise était nouvelle. Tous nos livres à quatre mains étaient des récits historiques basés sur des faits réels. Ce scénario nous offrait en plus la possibilité de nous servir d'une réalité historique pour développer une hypothèse originale. Était-il vraisemblable que Kadhafi pût disposer d'une bombe thermonucléaire ? Était-il réaliste d'imaginer qu'il réussisse à l'introduire secrètement dans New York pour l'y faire exploser ? Était-il possible de la neutraliser avant qu'il ne fût trop tard ? Pouvait-on évacuer une ville comme New York ? Contraindre les Israéliens à abandonner les territoires arabes occupés ? Autant de questions auxquelles il nous faudrait apporter des réponses exactes et détaillées, de vraies réponses d'historiens. À commencer par celle-ci : l'idée d'un chantage nucléaire était-elle une élucubration ou, au contraire, une éventualité bien réelle ?

Un responsable du FBI que Larry avait autrefois connu à l'université de Yale allait nous donner la réponse. Le président Gerald Ford avait connu cette épreuve en 1974, et déjà à propos du conflit du Proche-Orient. Des Palestiniens l'avaient menacé de faire exploser une bombe atomique en plein cœur de Boston si onze de leurs camarades n'étaient pas libérés des prisons israéliennes. Pendant plusieurs heures, Gerald Ford avait envisagé l'évacuation de la plus grande ville du Massachusetts. Les auteurs du chantage furent arrêtés à temps et leur menace s'avéra être un coup de bluff mais, par la suite, cinquante affaires similaires devaient mettre le FBI en ébullition. À trois cents mètres de la Maison-Blanche, au coin de Pennsylvania Avenue et de la 10e Rue, le sixième étage du building-forteresse de la centrale américaine abritait un département d'urgence nucléaire créé justement en 1974 quand le FBI attribua au chantage atomique une priorité jusqu'alors accordée à quelques événements extrêmes seulement, comme l'assassinat du président.

Cette révélation nous entraîna sur les traces d'une des organisations les plus secrètes de l'État américain, un aréopage de savants et de techniciens tenus en alerte jour et nuit par le Centre des opérations d'urgence du département de l'Énergie. Ce centre était installé dans un blockhaus souterrain du Maryland, à quarante kilomètres de Washington. C'était l'un des nombreux postes de commandement secrets d'où l'Amérique pouvait être gouvernée en cas de conflit nucléaire. L'organisation en question était officiellement connue sous le nom de NEST, les quatre initiales de *Nuclear Explosives Search Teams* (Brigades de recherche d'explosifs nucléaires). Grâce à leurs détecteurs de neutrons et de rayons gamma ultrasensibles, et à leurs techniques hautement sophistiquées, les équipes NEST pouvaient en principe détecter la présence de tout engin nucléaire. Six fois, à l'insu de la population, elles avaient investi les rues d'une ville américaine pour une chasse à la bombe.

Larry Collins réussit à rencontrer, dans une petite maison en torchis du Nouveau-Mexique, le créateur de ces équipes. Ce géant de deux mètres, avec son visage basané, ses bottes et son chapeau de cow-boy, sa chemise à carreaux et son gri-gri navajo autour du cou, semblait sorti tout droit d'une publicité pour les cigarettes Marlboro. Bill Booth, cinquante-deux ans, était physicien atomiste. Grâce à lui, nous pûmes reconstituer avec un réalisme saisissant la traque par les équipes NEST d'une bombe H imaginaire cachée au cœur de Manhattan. Notre véritable défi d'écrivain consistait à persuader nos lecteurs de la vraisemblance de ce scénario. À les convaincre que cette bombe pouvait parfaitement se trouver là, à New York, prête à désintégrer six millions de personnes. À leur démontrer qu'un chef d'État arabe tel que Kadhafi pouvait, grâce à son pétrole, se la procurer ou, à défaut, la faire fabriquer chez lui quelque part dans son immense désert, pour ensuite l'expédier chez le Satan américain, allié des Juifs. Contrairement à Israël, à l'Inde et à l'Afrique du Sud qui avaient poursuivi leurs programmes d'armement nucléaire sous le couvert d'un secret absolu, Kadhafi n'avait nullement tenté de dissimuler sa détermination de doter son pays de l'arme atomique. Mais l'Occident avait toujours brocardé ses ambitions en le présentant comme un aventurier illuminé incapable de mener à bien une telle entreprise.

Imprudent Occident ! Notre enquête nous révéla que cette entreprise avait été à deux doigts de réussir.

*

Qui était cet homme auquel nous nous avions décidé d'attribuer de si diaboliques intentions ? Les amitiés de Collins dans les arcanes de la CIA et la réputation de sérieux dont jouissaient nos livres nous apportèrent un jour une réponse inespérée. Il s'agissait d'une plaquette de dix-huit pages à couverture blanche marquée du sceau bleu pâle de la CIA et du cachet « CONFIDENTIEL ». Elle s'intitulait : « Étude de la personnalité et du comportement politique de Muammar Kadhafi ».

Cette étude faisait partie d'un programme secret entrepris par la centrale américaine à partir de la fin des années cinquante. Il avait pour objet d'éclairer les détails les plus intimes de la personnalité et du caractère d'un certain nombre de responsables politiques mondiaux. Le but était de prévoir leurs réactions en cas de crise ou de conflit. Castro, Nasser, de Gaulle, Khrouchtchev, Brejnev, Mao Tsé-toung, le chah d'Iran, Khomeyni et beaucoup de chefs d'État avaient ainsi été passés au crible des experts. Les études des personnalités de Castro et de Khrouchtchev avaient notamment apporté une aide décisive à John Kennedy lors de la crise des missiles de Cuba en novembre 1962. Chaque profil était le fruit d'un effort financier et technique considérable. Tout ce qui concernait le sujet était examiné : ce qui avait influencé sa vie, les chocs majeurs qu'il avait reçus, comment il avait fait face aux situations extrêmes, quels mécanismes de défense particuliers il avait utilisés. Des spécialistes avaient parcouru le monde pour vérifier un détail, explorer une facette d'un caractère. Untel se masturbait-il, buvait-il, poivrait-il ses aliments, allait-il à l'église ? Comment réagissait-il en période de stress ? Souffrait-il d'un complexe d'Œdipe ? Aimait-il les garçons ? Les filles ? Les deux ? Quels étaient ses fantasmes sexuels ? La taille de sa verge ? Avait-il des tendances sadiques, masochistes ? Un agent de la CIA avait même été clandestinement introduit à Cuba pour interroger une prostituée avec laquelle Castro avait eu des rapports lorsqu'il était étudiant.

La plaquette consacrée à Kadhafi arborait sur sa couverture le portrait de cet homme au regard inquiétant qui semblait toujours prêt à mordre. L'idée nous démangeait de rencontrer ce personnage fascinant. C'était toujours au cours d'un face-à-face avec les protagonistes de nos récits que nous avions obtenu les informations les plus captivantes. Les chefs de gouvernement ou d'État impliqués dans les événements que nous avions traités nous avaient tous longuement reçus. Eisenhower, Ben Gourion, Golda Meir, Indira Gandhi, Mountbatten avaient répondu en détail à nos questions.

Comme il nous paraissait impossible de révéler à Kadhafi notre motivation exacte pour le rencontrer, nous envoyâmes à notre place en Libye un jeune ethnologue franco-espagnol de grand talent avec la mission de nous rapporter toutes les précisions nécessaires à notre récit. Xavier Moro tomba amoureux du pays et de ses habitants. Il revint avec un trésor de renseignements. L'un d'eux nous apprit que le jeune dictateur abandonnait chaque soir les appartements de sa résidence officielle de Bab Azzira, dans la banlieue de sa capitale, pour passer la nuit sous une tente de Bédouin dressée dans la cour près du petit troupeau de chamelles qui lui fournissaient sa seule boisson quotidienne [1].

*

« Mieux vaut laisser la marmite refroidir »

La plus grande ville d'Amérique, la capitale des Nations unies, la cathédrale des gratte-ciel, le temple mondial de la finance, de l'art et des plaisirs, la cité phare

1. Quand notre livre *Le Cinquième Cavalier* sortit en librairie, deux journalistes allemands de la revue *Stern* se précipitèrent à Tripoli pour demander au colonel Kadhafi ce qu'il pensait du scénario de chantage nucléaire que lui attribuaient Lapierre et Collins. Kadhafi n'avait pas encore été informé de la parution du livre.

– Quel thème développe ce scénario ? demanda-t-il visiblement intrigué.

Les deux journalistes lui racontèrent comment il prenait en otage la ville de New York en menaçant d'y faire exploser une bombe H si l'Amérique ne forçait pas les Israéliens à évacuer Jérusalem Est et les territoires occupés.

Kadhafi aurait pris un air mystérieux avant de déclarer :

– En tout cas, si cela arrivait un jour, ce serait de votre faute, car c'est à vous que je devrais cette idée.

de l'Occident triomphant, prise en otage par un dictateur arabe régnant sur un désert peuplé d'à peine trois millions d'habitants ! Notre enquête nous apprit que, dans un tel scénario, le premier souci des autorités responsables serait d'engager un dialogue avec le colonel Kadhafi pour le dissuader de mettre à exécution sa funeste menace. Dialoguer avec des terroristes est toujours une entreprise difficile et dangereuse. Un seul mot, une seule phrase mal interprétée risque en effet de provoquer une catastrophe. Nous découvrîmes que, pour conjurer ce risque, la CIA et le FBI avaient engagé plusieurs psychiatres spécialisés dans la psychologie des preneurs d'otages et des terroristes en général. Nous apprîmes que l'expert numéro un en ce domaine était un médecin hollandais de cinquante-six ans, habitant La Haye. Toutes les polices occidentales faisaient d'Hendrick Loden une sorte de « docteur Terrorisme ». Fils d'un inspecteur des prisons d'Amsterdam, Loden avait durant son enfance accompagné son père lors de ses visites aux détenus. Ce contact avec la population carcérale avait éveillé en lui un intérêt précoce pour la mentalité criminelle. Payant ses études de médecine en guidant les touristes dans les musées et le long des canaux, il avait conquis son diplôme de psychiatre spécialiste en criminologie. C'était lui qui avait résolu quelques-unes des plus retentissantes affaires de prises d'otages ayant frappé la Hollande au milieu des années soixante-dix, notamment l'enlèvement de l'ambassadeur de France à La Haye par des Palestiniens, la prise en otage d'une chorale venue chanter l'office de Noël dans une prison, l'attaque de deux trains de voyageurs par des terroristes moluquois. Le docteur Loden était un petit homme râblé aux joues roses, qui faisait penser au bourgmestre d'une peinture de Frans Hals. Il habitait l'une de ces étroites maisons de brique de La Haye accolées les unes aux autres. C'est là qu'il me reçut.

– J'ai étudié votre scénario et le rapport de la CIA sur Kadhafi, me déclara-t-il dans un anglais teinté d'un fort accent néerlandais. Votre colonel, après l'envoi de sa lettre au président des États-Unis, se trouverait probablement en état d'érection psychique, c'est-à-dire en plein délire paranoïaque. Il voit ses objectifs à portée de main : liquider Israël, devenir le leader incontesté des Arabes, faire la loi sur le marché mondial du pétrole.

Entamer des pourparlers avec lui maintenant serait une erreur fatale. Mieux vaut laisser la marmite refroidir avant de soulever le couvercle pour regarder à l'intérieur !

Loden remplit ma tasse de café.

– Vous savez, dans une situation de ce genre, les premiers moments sont toujours les plus dangereux. Au début, le quotient d'anxiété d'un terroriste est très élevé. Il se trouve fréquemment dans un état d'hystérie qui peut le pousser à commettre l'irréparable. Il faut lui donner de l'oxygène, l'aider à reprendre son souffle, le laisser exprimer ses opinions et ses doléances. C'est pourquoi la première chose à faire serait d'établir une liaison radio ou téléphonique avec lui. Il faut absolument entendre sa voix. C'est essentiel.

« La voix d'un homme, m'expliqua alors le médecin, est pour moi une ouverture indispensable sur son psychisme, l'élément qui me permet de saisir son caractère, la modulation de ses émotions, éventuellement de prédire son comportement. »

Dans toutes les affaires d'otage, le docteur Loden enregistrait chaque entretien avec les terroristes, puis écoutait et réécoutait la bande, épiant le plus infime écart dans le timbre, l'élocution, le vocabulaire.

– Qui doit lui parler ? demandai-je. Le président, je suppose...

– Surtout pas ! protesta vivement le psychiatre. Le président est le seul à pouvoir lui accorder ce qu'il réclame – du moins, c'est ce qu'il croit. C'est donc la dernière personne avec laquelle il doit entrer en contact. – Loden avala une gorgée de café. L'objectif est de gagner du temps, le temps nécessaire à la police pour découvrir la bombe. Comment faire traîner les choses et obtenir un recul de l'ultimatum si vous laissez l'autorité suprême entamer d'entrée de jeu les négociations ?

J'étais de plus en plus subjugué.

– C'est pourquoi je préconise toujours d'interposer un négociateur entre le terroriste et l'autorité. Si le terroriste formule une exigence pressante, le négociateur peut alors prétexter qu'il doit en référer à ceux qui ont le pouvoir de lui accorder ce qu'il demande. Le temps travaille toujours en faveur de l'autorité. À mesure que les heures passent, les terroristes se montrent de moins en moins sûrs d'eux, de plus en plus vulnérables. Espérons que ce serait le cas dans votre scénario !

– Quel genre de personnage doit être ce négociateur ? demandai-je.
– Quelqu'un de mûr, de serein, qui sache l'écouter, l'arracher à d'éventuels silences. Une sorte de père, en somme, comme Nasser l'était pour lui dans sa jeunesse. Bref, quelqu'un qui lui inspire confiance. Sa tactique consisterait à lui faire comprendre ceci : « Je sympathise avec vous et avec vos objectifs. Je veux vous aider à les atteindre. » Il faut commencer par lui dire qu'il a raison. Que non seulement ses griefs contre Israël sont légitimes, mais que les États-Unis sont prêts à l'aider à trouver une solution raisonnable.
– D'accord, docteur, mais tout ceci suppose que Kadhafi veuille bien parler à ce négociateur ! fis-je observer.
– Il parlerait. L'excellente étude de la CIA que vous m'avez fait lire le démontre clairement. Le pauvre petit Bédouin du désert ridiculisé par ses camarades d'école veut devenir le héros de tous les Arabes en imposant sa volonté à l'homme le plus puissant du monde, le président des États-Unis. Croyez-moi, il parlerait.
« Il est évident que le désir de Kadhafi de devenir le " justicier " de ses frères arabes est la raison fondamentale de son action. Toutefois, un autre impératif le pousse à agir : le mépris dans lequel le tient l'Occident. Il sait que les Américains, les Anglais, les Français, et même les Russes, le prennent pour un fou. Il veut obliger cet Occident à le respecter, à tenir compte de sa volonté, à lui permettre de réaliser son rêve grandiose. Et, pour prouver qu'il n'est pas aussi fou qu'on pourrait le croire, il est prêt à aller jusqu'au bout, à tout anéantir. »
J'étais fasciné par la façon dont ce Hollandais s'était pris au jeu de notre scénario.
– Qu'est-ce qui pourrait pousser un homme comme Kadhafi à faire un tel chantage ? La folie du pouvoir ?
Le psychiatre ferma les yeux une seconde.
– Personnellement, je partagerais l'avis exprimé dans le rapport de la CIA. Il n'est pas fou du tout.
– Alors, pourquoi organiserait-il une machination aussi démentielle ?
– D'après ce que j'ai lu, le trait dominant de sa personnalité est le goût de la solitude. Solitaire, il l'était enfant, à l'école, et ensuite à l'Académie militaire en Angleterre. Chef d'État, il l'est toujours. Or, la solitude

est redoutable. Plus un homme est replié sur lui-même, plus il risque de devenir dangereux. Les terroristes sont généralement des individus isolés, des marginaux, des exclus, qui se regroupent autour d'un idéal, d'une cause. Mal dans leur peau, ils sont poussés à agir. La violence est leur façon de s'affirmer à la face du monde.

« À mesure que Kadhafi sent grandir son isolement en face des autres nations arabes, que se creuse le gouffre qui le sépare de la communauté mondiale, ce besoin d'agir, de prouver au monde qu'il existe, peut devenir irrésistible. Il s'est fait le champion des Palestiniens. Il est convaincu du bien-fondé de leur cause. Grâce à sa prise en otage de New York, il se prendrait pour Dieu le Père, prêt, au-delà de toute notion du bien et du mal, à administrer lui-même la justice !

– Si l'homme est à ce point mégalomane, pourquoi perdre tout ce temps à tenter de lui parler ? observai-je.

– Il ne faut pas essayer de le raisonner. Il faudrait au contraire le convaincre de la nécessité de vous accorder un délai, de même que je cherche toujours à persuader un terroriste de la nécessité de libérer ses otages. Souvent, avec le temps, le monde irréel où évolue le terroriste s'écroule autour de lui. La réalité le submerge et ses mécanismes de défense s'effondrent. À ce moment-là, un terroriste est prêt à mourir, à se suicider d'une manière spectaculaire. Le risque qu'il fasse périr ses otages avec lui est alors immense. Dans ce cas, je ne donnerais pas cher de la vie de vos New-Yorkais. En revanche, l'occasion bénie de pouvoir prendre le terroriste par la main – façon de parler – et de l'éloigner du danger peut aussi se présenter. Il faut alors essayer de le convaincre qu'il est un héros, un héros qui a été contraint de se soumettre honorablement à des forces supérieures.

– Et vous pensez qu'on pourrait manipuler un Kadhafi de cette manière ?

– C'est un espoir. Pas davantage. Mais la situation n'offrirait guère d'alternative. Il est clair que vous auriez affaire à une personnalité souffrant d'une psychose de puissance, d'une paranoïa légère mais nullement invalidante. Ce type de sujet a en général du mal à maîtriser les situations compliquées. Il faut donc le confronter à toute une variété de problèmes annexes, essayer de détourner son attention en le bombardant d'une foule de questions d'ordre technique et de peu d'importance sur les moyens de satisfaire ses exigences. Vous connaissez ma théorie du « Poulet ou hamburger » ?

Je fis signe que oui. L'idée du psychiatre était d'éloigner l'esprit des terroristes de leur préoccupation principale en les obligeant à répondre à un flot ininterrompu de questions et de problèmes sans aucun rapport avec la situation. L'exemple qu'il donnait invariablement était la façon de répondre à un terroriste qui réclame de la nourriture. « Que voulez-vous ? Du poulet ou un hamburger ? L'aile ou la cuisse ? Bien cuite ou saignante ? Moutarde ou ketchup ? Avec ou sans pain ? Nature ou grillé ? Avec quels condiments ? Des cornichons ? Voulez-vous votre viande avec des oignons ? Crus ou frits ? » Le médecin hollandais avait ajouté de nombreux perfectionnements à cette technique de base. Il s'assurait, par exemple, que la nourriture était toujours envoyée dans de véritables assiettes, avec de vrais couverts et de vrais verres. Cette précaution, affirmait-il, introduisait subtilement un élément de civilité dans les relations de la police avec les terroristes. Elle introduisait aussi une notion de fragilité qui obligeait ceux-ci à prendre des précautions. Une assiette en porcelaine, un verre peuvent se casser. De la même manière, la vie d'un otage est fragile. En outre, chaque fois que possible, il demandait aux terroristes de laver la vaisselle avant de la renvoyer. Cela les amenait peu à peu à exécuter des ordres. Détourner un preneur d'otages de ses obsessions par un tel assaut de questions permettait souvent de le calmer, de le remettre en contact avec la réalité, et de le rendre au bout du compte plus malléable.

Le docteur Loden poussa un long soupir avant de conclure :

– L'ennui, c'est que Kadhafi ne serait pas un terroriste comme les autres.

De bien sanguinaires chasseurs de papillons

Plus de huit mille navires débarquent chaque année leurs cargaisons dans le port de New York. Contrôler efficacement ces marchandises est une tâche impossible. Introduire un container transportant un engin nucléaire sur un quai de Brooklyn ou de Jersey City serait donc un jeu d'enfant. Lui trouver ensuite une cachette le serait tout autant. Le bas de Manhattan regorge d'entrepôts ou de garages à louer. Mais, une fois sa bombe en place, comment Kadhafi la ferait-il sauter ? Par un signal radio depuis son QG de Tripoli ? D'une cachette dans son désert ? D'un navire en haute mer ? Ou confierait-il la mise à feu à quelqu'un, un kamikaze, par exemple, qui viendrait appuyer sur son détonateur à l'instant convenu ? Notre enquête nous prouva qu'il n'aurait aucune difficulté à trouver un volontaire pour une mission suicide de ce genre. Les camps d'entraînement à la guerre contre Israël regorgeaient à l'époque de fanatiques prêts à donner leur vie. Au Liban, ces camps comptaient même de nombreux étrangers. Les plus déterminés appartenaient à un groupuscule japonais d'extrême gauche qui s'intitulait « Fraction Armée rouge ». Le 30 mai 1972, trois de ses membres s'étaient rendus tristement célèbres en massacrant à la grenade et au pistolet-mitrailleur une centaine de passagers d'un avion d'Air France qui venait de se poser à Lod, l'aéroport international d'Israël. Deux des terroristes japonais avaient péri dans la tuerie, mais le troisième, un étudiant en botanique de vingt-quatre ans nommé Kozo Okamoto, avait été capturé vivant.

Pourquoi ce jeune Japonais issu d'une honorable famille bourgeoise avait-il traversé la moitié du monde pour devenir un tueur au service d'une cause totalement étrangère à l'histoire de son pays, à sa culture, à ses préoccupations ? Pourquoi lui ou n'importe lequel de ses compagnons auraient-ils appuyé sans hésiter sur le détonateur de la bombe H de Kadhafi cachée au cœur de New York ?

La question allait me conduire jusqu'au cœur de l'édifice le mieux gardé d'Israël, la prison de haute sécurité de Ramleh où l'État hébreu enferme ses ennemis les plus dangereux. Kozo Okamato y purgeait depuis huit ans une peine de détention perpétuelle dans la cellule qui avait abrité l'organisateur de la solution finale, le chef nazi Adolf Eichmann. Hormis l'occasionnelle visite d'un fonctionnaire de l'ambassade japonaise à Tel-Aviv, le terroriste vivait dans un isolement total. Aucun journaliste, aucun historien n'avait jamais pu reconstituer avec lui son itinéraire.

Je déposai à tout hasard une demande de visite auprès des autorités israéliennes. Comptant sur ma chance, je me préparai fébrilement à cette rencontre. Je fis traduire en japonais toute une liste de questions et les appris par cœur. Puis avec l'espoir d'établir entre nous un courant de sympathie, j'écrivis à ses parents pour leur annoncer mon éventuelle visite à Ramleh. Je reçus en réponse des messages d'encouragement et d'affection qu'ils me chargeaient de transmettre à leur fils. Enfin, je parvins à dénicher dans une boutique de spécialités orientales de Tel-Aviv toute une variété de friandises chinoises et japonaises susceptibles d'agrémenter l'ordinaire carcéral du Japonais pendant quelques jours. Il ne me manquait plus que l'autorisation miracle.

J'étais sur le point de rentrer en France quand un coup de téléphone m'invita à me présenter à la porte de la prison. Je courus au premier bureau de tabac pour acheter un paquet de Pall Mall que je savais être les cigarettes préférées d'Okamoto, et me précipitai à Ramleh. C'était la première fois que je rentrais dans une prison depuis mes rencontres avec Caryl Chessman dans le bloc des condamnés à mort du pénitencier de San Quentin tout juste vingt ans plus tôt. Après une fouille minutieuse, le gardien-chef en personne me fit l'honneur de m'escorter, à travers les nombreuses cours surpeuplées de prisonniers palestiniens, vers le bloc de haute sécurité où Israël détenait ses hôtes VIP. Je n'eus pas le temps de m'en rendre compte : mon guide m'avait déjà poussé dans une vaste cellule dont la serrure claqua dans mon dos comme celle d'une cage aux lions à l'entrée du dompteur.

Je découvris alors au fond de la pièce une minuscule silhouette immobile recroquevillée sur le bord d'un lit de camp. On aurait dit un moineau empaillé. En m'approchant, je remarquai ses mains. Les doigts étaient prolongés d'ongles aussi longs et courbes que des serres. Je lui dis bonjour en japonais. Surpris, Okamoto se leva et tourna la tête vers moi. Il me salua à son tour en s'inclinant cérémonieusement à la japonaise avec un léger sifflement.

– Je vais vous chercher du café, nous annonça alors le gardien-chef. – S'approchant de moi, il ajouta à voix basse : Faites très attention. Cet avorton connaît une prise de karaté qui peut vous tuer en un éclair.

À peine eut-il lâché ces mots qu'il verrouilla la porte à barreaux derrière lui. J'étais seul avec le Japonais, qui avait sagement repris sa place au bord de sa paillasse. J'allai m'asseoir à côté de lui. De près, ses ongles ressemblaient à de vrais petits poignards. En l'observant, je pensais avec horreur à tous les innocents que son incarcération risquait encore de faire périr, à tous ceux qui pouvaient être pris en otages dans un avion, une école, une église, pour que ce garçon apparemment insignifiant retrouve la liberté. Il m'apparut si chétif, si fragile et, pour tout dire, si inoffensif que je ne pouvais imaginer qu'il ait la force de tuer quelqu'un, fût-ce par une prise secrète de karaté.

Il m'écouta en écarquillant de petits yeux incrédules mais reconnaissants. C'était de bon augure. C'est alors que je vis la mort fondre sur moi. Le bras droit d'Okamoto avait jailli tel un sabre. En un éclair, je compris que sa main allait s'abattre comme un couperet sur ma nuque ou ma gorge. Je n'eus pas le temps d'esquisser le moindre recul que déjà le bras fendait l'air dans ma direction. Mais je ne ressentis aucun choc. Le Japonais ne voulait pas me tuer. Tel un oiseau de proie, il avait saisi de ses doigts en forme de serres le paquet de Pall Mall qui dépassait de la poche de ma chemise. Il l'ouvrit d'un coup d'ongle et alluma tranquillement une cigarette. Le gardien chef revint alors avec deux tasses et un pot qui répandit un réconfortant arôme de café. Puis il repartit, nous laissant tous les deux à la discrète surveillance du gardien dans le couloir.

J'attaquai d'emblée par une des questions clés de notre enquête.

– Kozo, si vos chefs vous avaient un jour donné l'ordre d'appuyer sur le détonateur d'une bombe H destinée à massacrer six millions d'habitants de New York pour obliger les Israéliens à quitter Jérusalem-Est et les territoires arabes occupés en 1967, auriez-vous exécuté cet ordre ?

Le Japonais émit une série de grognements. Il se raidit.

– Je suis un soldat. Les soldats exécutent les ordres.

– Mais vous êtes japonais ! Le conflit entre Juifs et Arabes ne vous concerne pas ! Ni vous, ni votre pays.

Une lueur de réprobation traversa ses yeux minuscules.

– Je suis un militant révolutionnaire. La révolution n'a pas de frontières.

Un militant révolutionnaire ! J'avais eu beau chercher dans le passé de ce Japonais, je n'avais pas réussi à découvrir comment ce garçon d'un caractère, disait-on, timide et réservé, élevé dans les principes et les traditions d'une famille bourgeoise, passionné par ses études de botanique, avait pu se fourvoyer dans les rangs d'une organisation de gauchistes désespérés comme cette Fraction Armée rouge japonaise ? L'exemple d'un frère aîné objet d'admiration suffisait-il à expliquer cet engagement ? Y avait-il une autre raison plus secrète ?

Je posai carrément la question. Elle me valut une suite de raclements de gorge et un sourire embarrassé. Puis, basculant la tête en arrière, les yeux complètement clos, il finit par dire :

– Peut-être ma malchance en amour...

Je le pressai d'expliquer.

– J'ai d'abord aimé une petite voisine de notre maison, dit-il tristement, mais elle s'est enfuie le matin de nos fiançailles. Plus tard, à l'université, je suis tombé très amoureux d'une étudiante. Elle avait la même passion que moi : les fleurs et les plantes. Mais notre idylle s'est achevée sur un fiasco total.

Il poussa un long soupir. Ses petits yeux étaient cette fois grands ouverts.

– La Fraction Armée rouge m'est alors apparue comme une amante moins exigeante.

Je saisis cette occasion pour lui demander si cette organisation continuait d'incarner son idéal politique. La question le fit ricaner.

– Bien sûr ! dit-il avec une rage soudaine.

– Vous arrive-t-il de penser à la tragédie de l'aéroport ?

– J'y pense tous les jours.

– Et quel est, huit années après, votre sentiment sur ce qui s'est passé ce soir-là ?

Il dessina quelques nouveaux ronds de fumée avec sa Pall Mall. Puis, d'une voix très lente, il dit :

– En tant que militant révolutionnaire, mon devoir était d'accepter de faire la guerre. Mais le malheur est que la guerre atteint aussi les femmes et les enfants.

Je lui demandai alors son point de vue non pas de militant, mais de simple être humain. Il resta longtemps silencieux. Je vis sa pomme d'Adam monter et descendre nerveusement le long de sa gorge, signe d'une intense émotion. Finalement, il dit :

– Excusez-moi, mais les mots ne peuvent pas toujours traduire les sentiments.

– Kozo, dis-je alors familièrement en montrant les murs et les barreaux, si vous sortez un jour de prison, quelle sera la première chose que vous ferez ?

Le Japonais esquissa un large sourire. La question l'avait touché à un point sensible.

– Je ferai le tour du monde pour exprimer mes regrets au peuple juif et au peuple portoricain, dit-il gravement.

La réponse me fit mal. Elle méritait une explication. Une terrifiante enquête commençait.

*

La mystique révolutionnaire qui avait précipité l'étudiant Kozo Okamoto dans la nébuleuse du terrorisme palestinien était née des grandes luttes qui embrasèrent les campus nippons à la fin des années soixante. Persuadés que leurs manifestations seraient impuissantes à changer la société japonaise, un certain nombre de jeunes militants communistes décidèrent de passer à l'action directe. Se voulant les accoucheurs d'une justice absolue, ils choisirent la violence comme argument d'un débat qui s'enlisait se regroupèrent sous l'étiquette de « Fraction Armée rouge japonaise ». Si cette « Fraction » comptait une majorité d'étudiants, on y trouvait aussi des médecins, des ingénieurs, des cadres de l'industrie.

Un des chefs de cet avatar terroriste du mouvement étudiant était une énigmatique jeune femme au visage encadré de longs cheveux lisses. Fusako Shinegobu était la fille d'un avocat d'extrême droite. Aucune tâche au service de la cause ne la rebutait. Tout en suivant les cours de l'université Meiji de Tokyo, elle n'avait pas hésité à travailler le soir comme serveuse aux seins nus dans les cabarets *topless* pour alimenter la caisse du mouvement. « Chaque caresse d'un client est un bol de riz de plus pour les camarades », avait-elle coutume de dire. Fusako avait été plusieurs fois arrêtée au cours d'actions violentes, comme la journée d'émeutes qui ensanglanta Tokyo en mai 1969. Deux ans plus tard, la jeune femme et huit de ses camarades proclamaient la naissance officielle de la Fraction Armée rouge japonaise à l'occasion d'un audacieux acte de piraterie aérienne, le détournement sur Pyongyang, la capitale de la Corée du Nord, des trois cents passagers d'un Boeing 747 de la Japan Airlines.

L'exploit enflamma l'imagination de millions de Japonais persuadés que seules des actions radicales pouvaient contraindre le gouvernement ultra-conservateur et corrompu de l'époque à démissionner, et changer les structures rigides et archaïques de la société japonaise. Salués comme des héros par toute une partie de l'opinion, les neuf pirates entrèrent du jour au lendemain dans la mythologie romantique des samouraïs.

Les fondateurs du mouvement devaient retenir la leçon de Pyongyang. Puisque la révolution n'était pas encore possible au Japon, il fallait agir sur le champ de bataille international et s'y battre pour purger de leurs pourritures non seulement l'archipel, mais le monde entier. Ainsi la révolution serait-elle mondiale avant d'être japonaise.

Le message n'avait pas tardé à atteindre les oreilles du médecin arabe chrétien qui dirigeait à Damas le Front patriotique de libération de la Palestine (FPLP), l'un des mouvements les plus extrémistes et fanatiques de la résistance palestinienne. L'offre du groupuscule japonais fournissait au docteur Georges Habache une occasion inespérée d'internationaliser son action terroriste contre l'État hébreu. Il dépêcha à Pyongyang son bras droit, Bassam Tawfiq Sherif, avec mission de rallier les membres de la Fraction Armée rouge à la cause du Front.

La jeune Fusako et ses camarades ne se firent guère prier pour accepter l'invitation de l'émissaire palestinien. Ils prirent l'avion pour le Liban. Ce fut presque un voyage de noces pour la terroriste japonaise qui venait d'épouser à Pyongyang l'un de ses compagnons, l'étudiant en électronique Tekishi Okudeira. Dès son arrivée dans la capitale libanaise, sa première préoccupation fut d'organiser la coopération de son groupe avec le FPLP. Les correspondants de presse en poste à Beyrouth trouvèrent un matin dans leur courrier un manifeste tapé sur une feuille de papier, sans en-tête ni adresse. Nombre d'entre eux le jetèrent au panier. Quelques-uns, mieux avisés, le classèrent dans leur dossier relatif au terrorisme proche-oriental. « La Fraction Armée rouge japonaise souhaite consolider avec le FPLP l'alliance révolutionnaire contre les impérialistes du monde, disait le document. Elle s'engage à intensifier et à accélérer la violence internationale révolutionnaire en coopération avec le mouvement terroriste palestinien pour abattre l'ennemi israélien. Nous accusons le gouvernement japonais de prétendre être neutre dans le conflit du Proche-Orient alors qu'il aide secrètement les Israéliens contre les Arabes. »

La jeune Japonaise obtint une subvention pour réaliser un film sur la résistance palestinienne et l'action du FPLP : *Armée Rouge japonaise et FPLP – Déclaration de guerre au monde.* Ce surprenant reportage fut montré au Japon à de nombreux groupes d'extrême gauche, notamment dans les universités. L'une des projections eut lieu dans une salle du département d'agronomie de la faculté de Kagoshima, dans le sud de l'île de Kyushu. Parmi les spectateurs se trouvait un garçon de vingt-deux ans, aux cheveux en brosse, d'aspect frêle et timide, aux traits presque féminins, dont la seule passion connue était la chasse aux papillons.

Kozo Okamoto était le cadet des cinq enfants d'un maître d'école retraité de la petite ville de Kagoshima. L'Armée rouge et son idéologie révolutionnaire ne lui étaient pas inconnues : son frère aîné, Takeshi, faisait partie du commando des pirates de Pyongyang. Il vouait une admiration sans bornes à ce grand frère qui lui avait écrit pour l'exhorter à le rejoindre dans les rangs du mouvement. Mais venger les Palestiniens et se battre pour éliminer Israël lui paraissaient des objectifs bien éloignés de ses préoccupations de futur ingénieur forestier dans son Japon natal. Il gardait d'ailleurs le souvenir vibrant d'un film de cinéma qui exaltait la thèse inverse. Dans cette histoire, c'étaient les Juifs les victimes. Sans eau ni nourriture, entassés à plusieurs centaines dans les cales et sur les ponts d'un rafiot qui s'appelait *Exodus,* ces rescapés des chambres à gaz nazies s'étaient battus pour la liberté en tentant de rejoindre la terre dont le FPLP voulait aujourd'hui les chasser. Les appels répétés de son frère ne le laissaient pourtant pas insensible. Comme nombre de jeunes Japonais désireux d'échapper à l'américanisation forcenée de la société nippone, Kozo Okamoto s'était tourné vers les mythes familiers de son pays. Il avait dévoré les ouvrages prônant le culte du guerrier, le suicide au service d'un idéal, et certains actes de rébellion survenus dans l'histoire récente du pays. Il avait en particulier été marqué par le message d'un jeune intellectuel dont le spectaculaire suicide au sabre avait, deux ans plus tôt, bouleversé des millions de ses compatriotes. Bien que politiquement aux antipodes des gauchistes de la Fraction Armée rouge, l'écrivain de droite Yukio Mishima prônait, lui aussi, cette vertu suprême que les Japonais appellent *makoto* et qui signifie « sincérité, authenticité, intégrité ». Ses livres dénonçaient la corruption, le vide spirituel, l'obsession de la prospérité économique, l'oubli du makoto et des autres vertus enracinées dans l'âme japonaise. *La Mer de la fertilité,* sa tétralogie finale, résumait sa pensée. « Savoir et ne pas agir est insuffisant, y écrivait-il, et, pour agir, nulle garantie de succès n'est nécessaire. Il suffit d'avoir l'âme d'un *heishi,* l'âme d'un guerrier. » Avant de se suicider, l'écrivain avait lancé un appel aux officiers et aux soldats désabusés de l'armée du nouveau Japon. « Le pays de nos ancêtres se trouve aujourd'hui précipité dans un abîme spirituel ! leur avait-il crié. Il a répudié ses valeurs fondamentales et perdu son esprit national. Et nous sommes restés les bras croisés à assister à la profanation de nos traditions par les Japonais eux-mêmes. »

Comme tant de ses compatriotes, Kozo Okamoto avait été bouleversé par cet adieu pathétique. Et voici que, deux ans plus tard, son frère aîné lui donnait la chance de prouver qu'il avait lui aussi une âme de heishi. Comment décliner une telle invitation ? Il signa son engagement dans les rangs du mouvement. Au début de février 1972, il reçut la visite d'un agent du FPLP qui lui remit plusieurs centaines de dollars et un billet d'avion pour Beyrouth, via Vancouver, Montréal, New York, Paris et Rome. Pour quelle mission ? Il ne le saurait qu'en arrivant à destination.

*

Kozo Okamoto s'envola de Tokyo le 29 février 1972. À Paris, il visita Notre-Dame avant de se laisser guider dans les ruelles du Quartier latin par le parfum nostalgique des crevettes au gingembre des bistrots japonais. À Rome, il fit le tour du Forum puis alla goûter, sur la via Appia, les charmes d'une prostituée africaine. Autant de faiblesses terrestres qui, si elles avaient été connues, auraient pu valoir à l'apprenti samouraï une liquidation prématurée dès son arrivée à destination. Les dirigeants de la Fraction Armée rouge japonaise ne badinaient pas avec la vertu. Des purges sanglantes venaient justement de se produire au sein d'un groupe de militants errant dans le froid sibérien des montagnes du Japon central. Accusés de tiédeur et de déviationnisme, quatorze d'entre eux avaient été torturés et exécutés, certaines jeunes femmes pour le seul fait de s'être maquillées, d'avoir porté des boucles d'oreilles, ou flirté avec un compagnon. La découverte de leurs cadavres mutilés avait horrifié l'opinion japonaise et détourné de nombreux sympathisants de l'idéal révolutionnaire de la Fraction Armée rouge.

Fusako vint en personne accueillir Okamoto à l'aérodrome de Beyrouth. Elle avait pris les commandes de la cellule opérationnelle que la Fraction avait installée dans la capitale libanaise. Elle dirigea le voyageur vers un minibus où attendaient deux autres Japonais. L'un, l'étudiant en électronique Okudeira Tekishi, n'était autre que le mari de Fusako. L'autre, Yasuda Yakushi, suivait des cours d'architecture à l'université de Kyoto. Tous trois avaient été désignés pour la même unité d'entraînement et le même commando d'action. Leur destination était une vaste enceinte clôturée de barbelés à quelques kilomètres de Baalbek. Il s'agissait du camp d'entraînement militaire arabe le plus important du Proche et du Moyen-Orient où les ennemis d'Israël, de toutes nationalités et de toutes origines, venaient apprendre les techniques les plus modernes de la guérilla et du terrorisme. Le camp était commandé par une des figures du FPLP, le terroriste Abu Hija, qui comptait à son palmarès l'attentat de Zurich contre un avion d'El Al. Son équipe comprenait des instructeurs russes, tchèques et algériens, spécialistes des armes et des destructions à l'explosif. Tel un studio hollywoodien de cinéma, le camp était divisé en plusieurs secteurs où avaient été construits des voies ferrées, des ponts, des maisons, des châteaux d'eau, des transformateurs ; bref, tout ce qui pouvait devenir un objectif à détruire. Le clou des installations était abrité sous un vaste hangar. C'était le poste de pilotage et la carlingue d'un Boeing 727 reconstitués jusqu'aux derniers cadrans et boutons.

Ni les samouraïs du Japon féodal ni les pilotes de la Seconde Guerre mondiale ne subirent jamais le programme intensif d'exercices physiques et militaires qui attendait les volontaires japonais. Quatre heures de gymnastique quotidienne, des opérations d'entraînement commando et de sabotage sous feu réel, des séances de manipulation d'armes automatiques et de lancer de grenades, des cours répétés d'endoctrinement, en quelques semaines les élèves d'Abu Hija devenaient d'implacables machines à tuer. Les trois Japonais n'en conservèrent pas moins leur culte des valeurs japonaises. Chaque soir, après avoir lâché leur dernière rafale sur un mannequin décoré d'une étoile de David, ils retrouvaient leur âme de poète et d'amoureux de la nature. Ils troquaient leur kalachnikov pour une tige de bambou et partaient chasser les papillons dans la campagne écrasée de chaleur. Faute de filets, ils nouaient le keffieh à damiers qui leur servait de coiffure à la pointe du bambou. Puis, quand la nuit enveloppait la plaine, ils s'asseyaient sur une pierre pour déchiffrer la voûte céleste et ses myriades d'étoiles. C'étaient, me dirait Okamoto, « de véritables moments d'extase durant lesquels chacun de nous pouvait méditer comme un poète *haïku* sur le caractère éphémère de la vie des papillons ».

Un soir qu'ils contemplaient le ciel avec une concentration particulière, un souvenir d'enfance traversa l'esprit du Japonais. Dans son pays, les parents avaient l'habitude de dire aux enfants qu'à leur mort ils partiraient vers le ciel pour y devenir une étoile. Il se rappela que sa mère lui avait promis qu'il serait une étoile dans la constellation d'Orion.

– Nous devons devenir tous trois des étoiles d'Orion, déclara-t-il soudain à ses camarades.

L'idée les enchanta. Cependant, Okudeira, le mari de Fusako, s'inquiéta.

– Crois-tu que ceux que nous allons tuer vont aussi devenir des étoiles ? demanda-t-il.

– Certainement, répondit Okamoto. Bon nombre d'entre eux, en tout cas. Rassure-toi : il y aura beaucoup d'étoiles dans le ciel, et la guerre révolutionnaire en apportera sans cesse de nouvelles.

*

Au terme de quatre-vingts jours d'entraînement forcené, les trois Japonais furent enfin informés de la nature de leur mission. Il s'agissait d'une action de terrorisme pur, qui avait pour seul but de tuer et de semer la terreur. Le commando irait d'abord à Francfort où des membres de la bande à Baader leur fourniraient de nouveaux passeports avec de fausses identités. Puis ils se rendraient à Rome pour recevoir, camouflés dans des sacs de sport, les pistolets-mitrailleurs, munitions et grenades nécessaires à leur mission. Il leur resterait à prendre le premier avion commercial à destination de Lod, l'aérodrome international d'Israël proche de Tel-Aviv. Dès leur arrivée, ils récupéreraient leurs sacs sur le tapis roulant de la salle des bagages. Ils y prendraient leurs armes et ouvriraient le feu sur les passagers. C'était une opération suicide dans la plus pure tradition japonaise. Sous aucun prétexte les kamikazes ne devaient tomber vivants aux mains des Israéliens. Ils périraient avec leurs victimes en se tirant la dernière rafale dans la tête. L'ordre venait de Fusako elle-même. Dans sa folie révolutionnaire, la jeune femme n'avait pas hésité à sacrifier l'homme qu'elle venait d'épouser.

*

Le trio s'envola le 22 mai de Beyrouth pour Francfort, où les attendait un agent de la bande à Baader avec les nouveaux passeports. Kozo Okamoto s'appelait désormais Daisuke Namba.

Ils quittèrent Francfort à bord du Simplon Express qui les débarqua à Rome à une heure du matin, le vendredi 26 mai. Un taxi les conduisit à l'Anglo-American Hotel, non loin de la Piazza di Spagna, où leur contact local leur avait réservé deux chambres.

*

Une Mercedes noire, dépourvue de ses plaques diplomatiques pour raisons de sécurité, se présenta ce même 26 mai à dix heures du matin au portail du ministère français des Affaires étrangères, quai d'Orsay à Paris. À son bord se trouvait l'ambassadeur d'Israël en France. Ancien membre des services secrets du Mossad, Asher Ben Natan cultivait l'art du renseignement comme une religion. Il avait rendez-vous avec Hervé Alphand, secrétaire général du ministère, pour une communication urgente. Son gouvernement souhaitait en effet demander aux autorités françaises un renforcement draconien des mesures de sécurité sur tous les vols d'Air France à destination d'Israël.

– Nous avons de sérieuses raisons de croire que la guérilla palestinienne est sur le point de déclencher une action spectaculaire contre Israël, déclara l'ambassadeur.

Il expliqua que, pour accomplir cette action, « l'organisation terroriste soupçonnée se préparait à introduire clandestinement en Israël des armes et des explosifs dans des bagages voyageant dans la soute des appareils à destination de l'État hébreu ».

Alphand s'empressa de rassurer son visiteur. Il était en mesure de lui dire que, pour ce qui concernait la France, les craintes d'Israël n'étaient pas justifiées. Il s'abstint de fournir une quelconque explication motivant cette assurance. Celle-ci était pourtant fondée. Alphand savait que son gouvernement avait reçu, en signe de reconnaissance pour sa politique proarabe, la garantie solennelle que le terrorisme palestinien n'utiliserait pas les avions d'Air France dans son combat contre Israël.

*

Dès l'ouverture des bureaux de Rome ce même 26 mai, les trois Japonais se rendirent à l'agence de l'American Express pour changer en lires le paquet de dollars qu'ils transportaient depuis Beyrouth et acheter des billets d'avion pour Tel-Aviv. Le premier vol disponible était celui d'Air France le mardi 30 mai à vingt heures cinq.

Ils reçurent peu après l'ordre de s'installer à la pension Scaligera, sur la via Nazionale, « pour y recevoir les paquets qu'ils attendaient ». L'établissement était presque exclusivement occupé par des clients arabes. Même les menus du petit déjeuner y étaient rédigés dans la langue de Mahomet. Dès qu'ils eurent pris possession de leur chambre, on frappa à la porte. Un messager apportait trois sacs de sport à fermeture Éclair. Chacun contenait un pistolet-mitrailleur tchèque V-258 de calibre 7.62, une trentaine de chargeurs et vingt grenades F-1 soviétiques de la taille d'une mandarine, rangées dans une boîte. De quoi faire un massacre.

Le mardi 30 mai, peu avant dix-sept heures, ils embarquèrent dans un taxi à destination de l'aérodrome de Fiumicino. Les formalités d'enregistrement sur le vol 132 d'Air France Rome-Tel-Aviv ne durèrent que quelques instants. L'hôtesse ne prêta aucune attention particulière aux bagages de ces trois passagers aux airs de sportifs en route pour une compétition. Les sacs disparurent sur le tapis roulant, munis de leur étiquette aux initiales de l'aérodrome international d'Israël. Les trois hommes passèrent ensuite sans encombre sous le portique magnétique du couloir nº 9, présentèrent leurs passeports tout neufs au guichet de la police des frontières, et allèrent s'asseoir dans la salle d'embarquement nº 44. À Fiumicino, Air France faisait embarquer ses passagers par une société italienne spécialisée dans ce genre de service. Celle-ci ne contrôlait jamais le contenu des bagages de soute, à moins qu'une compagnie n'en fasse la demande.

Air France n'avait présenté aucune requête de ce genre pour son vol AF-132 de ce 30 mai. Cette négligence était d'autant plus surprenante que, deux jours plus tôt, une passagère libanaise d'un vol de la compagnie sur Beyrouth avait été interceptée par un portique détecteur en possession de deux revolvers de gros calibre, l'un caché sous son aisselle, l'autre attaché à sa cuisse. Elle prétendit qu'elle apportait ces armes à son père pour lui permettre de se défendre contre les loups qui infestaient la montagne libanaise où il habitait. La police la soupçonnera plus tard d'avoir été chargée de tester la sensibilité du portique.

L'ordinateur avait attribué aux trois Japonais des sièges sur une même rangée au fond du Boeing 727. Peu après le décollage, Okamoto sombra dans une profonde méditation. Il songea à sa mort toute proche. Il essaya de l'imaginer et pensa au cérémonial raffiné qui entourait celle des samouraïs du vieux Japon. À la fin du siècle dernier, nombre de ces chevaliers s'étaient suicidés d'un coup de sabre dans le ventre pour marquer leur opposition à l'occidentalisation du pays. En souvenir de la tempête qui avait, en l'an 1281, envoyé par le fond les vaisseaux de l'envahisseur mongol, sauvant ainsi le Japon d'une catastrophe, ces défenseurs de l'orthodoxie avaient donné à leur mouvement le nom romantique de « Vent divin ». Pour mettre un terme à cette hécatombe de suicides, le gouvernement de l'époque avait dû interdire la possession de sabres. Mais les sacrifices des chevaliers du Vent divin avaient à jamais consacré le mythe du suicide dans l'imaginaire japonais. À la fin de la Seconde Guerre mondiale, le spectre de la défaite approchant, ce mythe avait conduit des milliers de jeunes pilotes à offrir à leur tour leur vie. Dans cet avion qui l'emportait vers un destin semblable, Okamoto se sentait l'héritier des chevaliers du Vent divin. En japonais, ce concept poétique se disait *kamikaze*.

L'arrivée de l'hôtesse avec les plateaux du repas ramena le Japonais à une réalité plus prosaïque. Il hésita. Convenait-il, en une telle circonstance, de s'abaisser à absorber quelque nourriture terrestre ? Le code de la morale samouraï avait-il une opinion sur la question ? Okamoto se souvint qu'un jour un chevalier de Kyushu, son île natale, s'était interrogé sur ce point avant son suicide. Répondant par l'affirmative, il avait copieusement déjeuné, au risque d'offrir, quand il s'ouvrirait le ventre, le répugnant spectacle de ses entrailles vomissant son repas.

– Nous avons tous les trois rassemblé notre courage et partagé notre dernier repas, m'avouera Okamoto, et nous l'avons même arrosé d'une bière.

Cette boisson ne tarda pas à faire sentir son effet sur la vessie du jeune Japonais. Il se leva et se dirigea vers les toilettes au fond de l'avion. Alors qu'il urinait, une anecdote bizarre lui revint en mémoire. Il s'agissait d'un épisode de la guerre russo-japonaise de 1905. Durant la bataille navale décisive qui opposa les deux flottes ennemies, le commandant en chef japonais, l'amiral Togo, dirigeait les opérations depuis le pont de son croiseur, le *Mikasa*. À un moment de grand péril, l'adjoint de l'amiral voulut constater l'état moral de son chef. Il glissa furtivement sa main entre ses jambes et s'aperçut avec soulagement que ses testicules pendaient le plus normalement du monde. L'amiral était donc parfaitement serein. Rassuré, l'officier s'empressa de regagner son poste. Okamoto nota avec honte que ses testicules à lui ne pendaient pas comme ceux de l'amiral. L'émotion les avait rétractés et durcis comme de petites noisettes près d'éclater.

Voyage en enfer pour soixante-huit pèlerins de Porto Rico

Les lumières de Tel-Aviv apparurent bientôt sous les ailes. Les passagers regagnèrent leur siège à l'invitation de l'hôtesse, qui s'exprima en trois langues. Okamoto reconnut l'anglais et pensa que l'une des deux autres langues devait être le français à cause de la nationalité de la compagnie. Mais la troisième ? Par courtoisie pour les soixante-huit Portoricains hispanophones qui occupaient ce soir-là la classe touriste, l'hôtesse avait également répété les consignes de l'atterrissage en espagnol. Ces passagers arrivaient directement de l'île américaine des Caraïbes pour une visite de dix jours des principaux sanctuaires de la Terre sainte. Ils étaient planteurs de canne à sucre et de tabac, commerçants, fonctionnaires, employés, étudiants, retraités. Le plus âgé avait soixante-douze ans ; le plus jeune, quatorze. Leur guide était un athlétique professeur de lycée de vingt-huit ans, qui animait la communauté baptiste de l'île. José Munoz avait déjà fait deux fois un pèlerinage à Jérusalem et juré de faire découvrir les Lieux saints à sa jeune épouse Nilda et à ses amis. Un même culte pour Jésus le Messie, une même soif de connaître les décors de sa vie terrestre, une même impatience de fouler le sol de la Terre sainte les unissaient.

L'avion survola les orangeraies bordant la côte et décrivit un large cercle pour se poser face au nord. Leurs visages collés au hublot, José Vega, trente-six ans, et sa jeune femme Vastiliza scrutèrent passionnément l'obscurité parsemée de lumières. José était le pasteur de l'église méthodiste d'Arecibo, la deuxième ville de Porto Rico. Au-dessous de son col de clergyman, dans la poche gauche de sa chemise, se trouvait le petit missel qu'il lisait chaque jour depuis douze ans. N'était-ce pas dans ce coin de Palestine que saint Pierre avait guéri Énée, le paralytique ? Ici que saint Paul avait fait étape sur le chemin de Jérusalem ? Ici encore qu'était né saint Georges et que reposait sa dépouille martyre ? Ici, enfin, que les sages d'Israël avaient en un temps installé leurs yeshivas, que les légions romaines avaient campé, que les croisés de Richard Cœur de Lion s'étaient regroupés avant de monter à l'assaut de la Judée ? Quelques sièges plus loin, Juan Padilla, trente ans, et son épouse Carmen, tous deux membres de l'Église des disciples du Christ, fouillaient eux aussi les ténèbres. Férus d'histoire biblique, ils se dirent que l'avion passait sûrement au-dessus de la vallée du Soreq où Dalila était née et où les chacals de Samson avaient incendié de leurs queues enflammées les moissons des Philistins. Juan Larroy, un agent d'assurances barbu de vingt-huit ans, se demandait si l'aérodrome de Lod n'avait pas été construit dans la plaine où Josué avait arrêté le soleil. Mais ce n'étaient pas les mirages du pays de la Bible qui motivaient sa présence ce soir dans cet avion. Juan était secrètement amoureux et l'objet de sa passion, une éclatante jeune fille aux yeux verts, était assise à côté de lui. Elle s'appelait Carmen Crespo. Ce voyage en Terre sainte était un cadeau de ses parents : Carmen venait de fêter ses vingt ans. Quand Juan Larroy avait appris la nouvelle, il s'était empressé de s'inscrire lui aussi. C'est à Jérusalem qu'il lui déclarerait son amour.

Des applaudissements, des cris de joie, des hourras saluèrent l'atterrissage. Puis tous les pèlerins entonnèrent le fameux hymne à la gloire de Jérusalem, *Ciudad de Dios*. Dès l'ouverture des portes, une merveilleuse odeur de fleur d'oranger envahit la cabine. La nuit embaumait. L'institutrice Matilda Guzman s'arrêta sur la passerelle pour respirer profondément. « C'était comme si nous arrivions au paradis terrestre », dirait l'étudiante Sonia Ortiz. Kozo Okamoto lui-même s'émerveilla. Quatre-vingts jours d'un entraînement inhumain n'avaient pas émoussé son amour de la nature. Il remplit ses poumons. Puis, poussé par Okudeira, le mari de la jolie Fusako, il dégringola à toute allure les marches de la passerelle arrière. Les trois Japonais atteignirent les premiers le hall d'arrivée et se présentèrent au contrôle de police. Avant de se diriger vers le tapis à bagages pour y attendre leurs sacs, ils allèrent s'enfermer dans les toilettes pour exécuter l'ordre qu'ils avaient reçu à Beyrouth. Ils détachèrent les deux pages de leur passeport qui portaient leur nom et leur photographie, et les déchirèrent soigneusement en plusieurs dizaines de petits fragments qu'ils jetèrent dans la cuvette avant d'actionner la chasse d'eau. Même fausse, leur identité devait, quoi qu'il arrive, rester inconnue des Israéliens.

Il était vingt-deux heures vingt-cinq. Personne ne remarqua les trois Asiatiques qui, postés de l'autre côté du tapis, guettaient l'arrivée des valises. L'attente fut brève. Les premiers bagages à sortir étaient ceux des passagers embarqués à Rome. Les trois sacs remplis d'armes appartenant aux Japonais se suivaient à la queue leu leu. Okamoto et ses camarades s'en emparèrent. Accomplissant comme des automates les gestes tant de fois répétés dans le camp de Baalbek, ils firent glisser la fermeture Éclair, saisirent les pistolets-mitrailleurs, engagèrent les chargeurs et bourrèrent leurs poches de grenades. L'étrange manège attira l'attention de plusieurs passagers. L'ingénieur Medina se dit que ces gamins voulaient faire une farce. Le savant Aaron Kamir, de l'Institut Weizman de Rehovot, pensa à des acteurs de cinéma venus tourner un film. Vastiliza Vega, l'épouse du pasteur méthodiste, comprit, elle, que les mitraillettes n'étaient pas des jouets. « Ils vont nous tuer ! » cria-t-elle. Ce furent ses derniers mots. Un des terroristes avait sauté sur l'armature du tapis roulant et ouvert le feu presque à bout portant. Frappée en pleine tête, la jeune Portoricaine s'écroula. La balle, qui aurait dû se loger dans le cœur de son mari et le tuer en même temps qu'elle, fut miraculeusement déviée par le petit missel qui ne quittait jamais la poche gauche de sa chemise.

En quelques secondes, ce fut l'enfer. Les Japonais lancèrent leurs grenades par-dessus les têtes, ajustèrent leurs rafales sur les groupes qui attendaient leurs valises, s'acharnèrent sur les corps qui tombaient comme les quilles d'un jeu de massacre. Les cris et les gémissements, le vacarme des explosions, l'odeur de la poudre et du soufre..., la salle des bagages offrit en moins d'une minute une vision d'apocalypse. Juan Larroy, l'agent d'assurances portoricain, n'emmènerait jamais sa bien-aimée à Jérusalem pour lui déclarer son amour : Carmen avait été déchiquetée par la première rafale. L'étudiante Sonia Ortiz aurait dû partager le même sort. Mais, en sortant du contrôle de police, sa coquetterie féminine la poussa à aller se recoiffer dans les toilettes. Quand elle entendit la fusillade et les explosions, elle se dit avec étonnement : « Tiens, on nous accueille avec des pétards de bienvenue comme à San Juan ! » C'est alors que plusieurs passagères, hurlantes et couvertes de sang, firent irruption dans la pièce pour y chercher refuge. Persuadées d'être poursuivies par les tueurs, les unes s'arc-boutèrent derrière la porte pendant que les autres s'écroulaient à genoux pour prier. Mais Dieu semblait avoir abandonné le hall d'arrivée de l'aéroport de Lod. Olga Navedo, vingt-deux ans, était en train de prendre la photo d'un groupe d'amis quand la fusillade avait éclaté. Elle avait eu le réflexe de se jeter à plat ventre. Des corps étaient tombés sur elle, lui faisant un rempart. Des éclats de grenade l'avaient blessée aux pieds et aux chevilles restés à découvert. Dès qu'elle avait pu se dégager, elle avait commencé à ramper vers la sortie au fond de la salle. Soudain, un objet insolite accrocha son regard. C'était un pied dans une chaussure, le pied de sa tante Luz qui gisait à côté d'elle dans une mare de sang.

Cristina Matos, qui était venue en Terre sainte pour honorer la promesse faite à son mari, décédé trois mois plus tôt, d'ensevelir l'urne de ses cendres sur le mont des Oliviers, eut le réflexe de se protéger le visage avec son sac à main. Elle sentit au bout d'un moment un liquide chaud sur les doigts et vit qu'elle saignait abondamment. La balle qui aurait dû la frapper en pleine tête avait traversé sa main avant de s'arrêter sur son poudrier.

Les Japonais bondissaient d'un côté à l'autre de la salle en tirant avec frénésie. On aurait dit qu'ils cherchaient à s'autodétruire en même temps que leurs victimes. Une giclée de balles atteignit Yasuda, l'étudiant en architecture de Kyoto, qui s'était imprudemment avancé devant ses compagnons. Il poussa un rugissement avant de basculer en avant, frappé à mort. Rendu comme fou, l'époux de Fusako posa sa mitraillette et sortit deux grenades de ses poches pour venger son camarade. Pour mieux ajuster son tir, il grimpa sur le bord du tapis roulant, mais une soudaine secousse du mécanisme lui fit perdre l'équilibre. En voulant se rétablir, il laissa échapper l'un des projectiles qui lui explosa en pleine face, lui arrachant la tête. Okamoto restait seul. Enjambant les cadavres de ses camarades, il s'élança vers la paroi vitrée derrière laquelle attendaient les familles et les amis affolés des passagers. Il vida deux chargeurs. La vitre s'étoila d'une constellation d'impacts. Des gens s'écroulèrent en hurlant. Le Japonais revint alors à son point de départ, sortit de son sac une nouvelle provision de grenades qu'il enfourna dans ses poches, sauta sur le tapis roulant et sortit par le panneau sous lequel arrivaient les bagages. Apercevant sur la piste un avion qui se rangeait sur le tarmac, il ouvrit le feu en direction du cockpit et lança deux grenades vers les moteurs.

De sa cachette derrière un container, le mécanicien de la compagnie El Al, Nahum Zaiton, avait assisté à l'attaque. Quand le terroriste arriva à sa hauteur, il se jeta sur lui et le fit rouler à terre. Des policiers et des soldats accouraient à cet instant de tous côtés. L'un d'eux se précipita sur Okamoto pour lui arracher sa mitraillette mais celui-ci eut le temps de retourner le canon contre sa poitrine et d'appuyer sur la détente. La mitraillette fit « clic ! ». Son chargeur était vide. Il voulut alors dégoupiller une grenade dans sa poche, mais l'intervention fulgurante d'un autre policier l'en empêcha. Le guerrier heishi avait perdu. Il n'entrerait pas au paradis des chevaliers du Vent divin. Il n'avait pas réussi à se suicider. Le massacre avait duré moins de trois minutes. On retrouvera cent trente-huit douilles sur le sol. Georges Habache et la veuve Fusako pouvaient se congratuler : ils avaient frappé en plein cœur d'Israël. Leur tuerie avait fait vingt-six morts et soixante-douze blessés, dont certains très gravement atteints. Les uns seraient amputés des deux jambes, d'autres resteraient défigurés; d'autres seraient aveugles à tout jamais.

*

Principal aérodrome international civil du pays, Lod faisait l'objet d'une surveillance permanente. En quelques minutes, d'importantes forces de sécurité avaient bouclé tout le secteur et occupé les objectifs sensibles tels que la tour de contrôle, le dépôt des carburants et le central des télécommunications. Instantanément prévenu, le général Rehavan Zeevi, un colosse de quarante-six ans, était arrivé sur place très rapidement. Zeevi commandait la région militaire du centre d'Israël dont dépendait l'aéroport, mais il était plus connu dans l'armée pour son sobriquet de « Gandhi » dû au recueil de poèmes que lui avait inspiré l'idéal de non-violence du Mahatma. La vision d'apocalypse qui l'attendait cette nuit-là était la négation bestiale de cet idéal.

L'enchevêtrement des morts et des mourants, les gémissements et les appels au secours des vivants criés dans toutes les langues, l'insoutenable odeur de sang et de brûlé, les nuages épars de fumée provenant des explosions, les valises déchiquetées, tous les ingrédients de l'horreur étaient réunis dans cette salle de l'aéroport israélien. Ignorant que deux des assassins étaient morts et le troisième capturé, le Portoricain Alejandro Rivera voulut à tout prix s'enfuir de cet abattoir où il était sûr de périr. Son épouse et lui s'étaient abrités derrière le distributeur automatique de boissons. Profitant de l'écran de fumée provoqué par une grenade tombée devant leur cachette, Alejandro empoigna sa femme et courut vers la sortie. Arrivés dehors miraculeusement indemnes, les Rivera s'engouffrèrent directement dans un taxi.

– Hôtel Saint-Georges à Jérusalem, vite ! cria Alejandro.

À la vue des policiers israéliens qui tentaient de protéger le dernier terroriste de la foule furieuse, un autre passager portoricain crut qu'il allait être lynché. Avec ses cheveux de jais, ses pommettes saillantes, ses yeux bridés, ce fils d'Indiens des Caraïbes avait un type nettement asiatique. À l'apparition des premiers soldats israéliens, Regina Filiciano, une institutrice retraitée de San Juan, fut prise de panique. Elle pensa que c'étaient d'autres terroristes venus achever les survivants. Décidée à tout risquer pour sauver sa vie, elle s'enfuit vers la sortie. « Mes vieilles jambes me portaient comme celles d'un cheval ailé », dira-t-elle. Tandis qu'elle courait, un psaume lui traversa la mémoire. « Ils sont dix mille qui tomberont à ta droite et, à toi, il n'arrivera rien », répéta-t-elle avec ferveur.

*

L'armée avait pris le commandement et interrompu temporairement le trafic aérien. Le général Zeevi, alias « Gandhi », était pressé. Il se savait responsable de la vie des milliers de passagers qui devaient arriver à l'aéroport de Lod ou en partir dans les prochaines heures. Le massacre de la salle des bagages n'était peut-être qu'un prélude à d'autres actions plus vastes et plus meurtrières. Il fallait absolument que l'unique survivant du commando parle. C'était la seule façon d'empêcher d'autres tragédies. Mais le frêle garçon aux yeux baissés qu'on amena au général israélien ne correspondait pas du tout à l'image qu'il se faisait d'un terroriste. Il s'était muré dans un mutisme sépulcral et le seul document trouvé sur lui, un passeport japonais, ne comportait plus ni état civil ni photographie. Zeevi fit réveiller l'ambassadeur du Japon à Tel-Aviv pour qu'il envoie d'urgence un interprète. Puis il fit conduire Okamoto dans la salle des bagages où médecins et infirmiers s'affairaient auprès des blessés. Soudain, le Japonais trébucha sur le corps sans tête de son camarade Okudeira. L'horrible vision le fit craquer. Il s'écroula en gémissant. Un peu plus loin, il reconnut le corps de Yasuda, la poitrine déchiquetée par les balles de ses propres camarades. Tous les trois portaient la même ceinture à boucle dorée, ce qui confirma à Zeevi qu'ils appartenaient bien au même commando.

De retour dans le bureau qui servait de PC au général, Okamoto ne montra plus aucun signe d'émotion. La tête baissée, les yeux clos, le visage figé dans une totale absence d'expression, le terroriste restait obstinément muet. Plusieurs heures s'écoulèrent. Le trafic aérien avait repris. Hormis les traces d'impacts dans les murs et les parois vitrées, la salle des bagages avait retrouvé son aspect normal. Le général et ses officiers s'acharnaient toujours auprès de leur prisonnier. L'interprète faisait de son mieux. Mais ni les suppliques ni les menaces ne parvenaient à faire sortir un son de sa bouche. Soudain, après six heures d'efforts, il y eut un coup de théâtre. Émergeant brusquement de sa torpeur, Okamoto fit signe qu'il désirait un crayon et un morceau de papier. « Je demande à être emmené à l'extérieur pour être exécuté, ou bien je veux pouvoir me donner la mort », écrivit-il avec application. Le général vit là une occasion inespérée de lui proposer un marché. Il fit sortir ses officiers et resta seul avec lui et l'interprète. Saisissant l'énorme colt qui pendait à sa ceinture, il le posa devant lui sur la table. Avec une lenteur calculée pour bien souligner l'importance de son geste, il déverrouilla le chargeur et entreprit d'en retirer les balles une à une. Quand la petite gaine métallique se trouva complètement vide, il la rechargea avec un seul projectile. Puis il réintroduisit le chargeur dans son logement. Il brandit alors le revolver sous les yeux du Japonais qui avait suivi chacune de ses manipulations avec une attention fascinée.

– En échange d'une confession complète et honnête, je t'offre ce revolver et la balle qu'il contient pour te suicider, annonça-t-il.

« Ce marché fit l'effet d'une baguette magique », dira le général Zeevi. Okamoto sortit instantanément de son apathie. Sûr d'avoir trahi ses idoles du Vent divin en échappant à la mort, il fut soulagé de pouvoir les rejoindre et mourir comme un guerrier heishi. Zeevi exigea qu'Okamoto commence sa confession écrite par l'engagement solennel qu'il n'utiliserait l'arme fournie contre personne d'autre que lui-même. Traduites à mesure, les réponses du Japonais apaisèrent les craintes du général. Aucune autre action terroriste contre l'aéroport n'était en cours d'exécution ni même en préparation cette nuit-là. Zeevi put tout de suite rassurer le Premier ministre Golda Meir accourue d'urgence, et son ministre des Transports Shimon Peres, qui attendaient dans une pièce voisine après être allés visiter les blessés dans les différents hôpitaux.

La confession s'étendit bientôt sur neuf longs paragraphes. Elle fournissait de précieuses indications, notamment sur les motifs qui avaient poussé les trois Japonais à devenir des kamikazes au service des Palestiniens. Mais elle ne livrait aucune indication sur l'organisation de la tragédie. Zeevi décela en outre plusieurs contradictions flagrantes dans le récit du terroriste, ce qui lui épargnait d'avoir à honorer le contrat passé avec lui. Quand Okamoto eut terminé, Zeevi rengaina son colt et livra son prisonnier aux policiers.

« Un crime qui n'avait pas encore de nom »

Sauf en Égypte et en Syrie où il fut applaudi par les responsables politiques et de nombreux journaux, le massacre de l'aéroport israélien plongea le monde dans la stupeur. Le fait que des citoyens d'un pays sans aucun lien avec le conflit israélo-palestinien soient venus du fond de l'Asie pour abattre des touristes originaires d'une autre partie du monde qui n'était pas davantage concernée par le drame du Proche-Orient rendait la tragédie de Lod particulièrement odieuse. L'une des premières réactions japonaises vint du père d'Okamoto. Dans une lettre à l'ambassadeur d'Israël à Tokyo, l'ancien maître d'école expliqua sa consternation devant l'acte de son fils.

« Pendant quarante ans, j'ai cru que je m'étais dévoué loyalement à l'éducation de notre jeunesse, écrivit-il. Je vois que je me suis trompé. Je vous prie de châtier mon enfant sans tarder en lui infligeant la mort. »

Mais c'est bien entendu en Israël même que l'indignation fut à son comble. Toute la Knesset debout observa une minute de silence en hommage « aux morts innocents ». La voix étranglée de colère, Golda Meir accusa « les Arabes qui ont si peu de courage eux-mêmes qu'ils sont obligés de recruter des étrangers pour accomplir leurs sordides besognes ». Elle réclama un boycott international aérien immédiat du Liban et fustigea sans ménagement « cet État qui abrite et encourage la préparation de tels crimes ».

Israël enferma Kozo Okamoto dans la cellule de sécurité maximale spécialement aménagée dans la prison de Ramleh pour le plus célèbre criminel jamais jugé sur son territoire, l'un des architectes nazis du génocide juif, Adolf Eichmann. Il fut enchaîné et dépouillé de ses vêtements et de tout objet susceptible de l'aider à mettre fin à ses jours. Des unités de l'armée vinrent renforcer la protection de la prison. Le pays était résolu à profiter de l'émotion générale pour juger très rapidement le coauteur de l'abominable tuerie. La question du châtiment qu'il méritait divisait l'opinion. Une large fraction de la population considérait que le Japonais méritait la mort. La peine capitale existait en Israël. Son champ d'application était régi par la loi sur les crimes nazis et par une ordonnance d'exception instituée sous le mandat britannique pour réprimer les crimes de terrorisme. Le châtiment suprême pouvait donc être requis contre le Japonais. Hormis celle qui avait frappé Eichmann, trois condamnations à mort seulement avaient été prononcées depuis la naissance de l'État, toutes trois contre des terroristes arabes. Mais, pour des motifs de sécurité, ces peines capitales avaient été commuées en détentions perpétuelles. Le risque de fabriquer des martyrs ou de provoquer des représailles semblait en effet trop grand.

Le procès s'ouvrit le 12 juillet 1972, sous la lumière aveuglante des projecteurs de télévision, au milieu d'exceptionnelles mesures de sécurité. Ni l'implacable acte d'accusation lu par le colonel présidant le tribunal, ni la poignante énumération des noms des vingt-six morts de la nuit fatale, ni la description par un survivant des mutilations à vie de nombreux blessés, ni le déballage des pièces à conviction (mitraillettes, éclats de grenade, etc.) ne provoquèrent l'ombre d'une émotion visible sur le visage du Japonais. Toute cette agitation ne le concernait pas. Il avait même l'air tellement absent que le policier auquel il était enchaîné devait constamment lui secouer le bras pour l'obliger à suivre les débats. Mais cette apparence était trompeuse. Puisque la mort lui avait fait l'outrage de ne pas vouloir de lui, il se vengerait en faisant de son procès une profitable opération de propagande. Dès la première audience, son défenseur commis d'office comprit qu'il n'obtiendrait aucune coopération de sa part. Considérant que seul un dément pouvait perpétrer un tel forfait, l'avocat Max Kritzman avertit le tribunal qu'il allait plaider la folie, ce qui sortit Okamoto de sa fausse torpeur pour le faire bondir comme un diable. Les poings serrés, le regard brillant, il éclata :

– Je suis parfaitement sain d'esprit ! J'assume en mon nom et en celui de mes camarades la pleine responsabilité des événements survenus à l'aéroport. Je refuse la prétention de mon défenseur de me faire subir un examen psychiatrique.

Kritzman chercha un autre moyen de sauver la tête de son client. L'enquête n'ayant pu trouver un document attestant son âge exact, il assura les juges que l'aspect particulièrement juvénile de l'accusé prouvait qu'il avait sans doute beaucoup moins de vingt et un ans, ce qui justifiait son renvoi devant un tribunal pour mineurs. Le Japonais réagit violemment.

– J'ai vingt-quatre ans ! Je suis né le 25 février 1948 ! cria-t-il d'une voix aussi saccadée que les rafales de sa mitraillette le soir tragique.

L'avocat israélien s'acharna quand même dans son impossible mission.

– Mon client est un personnage étrange avec des concepts bizarres, plaida-t-il. Une condamnation à mort ferait de lui un martyr. Sa pendaison ne servirait ni Israël ni le monde. Nous avons aujourd'hui l'occasion de montrer notre générosité et notre magnanimité.

À la fureur d'une large fraction de l'opinion israélienne et à la stupéfaction des observateurs, notamment des diplomates et correspondants de presse japonais, l'accusation se plaça d'emblée sur un même terrain de magnanimité.

– La perversion morale de l'accusé et de ses commanditaires nous autorise à nous appuyer sur notre propre force pour nous retenir, même dans ce cas horrible, de réclamer toute la rigueur de la loi, déclara le colonel procureur dans son réquisitoire, avant de conclure : Je sais, messieurs les Juges, que ce que je vous demande là dépasse toutes les possibilités de la générosité humaine. Il serait inconcevable de renouveler cette mansuétude une autre fois. Mais nous espérons qu'il n'y aura pas d'autre fois.

Les déclarations belliqueuses de l'accusé devaient, elles aussi, paradoxalement pousser le tribunal vers un verdict de clémence. À un juge qui lui demanda pourquoi c'étaient des « soldats japonais » qui avaient exécuté cette attaque, et non des terroristes arabes, Okamoto répondit :

– Notre action aux côtés des Arabes n'est qu'un prétexte pour permettre à notre organisation de se propulser sur la scène internationale. Demain, la Fraction Armée rouge japonaise étendra la guerre révolutionnaire au monde entier.

À un autre juge révolté par les vingt-six morts de Lod, le Japonais expliqua tranquillement que « la guerre implique toujours des massacres et des destructions ». Dans sa déposition finale, il fit plusieurs fois référence au Viêt-nam dont « le peuple pleurait pour le monde », et aux Panthères noires américaines qui « traçaient la route de la révolution mondiale ». Curieusement, sur les quatre-vingt-dix minutes que dura cette déposition soigneusement préparée, pas une seule minute ne fut consacrée au conflit israélo-arabe pour lequel lui et ses camarades avaient pourtant accepté de faire le sacrifice de leur vie.

Kozo Okamoto échappa au sort d'Adolf Eichmann. Il fut condamné à la détention perpétuelle. Ses juges considérèrent que, à la différence du chef nazi, il n'avait pas exprimé ses pulsions destructrices contre les Juifs en tant que peuple, mais contre la société humaine en général, dans une entreprise qui projetait de changer les structures sociales du monde. Dans un pays aussi organisé que le Japon, expliqua le président du tribunal, de tels fanatiques avaient peu de chances de réaliser leurs ambitions. Ils s'étaient donc tournés vers des organisations politiques et militaires étrangères susceptibles de leur fournir le tremplin nécessaire à leur objectif d'« étendre, selon les propres mots de l'accusé, la guerre révolutionnaire au monde entier ». Il ne s'agissait pas d'un génocide, c'est-à-dire de l'élimination d'un peuple, mais d'un crime nouveau et plus vaste auquel on n'avait pas encore donné de nom.

Le Japonais écouta les attendus du tribunal debout, au garde-à-vous, sans montrer la moindre émotion, sauf à l'énoncé du verdict. Découvrant soudain qu'on lui volait la mort qu'à ses yeux il méritait, il poussa un cri de fauve blessé et se jeta à terre en sanglotant.

*

L'incarcération de Kozo Okamoto derrière les murs de la prison de haute sécurité de Ramleh ne fit pas pour autant disparaître le nom du terroriste japonais des titres de l'actualité. Au contraire, il devint rapidement dans tout le Proche-Orient une sorte de martyr fétiche du combat israélo-arabe. Sur les corps de feddayin tués alors qu'ils tentaient de s'infiltrer en Israël, on trouva des tracts exigeant sa libération immédiate.

*

Les militants de la Fraction Armée rouge japonaise installés au Liban continuèrent de rester très actifs. Fusako Shinegobu, la pasionaria du mouvement qui n'avait pas hésité à sacrifier son jeune époux dans l'attentat de Lod, révéla dans une lettre à l'*Asahi Shimbun,* le plus grand quotidien du Japon, qu'un commando japonais préparait une action terroriste spectaculaire pour arracher son compatriote à ses geôliers israéliens. IATA, l'organisation internationale du transport aérien, reçut de son côté plusieurs messages annonçant des représailles dans de nombreux aéroports du monde au cas où les Israéliens refuseraient de relâcher leur prisonnier.

Ignorant de l'agitation qu'il suscitait, le prisonnier coulait des jours solitaires mais studieux dans la spacieuse cellule d'Adolf Eichmann. Dès son incarcération, il avait demandé des livres pour apprendre l'hébreu et s'initier à l'anglais, ainsi que des ouvrages sur la religion juive. Si ses progrès dans la langue des prophètes et dans celle de Shakespeare restèrent longtemps timides, son intérêt passionné pour l'étude du judaïsme ne devait pas tarder à causer une vive frayeur chez ses gardiens. Ceux-ci trouvèrent un matin leur prisonnier saignant abondamment d'une partie intime de son individu. Okamoto avait cherché à accomplir l'acte symbolique qui, par le sang répandu, consacrait l'alliance du peuple juif avec le dieu Jéhovah. Armé de sa pince à ongles, il avait essayé de se circoncire mais n'avait réussi qu'à se blesser. On le transporta à l'infirmerie où il subit, cette fois de la main d'un médecin juif, une circoncision en bonne et due forme.

En 1976, la forteresse de Ramleh accueillit dans ses murs un autre détenu de marque. Condamné à douze ans de prison pour avoir introduit clandestinement des armes dans le coffre de sa Mercedes diplomatique, Mgr Hilarion Capucci, archevêque de Jérusalem, fut incarcéré dans une cellule proche de celle du Japonais. Cette cohabitation inattendue offrit au kamikaze circoncis l'occasion de découvrir les rites d'une autre religion née sur cette terre de Palestine si féconde en spiritualité et si proche de Dieu. Le prélat contribua aussi à développer les connaissances en anglais de son jeune voisin et l'encouragea à travailler dans l'un des ateliers de la prison. Les doigts qui avaient tiré des rafales meurtrières commencèrent alors à tisser des filets de camouflage pour l'armée israélienne. Le choix de cette occupation n'était sans doute pas accidentel, l'art de la dissimulation étant l'une des vertus cardinales des héros du théâtre Kabuki qu'il admirait tant. Une voix mit toutefois rapidement fin à l'expérience. Le prisonnier déclara un matin à ses geôliers que, dans la nuit, le Messie lui avait ordonné de cesser tout travail manuel pour se consacrer à l'étude exclusive des psaumes chantant ses louanges.

*

Le 20 mai 1985, presque treize années après sa condamnation à la détention perpétuelle, Kozo Okamoto fut brusquement sorti de la cellule où je l'avais rencontré. Ses gardiens le firent monter dans un autocar garé dans la cour de la prison. De nombreux prisonniers arabes s'y trouvaient déjà entassés. Organisé par le chancelier autrichien Bruno Kreisky au terme de mille deux cents heures de négociations secrètes, l'échange de trois soldats israéliens aux mains de l'armée syrienne contre quelque quatre mille six cents Palestiniens et Libanais détenus par Israël venait de commencer. Le nom de Kozo Okamoto s'était naturellement trouvé en tête des listes présentées par les responsables du Front patriotique de libération de la Palestine, l'un des partenaires de la négociation. Moins d'une demi-heure après avoir quitté la prison où il s'attendait à vivre jusqu'à son dernier jour, le Japonais traversa, impassible, la salle de l'aéroport qu'il avait, un soir de mai 1972, transformée avec ses complices en abattoir humain. Il fut placé à bord d'un avion en partance pour Genève où il fut transféré sur un Boeing 747 spécial envoyé par le dictateur libyen Muammar Kadhafi. Des milliers de Libyens enthousiastes brandissant des rameaux d'olivier attendaient le survivant du massacre de Lod et ses trois cents quatre-vingt-quatorze camarades arabes à leur arrivée à Tripoli. Ahmed Jibril, chef de la branche action du FPLP et principal organisateur de l'action terroriste arabe dans le monde, serra dans ses bras l'ancien étudiant en botanique devant les objectifs des caméras de télévision du monde entier.

La libération de Kozo Okamoto valut au gouvernement israélien les protestations attristées du ministre des Affaires étrangères japonais, Shintaro Abe. Au nom de son gouvernement, il regretta un geste qui, selon lui, ne pouvait qu'encourager le terrorisme international. Soucieux de conserver leurs bonnes relations avec Tokyo, les Israéliens s'excusèrent : l'élargissement de leur prisonnier était la condition *sine qua non* de la libération de leurs trois soldats détenus par les Syriens.

Les responsables de la Fraction Armée rouge installés à Beyrouth décidèrent d'éloigner le Japonais, au moins provisoirement. Ils redoutaient une action contre lui des services secrets de Jérusalem. Ils sollicitèrent l'hospitalité de la Chine et de la Corée du Nord, mais aucun de ces deux pays n'accepta d'offrir un asile à l'ancien terroriste. Quant au Japon, il fit fermement savoir que Kozo Okamoto serait immédiatement arrêté et déféré devant un tribunal spécial s'il se présentait sur son territoire. Faute de mieux, c'est finalement à Damas, qui servait déjà de refuge à plusieurs importants criminels de guerre nazis et à nombre de terroristes de tous bords, que le coauteur de la tuerie de Lod vint se cacher. Il y vécut dans un relatif oubli pendant plusieurs années. Puis il retourna au Liban afin d'y prendre une retraite apparemment définitive.

Alerté par les services secrets israéliens de sa présence au pays du Cèdre, le gouvernement japonais fit aussitôt pression sur le Liban pour qu'il arrête cet encombrant réfugié, ainsi que les quelques ex-terroristes de la Fraction Armée rouge japonaise encore en cavale dans la région. Tokyo n'hésita pas à « acheter » ces arrestations. À l'occasion d'une visite dans la capitale nippone, un haut responsable de l'un des services de renseignements de Beyrouth se laissa convaincre, contre espèces sonnantes et trébuchantes, de mettre la main sur Okamoto et quatre de ses anciens camarades, pour les faire traduire aussitôt en justice. Le procès s'ouvrit à Beyrouth le 9 juin 1997. Une trentaine d'organisations libanaises et palestiniennes, dont le Hezbollah et la branche libanaise du parti Baath au pouvoir à Damas, s'insurgèrent contre la mise en accusation de ces militants de « la juste cause palestinienne ». Pas moins de cent trente-six avocats syriens et libanais se portèrent candidats pour assurer leur défense. Dans un communiqué, le collectif des défenseurs qualifia Okamoto de « héros arabe » et de « stratège qui a compris l'unicité de la lutte contre Israël ». En attendant un jugement qui risque de ne pas être rendu avant des mois, Okamoto et ses camarades annoncèrent qu'ils se donneraient la mort si le Liban décidait de les extrader vers le Japon.

Fin mai 1997, à l'occasion du vingt-cinquième anniversaire de sa tuerie dans l'aéroport de Tel-Aviv, l'ancien étudiant en botanique, devenu un retraité du terrorisme à cheveux blancs, se fit livrer dans sa cellule des fleurs et des gâteaux.

10

Une sacrée bagarre contre le crabe

Monsieur Dominique Lapierre ? Le docteur souhaite vous parler.

J'ai tout de suite compris. Jamais l'assistante de mon urologue parisien ne s'exprimait de façon aussi formelle. Son ton, ce matin, me confirmait ce que je redoutais tant.

Poussée par quelque mystérieuse intuition, mon épouse Dominique m'avait obligé à consulter un médecin. Mon état général la préoccupait. Une échographie abdominale pratiquée à la clinique de Saint-Tropez, ainsi qu'un examen sanguin spécifique avaient révélé quelques légères anomalies dans une petite glande située sous la vessie dont la plupart des hommes ignorent la fonction et souvent même l'existence, la prostate.

Je n'avais entendu parler de cet organe que par le plus grand des hasards. Un ancien général britannique de l'armée des Indes, que j'interviewais un jour pour mon livre *Cette nuit la liberté,* m'avait raconté qu'il avait failli périr sous les balles des guerriers pathans à cause de sa prostate. Comme beaucoup d'officiers anglais ayant servi aux Indes, il avait pris sa retraite au Cachemire. Quand la guerre enflamma cette province au lendemain de l'indépendance de l'Inde et du Pakistan, il avait fallu évacuer d'urgence ces vieux gentlemen britanniques. Leur fuite avait été dangereusement ralentie, leurs autocars devant constamment s'arrêter pour permettre à l'un ou à l'autre de satisfaire une pressante envie. L'âge avait dilaté leur prostate, au point de comprimer leur vessie. J'avais compati à ces misères sans me douter qu'un jour elles me frapperaient à mon tour.

L'urologue de Saint-Tropez s'était voulu rassurant. Tout homme ayant franchi la cinquantaine se trouve exposé à des ennuis prostatiques. Dans la grande majorité des cas, un simple traitement par médicaments ou une petite intervention chirurgicale suffisent à résoudre le problème. De toute façon, la prostate n'est pas un organe vital. Son unique fonction est de sécréter un liquide blanchâtre qui dilue le sperme et facilite son éjaculation.

À Paris, un éminent spécialiste avait prélevé à l'aide d'aiguilles plusieurs fragments de tissus. Puis nous étions rentrés à Ramatuelle pour y attendre le verdict du laboratoire d'anatomopathologie. Pendant huit jours, j'avais sursauté à chaque sonnerie du téléphone. Vint enfin l'appel attendu.

– Je viens de recevoir le compte rendu du laboratoire, commença le praticien. Ce n'est pas très bon. Deux biopsies sur les trois font apparaître la présence d'un adénocarcinome.

– D'un adéno... ?

– C'est une tumeur cancéreuse.

– Merde !

– Mais apparemment il s'agit d'une tumeur primaire, se hâta-t-il d'ajouter. Ce n'est pas une métastase d'une autre tumeur située ailleurs. D'autre part elle est bien différenciée et seulement de grade 2 + 2. Cela signifie qu'elle est peu agressive. Il y a donc moins de risques qu'elle diffuse ses cellules cancéreuses à d'autres organes. Nous allons faire des examens complémentaires pour le vérifier.

– Docteur, ma vie est-elle en danger ?

Il y eut un silence au bout du fil. Puis la voix rassurante revint.

– Ne vous inquiétez pas, cher monsieur, la médecine ne manque pas d'armes contre ce type de cancer.

Cette formule ne me tranquillisa qu'à moitié.

– Vous pensez à la chirurgie ?

– À la chirurgie, mais aussi à la radiothérapie et à la chimiothérapie. À première vue, j'opterais plutôt pour la chirurgie. Mais nous en déciderons à la vue des prochains examens.

Ce « nous » me réconforta : le médecin s'associait à mon épreuve. Je me précipitai jusqu'à la bibliothèque pour attraper mon vieux Larousse médical que j'emportai sous le grand pin devant la maison. Depuis trente ans, j'apaisais mes peurs et mes colères à l'abri de ce seigneur végétal. Il était mon ami, mon protecteur. Aujourd'hui, je venais lui confier ma révolte. À cinquante-huit ans, je me sentais jeune, actif, plein de projets. Je n'avais pas fumé une seule cigarette depuis des lustres, je ne buvais pas, ne commettais pas d'excès. Je menais une existence saine, loin des pollutions, des bruits, des stress de la vie urbaine. J'étais un mari, un père, un ami et un auteur comblés. Toutes mes cellules, j'en étais convaincu, participaient à cet équilibre et à ce bonheur. Pourquoi fallait-il que quelques-unes se soient subitement rebellées pour faire de moi un cancéreux ?

Je cherchai fébrilement le mot « prostate » dans le Larousse. L'article consacré à cette petite glande n'était guère réconfortant. Son volume doublait, et même triplait à partir de la soixantaine. Sa localisation profonde dans une zone hautement vascularisée, au carrefour des fonctions urinaires et sexuelles, sa pathologie nombreuse et variée qui allait de simples inflammations aux tumeurs cancéreuses en passant par les hypertrophies invalidantes, comme celles qui avaient accablé les vieux Anglais du Cachemire, faisaient de la prostate un organe à problèmes. L'évolution de toutes ces misères s'accompagnait d'hémorragies, d'abcès, de rétentions, d'incontinences, d'infections souvent gravissimes. Dans les cas de cancer, l'article signalait de violentes douleurs entre l'anus et les parties génitales, le long des cuisses et sur le trajet du nerf sciatique. L'article soulignait que c'était un cancer grave par son risque d'extension locale à la vessie, au tissu cellulaire du petit bassin, au rectum, aux uretères, et d'extension à distance sous forme de métastases osseuses, pulmonaires, cérébrales et hépatiques. Aucun traitement ne paraissait anodin. Je lus des mots qui me donnèrent la chair de poule : « incontinence », « impuissance », « castration ». Car, expliquait le Larousse, la prostate étant un organe génital, elle était sensible à l'action des hormones mâles. Il suffisait de supprimer ces dernières pour réduire l'activité de la glande et, du même coup, ses pathologies. Ces traitements prolongeaient la vie des malades pendant des mois, voire des années. Mais au prix de douloureux sacrifices.

Ma femme, toujours si attentive à mes craintes, me

rappela que le spécialiste parisien avait indiqué sa préférence pour l'ablation chirurgicale de ma tumeur. Mais le Larousse n'avait pas de qualificatifs assez sinistres pour décrire cette option. L'opération, lourde et dangereuse, « exigeait beaucoup d'expérience dans le décollement de la partie inférieure de la vessie, et une hémostase très soignée, souvent difficile à réaliser chez des sujets dont le panicule adipeux est trop important ». La tumeur ne devait pas « être trop grosse afin que son ablation ne soit pas l'occasion d'une déchirure étoilée de la vessie, dont la réfection serait impossible ». Après d'autres considérations tout aussi optimistes, le gros ouvrage concluait qu'il ne fallait pas « ignorer les conséquences immédiates et lointaines de cette intervention ». Ces conséquences étaient loin d'être roses : quel homme dans la force de l'âge pouvait accepter l'éventualité de ne plus jamais goûter les plaisirs de l'amour et de voir sa fonction urinaire aboutir dans une poche de plastique accrochée à sa ceinture ?

Ma révolte se prolongea toute une partie de cette fatale journée. Puis mon instinct de survie reprit le dessus. Je sellai ma jument Pomme de Pin et partis au galop dans les collines. Cette chatouilleuse andalouse arrachée aux abattoirs de Draguignan m'offrait toujours la plus heureuse et bénéfique des complicités. Elle était depuis vingt ans mon yoga quotidien. Rênes longues, au petit trot, les yeux perdus dans la verdure, j'avais résolu sur son dos la plupart de mes problèmes d'écriture, trouvé les solutions de mes ennuis personnels, rêvé aux aventures les plus folles, et inlassablement remercié Dieu pour la manne de ses bienfaits.

C'était une de ces lumineuses et transparentes soirées de septembre. Le rougeoiement des vignes habillait la presqu'île d'un manteau écarlate. Purifié des moiteurs de l'été, l'air vif piquait le visage. Des sous-bois et du maquis montait une odeur de champignons et de lavandes sauvages. Au sommet d'une petite montée, j'aperçus le spectacle toujours si magique de la baie de Saint-Tropez, avec, niché au bord de l'eau sous les murailles de sa citadelle, le petit port mythique et son enchevêtrement de bateaux et de tuiles rouges. Fouetté par cette beauté, je me mis à insulter les sales petites bêtes qui me rongeaient. « Non, non, et non, vous ne gagnerez pas ! Non, vous n'irez pas vous promener ailleurs dans mon corps. Je vous clouerai sur place avant de vous extirper et de vous anéantir. » Cette rage enfantine me soulagea. Je rentrai à la maison rasséréné, bien décidé à me battre.

*

Malgré l'heure matinale – sept heures et demie –, la salle d'attente du service de médecine nucléaire de ce grand hôpital parisien était déjà bondée. Au moins trente personnes s'alignaient sur les chaises rangées contre les cloisons vert pâle. Hommes et femmes étaient en nombre à peu près égal. La plupart avaient dépassé la cinquantaine, mais il y avait aussi des gens plus jeunes. Tous étaient comme moi atteints d'un cancer. La scintigraphie du squelette allait nous dire si nous avions une chance de triompher de notre mal. Je m'étonnais de voir si peu d'inquiétude sur les visages, tant de calme dans le comportement. Les uns lisaient placidement le journal ou feuilletaient les vieux magazines qui jonchaient les tables, d'autres bavardaient joyeusement avec le parent ou l'ami venu les accompagner. Une dame tricotait un pull-over. Un couple âgé se tenait par la main. L'homme portait la Légion d'honneur. Une pulpeuse jeune femme en jean et blouson de cuir écoutait avec extase les accents de rock que son Walkman lui matraquait dans les oreilles à travers sa chevelure crépue. Un peu plus loin, le dos courbé, le cou maigre émergeant du col de son veston noir orné d'une petite croix, un curé lisait son bréviaire. À côté de lui, un gros Noir en baskets se limait les ongles en mâchonnant un chewing-gum. Une petite dame rondouillarde avait posé un sac en Skaï noir sur ses genoux. Elle m'adressa un petit salut et fit glisser la fermeture Éclair. Je vis apparaître la tête d'un chat.

– Il n'aime pas rester seul, s'excusa-t-elle. Depuis que je suis malade, il miaule à la mort chaque fois que je m'éloigne.

Elle passa une main dans sa fourrure et l'animal commença à ronronner. Bientôt, toute l'assistance eut les yeux tournés vers cette présence insolite.

Cet échantillon d'humanité souffrante était un modèle de stoïcisme tranquille. Une infirmière apparut.

– Monsieur Perrin ! appela-t-elle.

Le vieux monsieur qui tenait tendrement la main de sa

femme se leva. Ce fut bientôt mon tour. Avant de pouvoir procéder à la scintigraphie des os aux rayons X, il fallait injecter à chaque patient un produit de contraste à base d'iode destiné à se déposer sur les différentes parties du squelette. Dès que l'aiguille pénétra dans mon bras, je sentis une vague brûlante envahir mon corps. Je fus renvoyé dans la salle d'attente. L'examen proprement dit aurait lieu dans une heure. Je retrouvai avec plaisir mes compagnons d'infortune. M. Perrin avait repris la main de son épouse. La dame au chat avait fait taire les miaulements désespérés de son animal. Les lèvres du curé avaient recommencé à marmonner les saintes litanies de ce jour que la liturgie voulait ordinaire et qui l'était pourtant si peu pour le groupe de naufragés que nous formions.

La jeune femme à la musique rock, M. Perrin, le gros Noir en baskets et les autres s'en allèrent tour à tour subir l'examen. Avant de partir, la dame au chat me confia son sac avec l'animal.

– Caressez-le, me demanda-t-elle, il vous apportera à vous aussi de bonnes énergies.

J'obéis avec un sourire et ressentis un soulagement subit en promenant ma main sur la petite boule de fourrure. Le chat ne devait pas être insensible non plus car il se mit à me lécher les doigts d'une langue vigoureuse. Je vis revenir sa maîtresse à regret. Ce contact m'avait apaisé.

*

Une manipulatrice qui sentait le tabac froid me fit allonger en slip sur une table de radiologie. Un va-et-vient de caméras automatiques commença aussitôt au-dessus de mon corps.

– Ne respirez plus ! Respirez ! Tournez-vous !

Les ordres secs, impersonnels, m'arrivaient comme la voix d'un synthétiseur dans un film de science-fiction. Des écrans de contrôle s'allumaient, s'éteignaient, cliquetaient. La technicienne appuyait sur des boutons, manœuvrait des manettes, faisait coulisser les caméras. J'essayais de lire une réaction sur son visage.

– On vous appellera d'ici une demi-heure, se contenta-t-elle de me dire après que je me fus rhabillé.

Je me précipitai à la cafétéria pour avaler un café et

une tartine. D'autres malades de mon groupe avaient eu la même idée. Spontanément, ils s'étaient assis ensemble. Deux heures à attendre côte à côte un verdict de vie ou de mort créent forcément des liens. La jeune femme au Walkman avait offert un croissant au curé et Mme Perrin avait donné un bout de jambon au petit chat. C'était étonnant, mais ces gens continuaient d'afficher une absolue placidité. Craignant de rater l'appel de mon nom, je me levai. Tout le monde me suivit. Les minutes qui s'écoulèrent alors resteront les plus insupportables de ma vie. On appela la jeune femme au Walkman, puis le curé, puis le Noir. J'adressai dans mon cœur un vibrant « bonne chance » à chacun. Les gens ressortaient plus ou moins vite du cabinet du médecin. Le curé y resta longtemps, ce que j'interprétai comme un mauvais signe. J'entendis enfin une voix appeler : « Monsieur Lapierre ! »

Le radiologue était un petit homme grisonnant assis derrière un bureau jonché de clichés qui montraient un corps humain. Chacun portait l'identité d'un des patients venus ce matin. En voyant le médecin classer ses radios pour trouver la mienne, je me suis senti en face d'une diseuse de bonne aventure qui allait me tirer les cartes. J'essayai de déceler sur son visage un signe, une émotion. Calmement, le radiologue me présenta ma scintigraphie.

– Regardez, monsieur Lapierre, tout est parfait ! Pas le plus minuscule point noir. Aucune métastase osseuse.

J'eus envie de hurler, d'arracher cet homme à son fauteuil, de le serrer dans mes bras, de l'embrasser. Son nom inscrit sur sa blouse blanche restera gravé dans ma mémoire. Soyez à jamais remercié, monsieur Perez, soyez à jamais béni. C'est alors que mes yeux tombèrent sur une autre radio sur la table. Le dessin qui figurait le corps était envahi de points noirs. Il y en avait partout, autour du bassin, le long du dos, du cou, des épaules. Même le crâne était touché. Le docteur Perez hocha tristement la tête.

– Métastases osseuses généralisées, lâcha-t-il avec un soupir. Une saloperie. Aucun espoir. Une femme de quarante-huit ans.

Je lus le nom : « Antoinette Dupeyron ». Après de nouvelles effusions, je quittai précipitamment le docteur et son petit bureau. J'avais envie d'aller respirer un grand coup. En traversant le couloir vers la sortie, j'entendis une infirmière appeler : « Madame Dupeyron ! » Je me retournai instinctivement vers la salle d'attente. La dame au chat s'était levée.

*

Mon épouse Dominique m'attendait à la sortie de l'hôpital, plus jeune, plus vivante, plus jolie que jamais avec ses cheveux coupés court à la chinoise et ses grands yeux noirs éperdus d'amour. Elle déchiffra instantanément la joie qui transfigurait mon visage et se jeta dans mes bras. Je dévorai de baisers ses lèvres, son cou, ses joues mouillées de larmes. Des gens s'arrêtèrent pour nous regarder. Nous nous sommes éloignés en nous tenant par la taille. Nous étions dans une si parfaite communion de cœur et de pensée que les mots étaient inutiles. Nous avions envie de rire, de chanter, de prier. Et de remercier Dieu et la vibrante chaîne d'amis qui nous avaient entourés de leurs prières pour ce merveilleux recommencement, pour ce bonheur non interrompu. Je respirai goulûment l'odeur des feuilles mouillées des marronniers. Les passants, les voitures, les vitrines, les pigeons dansaient autour de nous comme dans une fête. Je savourais avec extase la confirmation de ma présence parmi les vivants. Cette matinée avait été la plus rude de mon existence. Elle m'avait fait toucher du doigt, plus intensément que toutes les expériences de guerre de ma carrière de journaliste, l'étroite frontière qui sépare la vie et la mort, l'espoir et le désespoir. J'avais eu de la chance.

Le grand hôpital parisien où mon cancer avait été diagnostiqué n'avait rien prévu pour informer ses malades et les aider à se prendre en main. Le service d'urologie ne disposait pas de la moindre brochure, du plus petit opuscule susceptible de renseigner un homme atteint d'un cancer de la prostate sur la nature de son mal, sur les moyens d'obtenir sa guérison, sur le soutien que pouvait lui apporter son entourage. Cette carence me surprit et m'indigna. Mon enquête aux États-Unis pour mon livre *Plus grands que l'amour* m'avait montré quels formidables efforts déployaient les organismes de santé américains pour informer les victimes du cancer. Qu'il s'agisse de la détection prématurée de chaque type de tumeur, des mérites respectifs de ses différents traitements, des moyens de combattre les effets secondaires d'une chimiothérapie, du soutien des régimes diététiques, des participations aux essais thérapeutiques, de la gestion des rechutes, de l'encadrement psychologique, et de cent autres questions pertinentes – tout, absolument tout ce qu'un malade et sa famille pouvaient avoir envie et besoin de savoir était expliqué dans autant de brochures qu'il existait de cancers. Ici, rien.

Le cancer dont je souffrais frappe pourtant vingt mille Français chaque année. C'est le plus répandu chez l'homme après celui du poumon. Avec quelque huit mille morts, il fait plus de victimes dans notre pays que les accidents de la route. Comme tant d'autres malades, c'est auprès de mon seul médecin que j'allais, dans un premier temps, essayer d'étancher ma soif d'informations. Je n'oublierai jamais son extrême humanité, sa qualité d'écoute, son infinie patience à répondre à toutes mes questions, sa capacité surtout de faire sienne ma détresse pour m'orienter vers la solution thérapeutique qui offrirait, dans mon cas, la meilleure chance de guérison. Combien de malades l'ont eue, cette chance ? Je savais que, dans certains centres, le choix du traitement dépendait du jour où l'on se présentait. Le lundi, c'était la chimiothérapie, le mardi la radiothérapie, le mercredi la chirurgie, le jeudi autre chose. Cette méthode permettait de comparer les mérites respectifs des différentes thérapeutiques à l'intention des futurs malades et d'établir des statistiques. Mais malheur à celui qui se présentait le jour d'un traitement qui risquait de se montrer moins efficace qu'un autre !

J'avais le choix entre quatre approches. Aussi surprenant que cela paraisse, je pouvais tout d'abord ne rien faire, oublier en quelque sorte mon cancer. Ce type de tumeur évolue parfois très lentement. Même en tenant compte de mon âge encore jeune, j'avais une bonne chance de mourir d'autre chose. Il suffisait de mettre ma tumeur sous surveillance et de s'assurer que ses cellules malignes restent bien tranquilles à l'intérieur de ma prostate. Il ne s'agissait pas d'une tentative de guérison, mais d'un *wait and see* (« attendons et l'on verra »). Son mérite était d'épargner à un malade fragile les agressions peut-être inutiles d'un traitement musclé ou radical. Son inconvénient était de laisser le cancer en place et de prendre le risque d'une escapade intempestive de certaines cellules malades en d'autres endroits du corps.

– Beaucoup de vos patients osent prendre ce risque ?

Mon médecin s'esclaffa avec un air polisson.

– Tous ceux pour qui la vie sans rapports sexuels ne serait plus la vie !

La réponse n'était pas une boutade. Elle traduisait bien le drame particulier du cancer qui m'avait frappé. Je le savais depuis ma lecture du Larousse médical sous le pin parasol. La prostate est située au cœur même d'une des fonctions les plus sacrées de l'homme. Autour de la petite coque de cet organe génital gravitent les testicules, les glandes séminales, les canaux éjaculateurs et, moteurs de tout cet appareillage, les nerfs érecteurs. Pouvait-on la soigner, voire l'enlever, sans risquer de léser définitivement ces accessoires indispensables de la virilité ?

Car les trois thérapeutiques susceptibles de sauver ma vie impliquaient un risque majeur de castration. Pour la chimiothérapie, ce risque était même automatique : l'administration d'hormones en vue d'endiguer l'évolution de la tumeur aboutit fatalement à une castration chimique. Je n'étais heureusement pas justiciable de ce traitement barbare réservé aux seuls cas où le cancer a débordé du cadre de la prostate et envahi d'autres organes. Les deux autres traitements n'étaient pas pour autant d'innocentes promenades. La radiothérapie détruisait certes un maximum de cellules cancéreuses, mais elle en oubliait d'autres et causait souvent de sévères dégâts aux organes voisins, tels la vessie et les fameux nerfs érecteurs. Combien d'hommes avaient-ils été rendus incontinents et impuissants à vie par les rayons ! Restait la chirurgie.

C'est vers cette dernière option que me poussa fermement mon médecin. L'absence de métastases et l'extension limitée de ma tumeur faisaient de moi un candidat idéal pour cette intervention que le jargon des urologues appelle une « prostatectomie totale ». Après l'extirpation au bistouri des soixante grammes de ma prostate infestée de cellules cancéreuses, je serais guéri. C'était, m'assura-t-il, « une option pour la vie ». La Vie ! La Vie avec un grand V. Oui, cent fois oui, mille fois oui, docteur.

– Il m'est impossible de vous garantir à cent pour cent la préservation de votre sexualité, m'avoua le médecin avec gravité. Cela dépend de beaucoup de facteurs qui diffèrent selon chaque malade. Notamment la taille de la prostate, l'épaisseur du tissu graisseux qui l'entoure... Plus la glande a augmenté de volume du fait de la maladie, plus elle peut s'avérer difficile à extraire. Cela dépend aussi de l'examen des ganglions en cours d'intervention. S'ils sont atteints, il faut couper plus large. Et, dans ce cas, il ne faut pas hésiter à sacrifier les nerfs érecteurs, dans l'intérêt même du patient.

Je l'écoutais en regardant ses mains. J'imaginais qu'un chirurgien devait avoir des doigts longs et souples comme ceux d'un pianiste. Les mains de mon chirurgien étaient tout le contraire. C'étaient plutôt de solides mains de bûcheron. Elles inspiraient confiance.

La prostatectomie totale avec préservation des fonctions sexuelles et urinaires était une opération très nouvelle. Elle n'était pratiquée que par une petite minorité d'urologues.

– Docteur, permettez-moi de vous demander combien d'opérations de ce type vous avez faites à ce jour ?

– Une quarantaine, répondit-il, nullement gêné par ma curiosité.

– Toutes avec préservation des nerfs érecteurs ?

– Non, certes. La préservation n'a été possible que chez seize ou dix-sept patients.

– Seize ou dix-sept ! répétai-je, effondré par la modestie d'un tel bilan. Combien de temps dure l'intervention ? m'inquiétai-je alors.

– Entre trois heures et trois heures et demie. Avec des suites en général tout à fait banales. Une journée et une nuit en salle de réanimation, et le lendemain vous vous promenez déjà dans le couloir.

*

Sa fine moustache noire et ses minuscules yeux pétillants lui donnaient un faux air de Groucho Marx. Le professeur Sam Broder, quarante et un ans, était l'une des plus grandes sommités américaines de la lutte contre le cancer. Je l'avais rencontré quelques mois plus tôt dans son laboratoire proche de Washington où il expérimentait des substances antivirales contre des virus vivants du sida. Ces manipulations étaient si dangereuses qu'il m'avait fait signer une décharge dégageant sa responsabilité « pour le cas où des virus VIH viendraient à me contaminer au cours de ma visite ». Une sympathie réciproque immédiate avait prolongé le soir même notre rencontre dans son joli cottage de la banlieue de Washington. Là, en compagnie de sa charmante épouse avocate et devant une bouteille de son gewürztraminer préféré, j'avais pu reconstituer pour *Plus grands que l'amour* son long et rude combat contre le cancer et le sida. Son courage personnel dans la manipulation des rétrovirus VIH avait fini par secouer l'apathie des laboratoires pharmaceutiques. Grâce à ce diable de petit homme, les premiers médicaments contre le fléau avaient vu le jour. Le gouvernement américain venait de le récompenser en le nommant directeur de l'Institut national du cancer. J'ai composé son numéro de téléphone. Quand il a pris l'appareil, je lui ai expliqué ce qui m'arrivait. Et je lui ai dit :

– Sam, j'ai deux questions. Primo, quel est le plus grand spécialiste américain des ablations totales de la prostate ? Deuzio, pouvez-vous me recommander auprès de lui pour qu'il accepte de m'opérer ?

– *No problem, boy ! Cheer up !* (Courage !) Je vous rappelle dans dix minutes.

Exactement dix minutes plus tard, Broder était à nouveau au bout du fil. Le plus grand spécialiste américain était, me dit-il, un chirurgien du Johns Hopkins Hospital de Baltimore nommé Patrick Walsh. Il avait mis au point une opération qui garantissait, chez quatre-vingts pour cent des hommes de moins de soixante ans, la conservation de leurs nerfs érecteurs. Il était prêt à m'opérer. Mais mon déplacement jusqu'à Baltimore ne lui paraissait pas justifié car il avait en France même deux disciples exceptionnels qui avaient réalisé au moins autant d'interventions que lui en utilisant sa technique de préservation des nerfs érecteurs. Ils s'appelaient Pierre Léandri et Georges Rossignol. Ils avaient un avantage unique : ils opéraient ensemble, à quatre mains.

– L'un est droitier et l'autre gaucher, claironna Broder, ce qui leur permet d'enlever une prostate en un peu plus d'une heure. Un record !

Un peu plus d'une heure ! C'était presque trois fois moins de temps qu'il n'en fallait à mon chirurgien parisien. Je l'appelai aussitôt.

– Docteur, connaissez-vous Léandri et Rossignol ?

– Bien sûr ! Je suis allé à Toulouse les voir opérer. Des as ! Les meilleurs au monde avec Walsh, répondit-il sans hésiter. On vient de toute l'Europe et même d'Amérique et d'Asie pour assister à leurs symposiums et suivre leurs interventions en direct. Vous verrez : le plus sympa est celui qui a des paupières qui tombent, mais ils sont tous les deux remarquables.

Il me donna le nom de la clinique. L'existence de ces « duettistes du bistouri », comme on les appelait parfois, me parut des plus séduisantes. N'avais-je pas moi-même expérimenté l'apport inestimable du travail à deux ?

Le soir même, j'appelai la clinique Saint-Jean-Languedoc. À mon étonnement, la standardiste me passa directement le docteur Pierre Léandri.

– Cher monsieur Lapierre, demain samedi, je serai à la maison tout l'après-midi. Voici mon numéro personnel. Téléphonez-moi à quinze heures trente, nous bavarderons tout le temps que vous voudrez. En attendant, ne vous inquiétez surtout pas. Votre cas est tout à fait banal. Vous n'avez aucun souci à vous faire.

J'émergeai du parlophone sur un nuage.

Le lendemain, lorsque j'appelai le domicile du docteur Léandri, une fillette décrocha l'appareil et me dit avec un délicieux accent du Midi :

– Je vous passe mon papa.

Nous avons parlé pendant une heure et demie. La voix était placide, confiante, réconfortante dans son rythme, ses intonations.

– Oui, à votre âge, la chirurgie est l'option qui vous garantit presque cent pour cent de guérison... Non, vous ne risquez pas de vous retrouver avec une vessie artificielle accrochée à la ceinture... Oui, vous avez toutes les chances de conserver votre fonction sexuelle... Non, l'opération n'est pas à quelques jours près...

*

La clinique Saint-Jean-Languedoc, à l'extrémité nord-ouest de Toulouse, m'apparut comme une sorte de Hilton dont le personnel appartiendrait à quelque pension de famille provinciale. Une jolie hôtesse blonde me conduisit directement dans le bureau de

Pierre Léandri. Ni lui ni son confrère Rossignol n'étaient encore remontés du bloc opératoire. Un seul motif décoratif ornait la petite pièce aux murs tapissés de papier beige : le diplôme de l'American Urology Association décerné à Léandri « pour services rendus à sa spécialité ». Les États-Unis étaient encore présents dans la pièce avec une pile de l'*American Journal of Urology* et une série de brochures illustrées du Johns Hopkins Hospital de Baltimore rendant compte des résultats opératoires du professeur Walsh après cinq cents prostatectomies totales. Sur une table traînait un opuscule en anglais dans lequel Léandri et Rossignol décrivaient leur nouvelle technique de suture automatique dans les remplacements de vessie cancéreuse.

Les deux hommes qui entrèrent alors dans le petit bureau frappaient par leur air plutôt timide et modeste. Avec ses mèches blondes bouclées et sa face ronde toute rose, Georges Rossignol, quarante-quatre ans, ressemblait à un angelot de Rubens. Ses yeux tristes sous de lourdes paupières donnaient au contraire à Pierre Léandri, quarante-quatre ans lui aussi, un air de chien battu. Ils parlaient de manière si simple et cordiale que toute angoisse se trouvait exorcisée sur-le-champ. Cette première rencontre allait se prolonger pendant presque trois jours, le temps pour moi d'oublier mon cancer et de redevenir un journaliste plongé au cœur d'une prodigieuse *success story*.

Aucune fée ne s'était penchée sur le berceau de Georges Rossignol, né dans la famille nombreuse d'un petit fonctionnaire de police d'Albi. Sans les encouragements du brave médecin de quartier, jamais le jeune Georges n'aurait songé à une carrière médicale. Les études étaient bien trop onéreuses et trop longues. Un providentiel emploi de chauffeur-livreur résolut la question. Étudiant la nuit, courant les routes le jour, Rossignol passe examens et concours, et réussit l'internat. Ses obligations militaires l'expédient au Tchad, alors à feu et à sang. Il y découvre la pathologie de guerre sur des corps criblés de balles et d'éclats d'obus. À son retour en France, un stage chez un urologue du Havre lui fait faire une autre découverte : l'urologie n'est plus seulement une chirurgie de plombier. De nouvelles techniques rendent désormais possibles des actes hier encore inconcevables, telle la greffe du rein. Le rein, la vessie et la prostate étant par ailleurs fréquemment attaqués par des tumeurs malignes, l'urologie est aussi devenue une voie de recherche majeure en cancérologie. Cette discipline qui mêlait intimement chirurgie et recherche avait séduit le jeune Albigeois.

Pierre Léandri avait eu des débuts plus faciles. Fils d'un médecin pied-noir d'Algérie, il a été élevé dans un milieu médical et s'est tout naturellement orienté vers des études de médecine. La chirurgie l'a d'emblée attiré « à cause des résultats immédiats qu'elle permet d'obtenir ». Comme Rossignol, il a réalisé ses premières interventions durant son service militaire. En Guadeloupe où il est envoyé, il a la chance unique d'être confronté à toutes les urgences chirurgicales, même les plus complexes comme les interventions sur les polytraumatisés : fracture ouverte de la cuisse, éclatement de la rate, enfoncement de la cage thoracique.

Un heureux hasard réunit un jour les deux apprentis chirurgiens autour d'une même table d'opération du centre hospitalo-universitaire de Toulouse. Ils tentent alors de faire leur chemin ensemble dans le labyrinthe des concours universitaires. Mais les places en urologie sont peu nombreuses et convoitées, et la dure loi du mandarinat officiel difficile à contourner. Lors de cette première rencontre, Léandri est ébahi par la dextérité chirurgicale de Rossignol, par l'aisance et la sûreté de ses gestes, sa façon d'aller à l'essentiel. Cette découverte lui donne une idée. Puisqu'une carrière hospitalo-universitaire leur semble à tous deux interdite, pourquoi n'uniraient-ils pas leurs talents pour former, dans le privé, une équipe de spécialistes de très haut niveau ? La chance veut justement qu'un chirurgien-urologue de Toulouse cherche un associé pour la clinique qu'il vient de créer et dont il veut faire un centre urologique de pointe. Léandri saisit aussitôt cette opportunité avec l'idée d'attirer dès que possible à ses côtés son ami Rossignol. Tous deux sont plus que jamais convaincus qu'une chirurgie à quatre mains peut bouleverser le pronostic de certaines affections gravissimes relevant de leur spécialité. L'une de ces affections est le cancer de la vessie.

L'ablation totale d'une vessie atteinte d'une tumeur maligne est à l'époque jugée si mutilante que la majorité des urologues préfèrent tenter de réduire et de neutraliser le cancer en recourant à une chimiothérapie ou à une résection par les voies naturelles. Dans la plupart des cas, ces traitements ne sont que palliatifs et les récidives, avec aggravation, très fréquentes. Quand il s'avère que seule une chirurgie radicale pourrait peut-être sauver la vie du malade, il est en général trop tard. Peu d'urologues français osent de telles interventions. Ceux qui les pratiquent reculent aussi longtemps que possible avant de les proposer, sachant à quelles mutilations elles risquent de mener. Or tout retard amenuise les chances de sauver le malade.

Un jour de 1978, Léandri lit dans le *Journal français d'urologie* une communication dans laquelle un chirurgien nommé Maurice Camey explique comment il enlève les vessies atteintes de tumeurs cancéreuses et les remplace par des organes neufs taillés dans un morceau du gros intestin. Grâce à cette technique, il rétablit chez ses patients un circuit urinaire normal leur assurant une continence tout à fait satisfaisante aussi bien le jour que la nuit. Il parvient même, dans certains cas, à préserver la fonction sexuelle. C'est une révolution. Ce chirurgien génial est depuis longtemps reconnu aux États-Unis. En France où il bouleverse les dogmes en vigueur dans l'*establishment* urologique parisien, il est considéré comme un original un peu fou. Il prêche depuis vingt ans dans le désert. Cet ostracisme a une autre raison. L'opération que Maurice Camey a mise au point est si délicate et si difficile qu'il est le seul à pouvoir la réussir. Les rares confrères qui s'y sont essayés n'ont enregistré que des échecs. Or, en chirurgie, pour être jugée valable, toute nouvelle technique doit pouvoir être reproduite.

Léandri et Rossignol décident de relever le défi. Tous deux travaillent à présent ensemble dans la clinique Saint-Jean-Languedoc de Toulouse. Ils se précipitent à Paris et assistent à une intervention de Camey : dix heures d'un spectaculaire numéro d'acrobatie qui pourrait sauver chaque année plusieurs centaines de vies. Enthousiastes, les deux amis sont persuadés d'avoir trouvé dans cette opération la justification parfaite de leur association. La nature l'a déjà prévue en les rendant complémentaires : l'un est droitier, l'autre gaucher.

Le premier remplacement de vessie que tentent les « duettistes » a lieu sur un photographe toulousain de cinquante-huit ans. Bien qu'elle ait duré huit heures, l'intervention confirme d'emblée la suprématie de leur ballet à quatre mains.

– Le fait que nous soyons du même âge et du même niveau médical nous mettait à l'abri de toutes les vexations personnelles, me dira Rossignol. Nous nous considérions *à égalité*, ce qui nous permettait de diriger tour à tour l'opération, de nous censurer mutuellement à tout instant, de prendre le relais quand l'autre éprouvait un passage à vide ou un instant de fatigue. Un chirurgien ne peut à la fois opérer et se regarder opérer. Nous sentions d'emblée que nous devenions chacun le miroir critique de l'autre.

En quelques interventions, ils font tomber la durée de l'opération de Camey de dix heures à six, puis à quatre, et finalement à deux heures et demie. Un record durement conquis.

Les remplacements de vessie impliquant automatiquement l'ablation de la prostate, les « duettistes » de Toulouse commencent à enlever des prostates atteintes de cancer. Leur premier patient est un retraité des PTT de la ville d'Auch. Son opération dure trois heures et demie et nécessite la transfusion de trois flacons de sang. L'homme retrouve une fonction urinaire normale, mais l'opération l'a privé à jamais de sa sexualité. Il s'écoulera presque deux années avant qu'un article dans le mensuel *American Journal of Urology* révèle, en 1985, aux deux Toulousains qu'un chirurgien de Baltimore a mis au point une technique d'ablation totale de la prostate qui sauvegarde la fonction sexuelle. Dans ce document abondamment illustré de planches en couleurs, le professeur Patrick Walsh explique comment il est parvenu à modifier ses plans de dissection pour éviter de toucher aux minuscules faisceaux de nerfs érecteurs pratiquement invisibles qui enveloppent la glande prostatique. L'article soulève un tollé dans les milieux de l'urologie traditionnelle, non seulement en France mais aussi en Amérique où de nombreux spécialistes, et non des moindres, accusent l'auteur de comportement irresponsable.

Léandri et Rossignol comprennent instantanément, eux, que ce progrès fait tomber le dernier argument des détracteurs de l'ablation de la prostate. Si l'on peut, presque à coup sûr, préserver la virilité des malades, la chirurgie devient la meilleure indication thérapeutique pour tous ceux qui ont eu la chance, comme moi, de bénéficier d'une détection précoce de leur cancer. Rossignol se précipite à New York pour rencontrer Walsh, qui présente dans un congrès un film de quinze minutes sur sa technique. Ce grand Américain d'origine irlandaise à peine plus âgé que lui l'emballe. Il l'invite aussitôt à venir opérer à Toulouse devant un aréopage de confrères européens spécialement conviés pour l'occasion.

Mais Léandri et Rossignol n'ont pas attendu la visite du maître américain pour s'essayer à sa technique. En septembre 1985, ils opèrent un agent de police de Toulouse.

– Un homme hypermotivé, me racontera Rossignol, qui est venu à nous en disant : « Je veux bien que vous m'opériez, mais à condition d'être certain de pouvoir continuer à faire l'amour comme avant. »

L'opération a été couronnée de succès, même s'il a fallu plus d'un an de patience au policier pour qu'il retrouve des érections normales.

La technique des deux chirurgiens s'affine très vite au point de faire tomber la durée de leurs interventions de trois heures à moins d'une heure et quart.

*

Presque une fête ! La débordante et merveilleuse imagination amoureuse de ma femme Dominique accomplit l'exploit de transformer en douce parenthèse l'événement plutôt sinistre que représente l'ablation d'une tumeur cancéreuse. Trois semaines après ma rencontre avec les chirurgiens de Toulouse, elle bourra notre voiture de livres, d'objets familiers et de tous les accessoires susceptibles d'assurer mon confort à la clinique, et m'entraîna dans une randonnée automobile de Ramatuelle à Toulouse. Elle avait alerté nos plus chers amis sur le parcours, et notre voyage se transforma en une chaleureuse succession d'étapes gastronomiques. Je garde un souvenir glorieux de cette cavalcade d'automne à travers les lumineuses pinèdes de Provence, l'océan couleur de sang des vignobles du Languedoc, le tapis doré des champs de tournesols couvrant les riches plaines du Roussillon. Que la France me parut belle, opulente, paisible ! Je savourais l'apparition magique de chaque village, l'harmonie des vallons et des plaines, avec la gourmandise de quelqu'un qui se demandait s'il reverrait ces merveilles. Certes, j'étais serein, confiant, sûr de vaincre, mais comment éviter de penser par instants que ce voyage enchanteur avait pour destination... une table d'opération. Je me sentais si bien, si jeune, si fort. C'était le paradoxe de ce cancer. Il me grignotait sournoisement sans m'infliger, en tout cas en ses débuts, la moindre souffrance, le plus petit handicap. Au point que je finissais par me demander si mon mal était bien réel, et s'il était vraiment justifié que j'aille courir tous ces risques à cause de quelques cellules rebelles.

Je m'attendais à recevoir plusieurs visites dès mon entrée à la clinique, mais certainement pas celle de la sémillante jeune femme qui fut la première à frapper à la porte de la chambre 229. Elle n'était ni médecin, ni laborantine, ni infirmière. Le petit dossier qu'elle m'apportait ne contenait nulle feuille de Sécurité sociale, nul formulaire d'analyse, bref aucun papier touchant à ma santé ou à ma prochaine opération. Ce qu'il renfermait faisait pourtant partie des traitements spécifiques de cet établissement pour soutenir le moral de ses malades et accélérer leur guérison. Il s'agissait des différents menus que j'aurais le loisir de déguster pendant mon séjour. La lecture de certaines spécialités proposées me fit sursauter, comme ces « raviolis de foie gras au jus de truffes », ou ces « côtes de veau en croûton de cèpes ». La visiteuse s'amusa de ma surprise.

– Que voulez-vous, mon bon monsieur, vous avez choisi de vous faire opérer dans le Sud-Ouest et, dans le Sud-Ouest, on soigne d'abord nos malades avec les bonnes choses de notre terroir !

L'explication était caractéristique d'une qualité de vie provinciale qu'aucune grande capitale ne peut offrir. J'allais découvrir que la plupart des médecins, des infirmières, des employés chargés de s'occuper de moi habitaient dans la campagne alentour, à quelques minutes de trajet seulement de leur lieu de travail. Beaucoup venaient à bicyclette, ou même à pied. La bonne humeur et la disponibilité de chacun étaient le reflet de ces heureuses conditions de vie.

*

L'un de mes voisins était un Anglais aux cheveux teints dont la jovialité et la pittoresque façon de parler le français faisaient la joie des infirmières. Jim Conrad, soixante-huit ans, était un ancien major de l'Armée britannique qui s'était retiré sur la Côte d'Azur après avoir servi aux quatre coins de l'Empire pendant près d'un demi-siècle. J'appris qu'il avait même séjourné aux Indes durant la guerre en qualité d'aide de camp du général commandant le secteur de Calcutta. Un tel passé ne pouvait que me précipiter à sa porte pour faire sa connaissance. L'apparition du Messie n'aurait pu faire plus d'effet au charmant occupant de la chambre 228. À peine avais-je dit mon nom que son visage fut comme transfiguré par une illumination.

– *You are... you are the author of this famous...* (Vous êtes l'auteur de ce célèbre...), balbutia-t-il en tremblant d'émotion.

Sans finir sa phrase, il tira un carton de livres rangé sous son lit et en exhuma un vieil exemplaire en anglais de *Cette nuit la liberté.* Brandissant l'ouvrage comme un trophée, il répéta, émerveillé :

– C'est ma bible, oui, ce livre est ma bible.

Le major Conrad me fit alors asseoir, sortit deux verres, qu'il remplit à ras bord de cognac, et se lança dans une évocation intarissable de ses années aux Indes. Il avait connu Mountbatten, Nehru, et même le Mahatma Gandhi qu'il avait escorté pendant les émeutes de l'indépendance à travers Calcutta en flammes. De ce passé, mon voisin gardait plusieurs petits albums de photos qui ne le quittaient jamais. J'eus droit à les feuilleter page à page : Jim à côté du cheval gagnant de la Queen's Cup de Calcutta, Jim devant le Taj Mahal, Jim au milieu d'un groupe de soldats gurkhas dans la passe de Khyber, Jim dansant le fox-trot avec une charmante lady au Gymkhana Club de Lahore. Il avait épousé cette Anglaise après l'indépendance de l'Inde, mais ils avaient divorcé quand il avait manifesté l'intention de prendre sa retraite sur la Côte d'Azur.

– J'avais trop bourlingué au soleil pour finir ma vie dans les brumes galloises de ma femme, s'esclaffa-t-il.

Il s'était installé au pied de Grasse et avait mis une annonce dans la rubrique matrimoniale d'un journal local. Georgette, une ancienne pâtissière qui venait de perdre son mari, avait mordu à l'hameçon. « Un coup de foudre instantané. » Georgette avait débarqué avec sa valise chez Jim. Pour célébrer le premier anniversaire de leur idylle, il avait décidé de l'emmener faire le tour du monde. Ils auraient dû partir deux mois plus tôt. Mais, quelques jours avant le départ, Jim avait découvert des traces de sang dans ses urines. L'urologue de Grasse avait réclamé des examens. Le taux de ses antigènes prostatiques était trente fois plus élevé que la normale. Le médecin avait pris la sage décision d'envoyer l'Anglais à Toulouse où Léandri et Rossignol avaient diagnostiqué une tumeur de la prostate. Le lendemain, ils ouvraient son ventre pour lui enlever sa petite glande. Vingt-quatre heures après, l'ancien officier de l'Armée des Indes déambulait comme un jeune homme dans le couloir de l'étage avec ses bocaux à la main. Dans une semaine, Georgette viendrait le chercher pour le ramener à Grasse et, dans un mois, ils s'envoleraient pour Istanbul, première étape de leur lune de miel autour du monde. Hélas, avant de quitter la clinique, Jim Conrad devait apprendre une navrante nouvelle. Les examens anatomopathologiques des tissus détachés par les chirurgiens au cours de son opération avaient révélé que ses ganglions et ses vésicules séminales étaient également envahis de cellules malignes, preuve que sa tumeur s'était échappée de son foyer d'origine pour contaminer les organes voisins. Le seul moyen d'enrayer cette dissémination était de pratiquer une castration radicale. Cet acte chirurgical, qui porte le nom de « pulpectomie », avait consisté à inciser les testicules du malade pour en extraire la pulpe, c'est-à-dire la substance qui produit les hormones masculines coupables, dans ce cas, de favoriser la prolifération du cancer. Les chirurgiens avaient aussitôt remplacé la pulpe par une boule de silicone et refermé les testicules. L'esthétique était préservée. Mais le charmant Anglais qui me faisait fête ne pourrait plus jamais honorer sa dulcinée de pâtissière.

*

Je fus opéré un lumineux matin d'automne. Quelques heures plus tôt, le vaguemestre de la clinique m'apporta une lettre recouverte de timbres à l'effigie du Mahatma

Gandhi. Elle arrivait de Calcutta. J'eus la surprise de trouver à l'intérieur une lettre manuscrite de Mère Teresa. Depuis quelques jours, les journaux rapportaient que la sainte des pauvres luttait contre la mort dans une clinique de la capitale du Bengale où un cardiologue accouru de Rome venait d'implanter un stimulateur sur son cœur défaillant. « *Cher Dominique Lapierre,* m'écrivait-elle de sa large écriture toute en rondeurs, *il semble que le Seigneur ait voulu nous offrir la grâce de partager ensemble Sa Passion. Je demande à toutes mes sœurs et à tous nos pauvres de prier pour le succès de votre opération et pour votre guérison.* » J'ignorais comment Mère Teresa avait pu être informée de l'épreuve qui m'attendait ce jour-là à Toulouse. Très ému, je collai la petite feuille de papier sur la vitre de la fenêtre de ma chambre. Quand on vint me chercher pour me descendre au bloc, je la relus une fois encore et, certain que les prières de mes frères et sœurs indiens allaient inspirer les mains des chirurgiens, je m'allongeai serein sur le brancard. Un bracelet de plastique portant mon nom entourait mon poignet droit. Au revers de l'étiquette, Dominique avait inscrit : « Je t'aime. À très vite. » Les deux infirmiers me déposèrent sur la table d'opération et je découvris au-dessus de moi les visages masqués des chirurgiens. L'anesthésiste me prit le bras et je sentis la pointe d'une aiguille s'enfoncer dans ma peau. C'est alors qu'il se passa quelque chose d'extraordinaire. Une voix éclata dans mes oreilles. Grave, puissante, inspirée, elle chantait les strophes d'un cantique. C'était la voix de Ranjit, le jeune tétraplégique de notre foyer de Jalpaiguri, au pied de l'Himalaya. Ranjit avait été terrassé à sa naissance par la poliomyélite. Il vivait allongé sur une civière. Il ne marcherait jamais. Ses parents l'avaient abandonné. Un prêtre français l'avait recueilli un jour dans un caniveau de Calcutta. Bien qu'il fût hindou, il assistait chaque dimanche à la messe de son bienfaiteur avec ses camarades, tous également handicapés. Ce foyer était un îlot de compassion et d'amour au cœur de la pire détresse. Dominique et moi avions pris en charge son existence. Ranjit, le dimanche de notre rencontre, chantait avec une foi qui ressemblait à une action de grâces. Que des accents d'une telle vigueur puissent jaillir de cette misérable poitrine rachitique à la peau toute parcheminée semblait irréel. Cette voix n'avait depuis jamais cessé de m'habiter. Et voilà qu'avant de m'endormir à l'instant le plus critique de ma vie elle m'apportait la prière d'espérance d'un petit frère indien plus fort que son malheur.

*

Quatre jours après l'intervention, une exubérante jeune femme à l'abondante chevelure frisée fit irruption dans ma chambre pour m'offrir un surprenant cadeau. Le docteur Lucienne Gabay-Torbiera était l'un des deux anatomopathologistes de la clinique. Elle avait procédé, pendant toute la durée de mon opération, à des analyses pour vérifier les limites de la tumeur et s'assurer que les tissus bordant ma prostate n'étaient pas infiltrés de cellules cancéreuses. Les examens approfondis qu'elle venait de terminer confirmaient en tout point les premiers résultats.

– Vous n'avez plus de cancer. Vous êtes guéri ! claironna-t-elle en serrant mes deux mains dans les siennes.

Je la pris dans mes bras et l'embrassai. Rossignol et Léandri apparurent alors, accompagnés de leur délicieuse instrumentiste d'origine arménienne. Jim Conrad arriva à son tour, brandissant à bout de bras une bouteille de cognac. C'était la fête. La pathologiste aux cheveux frisés sortit alors de son sac une photo en couleurs.

– J'ai pensé que vous voudriez garder cette image, dit-elle avec un clin d'œil.

Vu dans sa totalité, le document semblait figurer une sorte de châle indien avec des centaines de petits motifs décoratifs. Mais en regardant de près, on s'apercevait que ces motifs étaient de tailles et de formes différentes selon qu'ils apparaissaient à gauche ou à droite de l'image. À gauche, c'était, bien limité, un joli entrelacs de figures rose pâle, en forme d'orange ou de poire. Puis, soudain, comme séparées par une brutale frontière, les cellules devenaient un enchevêtrement hideux, anarchique, inconsistant, de petites billes noires et de bâtonnets entremêlés. Je restai médusé devant cette vision. Elle me confrontait à une question fondamentale au terme de l'aventure que je venais de vivre. Quel choc émotionnel, quel traumatisme physique avaient pu se produire en moi pour que se déclenche, un jour, quelque part dans mon corps, un chambardement cellulaire d'une telle gravité ?

Je m'en veux de n'avoir pu encore répondre à cette interrogation capitale. Mais au moins ai-je eu le bonheur d'apprendre, un jour d'octobre 1994, cinq ans après mon opération, que j'étais entré dans les statistiques des malades victorieux du cancer [1].

1. La joie de cette victoire fut assombrie par l'affaire judiciaire qui s'abattit sur mes deux chirurgiens à la suite d'une plainte déposée par un commerçant de Toulouse. Accusés d'avoir inutilement opéré des patients, Léandri et Rossignol sont en cours de jugement. L'équipe dont les prouesses avaient fait l'admiration des urologues de toute l'Europe est aujourd'hui brisée. La bataille contre le cancer a perdu son duo à quatre mains.

11

« Qu'importe, bel éléphant d'Afrique, si mon sang arrose ta terre »

La morsure d'un cobra n'aurait pas eu plus d'effet. Raphaël court en tous sens, crachant des mots inintelligibles, se prenant la face dans les mains, tremblant de fièvre. Il finit par se planter devant moi. Ses yeux noirs me foudroient d'un éclair si intense que je recule. Il frotte nerveusement la courte barbe qui encadre son visage d'ascète. Il ressemble à un moine peint par Zurbarán.

– Si ce que tu dis est exact, lance-t-il d'une voix douloureuse qui tranche avec son agitation, il faudra l'appeler le *Rhinocéros Lapierrensis*.

Raphaël Matta, trente-cinq ans, surveillant-chef de la réserve d'animaux sauvages de Bouna – un million d'hectares au nord de la Côte-d'Ivoire –, se fige brusquement à la pensée de l'invraisemblable hypothèse. Des rhinocéros dans sa réserve ? C'est impossible. Il y a un siècle, peut-être deux, que cet animal a totalement disparu de cette partie de l'Afrique. Pour le vérifier, il a fouillé la mémoire des anciens des villages, cherché dans les dialectes vernaculaires un mot, une racine de mot, une expression évoquant cette espèce. Il a battu la brousse jusque dans ses recoins les plus secrets, jamais il n'a trouvé le moindre signe attestant la présence du mastodonte mythique. Et voilà qu'un journaliste fait irruption en pleine nuit dans son campement pour lui apporter une nouvelle de nature à lui faire perdre la raison. Je suis bouleversé d'infliger un tel traumatisme à cet homme qui m'a accueilli comme un frère au cœur de son royaume. Mais je suis tellement convaincu de la justesse de mon observation que j'ose insister.

– Je t'assure que l'animal que j'ai aperçu cet après-midi dans un sous-bois près de la rivière Comoé portait une grosse corne sur le front.

– À quelle distance étais-tu ? questionne Raphaël.

– Cinquante mètres environ.

– Quelle position avait la bête ?

– Plein profil.

– Quelle taille ?

– Celle d'un hippopotame.

Raphaël sort fiévreusement de sa poche un carnet et un crayon.

– Dessine-moi ce que tu as vu, ordonne-t-il.

Bien que je sois nul en dessin, je m'exécute de mon mieux. J'insiste évidemment sur l'excroissance pointue comme un poignard qui m'a tant frappé. Raphaël soulève la lampe-tempête pour mieux éclairer mes traits de crayon. Des éphémères brûlent leurs ailes contre le globe. Dans la lueur, j'aperçois ses deux jeunes enfants et Christiane, son épouse, qui dorment sous le voile d'une moustiquaire. Le campement est un curieux capharnaüm plein d'objets hétéroclites. Il y a des ustensiles de cuisine, un réchaud à butane, des boîtes de conserve, une machine à écrire, des dossiers épars, une carabine, une étagère couverte de livres. Sur le coin d'une table de jardin traînent des verres, une bouteille de whisky et un livre au titre surprenant dans ce décor : *Vie de Platon*.

Raphaël tripote fébrilement mon croquis. Il transpire abondamment. Je le sens déchiré entre ses certitudes et une folle envie de croire que je dis vrai.

– Es-tu capable de retrouver l'endroit où tu as vu ton rhinocéros ? grogne-t-il.

Que dire ? Je n'ai aucune expérience de la brousse. Tous les arbres, tous les fourrés, toutes les clairières me paraissent se confondre dans un même imbroglio végétal. Je sais seulement que j'ai vu « mon » rhinocéros à gauche de la piste, à quelques mètres d'un passage creusé par les hippopotames jusqu'à la rivière. Pauvre Raphaël. Ce sont de bien piètres indications.

– On y va ! lance-t-il en attrapant sa torche lumineuse.

Il m'empoigne par le bras et m'entraîne vers sa vieille Jeep. Il manque un cylindre au moteur. Ses hoquets ponctuent la nuit d'un concert bizarre qui fait taire les oiseaux. Nous descendons vers la rivière. Je scrute les ténèbres pour tenter de retrouver le passage des hippopotames. Les longues mains de Raphaël secouent si nerveusement le volant que la voiture menace à tout moment de basculer dans le ravin. Une troupe de gazelles apparaît dans nos phares, puis les yeux phosphorescents d'une famille de chacals. Nous parcourons trois ou quatre kilomètres (comment savoir exactement ?) et, soudain, Raphaël s'arrête. La rivière est là, toute moirée par le reflet de la lune. On entend les ronflements d'un groupe d'hippopotames qui s'ébattent à quelques mètres.

– Tu reconnais ? me demande Raphaël en sautant de la Jeep.

Question insensée ! En plein jour, c'eût été déjà difficile. Mais la nuit ! Et en plus... comment dire ? Cette nature obscure bruissante de bêtes, le risque de mettre le pied sur un scorpion ou un serpent, de passer sous une panthère perchée dans un arbre, de tomber nez à nez avec un buffle ou un lion... Je ne sais pas grand-chose de la jungle sinon qu'un animal surpris est toujours dangereux. Je tente pourtant de faire bonne figure. Oui, c'est bien là le passage des hippopotames que j'ai remarqué. Excité comme un chien de meute, Raphaël fouine dans tous les sens. Pas un centimètre carré n'échappe au halo vacillant de sa lampe. Son expérience de pisteur lui permet d'identifier à coup sûr la trace d'une hyène, d'une antilope, d'un fauve. Une faune mystérieuse, invisible, tapie dans les fourrés, proteste bruyamment contre notre présence. La nuit se met à résonner des aboiements furieux d'une horde de singes, puis des grognements d'une troupe d'hippopotames.

Raphaël reste imperturbable devant ce déchaînement sonore. Une blessure de guerre l'a rendu presque sourd.

– Où sont les traces de ton rhinocéros ? Bon Dieu ! Où sont-elles ? tempête-t-il.

Je les cherche avec une ardeur aussi désespérée que la sienne. Soudain, il pousse un cri.

– Les voilà !

Mais son exultation ne dure que quelques secondes. Le temps de comprendre que les marques sont en réalité celles d'un illochère adulte, une sorte de très gros sanglier dont les défenses vues de profil, dans la pénombre d'un sous-bois, peuvent créer l'illusion parfaite d'une corne de rhinocéros.

J'avais raté mon entrée dans le Grand Livre de la Jungle. Le *Rhinocéros Lapierrensis* n'existait pas.

*

« Le saint François des éléphants », « l'Ange de la savane », un illuminé, un misanthrope, un maniaque de la protection des bêtes – l'homme que j'avais découvert au fond de cette réserve au cours d'un reportage en Afrique pour *Paris Match* collectionnait les épithètes les plus contradictoires. Mais une chose était sûre : le Morel des *Racines du ciel* existait en chair et en os. Comme le personnage du roman de Romain Gary, il défendait avec une foi inébranlable une poignée d'éléphants menacés d'anéantissement par les braconniers et les chasseurs blancs dans les marécages et les forêts de sa réserve.

Le surprenant destin de Raphaël Matta commence pourtant dans la plus plate banalité d'une confortable situation dans l'import-export. Christiane, sa ravissante jeune femme blonde aux yeux verts, habille, chez Christian Dior, la fine fleur de l'élégance internationale. Elle lui a donné deux enfants, Martine et Germinal. La famille Matta semble promise à une existence douillette et sans problèmes. Une petite annonce dans un journal agricole va tout bouleverser. Le gouvernement de la Côte-d'Ivoire cherche un surveillant pour une réserve animale aux confins de la Haute-Volta et du Ghana. Le salaire proposé est dérisoire : vingt-neuf mille anciens francs mensuels et, pour tout logement, une simple case indigène. Le sang de Matta ne fait qu'un tour. Il appelle Christiane chez Dior.

– Chérie, nous partons pour l'Afrique !

Deux mois plus tard, les Matta débarquent à Abidjan avec deux valises. Au dos de sa lettre d'engagement, Raphaël a inscrit une phrase trouvée un jour dans un livre du professeur Roger Heim : « La destruction volontaire d'une girafe africaine ou d'un cagou de Nouvelle-Calédonie, dans la mesure où elle compromet la survivance même de telles espèces, est, sur le plan philosophique et scientifique, aussi grave peut-être que le meurtre d'un homme, et aussi irréparable que la lacération d'un tableau de Raphaël. Elle tarit à tout jamais un morceau du passé. »

Mais qui – hormis quelques illuminés – se préoccupe de ce passé ? Qui cela intéresse-t-il de savoir que, depuis deux mille ans, des centaines d'espèces de mammifères ont disparu ; que le XIXe siècle à lui seul en a exterminé soixante-dix ; que, depuis cinquante ans, quarante se sont éteintes ; et qu'aujourd'hui, de par le monde, six cents autres sont en voie de disparition ? Quand il se présente à son supérieur d'Abidjan, Raphaël ne récolte en guise d'encouragement qu'un seul conseil :

– Soyez compréhensif. Fermez les yeux, s'il le faut. Surtout, pas de vagues !

Raphaël, Christiane et leurs enfants s'embarquent dans une vieille Jeep des Eaux et Forêts et s'élancent sur la piste de latérite rouge longue de huit cents kilomètres qui monte vers la petite ville de Bouna. En route, ils tentent d'apercevoir quelques rescapés des fabuleux troupeaux d'éléphants et de buffles qui peuplaient encore, il y a moins d'un siècle, les plaines immenses et les forêts de la Côte-d'Ivoire. Mais le pays est vide.

Arrivés à destination, ils prennent possession de la case au toit de chaume destinée à les loger, une paillote délabrée où serpents, scorpions et chauves-souris ont élu domicile. Qu'importe, leur rêve prend forme. Avant de s'endormir pour leur première nuit africaine, ils vont contempler leur domaine sous les étoiles : un océan sans fin d'arbres et de buissons, où ne vivent que les quelques habitants d'un village fétichiste ; une étendue presque aussi vaste que la Corse ; un monde inquiétant et hostile qu'aucune piste ne traverse et où se terrent encore quelques survivants de la grande faune des premiers âges.

En vertu de l'arrêté gouvernemental qui l'a décrété « réserve intégrale », ce vaste territoire est interdit à la chasse et à la pêche, ainsi qu'à toute exploitation agricole, forestière ou minière. Personne ne peut y pénétrer, y circuler ou y camper sans une permission écrite de l'autorité responsable. À peine arrivé, Matta découvre que sa belle réserve est occupée par des campements de Lobis, redoutables chasseurs qui alimentent en viande boucanée tous les marchés de la région, y compris ceux du proche Ghana et de la Haute-Volta. De jour et de nuit, en saison sèche comme sous les trombes d'eau de l'apocalypse saisonnière, ils pillent la réserve. La nuit, ils ornent leur front d'une lampe à acétylène au large réflecteur doré. Les habitants superstitieux les ont surnommés « les cyclopes à l'œil d'or ». Pire que tout, les Lobis sont aussi des électeurs. Souhaitant se concilier leurs suffrages, l'administration coloniale du secteur leur a généreusement distribué des permis de chasse. Quelque huit mille fusils officiels et dix mille clandestins circulent de main en main.

Les massacreurs blancs ne sont pas en reste. Chaque fin de semaine, ils débarquent d'Abidjan et d'autres capitales de l'Afrique française, munis d'autorisations obtenues auprès du cabinet même du gouverneur. Le colonel conservateur des chasses de Côte-d'Ivoire a englouti douze millions d'anciens francs – quarante années du salaire du surveillant chef – dans la construction d'un somptueux gîte touristique. Il s'agit officiellement d'offrir aux personnalités de passage, aux touristes, aux curieux, le frisson d'une nuit dans la brousse avec rugissements de lion garantis, ou le défilé programmé d'une famille d'éléphants à l'heure de l'apéritif. En fait, le gîte sert de camp de base aux tromblonneurs du dimanche.

*

Le lendemain même de son arrivée, Raphaël s'enfonce dans sa réserve. Il touche au but qu'il a longuement mûri dans son imagination et par ses lectures : être le protecteur des bêtes sauvages menacées par la folie destructrice des hommes. Ici, tout est à faire : baliser de panneaux d'interdiction les quelque cinq cent soixante kilomètres du périmètre de la zone de protection, ouvrir des pistes, construire des tours de guet et des postes de surveillance, recruter et motiver une équipe de gardes. Autant d'ambitions qu'un budget de misère risque de laisser à l'état de projet. Mais il lui faut avant tout rallier les farouches braconniers lobis qui détiennent, par tradition, le droit de tuer ses animaux. Peut-on changer les habitudes d'hommes de l'âge de pierre qui ne sortent jamais de leur case sans être armés d'un arc, d'un carquois bourré de flèches empoisonnées, d'un casse-tête au bec pointu, d'une machette et d'un petit tabouret de bois à trois pieds qu'ils utilisent comme matraque plutôt que comme siège. Peut-on les convaincre d'accepter cette extravagante prétention des Blancs de faire de leur traditionnel territoire de chasse une réserve interdite à leurs arcs et à leurs flèches ? Matta refuse même de se poser la question. Il est pressé. Chaque jour, ses animaux sont abattus.

Il prend sans attendre tout un cortège de mesures impopulaires : interdiction de chasser, de débroussailler, de cultiver, d'allumer des feux. Interdiction de venir puiser de l'eau dans la réserve, de récolter le miel des abeilles sauvages, de cueillir des plantes et même de ramasser du bois mort. Il va jusqu'à décréter l'expulsion de tous les habitants vivant dans le territoire protégé, ce qui les oblige à abandonner leurs champs et les tombes de leurs ancêtres. Les vieux du coin ne tardent pas à comparer le nouveau surveillant aux militaires les plus cruels de la conquête coloniale.

Pour le seconder, Matta a la chance de trouver un grand Noir baoulé qui a la réputation d'être le meilleur pisteur à mille kilomètres à la ronde. Rémi Sogli est un ancien adjudant de tirailleurs de l'armée française. Il va devenir le guide, le complice, le frère d'aventures du petit homme blanc dans sa périlleuse et folle croisade. Sogli recrute une dizaine de gardes. Pour leur donner une certaine prestance, Matta les coiffe de casques coloniaux et leur achète, de ses deniers, des uniformes dignes de ceux que portent leurs collègues du Kenya et du Congo. Poussant chaque jour avec sa petite troupe des incursions plus profondes dans la brousse, il entreprend de faire l'inventaire des animaux confiés à sa protection. Le pacte tacite qu'il a conclu avec les bêtes de la brousse le pousse à toutes les audaces. Un jour, il s'approche à moins de dix mètres d'une famille d'éléphants pour la photographier. Un autre, il ose arracher une carcasse d'antilope de la gueule d'un lion. Heureusement, le fauve est repu et il décampe en grognant. Il se baigne avec ses enfants dans la Comoé, la rivière qui traverse la réserve, au milieu des crocodiles et des hippopotames. Il n'est jamais armé.

– Si je portais un fusil au milieu des animaux, même sans m'en servir, le charme s'évanouirait aussitôt car j'aurais conscience de commettre une trahison, m'avoue-t-il.

Au bout de quelques semaines, il adresse un rapport à la direction des Eaux et Forêts d'Abidjan, exposant le résultat de ses longues et harassantes expéditions. Il a recensé quarante mille bovidés de toutes espèces, quatre cents hippopotames, une centaine d'éléphants, une soixantaine de lions. Un patrimoine qu'il s'est juré de sauvegarder jusqu'au dernier éléphanteau, fût-ce au prix de sa vie. Braquant à tout moment ses jumelles sur l'horizon, il vit sur un perpétuel qui-vive. Au moindre coup de feu résonnant dans l'immensité végétale, à la moindre fumerolle montant d'une clairière, dès qu'un vautour commence à planer au-dessus des cimes, il part en guerre. Son endurance malgré sa maigreur, le paludisme qui le mine, la dysenterie amibienne qui lui tord le ventre, son prodigieux sens de l'orientation dans cette jungle hostile éclairée d'un soleil à la verticale font l'admiration des Noirs qui surnomment bientôt le petit Français *« Kongo Massa »* (le roi de la brousse). Un roi dont la peau, pour des raisons politiques, a moins de valeur aux yeux des autorités que celle des braconniers-électeurs et des pillards blancs du dimanche. Un jour qu'il revient d'une épuisante chasse à l'homme dans les marécages, il trouve une lettre d'Abidjan l'avertissant qu'en haut lieu « on ne donnerait pas cher de la réserve si des victimes étaient à déplorer du côté des braconniers ».

Mais, pour « le député des éléphants », la vie d'un braconnier ou d'un chasseur blanc ne pèse guère à côté de celle d'une antilope, d'une girafe, d'un hippopotame. Il espère de toute son âme que, le jour où un gouvernement noir indépendant succédera à l'administration coloniale, son premier souci sera de défendre la richesse unique, mais fragile, que représente sa faune. Les plus vieux compagnons de nos rêves sont en train d'être assassinés, déplore-t-il jour après jour, sans qu'aucune campagne d'opinion ne vienne leur porter secours. Ses raids contre les braconniers deviennent de véritables expéditions de guerre. Ses moyens sont pourtant dérisoires. Il ne dispose d'aucune liaison radio. Son seul véhicule est un vieux camion qu'il est obligé d'abandonner au bout de la dernière piste carrossable. Tout autre que ce Blanc illuminé aurait pris la fuite. Avec ses gardes, un cuisinier et quelques porteurs, tous anciens braconniers auxquels il a inculqué sa mystique, escorté de son fidèle Sogli, il piste l'ennemi sans relâche. Dès le contact établi, c'est la bataille. Pour ces affrontements, Matta n'hésite pas à s'armer de la carabine qu'il refuse de porter en présence des animaux. Sa petite troupe fond sur les campements de chasse comme des cavaliers de rezzou, incendie les installations, saisit la viande, l'ivoire, les armes ; capture et enchaîne les délinquants. Bien sûr, les choses ne se passent pas toujours comme prévu. Le rapport des forces est parfois si défavorable qu'il vaut mieux renoncer à attaquer. Parfois aussi, après trois jours de poursuite, il faut rebrousser chemin parce que la piste se perd dans un marécage infesté de crocodiles. Parfois encore, Matta reçoit un coup de casse-tête particulièrement bien ajusté. Mais il se bat pied à pied. Une nuit, il éteint à la carabine plusieurs lampes frontales destinées à attirer le gibier. Un autre jour, ses gardes jettent une dizaine de Lobis dans les eaux de la Comoé pleines d'hippopotames et de crocodiles.

*

Frustré de n'avoir pu enrichir son sanctuaire d'un *Rhinocéros Lapierrensis*, j'implorai Raphaël de me permettre de l'accompagner dans l'un de ses raids punitifs contre les braconniers. Terrifiante aventure. Alors que nous progressions le long de la rivière, le gros chef d'une bande de singes cynocéphales perchés sur les rochers alentour sauta à terre et se dressa à dix mètres devant nous en aboyant furieusement. Je battis en retraite, affolé. Nous n'étions pas armés. Ce singe en colère aurait tôt fait de nous mettre en pièces. Sous ses babines, je vis pointer des crocs longs comme des poignards. Matta me retint.

– Surtout, ne bouge pas ! Il est venu pour marquer son territoire et affirmer sa suprématie sexuelle. Nous sommes entrés chez lui. Il nous considère comme des concurrents mâles.

N'ayant pas d'attirance prononcée pour les guenons, je fis demi-tour. Mais le roi de la brousse connaissait le code des bonnes manières des animaux. Pas question de s'en aller sans fournir des excuses. Il émit plusieurs sifflements. Le singe cessa d'aboyer, puis, visiblement rassuré, répondit par une série de grognements satisfaits. Au bout d'un moment qui me parut une éternité, il pivota sur lui-même d'un coup de reins et s'en alla d'un pas chaloupé retrouver les siens sur le rocher.

Pour toutes provisions, Raphaël n'avait emporté qu'un saucisson, un paquet de biscottes, un kilo de sucre et quelques citrons. Nous ne disposions même pas d'un filtre portatif pour purifier l'eau des marigots, notre seule boisson. L'opération s'annonçait difficile dans la brousse, devenue, depuis le début de la saison des pluies, un impénétrable cloaque. Qu'importe ! Matta nous entraîna avec sa fougue irrésistible. Entre le chef et ses gardes s'était instaurée une subtile complicité.

Après trois jours de marche, la brousse nous fit un cadeau somptueux qui effaça d'un coup le supplice des moustiques et des sangsues, l'eau infecte des marigots, la faim qui nous tenaillait. Dans la superbe lumière d'une fin d'orage, elle nous offrit la naissance d'un éléphant. Un troupeau d'une vingtaine de têtes s'était massé autour de la parturiente couchée sur le flanc. L'accouchement se prolongea durant deux heures dans un concert aigu de barrissements qui fit trembler la forêt comme des grandes orgues les vitraux d'une cathédrale. Dès que l'éléphanteau sortit du ventre de sa mère, deux animaux s'approchèrent pour l'aider à se mettre sur ses pattes. Selon Raphaël, il s'agissait du père et de la sage-femme du troupeau. Coinçant le nouveau-né entre leurs flancs, ils le guidèrent doucement vers une petite plage en contrebas, au bord de la rivière. Après avoir battu l'eau de furieux coups de trompe pour éloigner les crocodiles, ils entreprirent alors de doucher le bébé pour le laver des lambeaux de placenta qui le recouvraient encore. Ils ramenèrent ensuite l'éléphanteau vers le troupeau. Sa mère et les autres femelles agitèrent leurs oreilles et leur trompe. Une dernière salve de barrissements secoua la forêt, puis tout retomba dans le silence. Le ciel avait enfoncé une autre de ses racines dans la terre des hommes.

« Ô ma belle Afrique, griffonna ce soir-là Matta dans son carnet de route, ta magie dilate tous les pores de ma peau dans une ivresse de bonheur et d'orgueil ! »

*

– Un campement de bracos !

Le cri de Christophe Colomb hurlant « Terre ! » n'avait sans doute pas été plus triomphal. Nous nous précipitâmes. L'endroit semblait pourtant abandonné. L'infaillible Sogli interpréta rapidement tous les indices. Le campement avait en réalité été transféré auprès du point de chute d'un gros gibier. Une heure au pas de course nous permit de tomber pile dessus. L'investissement fut immédiat et l'assaut donné en douceur sans le moindre échange de coups. Butin : six braconniers instantanément enchaînés et transformés en porteurs, une demi-tonne de viande en partie boucanée, deux lampes frontales, un chargement de farine, un lot d'arcs et de flèches empoisonnées et une demi-douzaine de fusils. Il s'agissait de pétoires de fabrication locale faites d'un tube d'acier grossièrement monté sur une crosse. Elles se chargeaient par la gueule de poudre et de boulons. Matta affirmait qu'elles faisaient autant de victimes parmi les braconniers que parmi le gibier. Un sinistre trophée se cachait ce jour-là sous un amas de branchages, à quelques dizaines de mètres. C'était la dépouille d'un éléphant mâle d'une trentaine d'années, armé de défenses qui devaient peser au moins cinquante kilos chacune. La vision de ce joyau foudroyé nous fit si mal que nous ne pûmes retenir nos larmes. Je lus de la rage dans le regard fiévreux du député des éléphants, et une détermination encore plus farouche de mettre fin à ce génocide animal. C'était une guerre à mort qu'il lui fallait livrer. Une guerre sainte digne de l'amour de l'Afrique qui brûlait en lui.

Après une nuit de cauchemar à lutter contre les moustiques et la tornade qui malmenait les deux vieilles tentes rapiécées que M. le Conservateur des chasses refusait de remplacer, nous étions à nouveau sur le sentier de cette guerre. En l'espace de deux heures, quatre campements furent incendiés et vingt Lobis capturés avec un butin considérable. Les braconniers s'enfuyaient de tous côtés à l'appel du tam-tam les alertant de notre présence. Avec pour toute nourriture quatre morceaux de sucre et trois comprimés de quinine et d'aspirine dans l'estomac, nous prîmes enfin le chemin du retour. Quarante-cinq kilomètres dans la boue et le brouillard, sous les rafales tropicales, à travers des marécages grouillant de sangsues, une jungle pleine de serpents, de scorpions, de tarentules velues comme des singes. Malgré les barrissements sauvages de ses éléphants et les rugissements de ses lions, l'Afrique paradisiaque du Kongo Massa me parut ce jour-là plutôt proche de l'enfer.

Matta triomphait. Le résultat de notre expédition atteignait des records : onze campements détruits, vingt et un prisonniers, douze fusils, six lots d'armes blanches, huit lampes frontales, deux paires de défenses en ivoire et trois mille neuf cent trente kilos de viande. Cependant, le plus optimiste bulletin de victoire ne pouvait cacher l'angoissante réalité.

– Les éléphants vont avoir la paix pendant quelque temps, soupira le Kongo Massa en m'accompagnant au taxi qui devait me ramener à Abidjan, mais pour combien de temps ? Plus d'opérations possibles avant un mois : ma caisse est vide.

Alors que nous nous serrions fraternellement la main, il ajouta à mi-voix :

– Je suis décidé à prendre tous les risques pour alerter l'opinion mondiale.

Ces mots sibyllins furent les derniers que m'adressa mon ami le député des éléphants.

Raphaël Matta expédia ce soir-là un nouveau rapport à la direction des Eaux et Forêts d'Abidjan. La mort dans l'âme, il y demandait que soient soustraits de son inventaire dressé deux années plus tôt quarante éléphants, cent cinquante hippopotames et cinq mille bovidés sauvages dont les chairs sanguinolentes avaient boucané sur les claies de bois des clairières de sa réserve. C'était le quart de l'effectif minutieusement recensé à son arrivée. Ces chiffres prouvaient qu'en dépit de son acharnement il était en train de perdre la bataille.

Des arcs et des flèches empoisonnées pour abattre le Kongo Massa

Quelques semaines après ma visite, la Côte-d'Ivoire entra en campagne électorale. Matta m'écrivit qu'il avait reçu l'ordre de ses chefs de cesser toute activité professionnelle et de fermer les yeux sur les actes de pillage qui se déroulaient dans sa réserve. Prenant le contre-pied de ces instructions, il organisa, dans une atmosphère de guérilla, des opérations de contre-braconnage dont l'ampleur et le bilan semèrent l'effroi jusque dans l'entourage du gouverneur. « Vous n'avez pas le droit de faire courir à votre personnel de tels risques », lui télégraphia le directeur du service des Eaux et Forêts. Devant sa case, Matta trouva des tracts invitant les électeurs à voter pour la liste du cacao parce qu'elle « fera sauter la réserve ». D'autres proclamaient : « On vous a volé votre terre, vengez-vous sur les gardes en interceptant leurs camions de ravitaillement. » Bientôt, les enfants de Raphaël furent privés d'aliments frais et de lait envoyés d'Abidjan. Pendant ce temps, les braconniers arrêtés se voyaient condamner à des peines dérisoires et leurs armes, vendues aux enchères publiques, étaient rachetées par d'autres chasseurs. Matta essaya de rendre coup pour coup. Un administrateur en chef établissait-il un rapport virulent contre la réserve ? Il contre-attaquait publiquement. « J'ai surpris le signataire de ce rapport en flagrant délit de chasse à l'intérieur de la zone protégée. » De la poste de Bouna partaient presque chaque jour des lettres adressées à tous ceux, de par le monde, pour qui l'assassinat d'une grue couronnée ou d'un éléphant sauvage était un crime irréparable. Appels suppliants, désespérés, pour que naisse enfin une autorité internationale décidée à sauver ce qui pouvait l'être encore, une sorte de parlement mondial pour la protection de la nature. Mais aux cris d'alarme ne répondaient que de bonnes paroles et des télégrammes d'encouragement.

Dans la brousse, le massacre des éléphants continuait. Christiane Matta, la petite Martine et son frère Germinal, les lézards qui se cachaient dans la paille du toit de la case, ainsi que les dizaines d'éphémères qui tourbillonnaient autour de la lampe à huile, étaient les témoins quotidiens du désespoir de Raphaël. Il ne cachait pas ses larmes devant l'incompréhension des hommes. Ce désespoir le pousserait à prendre bientôt la décision la plus dramatique de sa vie. Puisqu'on lui refusait les pleins pouvoirs qu'il avait demandés pour garantir la survie de ses éléphants, il irait les rejoindre dans la brousse pour les défendre les armes à la main. Il s'enfoncerait dans le maquis comme le Morel des *Racines du ciel*. Dans un ultimatum à son directeur du service des Eaux et Forêts, il écrivit : « Tout le monde sait qu'il n'est plus possible aujourd'hui de m'expulser de Bouna sans recourir aux baïonnettes et que les conséquences d'un tel acte seraient imprévisibles. Je suis tout-puissant parce que ma foi soulève des montagnes et parce que je suis honnête. La réserve, c'est moi. Malheur à ceux qui essaieront de me barrer la route. »

Les dés étaient jetés : il allait s'installer au cœur même de la réserve, la nettoyer des braconniers, incendier leurs repaires, les villages où se fabriquaient les armes, où se recrutaient les porteurs, briser un à un les maillons de la chaîne du trafic de viande et d'ivoire. Peut-être serait-il abattu, arrêté, jeté en prison. Qu'importe ! Sa rébellion au nom des animaux obtiendrait l'audience qu'il souhaitait, la tribune qui lui faisait défaut. Et tant pis si cette tribune devait être le banc des accusés d'une cour d'assises. Le dossier de sa défense était prêt. Fruit de cinq années de luttes, d'humiliations, d'échecs, de scandales divers, celui-ci comptait plus de deux cent cinquante pages explosives. Par calcul, ou peut-être tout simplement par légèreté, Matta fit taper ce rapport par la propre épouse du commandant français de la subdivision locale. Elle seule possédait une machine à écrire assez puissante pour frapper plusieurs exemplaires à la fois. Cette imprudence scellerait prématurément le destin du saint François des éléphants. Car les autorités n'allaient rien ignorer de l'extravagant projet qu'il avait mis en route.

Je reçus, en même temps que ses plus proches amis, une lettre annonçant l'imminence de son coup d'éclat. « J'ai caché dans la brousse deux camions bourrés de vivres, d'armes et de munitions, nous déclarait-il. Des volontaires sont venus se mettre à ma disposition pour défendre les éléphants les armes à la main, quelles qu'en soient les conséquences. »

Quelques jours après le Nouvel An, une bagarre éclata entre les Lobis d'un village situé en bordure de la réserve et des commerçants d'une autre ethnie, les Dioulas. L'incident s'était produit dans un contexte particulièrement explosif. Les Lobis de la région étaient en effet en pleine effervescence. Ils célébraient depuis deux mois le *dyoro*, la grande cérémonie initiatique qui revient tous les sept ans au calendrier de leur tribu. Autrefois, pour passer officiellement à l'âge adulte, chaque jeune Lobi devait faire la démonstration de sa virilité et de son courage en tuant un homme. La colonisation française avait mis fin à cette coutume. Aujourd'hui, les jeunes Lobis se contentaient d'abattre un animal dans la réserve. Mais, chaque soir à la veillée, ils se rassemblaient autour des anciens pour écouter leurs récits des temps légendaires où chacun gagnait ses galons d'homme en massacrant à coups de flèches le représentant d'une tribu rivale.

Pendant toute la période du dyoro qui durait trois mois, le pays lobi était un no man's land où il était dangereux de se hasarder. Rites et cérémonies s'y déroulaient en secret. Garçons et filles étaient conduits par les anciens jusqu'au bord de la Comoé, le fleuve-dieu, pour une période de méditation de huit jours au terme de laquelle ils changeaient d'état civil. Une touffe de leurs cheveux, symbolisant leur identité d'enfant, était enterrée dans la vase de la rivière. Le sorcier leur attribuait un nouveau nom. Les jeunes initiés regagnaient alors leur village en chantant des cantiques et en tirant des flèches sur tous les membres d'autres tribus rencontrés en chemin.

Mais aucun interdit ne pouvait empêcher les commerçants dioulas d'aller vendre leur marchandise, fût-ce au risque de récolter une cuisante correction. Sachant les Lobis amateurs de lunettes de soleil, de colliers en perles de verre, et de vieux uniformes militaires, plusieurs d'entre eux avaient enfreint les tabous du dyoro et pénétré chez leurs voisins. La punition que leur valut leur audace excéda la violence habituelle. Ils allèrent se plaindre au chef de canton indigène, lequel s'adressa à l'administrateur français responsable de la subdivision. Ce dernier convoqua Raphaël Matta. Avait-il soudain entrevu l'occasion de se débarrasser de l'auteur du rapport explosif tapé à la machine par son épouse ? Bien qu'une telle mission sortît de ses attributions, Matta fut chargé d'aller au village de Timba Ouré régler le différend entre Dioulas et Lobis. L'administrateur ne pouvait ignorer à quels dangers il exposait son compatriote, les Lobis ayant maintes fois menacé de régler son compte au « sorcier blanc » qui les pourchassait depuis cinq ans.

Accompagné de son fidèle Sogli et de quelques gardes-chasse dioulas, Raphaël se présenta devant les premières soukhalas en boue séchée du village de Timba Ouré. Aussitôt, les guerriers lobis, armés d'arcs et de casse-tête, le carquois plein de flèches empoisonnées à l'épaule, encerclèrent les intrus. En quelques mots traduits par Sogli, Raphaël exhorta les farouches guerriers à cesser leurs attaques contre les commerçants dioulas. Puis, avec sa témérité habituelle, il osa leur demander de déposer leurs arcs et leurs flèches à leurs pieds en signe de réconciliation avec leurs voisins. La requête paraissait folle. L'arc est la possession la plus sacrée du chasseur lobi, l'attribut de sa virilité, la marque de son identité. Il est décoré et colorié différemment selon le clan, l'âge et la position hiérarchique de son propriétaire au sein de la tribu. Qu'il l'utilise pour abattre un rat à longue queue ou un éléphant de six tonnes, ou pour pêcher à l'aveuglette dans l'eau boueuse des marigots, le Lobi ne se sépare jamais de son arc. La mort elle-même ne fait que rendre plus étroite sa communion avec lui. Pendant les trois jours que dure l'exposition de sa dépouille, son arc reste attaché au corps du Lobi.

Cette association mystique, à laquelle même la mort ne pouvait mettre un terme, Raphaël Matta allait réussir à la briser. Impressionnés par l'exhortation du petit homme blanc, les Lobis obtempérèrent. Ils déposèrent leurs armes à leurs pieds. Mais Raphaël n'eut pas le temps de savourer sa victoire. Au lieu de se tenir tranquilles, ses gardes dioulas se précipitèrent sur ces arcs et ces flèches pour s'en emparer, un sacrilège dont les Lobis rendirent immédiatement le Français responsable.

– Le Kongo Massa nous a trahis ! hurla l'un d'eux. Il donne nos armes aux Dioulas !

Tous se ruèrent alors sur l'homme blanc. Sogli vit son chef pointer en l'air sa carabine 5.5 et l'entendit crier :

– Première sommation ! Deuxième sommation !

Pour le meilleur pisteur d'Afrique, ces formalités étaient bien inutiles. Les Lobis étaient des sauvages. Ils ne se souciaient pas des sommations. Il fallait s'enfuir au plus vite. Sogli entraîna son chef dans une retraite précipitée, mais tous deux s'égarèrent en cherchant le sentier par lequel ils étaient arrivés. Pressés par leurs assaillants qui arrivaient de tous côtés, ils sautèrent dans un marigot et tentèrent de gagner l'autre rive. Les Lobis, qui avaient récupéré leurs armes, arrosèrent les fuyards d'une pluie de flèches. Six d'entre elles atteignirent Raphaël, une dans le dos qui pénétra jusqu'au poumon, une au bras, une dans la cuisse, et trois dans les fesses. Le Français s'écroula. Les Lobis bondirent sur lui et lui assenèrent plusieurs coups de casse-tête. L'un d'eux s'acharna même avec une hache. Mais le poison des flèches avait déjà fait son œuvre. On était en janvier, quelques semaines seulement après la récolte de la plante vénéneuse dont les Lobis enduisaient leurs flèches et qui était toujours mortelle lorsqu'elle était fraîche. Le roi de la brousse avait rejoint le paradis des éléphants.

*

Trois jours plus tard, le corps de Raphaël Matta fut porté en terre au bord de la rivière Comoé, à l'endroit même où il avait coutume de se baigner avec ses enfants au milieu des animaux de la savane. Sur la stèle que sa femme avait fait tailler étaient gravés les mots de l'épitaphe trouvée dans son portefeuille le jour de sa mort. Des années plus tôt, seul au cœur de sa brousse, il avait écrit :

« Bel éléphant sauvage, accepte du plus fidèle de tes amis les vœux les plus ardents de quiétude et de prospérité pour toi-même, pour tes rejetons, pour tous ceux de ta magnifique race. Et qu'importe si mon sang arrose un jour pour ta gloire la prestigieuse terre d'Afrique. Tu en vaux la peine. »

*

Le procès des douze guerriers lobis accusés du meurtre du député des éléphants eut lieu quatorze mois après cette tragédie, dans l'enceinte de la cour d'assises du palais de justice d'Abidjan. Le plus jeune avait seize ans. Ils avaient tous été désignés par le chef de leur village pour se livrer à la police et répondre d'un crime qui était celui de toute leur tribu.

Assise au premier rang, Christiane Matta vêtue de noir écouta avec une dignité douloureuse le récit du martyre de Raphaël. Posées sur une table devant elles, se trouvaient les armes d'un autre âge qui lui avaient pris son mari : des flèches empoisonnées, tordues, encore tachées de sang et recouvertes de lambeaux de sa chemise ; le casse-tête en bec d'aigle qui lui avait fracassé le crâne ; la hache de silex qui lui avait ouvert la poitrine. Elle avait prié son avocat de déclarer au tribunal que Raphaël Matta se serait présenté sans haine devant ses agresseurs. Les quatre jurés africains qui siégeaient aux côtés des trois magistrats européens s'efforcèrent de faire la part des coutumes, des rites séculaires, des superstitions à l'origine de ce drame. Bien que le procureur européen n'ait requis qu'une seule peine de mort, les jurés africains lui en accordèrent deux. Les deux condamnés accueillirent la sentence avec le sourire. Ils savaient que, par leur mort, ils deviendraient aux yeux des membres de leur tribu des héros plus grands que le Kongo Massa, leur victime. Après trois ans de détention, ils furent graciés par le président de la Côte-d'Ivoire.

Les grands absents du procès d'Abidjan furent ceux

pour qui Raphaël Matta avait donné sa vie : les éléphants. J'ai honte de le dire, mais ni moi ni aucun de ses amis et admirateurs ne sommes allés parler en leur nom. Les craintes de Matta devaient pourtant se révéler tristement exactes. Après sa mort, les braconniers et les chasseurs du dimanche revinrent en masse dans sa réserve. Les troupeaux qu'il s'apprêtait à défendre à la pointe de sa carabine furent décimés par les trafiquants d'ivoire. Le problème n'était pas propre à la Côte-d'Ivoire, il s'étendait à toute l'Afrique. Entre 1979 et 1989, plus de sept cent mille éléphants furent abattus. Au cours de l'année 1985, le Japon à lui seul acheta quatre cent soixante-quinze tonnes d'ivoire.

Raphaël Matta n'est cependant pas mort en vain. En 1977, la Convention de Washington sur le commerce international des espèces de la faune et de la flore sauvages menacées d'extinction inscrivit les éléphants sur la liste des espèces protégées. Cent deux pays ratifièrent cette décision. Malheureusement, celle-ci ne fut pas strictement appliquée dans les pays qui étaient les plus concernés. Des permis de port d'armes achetés en fraude et le braconnage continuèrent de favoriser l'exportation de l'or blanc. Il fallut attendre le 17 octobre 1989, soit trente ans après le sacrifice de Raphaël Matta, pour que le commerce de l'ivoire soit définitivement interdit. La chasse et l'abattage furent réglementés. La plupart des pays d'Europe, les États-Unis et le Japon cessèrent leurs achats d'ivoire.

Cette décision permit d'enrayer le déclin du nombre des pachydermes, passé d'environ deux millions et demi à moins de six cent mille têtes au cours des vingt années précédentes. Depuis, le nombre des éléphants s'est stabilisé. Mais la dernière Convention sur le commerce international des espèces menacées (CITES), tenue en juin 1997 à Harare, capitale du Zimbabwe, porta un coup nouveau à la cause des éléphants. Au terme de dix jours de débats houleux, la convention vota une levée partielle de l'interdiction du commerce de l'ivoire. Bien qu'assortie de certaines conditions, cette remise en cause de l'embargo est une cuisante défaite pour les défenseurs des animaux.

« Alors que la fermeture du commerce est encore récente, la décision prise n'aura pas permis de reconstituer les populations d'éléphants largement braconnées dans le passé pour l'ivoire, déplora le ministre français de l'Environnement. Le vote qui vient d'avoir lieu est le signal de la reprise du trafic de l'ivoire dans toute l'Afrique. »

En réalité, ce trafic n'avait jamais totalement cessé. Il a toujours existé un marché clandestin de l'or blanc. Chaque année, dans la seule région des six pays d'Afrique centrale participant au projet de l'Écosystème forestier, plus de mille éléphants sont abattus par des braconniers.

« Le braconnage a pris des proportions alarmantes au Gabon, au Cameroun et en Centrafrique », déclarait en novembre 1996 un responsable du projet, ajoutant qu'au Congo la situation était catastrophique.

La disparition des éléphants n'est, hélas, qu'une des innombrables tragédies animales qui menacent aujourd'hui la planète. D'après les dernières estimations, 5 205 espèces connues risquent de disparaître avant l'an 2050. Elles représentent 25 % des mammifères du monde, 11 % des oiseaux, 20 % des reptiles, 24 % des amphibiens, et 34 % des poissons...

12

Cent mille kilomètres de rêves sur les grandes routes du monde

C'était le plus beau spectacle que pouvait contempler un petit garçon de six ans amoureux des belles autos. Dès que le premier rayon du jour filtrait sous la porte, je quittais la chambre sur la pointe des pieds pour ne pas réveiller ma mère et m'élançais en courant vers le fond du jardin. Je voulais être le premier à voir, toucher, sentir les deux merveilles arrivées de Paris pendant la nuit. Elles appartenaient à mes oncles. Elles étaient toutes deux américaines. La plus belle était un cabriolet Hupmobile peint en deux tons de bleu. À cause de la grâce vraiment aérienne de sa ligne, mon oncle Pao l'avait baptisée « la Céleste ». Deux gros phares chromés encadraient son étincelante calandre, surmontée d'une mascote en argent représentant un oiseau prêt à l'envol. Sous chaque phare, il y avait le long cornet rutilant d'un avertisseur sonore. Leur double voix de trompette était si puissante que je la reconnaissais à des kilomètres à la ronde. Un élégant étui, encastré dans l'aile avant droite et peint aux couleurs de la voiture, abritait la roue de secours. Sous chaque portière, un marchepied permettait de monter facilement à bord. Il me servait de piédestal pour mes longues séances d'admiration solitaire.

La Céleste était encore plus belle à l'intérieur qu'à l'extérieur. D'abord, par l'odeur, une odeur suave et pénétrante de cuir souple et frais. Ensuite, par la richesse d'un tableau de bord qui abritait, au milieu de mille cadrans et boutons mystérieux, un poste de radio et un cendrier. Les chiffres inscrits sur le compteur de vitesse grimpaient à 160, ce qui devait représenter une vitesse supérieure à celle des trains express La Rochelle-Bordeaux qui, quatre fois par jour, passaient comme l'éclair au bout de notre jardin. C'était surtout la partie arrière de cette automobile qui en faisait à mes yeux une voiture magique. Une poignée permettait d'ouvrir une sorte de trappe : alors apparaissaient une banquette et un dossier où deux personnes pouvaient facilement prendre place. Un petit marchepied sur le pare-chocs et un autre sur le haut de l'aile permettaient d'accéder à ce siège ouvert à tout vent. Cela s'appelait un « spider ».

Un spider semblable équipait le cabriolet Chevrolet vert pâle de mon autre oncle. Le dimanche, les deux voitures sortaient ensemble pour emmener toute notre famille à la grand-messe. Mes cousins, ma sœur et moi avions le droit de prendre place dans leurs spiders. C'était la plus belle récompense de nos vacances. Les deux voitures traversaient tout le village par la rue principale jusqu'à l'église. Notre petite caravane ne passait pas inaperçue, car deux automobiles aussi belles se suivant à la queue leu leu n'étaient pas un spectacle habituel dans les rues de Châtelaillon en 1937. La petite station balnéaire au bord de l'Atlantique, à douze kilomètres au sud de La Rochelle, était une plage familiale. Mes grands-parents y avaient acheté une villa dans les années 1900. Le confort y était plutôt sommaire, mais les baignades sur l'immense plage de sable fin, les festins de moules et de sardines grillées sous la tonnelle compensaient l'absence de salle de bains et les cloisons de brique aussi fines qu'une feuille de carton entre les pièces. De toute façon, Châtelaillon était à mes yeux le paradis sur terre : bien que ma famille habitât Paris, c'est là que je suis venu au monde un dimanche de vacances, dans la chambre de mes parents.

Après la messe, nous reprenions fièrement nos places dans le spider de la Hupmobile et de la Chevrolet, sous les regards admiratifs du gros curé Poupard et des estivants. Les voitures retraversaient alors le village et venaient s'arrêter devant la pâtisserie à côté de la poste où ma mère allait acheter le traditionnel saint-honoré dominical dégoulinant de crème. Mes cousins, ma sœur et moi dégringolions de nos spiders respectifs pour aller, à l'invitation de nos oncles, explorer le royaume du marchand d'articles de plage voisin. Le premier dimanche des vacances, les deux autos rentraient à la villa hérissées de filets à crevettes, leurs coffres remplis de paniers, d'espadrilles, de crocodiles en caoutchouc et de radeaux gonflables pour nos jeux de plage. Après les avoir soigneusement garées au fond du jardin, mes oncles fermaient leurs voitures à clef. C'était un moment plutôt triste, car toute une semaine me séparait d'une nouvelle promenade en automobile.

Ma vie de petit garçon m'offrait très rarement l'excitation de monter dans une voiture. Mes parents n'en possédaient pas, et n'en posséderaient jamais. Non seulement parce que le traitement de professeur à Sciences-po de mon père n'aurait pas permis un tel achat, mais aussi et surtout parce que l'idée de s'asseoir derrière un volant pour piloter un véhicule grâce à toutes sortes de pédales était pour lui aussi inimaginable que de barrer un voilier de course dans les quarantièmes rugissants. Mon père était un intellectuel. Ses livres étaient la seule mécanique qui excitât son esprit.

La guerre mit fin à mes promenades en spider à travers Châtelaillon. Mes oncles cachèrent soigneusement leurs belles américaines de peur que les militaires français puis les envahisseurs allemands ne fussent tentés de s'en emparer.

Comme toutes les plages du littoral atlantique, Châtelaillon fut déclarée « zone interdite » dès le début de l'occupation allemande. Chevaux de frise, blockhaus et champs de mines remplacèrent les tentes des estivants sur les longues étendues de sable fin de nos vacances. Ma mère se mit en quête d'un autre lieu où nous faire passer l'été. Une relation qu'elle avait à Dormans, un gros bourg au bord de la Marne, à une centaine de kilomètres de Paris, lui signala une famille qui prenait des enfants en pension pour l'été. Ma rencontre avec cette famille allait illuminer mon enfance.

Adrien et Émilienne Cazé exerçaient la profession de brocanteurs-chiffonniers. Ils vivaient dans une grande maison dont les pièces débordaient jusqu'au plafond d'un amoncellement de meubles, d'objets, de vêtements, de vaisselle, d'ustensiles de cuisine. Dans le grenier, s'entassaient des dizaines de sommiers, de matelas, de lits, des piles d'édredons, de couvertures, de draps, de linge divers. Le sous-sol était une véritable caverne d'Ali Baba pleine de bicyclettes, de vieux vélomoteurs, de carrioles, d'outils agricoles, de malles. Chaque objet portait une étiquette sur laquelle était inscrite à la plume ou à la craie une série de lettres. Chaque lettre provenait du mot de code dont se servait Adrien Cazé pour se rappeler le prix qu'il avait payé ses achats. Il me fallut plusieurs étés pour reconstituer le mot magique. C'était CATHERINUS. Le C correspondait au chiffre 1, le A au chiffre 2, et ainsi de suite. Quant à la dernière lettre S, elle représentait le 0. C'était aussi simple qu'infaillible.

Adrien Cazé était connu à des dizaines de kilomètres à la ronde. On trouvait chez lui tout ce qu'on ne pouvait plus acheter dans les magasins vidés de leurs marchandises par la pénurie. Chaque samedi, il m'emmenait à bicyclette à l'hôtel des ventes d'Épernay, et parfois plus loin, à Reims, Château-Thierry, et même Châlons-sur-Marne, pour acquérir en vrac une succession, ou rafler les objets proposés aux enchères. Cela pouvait aller d'une lessiveuse à une superbe salle à manger Louis XVI en acajou moucheté. Il avait eu un jour un coup de cœur pour un objet qui n'avait plus guère de valeur marchande dans l'époque que nous traversions. Cette acquisition allait devenir le refuge de mes peines et de mes joies, mon jardin secret de petit garçon. C'était une torpédo Citroën à quatre portes dont l'âge remontait à des années avant ma naissance. Les toiles d'araignée qui étoilaient le moindre de ses recoins dénonçaient son immobilité prolongée. Ses moquettes, les garnitures de ses sièges, les habillages de ses portes avaient nourri des générations de souris. Tout ce qui restait de sa capote était une paire d'arceaux en bois où des colonies de vers avaient élu domicile. Malgré les outrages du temps, l'auto n'en avait pas moins fière allure avec ses ailes noires, ses pare-chocs à deux lames, sa longue carrosserie peinte en bleu nuit avec des filets blancs, ses ouïes chromées sur les flancs de son capot et ses jolies lanternes de chaque côté du pare-brise. Le cadran du compteur de vitesse marquait un total astronomique de 98 544 kilomètres, plus de deux fois la distance de la Terre à la Lune.

Pour la première fois de ma courte vie, j'eus le bonheur de m'asseoir derrière un vrai volant. Qu'importe si les ressorts du siège dépouillés de leur garniture me lacéraient douloureusement les fesses, j'étais grisé. Bien sûr, aucun organe ne fonctionnait. Le gros bouton du klaxon ne déclenchait aucun concert sonore, ceux des phares sur la planche de bord aucune lumière, le poussoir du démarreur aucune mise en route. La torpédo de mon chiffonnier-brocanteur avait perdu le souffle de la vie. J'avais beau m'accroupir pour agiter les pédales, tripoter les manettes, jouer avec son changement de vitesse, le moteur restait aussi figé qu'une momie dans son sarcophage. Ce refus de s'animer ne me découragea nullement. Chaque jour, je venais pieusement m'installer dans ce vaisseau mythique. J'imaginais des courses folles sur les routes du monde. J'inventais un bruit de moteur entre mes lèvres, et simulais de terrifiantes accélérations, puis de brusques ralentissements, et enfin le crissement déchirant des pneus freinant sur l'asphalte.

Souvent, Adrien Cazé confiait la garde du magasin à sa femme Émilienne pour venir me retrouver. Sur la banquette de notre épave à demi engloutie sous le bric-à-brac qui remplissait le garage, nous ressemblions à deux naufragés luttant au milieu des vagues. Le vieil homme et le petit garçon que j'étais partageaient alors le même appétit d'aventure et de rêve. Soudain, les murs s'effaçaient, l'obscurité devenait lumière, l'espace s'ouvrait devant notre capot conquérant. Adrien m'apprenait à changer les vitesses, à manœuvrer les pédales, à serrer à la corde des virages imaginaires. Ces voyages immobiles dans le chaos de ce garage resteront mes plus beaux souvenirs d'évasion.

Je vis venir avec désespoir la fin de ces vacances magiques. L'hiver qui suivit fut l'un des plus froids qu'ait connus la France depuis un siècle. Notre appartement rue Jean-Mermoz était situé au dernier étage, juste sous les toits. C'était une glacière. La brève flambée que faisait mon père à l'heure du dîner dans le poêle de la salle à manger créait tout juste l'illusion d'une bouffée de chaleur. Dès la dernière bouchée, nous allions vite nous coucher. Enfreignant les instructions de ma mère, j'avais pris l'habitude de me glisser tout habillé dans mon lit. Ce stratagème rendait moins pénible le lever dans le froid du lendemain. Je me recroquevillais au fond du lit et rabattais les draps et les couvertures par-dessus ma tête en laissant passer juste assez d'air entre les oreillers pour respirer. Grâce à une toute petite lampe de chevet, je pouvais éclairer cette tanière ouatée et me plonger dans le dernier livre que j'avais emprunté à la bibliothèque de mon école. Bien entendu, ces ouvrages n'avaient aucun lien avec mon programme scolaire. Il s'agissait toujours de romans d'aventures, de récits de guerre ou de voyages, de vies de pionniers ou d'explorateurs. Ces veillées étaient d'inoubliables moments de félicité. Calfeutré bien au chaud sous mes couvertures, je tournais les pages en chevauchant mille rêves. Oublié, le froid qui rongeait insidieusement les cœurs et les corps; oubliés ces petits tiraillements de faim qui continuaient à me serrer le ventre après chaque repas; oubliés ces coups de sifflet rageurs des patrouilles de la défense passive contre une fenêtre laissant passer un rai de lumière. Oubliées, enfin, cette morosité ambiante, cette peur latente qui nous atteignaient nous aussi, les enfants. Du fond de mon lit, j'implorais passionnément le dieu de la guerre pour qu'il détourne les avions alliés du ciel de Paris et qu'aucune alerte aérienne ne m'oblige à sortir de mon refuge enchanté.

L'un des ouvrages qui illuminèrent cet hiver-là plusieurs de mes soirées était le récit du fantastique raid automobile qu'avaient accompli juste avant la guerre deux chefs scouts du nom de Guy de Larigaudie et Roger Drapier. Jamais aucune auto, pas même une voiture de la Croisière jaune, n'avait encore réussi à aller par voie de terre de Paris à Saigon, en Indochine, à travers les deltas du Gange et du Brahmapoutre, et les montagnes de Birmanie. Ce qu'avaient réalisé ces deux garçons, de leur propre initiative, sans aucun soutien officiel, pour le simple et beau plaisir de l'aventure, pour la seule joie de la difficulté à vaincre, était un exploit comparable à la traversée de l'Atlantique par Lindbergh ou à la descente du Congo par Livingstone. Une voiture neuve étant au-dessus de leurs moyens financiers, ils avaient accompli ce raid dans un vieux cabriolet Ford décapotable dont le compteur marquait déjà soixante-dix mille kilomètres. En hommage à leurs sœurs du mouvement scout, ils l'avaient appelé « Jeannette ».

« Quel garçon, quel adolescent, n'a caressé un jour dans son imagination ce rêve de grands départs ? » demandait Larigaudie dans la préface de son livre *La Route aux aventures – Paris-Saigon en automobile* [1], avant de donner aussitôt la réponse. « Il était beau que deux jeunes pussent réaliser cet innombrable désir. C'est pour cela que nous sommes partis et la réussite de notre

1. Éditions Plon, 1939.

raid a tenu à ce que, justement, nous sentions concrétisés en nous ces rêves de quelques milliers de garçons. »

Paris, Constantinople, Jérusalem, Damas, les déserts de Syrie et d'Iraq, les hauts plateaux d'Afghanistan, la grande route des Indes... Ce glacial hiver, je voyageai avec Larigaudie et Drapier à bord de leur Jeannette. J'entendis ses ressorts gémir sur les horribles pistes turques, je sentis le vent glacial des cimes de l'Hindou Kouch brûler mes joues pâlottes, je fis couler dans ma gorge le café amer des Bédouins de Palmyre, j'enfourchai pour un sprint le fougueux étalon d'un guerrier pathan, j'endossai mon smoking pour dîner avec le vice-roi des Indes, sur les pelouses de son palais des *Mille et Une Nuits* de New Delhi. Moi, le petit écolier de la sixième verte du collège Sainte-Marie de Monceau, je m'évadais chaque nuit de la France occupée pour courir le monde dans le coffre d'une vaillante torpédo, encore plus belle, plus réelle, plus folle que celle de mon brocanteur-chiffonnier. Nuit après nuit, alors que mes camarades dormaient comme de petits anges, je m'élançais à bord d'une Jeannette lestée de bidons d'eau et d'essence, à travers les mille trois cents kilomètres du désert de Syrie. Je franchissais les hauts plateaux afghans infestés de brigands, je m'enfonçais dans les jungles de l'Orissa à la poursuite des bêtes sauvages, je me retrouvais dans l'enfer de la chaîne birmane.

« La piste est atroce, racontait Larigaudie. Jeannette souffre, peine, prend des positions étonnantes à des angles invraisemblables. Toute la carrosserie gémit. Le carter cogne sans cesse, éraflé de pierres. Une souche le laboure littéralement. Nous roulons presque toujours un pneu en équilibre au flanc du talus. Les roues glissent et nous retombons sur le pont arrière. Les cornières qui tiennent les marchepieds sont tordues. Les pièces de fer qui soutiennent les planches cassent. L'embrayage subit des à-coups effrayants. Les tournants en éboulis sur des à-pic de cinq ou six cents mètres se multiplient. Il faut faire des ponts de planches pour consolider le sable qui s'écroule.

« Nous attachons la voiture à des troncs d'arbres au flanc de la montagne et passons, deux roues dans le vide. Nous tirons, poussons, halons, conduisant parfois debout sur le marchepied pour pouvoir sauter à temps si Jeannette glisse dans le vide. Le plus épuisant est peut-être de vider continuellement la voiture pour l'alléger, de la recharger après l'obstacle, pour recommencer cent mètres plus loin.

« À demi nus, sous la température de feu, au milieu de cette jungle hallucinante, nous travaillons comme des forçats, le cœur serré d'angoisse et toute la volonté tendue.

« La nuit va venir. Nous voudrions camper. Mais la présence de tigres et d'éléphants nous inquiète. Au passage d'un surplomb de sable qui s'écroule, la voiture glisse. Seules les cordes de sécurité attachées à un arbre la retiennent. Nous essayons d'avancer, mais la terre s'éboule sous les leviers et le cric. Après deux heures d'effort, la situation est devenue plus que critique. Si les câbles cassent, Jeannette est perdue.

« Une caravane de six petites charrettes à bœufs étroites, légères, hautes sur roues, construites d'une simple armature de bambous, survient alors. L'un des conducteurs vient d'être enlevé par un tigre. Avec l'aide des quatre autres et du chef de caravane, nous dégageons la voiture. Nous avons parcouru sept kilomètres en toute une journée [...]. »

Larigaudie et Drapier devinrent mes modèles, mes maîtres, mes idoles, et leur Jeannette le véhicule mythique de tous mes rêves. Ils avaient tous les trois ensemble brisé les chaînes de la monotonie pour conduire leur appétit d'aventure aux limites de la terre. Je lus et relus le récit de ce Paris-Saigon jusqu'à en connaître chaque ligne par cœur. Certaines de ses aventures ne cessaient de danser dans ma tête au point que mon travail de classe finit par en souffrir. Je dessinais Jeannette dans toutes les postures sur mes cahiers et traçais les itinéraires de mes futurs voyages à moi. Car ce Paris-Saigon en automobile m'avait montré le chemin. Un jour, j'en étais certain, je pourrais au volant d'une voiture jouer à mon tour le beau jeu de ma vie sur la mappemonde.

Un Roi mage dans le moteur

Ce jour vint plus vite que je n'aurais pu l'imaginer dans mes rêves les plus fous. Quelques mois après la Libération, mon père fut nommé consul général de France à La

Nouvelle-Orléans, aux États-Unis. N'ayant pu trouver un bateau direct pour le grand port du Mississippi, nous dûmes passer par New York. Cette aubaine me valut l'une des émotions les plus fortes de mon existence. Avoir quatorze ans et découvrir tout à coup, au sortir de cinq années de privations, de « black-out », de peur, le prodigieux spectacle qui avait enfiévré de bonheur et d'espoir tant de millions d'hommes, la silhouette drapée de vert de la statue de la Liberté, puis les tours illuminées de Manhattan perçant la brume ! L'arrivée de notre minuscule cargo coïncida avec celle du gigantesque paquebot *Queen Mary* qui rapatriait trente mille GI d'Europe. Des dizaines de bateaux-pompes, toutes sirènes hurlantes, encerclaient le prestigieux navire d'une féerique couronne de jets d'eau. Des orchestres déchaînés jouaient des airs de jazz et des marches militaires sur tous les ponts. Les hommes chantaient, criaient, riaient. C'était délirant. Notre coque de noix accosta quelques heures plus tard à un *pier* de la 57e Rue, entre la carcasse tragique du *Normandie* incendié et un autre transport de troupes. La rumeur de New York assaillit alors nos oreilles avec son vacarme de klaxons, de moteurs, d'activités stridentes.

Un père dominicain, ami de mes parents, nous attendait sur le quai avec un taxi jaune aussi long qu'un wagon. Le brave ecclésiastique eut quelque peine à reconnaître ses amis d'avant-guerre. Et pour cause ! Après les rigueurs de l'Occupation et vingt-cinq jours d'un océan déchaîné, nous faisions plutôt pâle figure. Faute de valises, ma mère avait entassé une partie de nos affaires dans des cartons et des ballots grossièrement ficelés. Mon père portait un vieux costume retourné, et moi des culottes courtes de petit garçon. Quant à nos pieds, ils étaient chaussés de souliers à semelle de bois qui faisaient un bruit de sabots. Mais qu'importe ! New York était là avec son panorama hallucinant de gratte-ciel crevant la nuit d'un déluge d'étoiles. En descendant du bateau, je songeai à une phrase d'un livre de Scott Fitzgerald qu'une tante américaine m'avait prêté pendant l'Occupation. « Découvrir New York, c'était saisir une folle image du mystère et de la beauté du monde. » Cette folle image nous happa dès la sortie des docks. Les bruits obsédants des klaxons, des moteurs, des trains aériens ; les ruissellements d'enseignes géantes proclamant ce qu'il fallait voir, manger, boire, fumer ; comment il fallait assurer son salut, se déplacer, se distraire, se vêtir ; les fleuves de taxis jaunes, de voitures, de camions ; les vitrines débordant de dindes, de poulets, de cochons de lait rôtissant sur des broches ; les journaux lumineux qui se déroulaient en mille couleurs sur les façades... j'étais abasourdi, ébloui, aveuglé, soûlé. Cette ivresse se prolongea tout au long de ma première nuit américaine. Le consulat de France à New York nous avait installés dans un hôtel au coin de Broadway et de la 46e Rue. Le seul ennui était que les fenêtres des huit premiers étages de cet établissement étaient recouvertes par une enseigne géante pour les cigarettes Camel. De la bouche d'un fumeur sortaient des anneaux de vapeur imitant les ronds de fumée d'une cigarette. L'effet était spectaculaire. Personne dans la foule compacte qui se pressait autour de Times Square ne pouvait échapper à cette publicité, mais qui se serait douté que, derrière ce décor, se trouvait un jeune Français qui cherchait le sommeil dans une chambre éclaboussée d'une mitraillade ininterrompue d'éclairs jaunes, rouges, bleus et verts ?

Un tourbillon de nourritures, de shopping, de spectacles. Rien n'arrêtait notre infatigable cicérone dominicain en robe blanche. Il était fou de New York et s'était mis en tête de nous faire partager sa passion.

C'est à New York que je quittai mon enfance : adieu les culottes courtes de mes parties de billes dans les jardins des Champs-Élysées. Chez Macy's, le grand magasin de la 34e Rue qui avait servi de décor à tant de films, ma mère m'acheta mon premier costume avec un pantalon. L'Amérique m'accueillait en faisant de moi un adulte. Ce sacre inoubliable, elle allait le confirmer de façon spectaculaire. À peine débarqués à La Nouvelle-Orléans, j'appris une nouvelle merveilleuse : en Louisiane, il suffisait d'avoir quatorze ans pour être autorisé à conduire une voiture.

– Quand tu auras seize ans, on verra, m'annonça ma mère, soucieuse d'endiguer ma passion irraisonnée pour les autos.

Pour me faire avaler l'amère pilule, elle utilisa un subterfuge vraiment diabolique : elle m'offrit une voiture. Mais pas n'importe quelle voiture : une voiture qui ne roulait pas. Le moteur de l'inénarrable guimbarde qu'elle fit un jour remorquer dans le garage de notre résidence était en effet dépourvu de son Delco, un organe électrique absolument essentiel. Je soupçonnais ma mère de l'avoir fait démonter pour être sûre que son « cadeau » ne courrait aucun risque de prendre le large avec son fils à la barre. Il s'agissait d'un coupé Nash, une marque très prisée pour sa vitesse par les trafiquants d'alcool de la prohibition. Il avait un âge aussi canonique que celui de la torpédo Citroën de mes vacances champenoises. Pour ma mère, c'était la garantie que je ne risquais pas de trouver la pièce qui lui manquait. Elle sous-estimait mon entêtement. Chaque après-midi en sortant de l'école, j'allais faire le tour des casseurs de la ville dans l'espoir de dénicher sous les amoncellements de ferraille un capot qui ressemble à celui de ma pauvre Nash éclopée. Mais l'Amérique avait fabriqué depuis trente-cinq ans tellement de modèles de tant de marques différentes ! J'écrivis des centaines de lettres aux démolisseurs de voitures des principales villes des États-Unis. En attendant, je venais plusieurs fois par jour parler à mon moteur, pour le rassurer, pour lui dire qu'il allait bientôt sortir de sa torpeur, qu'il allait se mettre à tousser, puis à ronronner, puis à rugir comme une bête qui se réveille. J'entendais déjà dans mon imagination la voix magique qui allait jaillir du long capot, je sentais déjà vibrer les tôles impatientes. Je m'asseyais au volant, manœuvrais les pédales, allumais et éteignais les phares, faisais grogner la voix enrouée du klaxon. À travers le pare-brise, je voyais déjà défiler les paysages de Louisiane, avec leurs bayous grouillants d'alligators, les longues allées de chênes centenaires conduisant aux vieilles demeures à colonnades des plantations de coton, les forêts de derricks pompant le pétrole. Et, au-delà de la Louisiane, il y avait le Texas, l'Arizona, la Californie. Et, au-delà, toute l'Amérique, tout un continent que mes pneus usés allaient découvrir. J'avais déjà dans la tête le moyen de financer mon raid américain. J'allais bourrer le coffre de plusieurs seaux de peinture et repeindre les boîtes aux lettres tout le long de ma route. Avec seulement dix boîtes aux lettres par jour à deux dollars l'unité, je pouvais payer mes frais d'essence et de subsistance. La fortune !

J'offris à deux camarades du collège des jésuites où mes parents m'avaient inscrit de m'aider à ces travaux de restauration en échange d'un futur passeport pour l'aventure à bord de la vieille Nash. Leur enthousiasme galvanisa mon énergie. La cour de la résidence du consulat général de France devint chaque après-midi à la sortie des classes, et les samedis et les dimanches, un trépidant atelier de réparation. Nous découpâmes à la scie à métaux le toit de la voiture pour en faire un cabriolet, désossâmes les portières pour réparer les crémaillères des vitres, boulonnâmes des plaques de tôle sur le plancher pour en cacher les trous. Pour financer les menues dépenses de ces rafistolages, je décidai de faire comme beaucoup de jeunes Américains de mon âge : trouver un petit boulot. Le premier « job » de ma vie !

Je pris le tramway de l'avenue Saint-Charles et descendis dans le bas de la ville pour aller proposer au *New Orleans Item,* le principal quotidien local du soir, ma candidature à l'emploi de *paper boy*, de porteur de journaux. Celle-ci fut acceptée, et je fus affecté, quelques jours plus tard, à un itinéraire qui comptait cent cinquante abonnés résidant dans une boucle du Mississippi. La distribution commençait à trois heures de l'après-midi, juste à ma sortie de l'école. Il fallait d'abord se présenter au dépôt du secteur, compter les journaux, les rouler en une sorte de cornet pour pouvoir les lancer devant chaque porte depuis le panier de la bicyclette, cocher les noms et adresses des clients. Le samedi, en plus de la distribution, il fallait encaisser le montant des abonnements. Le job demandait méthode, rapidité, probité. Et une bonne dose de débrouillardise car beaucoup de maisons et de rues au bord du Mississippi ne portaient ni numéro ni nom. Je me lançai dans l'aventure avec un tel enthousiasme que le *French paper boy* fut bientôt célèbre dans tout le quartier. Des abonnés m'arrêtaient parfois au passage pour m'offrir une tablette de chocolat, un ice-cream, un paquet de chewing-gum. Une mamma noire me montra un petit cahier de poèmes qu'elle avait écrits en français. La cote d'amour dont jouissait la France en Louisiane n'était pas une notion abstraite. Un jour, le journal que je jetais sur les escaliers ou sous les porches avec la précision d'un discobole des Olympiades publia ma photo en première page. Ayant découvert que j'étais le fils du consul de France, un journaliste du *New Orleans Item* consacra un reportage dithyrambique à ma croisade pour remettre en marche la vieille Nash au volant de laquelle je voulais parcourir l'Amérique.

L'article me valut plusieurs lettres d'encouragements et, un après-midi, je reçus la visite au dépôt d'un grand Noir en salopette maculée de cambouis qui parlait avec la voix éraillée de Louis Armstrong.

– *Mister Dominique*, m'interpella-t-il avec un air touchant de commisération, je m'appelle Eddy et je viens de lire dans le journal la triste histoire de votre pauvre Nash. Mon cœur de mécanicien en a pleuré. C'est pourquoi je suis venu vous dire que je pourrais peut-être trouver une combine pour adapter sur votre auto le Delco d'une autre marque, et ainsi la mettre en route.

J'avais le souffle coupé. Avais-je bien compris ? Un Balthazar en salopette venait de me proposer un cadeau de Roi mage encore plus magnifique que l'or, l'encens et la myrrhe de l'Épiphanie : faire repartir le vieux cœur de ma Nash. Je sautai dans les bras de ce bienfaiteur. J'attendis que mon père ait emmené ma mère dans une tournée consulaire au Texas pour arracher mon auto à sa paralysie et la faire remorquer jusqu'au garage de ce mécanicien tombé du ciel.

Chaque soir, après avoir balancé mon dernier journal à mon dernier abonné, je me précipitais au garage d'Eddy dans le quartier noir près du grand cimetière. C'était un simple hangar qui puait l'huile de vidange, encombré de pièces usagées, de bidons, de vieux pneus. Plusieurs guimbardes presque aussi vieilles que ma Nash y attendaient leur résurrection. Eddy allait et venait de l'une à l'autre avec le sérieux d'un chirurgien opérant plusieurs malades à la fois. Un capot s'animait tout à coup d'une pétarade rageuse, puis d'un toussotement ponctué de ratés, et enfin d'un râle expirant. Eddy ne réussissait pas toujours ses réanimations du premier coup. Ce Sherlock Holmes de la mécanique était parvenu à mettre la main sur une tête de Delco presque semblable à la pièce qui manquait à ma voiture. Mais, pour pouvoir l'introduire dans le moteur, il devait lui sculpter de nouvelles cannelures, ce qui requérait un minutieux travail d'orfèvre. Armé d'une lime et d'un pied à coulisse, il se mit à l'ouvrage en chantant des gospels. J'avais l'impression de vivre une scène de *La Case de l'oncle Tom*. Je guettais chacun de ses gestes avec une impatience fébrile. Bientôt, mes parents rentreraient de voyage et constateraient la disparition de mon auto. Je n'osais imaginer le séisme que ma désobéissance allait produire. On m'avait déjà menacé de me renvoyer en France par le premier bateau. J'encourageai Eddy avec tous les mots d'anglais que je connaissais, mais la modification de la pièce s'avérait plus délicate que prévu. Le sixième soir, la mort dans l'âme, je pris la décision la plus douloureuse de ma courte existence : ramener ma voiture à la maison. Mes parents arrivant le lendemain, la Nash devait être dans le garage pour les accueillir. Je préparai le remorquage en nouant une grosse corde autour du pare-chocs. Il était presque minuit. Un orage tropical zébrait la nuit de rafales d'éclairs. Puis le ciel se déchaîna, déversant un déluge d'eau tiède. En quelques minutes, les rues devinrent des torrents.

Un coup de tonnerre plus violent que les autres plongea le garage et tout le quartier dans les ténèbres. Qu'importe ! Mon Balthazar en salopette s'éclaira avec une ampoule branchée sur une batterie. Soudain, je l'entendis crier :

– *Mister Dominique, please push on the starter !* (S'il vous plaît, appuyez sur le démarreur !)

Je me précipitai. Malgré l'obscurité, mes doigts trouvèrent d'instinct le bouton que j'avais si souvent activé dans mes rêves immobiles. Le grognement familier du démarreur fit vibrer le volant. La batterie était bien chargée et je sentis dans l'intensité de ce grognement une volonté complice de provoquer le ronronnement tant espéré. À la lueur d'un éclair, je vis la nuque luisante de sueur d'Eddy penchée à l'intérieur du capot. Je relâchai la pression de mon doigt et comptai jusqu'à dix. Les silhouettes radieuses de Larigaudie et de Drapier debout sur les marchepieds de leur Jeannette conquérante me passèrent devant les yeux. J'implorai leur intercession urgente auprès du dieu de la mécanique. Il fallait à tout prix que nous entendions ce soir même la voix de la Nash. Le cœur cognant de plus en plus fort, je réappuyai sur le bouton du démarreur.

– *Mister Dominique*, cria la voix rassurante d'Eddy, *push also on the accelerator !* (Appuyez aussi sur l'accélérateur !)

Et ce fut le miracle : un premier toussotement, puis une rafale, puis une musique profonde, déchirante, provenant des entrailles de l'auto, que des trous dans le tuyau d'échappement ponctuaient de pétarades inattendues. Un nuage d'huile brûlée se répandit bientôt dans le garage tout entier, enveloppant la voiture, Eddy et moi-même dans une vapeur asphyxiante. Eddy avait entonné un cantique d'action de grâces où il était question d'un berger qui remerciait Dieu d'avoir ressuscité l'une de ses brebis déchiquetées par un loup. Après maintes effusions, je sortis du garage et pris mon envol.

Canal Street, le grand boulevard de La Nouvelle-Orléans, n'était certes pas la chaîne birmane, mais piloter la vieille Nash sans essuie-glaces et presque sans freins au milieu d'un trafic affolé par le déluge demandait quasiment autant de virtuosité. Après quarante-cinq minutes d'une navigation hasardeuse, je franchissai le portail de notre résidence sur Broadway. Il était presque cinq heures du matin. Quelques instants plus tard, les deux phares d'un taxi apparurent dans l'allée. Mes parents étaient de retour plus tôt que prévu.

– Que fais-tu là à cette heure ? explosa ma mère qui, sans attendre de réponse, m'assomma à demi d'un coup de parapluie.

Je titubai jusqu'à la portière de mon auto pour éteindre le moteur. Dans le silence subit, la colère de ma mère en devint encore plus terrifiante. Mon père, qui abhorrait les confrontations, s'était éclipsé. Mais ma mère faisait front en m'abreuvant de menaces. Je ne cherchai pas à me défendre. J'étais indéfendable. J'avais effectivement abusé de sa confiance. Elle m'avait offert ce joujou pour endormir provisoirement mes appétits d'aventure. Et j'étais tombé amoureux du joujou au point de lui avoir redonné la vie.

Quelques heures plus tard, un serrurier vint verrouiller le portail de l'allée avec une double chaîne et deux gros cadenas. Adieu les grands espaces, les routes sans fin, mes beaux rêves de liberté !

*

Mon purgatoire dura quatorze mois. Le matin de mes seize ans, ma mère descendit prendre le petit déjeuner avec moi.

– Mon fils, je te souhaite un heureux anniversaire, me dit-elle en me tendant l'enveloppe qu'elle tenait à la main. Je pense que ce cadeau te fera plaisir.

Je poussai un cri de bonheur en découvrant les deux documents qu'elle contenait. L'un était la carte grise de la Nash avec un numéro d'immatriculation tout neuf à mon nom, l'autre était le certificat de la prime d'assurance que mes parents m'offraient. Dans l'enveloppe, je trouvai aussi la clef des cadenas qui verrouillaient le portail. Fou de joie, je me précipitai sur le téléphone pour appeler les deux camarades que j'avais ralliés à mon projet d'aller peindre les boîtes aux lettres sur les routes de Louisiane.

– Allez vite acheter la peinture, leur criai-je, on met les voiles demain !

Le lendemain, le coffre lesté de bidons de différentes couleurs, la Nash sortit majestueusement de sa prison. Un nouvel article dans le *New Orleans Item* vint donner à notre expédition l'éclat d'une aventure interplanétaire. Notre célébrité précédait partout notre arrivée. On nous guettait devant les boîtes aux lettres, sur le pas de portes. À Lafayette, à Saint-Martin, à Pompon, à Laffitte, dans tous ces coins de Louisiane aux noms pittoresques attachés au souvenir de la France, nous devînmes des forçats du pinceau. Non seulement on nous faisait repeindre les boîtes aux lettres, mais les gens nous invitaient dans leurs chalets de bois sur pilotis, nous emmenaient à la pêche dans les bayous, mitonnaient pour nous des casseroles de crabes farcis, d'anguilles, de soupes de gombo. Il nous aurait fallu l'année entière et des barils de peinture pour épuiser toute la chaleur de l'hospitalité louisianaise.

Un télégramme de ma mère vint hélas mettre un terme prématuré à notre voyage. Le Quai d'Orsay rappelait mon père à Paris pour lui confier une mission à l'administration centrale.

Je rentrai en France à l'automne de mes seize ans, retrouvant les restrictions, les rues sans lumières, le confinement étriqué de notre appartement de la rue Jean-Mermoz dont les grands espaces américains m'avaient fait perdre le souvenir. Je me retrouvai sur les bancs du lycée Condorcet, la tête toujours pleine de rêves, bien décidé à m'évader pour de nouvelles aventures au volant de quelque autre vieille auto.

Les Thermopyles en marche arrière

Je devais patienter trois ans. Mais le nouveau coup de foudre qui me frappa un dimanche après-midi chez un casseur de voitures, sur l'ancienne route d'Orly, justifiait un si long purgatoire. Ce qui attira mon œil fut la calandre : un museau de bête de course des années folles. Elle avait dû avoir fière allure, cette jolie torpédo Amilcar de six chevaux, avec sa carrosserie en bois tendue de toile d'avion, ses fauteuils et banquettes de cuir rouge, son volant aristocratiquement placé à droite, ses roues à rayons fixées au moyeu par un gros papillon chromé comme ceux des Bugatti et des Bentley de compétition. Certes, de ce luxe d'origine, il ne restait pas grand-chose. Mais le moteur rugissait d'une petite musique rageuse qui ressuscita sur-le-champ mes appétits d'aventure. Au terme d'un marchandage acharné, je pus acheter l'antique guimbarde pour la somme de cinquante mille anciens francs.

Ce montant correspondait tout juste à l'à-valoir que je venais de recevoir des éditions Grasset pour mon tout premier livre. *Un dollar les mille kilomètres* était le récit du périple mouvementé que j'avais accompli en autostop l'été précédent à travers les États-Unis, le Mexique et le Canada. Parti avec les trente dollars d'une bourse Zellidja, j'avais parcouru trente mille kilomètres en gagnant ma vie comme laveur de carreaux, conférencier, jardinier, détective privé, et astiqueur de sirène sur un cargo [1].

L'éditeur Bernard Grasset avait lui-même sélectionné mon manuscrit qu'il tint à préfacer de sa plume : « Ce n'est pas un nouveau Radiguet que je prétends ici révéler, écrivit-il. Je ne suis même pas certain que Dominique Lapierre se donne durablement à l'écriture. Il avait quelque chose à dire et a su le dire. C'est tout. »

Le petit homme à l'éternel fume-cigarette qui s'enorgueillissait d'avoir publié entre autres gloires les quatre M les plus importants de nos lettres modernes – Malraux, Mauriac, Maurois et Montherlant –, fut le premier passager de mon Amilcar. Pour faire plaisir à ce peintre du dimanche, j'entassai son chevalet, ses boîtes de couleurs, ses toiles sur la banquette arrière et l'emmenai sur la colline de Meudon, son point de vue préféré sur les toits de

1. Fondées par l'architecte Jean Walter, les bourses Zellidja offraient chaque année à deux cents lycéens élus par leurs camarades et désignés par leurs professeurs une somme modique pour entreprendre durant l'été une étude de leur choix en France ou à l'étranger. La condition était de partir seul, et de présenter au retour un carnet de route détaillé et un rapport sur le sujet choisi. J'avais opté pour « la civilisation aztèque au Mexique ».

Paris. L'édition française faillit perdre à cette occasion l'un de ses plus grands capitaines. À proximité de la porte Maillot, la portière contre laquelle il s'appuyait se détacha brusquement. Les ceintures de sécurité n'existaient pas à cette époque. Bernard Grasset poussa un cri, perdit son fume-cigarette et faillit basculer dans le vide. Je le rattrapai in extremis par la manche.

L'aventure l'amusa au point qu'il fit de moi son chauffeur attitré. L'Amilcar nous ramena chaque dimanche de cet hiver-là sur les hauteurs de Meudon. Pendant que mon éditeur s'abandonnait à l'ivresse de ses pinceaux, je potassais mes cours polycopiés de Sciences-po. Par moments, sa voix retentissait : « Petit, j'ai quelque chose à te faire écouter ! » Il sortait alors de sa poche une liasse de feuillets. C'était le dernier épisode du livre qu'il préparait sur ses déboires conjugaux. Car ce don juan n'avait jamais été un mari comblé. Profitant des ennuis judiciaires que lui avaient causés ses activités d'éditeur sous l'Occupation, sa dernière épouse tentait de mettre le grappin sur sa maison d'édition. « Écoute ça, petit !... » Il écrivait aussi bien qu'il lançait les livres de ses auteurs. C'était un régal. La lecture se poursuivait souvent jusque chez Alberto, le bistrot de la rue des Canettes devant lequel nous déposait l'Amilcar pour dîner d'un minestrone et d'une côtelette milanaise arrosés d'une bouteille de brunello que le patron, qu'il connaissait depuis vingt-cinq ans, gardait en réserve pour lui. J'avais dix-huit ans. Des auteurs chevronnés venaient le saluer, me lançant au passage un œil envieux, l'air de dire : « Mais que fait donc Bernard Grasset avec ce jeunot ? »

Soutenu par les bonnes idées de son éditeur, le jeunot en question faisait une percée honorable pour l'auteur d'un premier livre. Cet hiver-là, *Un dollar les mille kilomètres* était, avec *La Mort du petit cheval* d'Hervé Bazin, en tête des ventes des éditions Grasset. L'Allemagne, la Hollande, l'Italie achetèrent les droits de traduction. Le quotidien *Combat* publia le livre en feuilleton. *Le Monde* lui accorda toute une demi-page. M'ayant trouvé un don de conteur, Grasset mobilisa mes vacances de Noël et de Pâques pour des tournées de conférences à travers la France, la Suisse, la Belgique. Persuadé que je saurais mieux qu'aucun de ses représentants donner aux gens l'envie de lire mon livre, il fit remplir l'Amilcar de centaines d'exemplaires que j'étais chargé de vendre de conférence en conférence.

Je rêvais pour ma voiture d'aventures plus prestigieuses et lointaines que de servir de camionnette de livraison aux éditions Grasset. Je proposai à Dominique Frémy, un camarade de Sciences-po, un raid qui nous emmènerait de Paris à Ankara, soit plus de six mille kilomètres aller et retour [1].

Nous quittâmes la place de la Concorde une heure à peine après le dernier examen de fin d'année. Les ressorts de l'antique Amilcar pliaient sous le poids des boîtes de cassoulet, de jambon, de pâté, des trousses de médicaments, de sérums contre les serpents, de cachets pour purifier l'eau, de crèmes contre le soleil, les moustiques, les punaises, les aoûtats, de médailles miraculeuses dédiées à tous les saints du paradis, dont nos parents avaient rempli la malheureuse voiture. Nous avions pu l'équiper de pneus neufs, de puissants phares, d'un carburateur moderne, d'un matériel de camping, d'un extincteur d'incendie et même d'une fusée de détresse. Pour empêcher l'eau du radiateur de bouillir trop souvent, nous dûmes rouler de nuit sur des centaines de kilomètres. Par Gênes, Pise, Rome, Naples, Brindisi, nous atteignîmes gaillardement Athènes, nous arrêtant longuement en route pour visiter les musées, les églises, les palais, les sites archéologiques. Partout, la vénérable auto suscitait une folle curiosité. À chaque traversée de ville, des essaims de scooters lui faisaient une escorte triomphale. Nos arrêts provoquaient des attroupements dont nous avions peine à nous extraire.

Frémy eut un jour l'astucieuse idée d'exploiter la fièvre de nos admirateurs pour renflouer nos finances. Après l'avoir garée sur le parvis de la cathédrale de Naples, nous dissimulâmes l'Amilcar aux yeux des passants derrière l'écran de nos toiles de tente. « *Cinquanta lire per ammirare la più bella machina del mondo !* » annonçait Frémy avec un bagout de bateleur, et un accent italien digne d'un film de Vittorio De Sica. Une queue se forma immédiatement. Jusqu'au soir, les gens ne cessèrent de défiler autour de l'antique voiture, caressant les toiles déchirées de sa carrosserie, palpant le caoutchouc de ses grandes roues, s'extasiant devant ses jolies lanternes d'autrefois. Cette fructueuse opération nous permit d'acheter à Brindisi des billets de ferry-boat pour la Grèce.

1. Dominique Frémy deviendra l'auteur de l'irremplaçable *Quid*.

Accueillis, choyés, dorlotés par les pères des écoles chrétiennes d'Athènes, l'Amilcar et son équipage se préparèrent pendant une semaine aux quinze cents kilomètres les plus durs du voyage. Personne n'avait pu nous fournir la moindre carte routière de Salonique à Istanbul. Il n'en existait pas. Du nord de la Grèce à la frontière turque, c'était *terra incognita*. Pour favoriser le refroidissement du moteur, nous avions décidé de rouler encore de nuit. Le soir du départ, tous les bons pères étaient là. Le père supérieur, un géant en soutane blanche, insistait pour que nous emportions la grosse corde qu'il nous avait préparée.

– Vous n'imaginez pas les montagnes que vous allez traverser. Vous serez bien contents de pouvoir vous faire remorquer !

Un autre père arriva les bras chargés de conserves :

– Au nom du bon Dieu, emportez ces vivres, supplia-t-il, car la nourriture du pays risque de vous être fatale.

Nous avions l'impression de partir pour la Lune. Le père supérieur vida un flacon d'eau bénite sur le capot et les ailes de la voiture, puis il nous donna sa bénédiction :

– Seigneur, protège nos voyageurs. Que Ton étoile les conduise à bon port.

À peine étions-nous sortis d'Athènes qu'une côte particulièrement raide mit à genoux les six chevaux de l'infortunée Amilcar. J'avais beau passer en première vitesse, l'auto renâclait en poussant un râle impressionnant. Frémy sauta à terre et s'arc-bouta derrière le coffre pour tenter de venir en aide au moteur, mais la voiture était trop lourdement chargée pour gravir une telle pente. C'est alors qu'une idée géniale inspira mon compagnon. Où était-il allé la chercher, lui qui ne savait pas distinguer la pédale d'embrayage de celle du frein ?

– Si on essayait de monter la côte en marche arrière ? suggéra-t-il.

À tout hasard, je fis demi-tour. Ce fut le miracle : j'arrachai d'un coup d'accélérateur notre vaillante auto qui se mit à grimper comme un coureur du Tour de France. Nous roulâmes toute la nuit sous les étoiles, la tête inconfortablement tournée vers l'arrière, essayant de garder le cap dans le faisceau d'une lampe torche. À l'aube, après un dernier virage, ce fut enfin le sommet. Je stoppai devant un petit oratoire qui marquait le passage du col. Frémy gratta une allumette pour repérer notre position sur la carte. Je m'impatientai :

– Alors, où sommes-nous ?

Le visage de mon compagnon était comme transfiguré.

– Devine !

– En haut de l'Everest ?

– Non ! Au sommet des Thermopyles !

Après Salonique, c'est l'inconnu. À l'Automobile Club d'Athènes, on nous a fermement déconseillé de nous aventurer vers la Turquie par la seule piste existante qui passe au pied des montagnes de Bulgarie, le long de la mer. C'est une zone d'insécurité, infestée de guérilleros communistes. Des pierres acérées mettent en outre au supplice nos pneus et les lames de nos ressorts. Nous abordons un pont gardé par deux malabars armés de fusils, la poitrine bardée de cartouchières comme dans les films mexicains. Ils examinent nos passeports d'un air soupçonneux et nous laissent continuer. Nous roulons aux phares en essayant de suivre les ornières des chars à bœufs creusées sur les bas-côtés. Soudain, les silhouettes de trois civils armés de fusils se profilent dans nos faisceaux lumineux. Leur mine patibulaire n'est guère rassurante. Ils nous mettent en joue. Communistes ou gouvernementaux ? Celui qui paraît être le chef crie des ordres. Aussitôt, ses compagnons nous font signe de stopper. Pas question d'obtempérer. J'éteins les lumières, écrase l'accélérateur et franchis le pont en trombe, au risque de tout casser. À l'instant précis où je crie à Frémy : « Baisse-toi ! » une volée de balles nous siffle aux oreilles. Mais nous sommes déjà loin. Je rallume les phares, ce qui m'évite de justesse de fracasser la voiture contre un énorme rocher. Exténués, nous faisons halte quelques kilomètres plus loin et nous endormons sous un arbre.

Dès l'aube, nous repartons. La piste s'arrête au bord d'une rivière. Il n'y a ni pont ni gué. Nous vidons complètement la voiture pour l'alléger. Puis, en slips, nous descendons dans l'eau pour abattre les talus à coups de pioche et entasser des pierres pour aménager un passage à peu près carrossable. Au bout de quatre heures d'efforts, les mains en sang, le dos brûlé par un soleil de feu, je m'installe au volant et amorce avec précaution la descente vers la rivière. Pour éviter que l'Amilcar ne m'échappe, Frémy pose tous les vingt centimètres des cales devant les roues. L'eau arrive bientôt jusqu'aux moyeux. Quelques centimètres de plus et ce sera peut-être la fin de notre beau voyage : le moteur sera noyé. Nous voici au milieu du cours d'eau. Le talus d'en face est un peu moins raide. J'encourage Frémy qui patauge avec stoïcisme dans la vase.

– C'est presque gagné !

À peine ai-je crié ces mots qu'une roue arrière dérape sur une pierre. Déséquilibrée, l'Amilcar pique du nez et sombre sous vingt centimètres d'eau. Le moteur pousse un dernier hoquet et s'arrête. Heureusement, j'aperçois des paysans qui travaillent dans les champs de tournesols. J'appelle à l'aide. Des gens accourent de tous côtés. Le spectacle inattendu de notre pauvre auto à demi immergée provoque une franche hilarité. Une douzaine d'hommes acceptent courageusement de s'atteler à la corde du bon père des écoles chrétiennes d'Athènes. D'autres descendent dans la rivière pour pousser par-derrière. Coordonnés par mes « Ho ! hisse ! », ils parviennent à arracher l'Amilcar et à la tirer sur le talus. Je démonte aussitôt la magnéto et constate douloureusement que son boîtier est plein d'eau. Notre moteur ne repartira que si nous trouvons un four de boulanger où faire sécher cet organe vital. J'interroge nos sauveteurs par signes. Je dois être un assez bon mime car on me conduit directement chez le boulanger du village voisin. Il est justement en train d'enfourner des galettes dans son fournil. Il considère la pièce métallique que je lui présente avec surprise. Visiblement, le brave homme n'a encore jamais fait cuire ce genre d'accessoire. Un camion débouche alors sur la place du village. Le chauffeur, un gros type mal rasé avec une moustache à la Pancho Villa, parle quelques mots d'italien et nous comprenons qu'il va jusqu'à la petite ville de Komotini, à une quarantaine de kilomètres, où il y a un garage avec un mécanicien. Il accepte de nous remorquer jusque-là.

Sur cette piste défoncée, l'opération promet d'être un numéro d'acrobatie. Frémy monte auprès du chauffeur avec mission de l'empêcher d'aller trop vite car, au bout de sa corde, l'Amilcar risquerait au moindre incident de devenir un punching-ball incontrôlable.

– Tu guettes mes phares, dis-je à mon coéquipier. S'ils s'allument, tu fais immédiatement stopper le chauffeur.

Le camion démarre en crachant un nuage de fumée qui m'aveugle. Je ne distingue même plus le capot de ma voiture. Brutalement raidie, la corde arrache l'Amilcar comme un fétu de paille. En passant sa seconde vitesse, et en accélérant aussitôt, cette brute de chauffeur provoque un nouvel à-coup si violent que l'auto manque une deuxième fois de se fracasser sur l'arrière du camion. J'écrase ma pédale de frein pour tenter de garder la corde tendue mais très vite la pédale ne répond plus. Le camion prend de la vitesse. La voiture rebondit de pierre en pierre, plonge dans les nids-de-poule, saute d'un bas-côté à l'autre. J'ai l'impression d'être sur un radeau assailli de vagues déferlantes. Je m'attends à tout moment à voir ma pauvre Amilcar se désintégrer. Je peste contre Frémy et ce maudit Grec. Le supplice s'aggrave. Le volant vient de se bloquer, les roues légèrement braquées à droite. Je ne parviens plus à maintenir l'auto dans l'axe du camion. Un amortisseur a dû casser, à moins que les chocs n'aient tordu l'essieu. J'allume les phares. C'est le signal de détresse convenu. Je fais hurler l'avertisseur, je crie, j'appelle à la rescousse Drapier et Larigaudie. Mais les tourbillons de poussière doivent me dissimuler aux yeux de Frémy et du Grec. Le camion poursuit sa course folle. L'Amilcar craque, gémit, cogne. Je corne toujours désespérément mais la voix du klaxon faiblit, puis finit par s'éteindre tout à fait. Les accus ont rendu l'âme, et les phares avec eux. Une petite côte. Le chauffeur rétrograde brutalement, puis accélère. Je sors la tête du pare-brise et pousse des hurlements. Arrachée par ce mastodonte auquel elle est enchaînée, l'Amilcar prend des angles terrifiants. Elle va se renverser. Cette fois, c'est la fin. Le camion arrive à cinquante kilomètres à l'heure sur un pont. Il ralentit un peu et je ne peux retenir l'auto sur sa lancée. Même le frein à main ne fonctionne plus. Mon élan m'entraîne, roues bloquées à droite, vers la rivière en contrebas. Si je ne parviens pas à redresser dans les fractions de seconde qui viennent, c'est la catastrophe. En un éclair, toute ma vie défile devant mes yeux. Je hurle à nouveau mais la poussière et le sable étouffent ma voix. Le camion poursuit sa route. Ma seule chance de sauver ma peau est de sauter de ma voiture en perdition. Je m'arrache les doigts sur les deux clips qui accrochent la capote au pare-brise sans pouvoir les dégager. Impossible aussi d'ouvrir les portières : elles sont attachées avec des fils de fer. Je suis lié au sort de mon auto. Nous allons, elle et moi, nous écraser sur les rochers de la rivière en contrebas. Je m'arc-boute encore de toutes mes forces sur les branches du volant, mais la direction, bloquée, n'agit plus sur les roues. À cet instant, la corde de remorquage se détend. Livrée à sa seule inertie, l'Amilcar fonce vers l'abîme. C'est alors que le camion prend subitement de la vitesse, ce qui arrache in extremis la voiture à la chute fatale. L'Amilcar franchit le pont, ses deux roues droites dans le vide, défonce la planche du parapet et vient rebondir comme une balle sur la piste. Enfin, le camion s'arrête. Frémy et le chauffeur accourent. Je n'ai même pas la force d'agonir d'injures mon coéquipier et le Grec. Je m'affaisse sur le volant, secoué par une crise de larmes incoercible. Cet incident m'a brisé. C'est sûr : je n'ai pas l'étoffe des héros de Paris-Saigon. Pas encore, en tout cas.

*

L'Amilcar survécut à ses terribles blessures grâce aux soins fervents du gentil mécanicien de la petite ville de Komotini. Séchée et nettoyée, la magnéto fit repartir son vaillant moteur. Deux jours plus tard, l'image magique des premiers minarets de l'Orient apparut dans notre pare-brise. Andrinople, puis Istanbul, accueillirent la rescapée de la piste infernale comme une princesse tombée des étoiles. Sa photo prise sous tous les angles s'étala en long et en travers des premières pages des journaux, ce qui nous valut de la généreuse hospitalité turque une pluie d'invitations. Puis, via Éphèse, Brousse et Izmir, nous gagnâmes Ankara, but ultime de notre voyage. Impressionné par notre randonnée, le président de la République turque nous offrit de rentrer en France avec notre voiture sur un paquebot de la ligne nationale. Ce cadeau ne pouvait mieux tomber car un télégramme m'attendait à Ankara. Il m'annonçait que la direction des bourses Fullbright, cette organisation fondée par un sénateur du Texas pour promouvoir les échanges internationaux d'étudiants grâce à l'argent obtenu par la vente des surplus militaires de la guerre, m'offrait une bourse d'études au collège Lafayette d'Easton, près de New York. Une cabine sur le *Queen Mary* m'était déjà réservée.

Je tombai dans les bras de Frémy. Retourner en Amérique, c'était la chance certaine de repartir bientôt sur la route aux aventures.

Lune de miel en Chrysler Royal

Le cher marquis de La Fayette pouvait se réjouir dans sa tombe. Le collège que l'Amérique reconnaissante avait baptisé de son nom était un petit bijou. Construit sur un plateau dominant la charmante ville pennsylvanienne d'Easton et sa rivière Lee High, il étalait ses gracieux bâtiments de brique rouge autour d'une vaste pelouse bordée d'érables et de chênes centenaires. J'étais enthousiasmé. Lafayette College n'était situé qu'à cent kilomètres de l'éblouissante cité que j'avais découverte à quatorze ans : New York.

Pour m'évader de ma cage dorée vers ce mirage, il me fallait une automobile. Je partis donc à la recherche d'une digne héritière de la Nash et de l'Amilcar dans les garages d'occasions et chez les casseurs de la région. C'est alors qu'elle m'apparut, tel un souvenir d'enfance ressuscité. Je me frottai les yeux. Elle avait le même long capot effilé que la Hupmobile bleue de mon oncle de Châtelaillon, les mêmes trompes chromées sous les phares en forme d'ogive, le même spider avec ses petits marchepieds pour accéder à la banquette arrière à ciel ouvert. Malgré l'outrage des ans, son intérieur exhalait la même odeur de cuir, de peinture et de Galalithe qui avait enfiévré mon imagination d'enfant. C'était un cabriolet Chrysler Royal de l'année 1938.

Je vidai mon portefeuille entre les mains du marchand éberlué et remontai sur la colline du collège, fier comme Fangio remportant les Vingt-Quatre Heures du Mans. Le lendemain soir, je filai à New York. Rentré à l'aube, je repartis le soir même. Dix litres d'essence coûtaient moins cher qu'un Coca-Cola. La Chrysler m'apporta la liberté. Et bientôt l'amour. Sa complicité m'aida en effet à conquérir le cœur d'une séduisante rédactrice de *Harper's Bazaar*, le célèbre magazine de mode new-yorkais. Capote baissée malgré le froid, elle nous emmena chaque fin de semaine à la découverte des admirables paysages de la Nouvelle-Angleterre, des rives gelées du Saint-Laurent avec leurs pittoresques villages français, des champs de bataille de la riante Virginie et de cent autres décors inoubliables de l'Est américain, tous si propices à l'éclosion d'une passion amoureuse.

L'apothéose de cette complicité automobile se déroula un matin de l'été suivant devant le porche monumental du New York City Hall, l'hôtel de ville newyorkais. Comme le veut la coutume américaine, j'avais décoré pour la circonstance le capot, le pare-brise et le spider de la Chrysler de rubans et d'œillets blancs. Car j'épousais ce jour-là Aliette, ma jolie rédactrice de mode. Quelques jours plus tôt, drapé dans une toge noire et coiffé de la rituelle toque plate à pompon, j'étais monté à l'appel de mon nom sur l'estrade du collège Lafayette pour recevoir solennellement des mains de son président le diplôme de Bachelor of Arts.

Dominique Frémy, le compagnon de mes aventures en Amilcar, avait traversé l'Atlantique en bateau-stop pour me faire la surprise d'être le témoin de mon mariage. Dehors, l'héritière de la Nash et de l'Amilcar nous attendait pour nous emmener – lui, ma femme et moi – dans une expédition que les héros de Paris-Saigon n'avaient probablement jamais envisagée pour leur Jeannette : un voyage de noces à trois. Direction : Mexico City, à quelque sept mille kilomètres de New York. Larigaudie avait écrit qu'avec un smoking et un short on peut aller partout. Ma jeune épouse avait retenu la leçon mais calculé à sa façon la proportion de l'un et de l'autre. J'eus toutes les peines du monde à faire entrer dans le spider ses valises pleines de robes du soir. Quant au smoking que j'emportais, je m'interrogeais sur sa réelle utilité. Nous allions devoir voyager à la dure, avec pour tout viatique seulement trois cents dollars, juste de quoi étancher la soif de la Chrysler, survivre de sandwiches, dormir dans de modestes motels de camionneurs. Qu'importe ! Nous avions vingt ans et l'amour.

Un baiser russe sur un drapeau tricolore

– Monsieur le Maréchal, nous voudrions voyager à travers l'URSS en automobile en compagnie de nos épouses. Ne parlant pas votre langue, nous proposons à un jeune couple de journalistes soviétiques de nous accompagner et de nous servir de guides et d'interprètes. Nous vous demandons de nous accorder les autorisations exceptionnelles nécessaires.

La scène se passait quatre ans plus tard, un soir de

février 1956, sous les lustres rococo de la grande salle Saint-Georges du Kremlin où le Tout-Moscou fêtait le président Vincent Auriol et son épouse. Le personnage à barbichette blanche à qui je venais de m'adresser me considéra avec étonnement.

– En automobile ?

C'était le maréchal Nikolaï Boulganine, président du Conseil des ministres, la plus haute autorité de l'Union soviétique. À ses côtés se trouvaient Viatcheslav Molotov, ministre des Affaires étrangères, le maréchal Vorochilov, et quelques autres dignitaires que ma requête avait plongés dans une égale stupeur.

Paris Match m'avait envoyé à Moscou pour couvrir la visite de l'ancien président de la République française. Mon travail de grand reporter dans le premier hebdomadaire d'actualités européen comblait mon envie d'être là où se faisait l'histoire. Mais l'idéal de Larigaudie et de Drapier continuait d'enflammer mes rêves. Il manquait à mes reportages les plus excitants ce parfum d'aventure qu'avaient su inventer les héros de Paris-Saigon.

Un jour, rentrant en voiture d'une enquête en province, je m'étais tourné vers le photographe qui m'accompagnait.

– Traverser l'URSS en bagnole avec nos femmes pendant les prochaines vacances, cela te tenterait ?

Le garçon à qui je posai la question était l'un des photographes vedettes de *Paris Match* et mon compagnon de travail préféré. À vingt-neuf ans, avec son mètre quatre-vingt-sept, ses cheveux blonds en bataille, son visage d'archange et son inséparable Leica autour du cou, Jean-Pierre Pedrazzini incarnait la nouvelle génération des reporters de choc éclose au lendemain de la guerre mondiale. Son courage, sa générosité, sa modestie, son physique de jeune premier lui donnaient une place à part au journal. J'avais eu la chance de faire mon premier reportage avec lui, à l'occasion des élections britanniques. Quand le Viscount qui nous emmenait à Londres s'élança sur la piste d'Orly, je vis la main de Jean-Pierre esquisser le geste des toreros entrant dans l'arène : un signe de croix. Ce garçon qui avait risqué sa vie au cours de tant de reportages dangereux n'avait pas honte de sa peur.

La surprise du chef suprême de l'URSS, l'air sceptique

de son entourage étaient des réactions prévisibles. Aucun étranger n'avait été autorisé à sillonner librement les routes soviétiques au volant de sa voiture. Un dentiste de Chicago qui avait tenté de « forcer » la frontière soviéto-finlandaise avait vu sa Jeep promptement embarquée sur un wagon de marchandises et renvoyée en Finlande. Tous les experts consultés étaient formels : jamais, dans un pays où le principe même du voyage individuel était interdit, on ne laisserait entrer et circuler en liberté quatre citoyens d'un pays capitaliste. Pourquoi les Russes montreraient-ils l'insuffisance de leur réseau routier, de leurs hôtels, la pauvreté de leurs campagnes ? Pourquoi favoriseraient-ils des contacts avec des étrangers qui ne pouvaient que semer des idées subversives ? Pourquoi laisseraient-ils passer des touristes sur des itinéraires qui, à un moment ou à un autre, déboucheraient fatalement sur une zone interdite ?

Le président Auriol, que notre projet avait séduit, n'hésita pas, ce même soir, à en parler à Nikita Khrouchtchev en personne.

– Savez-vous ce que veut faire ce petit ? lui dit-il en me désignant paternellement du doigt. Se balader à travers votre pays en auto ! Si j'avais cinquante ans de moins, je partirais avec lui. Il faut lui donner la permission.

Le cœur battant, je guettai la réaction du premier secrétaire du Parti communiste soviétique. Il hocha la tête alors que ses yeux tout ronds s'éclairaient d'une étrange lueur.

– Mon cher Président, ce n'est pas l'heure de me faire de telles propositions. Vous allez m'empêcher de dormir !

Le temps des grandes vacances était venu. Nous avions fait notre deuil de l'autorisation tant espérée. Jean-Pierre et sa jeune femme louèrent un voilier en Méditerranée, ma femme et moi, une villa sur la Costa del Sol espagnole. Nos rêves d'aventures à travers les plaines infinies d'Ukraine, le long des méandres de la Volga, sur les plages de Crimée s'étaient évanouis. C'est alors qu'arriva un télégramme de Moscou. « VOUS ACCORDONS AUTORISATIONS, disait-il. VOUS ENTREREZ URSS PAR VILLE DE BREST-LITOVSK. VOUS PROPOSONS ITINÉRAIRE PASSANT PAR MINSK, MOSCOU, KHARKOV, KIEV, YALTA, TIFLIS, KRASNODAR, ROSTOV, STALINGRAD, KAZAN ET GORKI.

FAITES-NOUS SAVOIR DATE VOTRE ARRIVÉE BREST-LITOVSK. » Je me jetai sur une carte. Miracle : c'était un périple de treize mille kilomètres, couvrant presque toute la Russie occidentale, qu'on nous offrait !

Il nous fallait une voiture à la hauteur d'un si long parcours. Nous eûmes finalement un coup de cœur pour le break Marly huit cylindres fabriqué par Simca. Cet élégant modèle couleur paille et or plairait certainement aux Soviétiques. Je fis inscrire sur les ailes le nom de *Paris Match*, sur les portes la mention « À travers l'URSS en automobile », et, en russe sur les ailes arrière, « Journalistes français ». Nous quittâmes un Paris en fête : c'était le 14 juillet. Trois jours plus tard, nous arrivions devant le poste frontière soviétique de Brest-Litovsk. La grande aventure commençait. Dans le groupe d'officiels en uniforme qui nous attendait se trouvait un grand garçon avec une abondante chevelure.

– Je m'appelle Stanislav Ivanovitch Petoukhov, nous annonça-t-il dans un français impeccable. Je suis journaliste à la *Komsomolskaia Pravda*, le quotidien des Jeunesses communistes. J'ai été désigné pour vous accompagner. Ma femme Vera nous rejoindra à Moscou. Soyez les bienvenus en Union soviétique.

Encadrés de deux Jeeps bourrées de militaires, nous fîmes notre entrée dans cette petite ville où, le 3 mars 1918, les bolcheviks avaient fait basculer l'histoire du monde en signant avec l'Allemagne une paix qui allait leur donner les mains libres pour faire triompher leur révolution.

L'immense place de la gare de Minsk nous offrit le lendemain notre premier contact avec la foule russe. Un raz de marée. Par dizaines, les visages vinrent s'aplatir contre les vitres de la Marly. On nous observa d'abord avec étonnement, un peu comme des poissons exotiques dans un aquarium. Un moujik barbu sorti tout droit d'un roman de Dostoïevski se décida enfin à engager la conversation. Je compris qu'il s'intéressait à la marque de notre auto et à son prix d'achat. Une plantureuse babouchka coiffée d'un fichu s'inquiéta de savoir si la voiture nous appartenait. Découvrant sur les ailes l'inscription « Journalistes français », un adolescent se planta devant le pare-brise pour nous déclamer un poème de Victor Hugo. Puis, s'approchant de ma vitre, il nous demanda à voix basse des journaux français. La pression devint telle que Jean-Pierre dut démarrer pour nous dégager. Mais la mer humaine se reforma aussitôt. Pour ces gens qui vivaient depuis si longtemps isolés du reste du monde, l'apparition de cette auto bicolore avec quatre « Martiens » à son bord était un spectacle à peine croyable. Nous retrouverons la même curiosité, le même émerveillement tout au long de notre périple. À chaque arrêt, nous étions assaillis, cernés, submergés. Des curieux se glissaient sous la voiture pour examiner sa suspension. On nous priait sans cesse d'ouvrir le capot pour contempler le moteur. Des têtes passaient par les vitres pour admirer les aménagements intérieurs. À Tiflis, en Géorgie, des policiers à cheval chargèrent pour repousser la foule enthousiaste ; à Kharkov, des enfants emportèrent les balais d'essuie-glaces comme des trophées ; à Kiev, un chauffeur de taxi nous supplia de l'emmener faire un tour. Nous consommâmes des dizaines de litres d'eau pour le seul plaisir de faire gicler sur le pare-brise les jets du lave-glace, accessoire inconnu des voitures soviétiques. À Yalta, une vieille dame nous implora même de dégonfler un pneu « pour respirer l'air de Paris ». Radio-Moscou avait signalé notre expédition et nous étions partout attendus dans la fièvre.

Notre arrivée à Soukhoumi, une station balnéaire de la mer Noire, nous valut une rencontre singulièrement émouvante. Un homme d'une trentaine d'années aux cheveux frisés se faufila parmi les centaines de gens qui assiégeaient la voiture. Quand il atteignit notre antenne de radio, je le vis prendre dans ses mains notre fanion tricolore, le déplier avec respect, puis le porter à ses lèvres pour l'embrasser.

– Il faut absolument que je vous parle, chuchota-t-il alors en français avec un surprenant accent marseillais. Je viendrai à neuf heures ce soir à votre hôtel. À moins que le KGB ne m'ait arrêté d'ici là !

À neuf heures précises, on frappa à la porte. Jean-Pierre avait sorti notre unique bouteille de pastis. Avant de s'asseoir, le visiteur inspecta minutieusement les moindres recoins de la chambre, déplaça les meubles, décrocha les tableaux, suivit les fils qui couraient le long des boiseries, examina tous les objets suspects. Enfin rassuré, il s'installa dans un fauteuil et alluma une cigarette. Je lui servis un pastis bien tassé alors que Jean-Pierre mettait en marche notre magnétophone. Nous n'étions guère rassurés : peut-être avions-nous affaire à un provocateur.

– Je m'appelle Georges Manoukian, commença-t-il. J'étais cordonnier à Marseille. Mes parents sont arméniens, mais moi je suis français. – Il exhuma de la poche de sa chemise un morceau de carton. Regardez : « République française ». C'est ma carte d'identité. – Il s'approcha du micro. Maman, je ne peux pas te dire qui je suis, mais tu vas sûrement reconnaître ma voix. C'est ton fils qui te parle. Rappelle-toi : je te dois deux mille francs que tu m'as prêtés au casino d'Aix le soir du réveillon de l'année 1945. Maman, je t'en supplie : va voir tous les parents et amis de la rue des Cordonniers, et dis-leur de ne jamais faire la connerie que j'ai faite en venant dans ce pays.

– Et vous, pourquoi l'avez-vous faite, cette « connerie » ? demanda Jean-Pierre avec à-propos.

L'Arménien répondit vivement en souriant de toutes ses dents en or.

– Nous étions jeunes, le bateau était beau. On s'est dit : allons faire un tour là-bas et, si ça ne nous plaît pas, on revient. Nous étions six mille à penser la même chose. La propagande soviétique, les parents qui nous encourageaient à partir, le goût de l'aventure... Quand nous sommes arrivés à Batoum, ils nous ont parqués dans des wagons à bestiaux. Ils nous avaient promis un emploi, un bon salaire, une maison, une voiture, et tout le tralala. En fait, on a trouvé l'enfer. Vous savez : on ne devrait pas dire « Va au diable ! » mais « Va en Union soviétique ! ». J'ai dû voler pour manger. Jusqu'au jour où, n'en pouvant plus, j'ai décidé de m'évader. Une nuit, je suis parti vers la Turquie en emportant sur mon dos un sac dans lequel j'avais enfermé douze chats. Quand je suis arrivé à la frontière et que les chiens des gardes ont flairé ma présence et aboyé, j'ai lâché les chats. Les chiens ont filé derrière les chats et j'en ai profité pour sauter dans la rivière. Hélas, j'ai été aperçu par un guetteur et rattrapé. On m'a offert un voyage en wagon cage jusqu'au camp de Verkhoïansk, un coin de Sibérie qui passe pour l'endroit le plus glacial de la terre. J'ai été condamné à dix ans de bagne. Pour abréger ma peine, j'ai demandé à faire partie du commando chargé de vider les fosses d'aisances du camp. Le travail était tellement répugnant que chaque jour de détention comptait triple. À cause de la puanteur qui nous imprégnait, nous étions enfermés dans une baraque à l'écart. J'y suis resté trois ans. À mon retour en Arménie soviétique, des amis m'ont aidé à acheter une carte d'identité sur laquelle ne figurait pas la mention de mon séjour au goulag. Depuis, je vis de petits boulots ici ou là dans l'attente d'obtenir le droit de rentrer en France.

Rentrer en France ! Ils étaient six mille Français arméniens comme Georges Manoukian à poursuivre désespérément ce rêve. Tout au long de notre parcours, nous en rencontrerons des dizaines qui nous supplieront d'intervenir en leur faveur. Leur cas était tragique. Tous les diplomates consultés à Moscou étaient formels : jamais les Soviétiques ne laisseraient partir des ennemis aussi fanatiques du « paradis socialiste ». Deux semaines plus tard, alors que nous repassions à Soukhoumi en revenant de Tiflis, une femme, le visage à demi caché par les plis d'un fichu, s'approcha de notre voiture. En quelques mots murmurés en anglais, elle nous apprit que la police avait arrêté Georges Manoukian dès notre départ.

*

Sept ans plus tard, alors que je me trouvais chez moi à Paris, je reçus un soir un coup de téléphone de Marseille. La voix au bout du fil avait un accent si marqué que je crus reconnaître notre Arménien de Soukhoumi. Ce n'était pas lui, mais son frère qui habitait la rue des Cordonniers.

– Monsieur Lapierre, je vous appelle au secours. Un miracle vient de se produire : mon frère Georges a obtenu son visa de sortie d'URSS, mais ce sont les autorités françaises qui lui refusent à présent un visa d'entrée en France ! De grâce, faites quelque chose ! Vous vous souvenez ? Mon frère a eu le courage d'embrasser devant tout le monde le drapeau français de votre voiture. Vous avez publié la photo dans *Paris Match*. Les Soviétiques n'ont pas apprécié. Ils l'ont condamné à huit ans de bagne au-delà du cercle polaire... – L'homme avait du mal à contenir son émotion. Et maintenant, ce sont les Français qui ne veulent pas de lui.

Je demandai aussitôt un rendez-vous à un ami de mon rédacteur en chef qui exerçait de hautes fonctions à la DST. Je lui apportai la photo de Georges Manoukian embrassant notre fanion tricolore, et plaidai vigoureusement sa cause. Le policier resta de marbre.

– Mon cher Dominique Lapierre, vous êtes d'une naïveté surprenante, finit-il par répondre. Vous devriez vous douter que si les Russes ont relâché « votre » Manoukian, c'est parce qu'ils ont passé un marché avec lui : « votre » Manoukian est aujourd'hui un espion du KGB.

L'affirmation me stupéfia. Ces flics avaient une imagination délirante. Le souvenir de ce pauvre type nous décrivant sa tentative d'évasion avec ses chats et ses trois ans de cauchemar au goulag à vider les fosses d'aisances traversa ma mémoire.

– Cet homme est peut-être aujourd'hui un espion, dis-je, mais je vous garantis qu'après quinze jours passés entre sa famille et ses amis de la rue des Cordonniers de Marseille, le KGB pourra le rayer de ses tablettes. Il en a trop bavé pour servir durablement le régime de ses tortionnaires.

Hochant la tête d'un air sceptique, le policier m'assura qu'il allait étudier le cas.

Trois mois plus tard, je trouvai un soir une magnifique gerbe de roses posée devant la porte de mon appartement parisien. Sur la carte de visite, il y avait seulement trois mots : « Merci. Georges Manoukian ».

*

Trente ans passèrent. Un jour de 1993, j'eus envie de savoir ce qu'était devenu l'Arménien de Soukhoumi. Ma femme interrogea le Minitel. Elle trouva trois Georges Manoukian résidant à Marseille. Je composai le premier numéro. Pas de réponse. J'appelai le deuxième. Quelqu'un décrocha.

– Je voudrais parler à Georges Manou...

Je n'avais même pas fini de dire « Manoukian » qu'une voix éclata dans l'écouteur :

– Je parie que vous êtes M. Dominique Lapierre de *Paris Match* !

Quelques jours plus tard, j'allai avec une bouteille de champagne saluer le rescapé du goulag dans le coquet appartement du 10, impasse du Gaz, où il avait pris sa retraite. Nous avons trinqué à notre poignante rencontre en Union soviétique. Il n'avait plus ses dents en or, mais il était resté tel que je l'avais vu fendre la foule pour venir embrasser notre petit drapeau. À son retour en France, il avait trouvé un emploi chez un artisan chausseur parisien. Mais c'était Marseille qu'il avait dans le sang. Il revint dans la ville à laquelle il avait tant rêvé dans son camp de Sibérie et y ouvrit une échoppe de cordonnier. Une lettre de son épouse reçue au début de 1996 m'apprit que Georges Manoukian était mort d'un infarctus en faisant son marché. « Vous revoir a été la dernière grande joie de sa vie », concluait la pauvre femme.

Des mécaniciens tout droit sortis d'un roman de Dostoïevski

Les pièges des routes russes manquaient chaque jour de désintégrer notre pauvre voiture. Mais le plus grave, c'était le jus infâme et puant que nous devions lui offrir en guise de carburant. Nous aurions préféré la soûler de vodka. Tout avait pourtant si bien commencé pour elle. Nous avions pu la rassasier d'un super bourré d'octane à la pompe de l'hôtel Métropole sur la place du théâtre Bolchoï de Moscou, sans savoir que c'était l'unique fois où elle pourrait se délecter d'un pareil nectar : il n'existait qu'une seule station vendant du super dans toute l'Union soviétique. Partout ailleurs, le faible degré d'octane et les impuretés – sable, poussière de brique pilée, paillettes de métal rouillé – rendaient l'essence difficilement consommable par une mécanique occidentale moderne. Le résultat était atroce. Nous avions beau filtrer le liquide qu'on nous proposait à travers toutes sortes de tamis, notamment le gibus de mon grand-père, la sonorité symphonique de nos huit cylindres en V s'éteignait à chaque instant dans une honteuse pétarade. Privée d'une bonne moitié de sa puissance, notre voiture se traînait à la vitesse des chariots de Tsiganes rencontrés en chemin. Dix, vingt fois par jour, nous devions nous arrêter pour nettoyer le carburateur et souffler dans les gicleurs. À Sotchi, station balnéaire de la mer Noire réservée aux dignitaires de la nomenklatura, le puissant moteur expira dans une gerbe de hoquets. Que faire à trois mille kilomètres du premier concessionnaire Simca, dans ce pays où aucune marque étrangère n'était représentée, où n'existait aucun garage pour voitures particulières ? De l'avis unanime, la seule solution était de conduire la malheureuse au grand hôpital local des moteurs, en l'occurrence le dépôt des autobus municipaux où Slava, le journaliste russe qui nous accompagnait, m'assura que « je trouverais pour notre malade toute la science des techniciens soviétiques et la précision de leurs machines ».

Les techniciens en question portaient des noms de personnages de Dostoïevski. Ils s'appelaient Vladimir Alexandrovitch et Ivan Nicolaïevitch. À l'entrée de leur atelier, sous une monumentale banderole qui proclamait « En avant vers le communisme », il y avait un tableau d'honneur. Je fus rassuré de découvrir, sous les effigies de Karl Marx, de Lénine et de Staline, les portraits de Vladimir et d'Ivan. La Marly était en de bonnes mains ! D'autant plus que le directeur du dépôt et son premier ingénieur, tous deux en cravate et complet veston, étaient accourus à la rescousse des mécaniciens en salopette. Après une minutieuse auscultation du moteur se tint un long conciliabule. Conclusion quelque peu effrayante : il fallait démonter la culasse afin de régler les culbuteurs et procéder à un rodage des seize soupapes. Ces Russes qui n'avaient jamais touché une mécanique étrangère allaient-ils être capables d'une telle chirurgie ? Perdu dans ce coin d'URSS, je compris soudain le caractère universel de la mécanique. Sans un mot, avec des gestes précis quasi instinctifs, Vladimir et Ivan commencèrent à désosser le moteur. Huit heures plus tard, à minuit, alors que l'hymne national soviétique retentissait dans la petite radio de l'atelier, Vladimir et Ivan achevaient de remettre en silence le dernier boulon. La réparation était terminée. Sous les regards anxieux des deux stakhanovistes aux traits tirés, je m'installai au volant. Mes doigts tremblants sentirent le métal glacé de la clef de contact. Vladimir et Ivan épiaient ma main comme si elle allait faire partir un Spoutnik vers l'espace. Ils avaient tellement travaillé ! Je mis fin au suspense en tournant la clef. Le moteur se mit en marche. Mais j'avais trop l'habitude de sa musique pour ne pas déceler dans l'instant qu'il manquait à l'orchestre la moitié de ses instruments. Le formidable travail des deux

Russes n'avait servi à rien. Nos huit cylindres n'avaient pas retrouvé leur âme. J'essuyai une larme de rage et coupai le contact.

– Il faudrait appeler Boris, suggéra Vladimir en admirant la petite tour Eiffel que Jean-Pierre venait de lui offrir.

– Boris ? Qui est Boris ?

– C'est monsieur l'Ingénieur responsable des carburateurs, traduisit Slava, fier de nous montrer que son pays était riche en spécialistes.

La pendule de l'atelier indiquait une heure du matin.

– Et où peut-on trouver ce spécialiste à pareille heure ? m'inquiétai-je.

– Aucun problème, intervint Ivan. Il est de garde dans l'autre dépôt. Je vais l'alerter.

C'est ainsi que nous vîmes arriver notre ultime recours, un grand garçon à lunettes que ce SOS nocturne n'avait pas l'air d'étonner. Il ausculta longuement le bruit défaillant du moteur, déclencha quelques accélérations, et prononça son diagnostic :

– L'essence ne circule pas correctement dans le carburateur qui est bouché quelque part.

Le « docteur » Boris déconnecta les tuyaux et les tringles, puis il démonta le carburateur comme on retire un cœur. Il le déposa avec précaution sur l'établi, ôta le couvercle, retira les flotteurs. En moins d'une minute, l'organe vital de notre pauvre voiture se trouva désossé en une centaine de pièces minuscules. Je me demandai avec angoisse comment Boris pourrait remettre en place ce puzzle de métal. Il soumit alors chaque vis, chaque gicleur, chaque recoin de la cuve, chaque entrée d'essence à la tempête rageuse d'un jet d'air comprimé. Puis il remonta l'ensemble et remit le carburateur en place. Avant de rebrancher le tuyau d'arrivée d'essence, il prit la précaution d'installer un petit dispositif de filtration supplémentaire destiné à stopper définitivement le passage des impuretés. Contact. Rugissement du moteur. Je n'en croyais pas mes oreilles. Je serrai Boris dans mes bras tandis que Jean-Pierre débouchait une bouteille de vodka. La Marly était sauvée. La nuit s'acheva par une virée à cent à l'heure dans les rues désertes de Sotchi. Virages sur les chapeaux de roues, accélérations de Grand Prix, je réveillai sans vergogne toute la ville en saluant Drapier et Larigaudie d'un déluge d'alléluias. Le beau rêve pouvait continuer.

*

Aucun incident n'altérait la bonne humeur de Slava, notre confrère soviétique. Depuis notre arrivée dans son pays, ce compagnon discret, chaleureux, d'une patience évangélique envers nos insatiables exigences, se faisait un point d'honneur de nous traduire les grands panneaux de propagande qui tapissaient partout le paysage. « Paysans, apprenez les sciences », « Nous saluons le monde par notre travail exceptionnel », « Le peuple soviétique lutte de toutes ses forces pour la paix ! ». Là, c'était une petite fille à longues nattes blondes qui brandissait une pioche en s'écriant : « Soyons les maîtres des bonnes cultures. » Plus loin, un gros bonhomme qui ressemblait à Khrouchtchev sous son chapeau de paille levait à bout de bras une énorme pastèque en s'écriant, hilare : « Cultivons bien l'URSS. » Il y en avait des centaines. Slava nous assura que tous ces panneaux étaient mis en place par les paysans et les ouvriers eux-mêmes « afin de faire pression sur nos dirigeants ».

Ce garçon était un pur produit du système, même s'il n'était membre du Parti que depuis trois ans. Un jour que je lui racontais mon reportage sur la guerre de Corée, je m'enhardis à sonder ses connaissances.

– Slava, pourquoi, selon vous, les Coréens du Nord ont-ils envahi leurs voisins du Sud ? lui demandai-je.

– Mais, Dominique, qu'est-ce que vous dites là ? Vous savez bien que ce sont les Américains et les Sud-Coréens qui ont agressé le Nord.

Vingt-huit ans, nez en trompette, yeux verts pétillants comme du champagne, sa jeune femme Vera nous avait rejoints à Moscou. Elle enseignait le piano dans un lycée. C'était la première fois qu'elle rencontrait les habitants d'un pays capitaliste et qu'elle partait à la découverte de sa propre patrie. Un jour que nous campions dans le Caucase, elle contempla longuement la bassine dans laquelle mon épouse lavait ma chemise. La matière du récipient lui parut étrange. Vera Petoukhov n'avait encore jamais vu de plastique.

*

Les plaines infinies d'Ukraine sous la pluie. Une pulsion vagabonde me pousse soudain à quitter la route principale en direction des toits rouges d'un kolkhoze qu'on aperçoit à quelques kilomètres. Comment vivent-ils, ces moujiks-fonctionnaires ? Nous allons essayer d'entrer chez l'un d'eux et de nous installer chez lui pendant quelques jours. À Minsk, nous avons fait de même avec un cheminot ; à Moscou, avec une vendeuse du grand magasin Goum ; à Tiflis, avec un chirurgien de l'hôpital central ; à Gorki, avec un ouvrier des usines automobiles Pobieda. Jamais aucun étranger ne s'était ainsi infiltré dans l'intimité du peuple russe. La voiture nous sert de passeport. Qui voudrait fermer sa porte à ce mythique chariot bicolore venu d'Occident ? Mais soudain je sens la Marly déraper sous mes doigts comme sur du verglas. Le chemin est si détrempé que les roues n'adhèrent plus. J'ai beau faire comme les pilotes de rallye dans les dunes du Sahara, la glèbe d'Ukraine englue et aspire la voiture telle une ventouse. L'auto finit par s'enliser jusqu'au ventre. Jean-Pierre se précipite pour immortaliser la scène sur une pellicule. Enchanté par cette péripétie, Slava tape des mains comme un petit garçon. Son journal des Jeunesses communistes ne l'a certainement pas préparé à ce type d'aventure. Pensez ! Un Soviétique naufragé en pleine Ukraine, à bord d'une voiture immatriculée à Paris, et de surcroît occupée par quatre jeunes capitalistes aux idées plus que subversives... Un monde ! Mais, brusquement, l'euphorie de notre compagnon disparaît. Comme nous, il vient de voir surgir de tous côtés des soldats qui braquent leurs mitraillettes dans notre direction. Un officier hurlant se précipite sur Jean-Pierre pour lui arracher son appareil photo. Mon camarade l'évite d'une pirouette et l'officier pique une tête dans la boue. Les joues fraîches et roses de Slava passent alors au jaune pâle. Il a beau être l'un des privilégiés possédant la carte du Parti, il sait que ce morceau de carton ne lui serait d'aucun secours en cas de confrontation avec des militaires. Mais pourquoi ces soldats au crâne rasé persistent-ils à nous menacer ? Slava essaye de le savoir. Selon l'officier dégoulinant de boue, nous nous trouvons dans une zone militaire interdite et nous avons commis le crime d'y prendre des photos. Les soldats nous poussent à la pointe de leurs armes vers un baraquement protégé de barbelés. On nous enferme dans une sorte de cagibi puant la graisse rance. Par un fenestron muni de barreaux, je découvre ce qui motive tout ce branle-bas : une succession de radars et plusieurs pièces d'artillerie lourde abrités sous des filets de camouflage.

– Mon biquet, tu as bien choisi l'endroit pour faire tes photos ! commente, pince-sans-rire, la femme de Jean-Pierre.

Photos ou pas, aucune agence de voyages n'aurait pu nous offrir une telle expérience. Après deux heures d'attente inquiète, la porte de notre réduit s'ouvre. Deux officiers de la police militaire, reconnaissables à leur brassard rouge, sont arrivés de Kiev. Ils nous font entrer dans la pièce principale. Les deux militaires, un gros et un très maigre, s'installent derrière une table. Notre interrogatoire commence aussitôt. Le rapport qui nous sera lu commence ainsi :

« Nous, soussignés colonel Illysef, lieutenant-major Trigou, lieutenant-major Pietrov, et soldat Bielli, déclarons avoir vu, le 13 août 1956 à 16 h 5, une voiture de couleur jaune et noir s'approcher des installations militaires et s'arrêter. Plusieurs personnes descendirent de cette voiture et prirent des photos. Ces personnes étaient :

1) le tovarich Petoukhov, Stanislas, qui s'est déclaré correspondant de la *Komsomolskaia Pravda*, et qui a présenté son document d'identité ;

2) le tovarich Lapierre, Dominique, qui a présenté une carte de journaliste français, d'après laquelle il serait né à Châtelaillon-Plage, France, le 30-07-1931 ;

3) le tovarich Pedrazzini, Jean-Pierre, sans document d'identité [1], se déclarant également journaliste français ;

4) les tovarichi Lapierre, Aliette, et Pedrazzini, Annie, se déclarant les épouses des citoyens ci-dessus... »

Suivent six pages expliquant que nous avons photographié intentionnellement les objectifs militaires de la zone où nous avons été arrêtés. Nous contestons énergiquement cette assertion, mais le gros colonel se montre intraitable. La discussion s'éternise. Pour en finir, Jean-

1. En URSS, tout étranger devait remettre son passeport à la réception de l'hôtel où il résidait pour toute la durée de son séjour dans une ville. Jean-Pierre avait laissé le sien à notre hôtel de Kiev.

Pierre ouvre son appareil photo, extrait la pellicule incriminée et la tend à l'officier.

– Prenez ! Nous n'avons pas envie d'aller en Sibérie ! déclare-t-il. Vous verrez vous-mêmes s'il y a des secrets militaires sur ce film !

Slava passe cette fois du blême au cramoisi et traduit. L'officier hoche la tête avec un sourire.

– Vous avez tort, objecte-t-il calmement, la Sibérie est un très beau pays. – Après une pause, il ajoute : J'y ai passé sept ans.

*

L'affaire, heureusement, en resta là. Nous pûmes reprendre notre route. Après cinq cents kilomètres de pistes défoncées, de torrents franchis à gué et d'enlisements divers, la Marly atteint le cœur du Caucase. Notre fanion tricolore flotte au sommet d'un jeune chêne entre nos tentes. Nous sommes les premiers étrangers à camper dans ce pays soumis à d'implacables règlements policiers. Le rideau de fer, la guerre froide, la révolution prolétarienne, la terreur rouge, le goulag nous paraissent soudain des inventions de film catastrophe. Jean-Pierre allume un feu sur lequel il nous mitonne de succulentes pâtes *alla carbonara*. Nos femmes descendent à la rivière faire la lessive. De sa voix profonde, Slava entonne de vieilles mélodies russes que Vera accompagne à l'harmonica. Nous baignons en pleine euphorie. Cela ne durera pas. La nouvelle signalant notre passage se répand à travers toute la région. Des « délégations » de montagnards et d'estivants surgissent de tous côtés. On nous couvre de témoignages d'amitié, on proteste que laisser des hôtes aussi distingués coucher sous une tente n'est pas une manière convenable de les recevoir, on nous offre du poisson, du miel, des fruits. Surtout, on admire la voiture. Nous distribuons nos dernières tours Eiffel et nos foulards aux armes de Paris. Un grand Géorgien mal rasé me jure que je serai son frère jusqu'à la mort, me saisit le menton dans sa grosse main calleuse, et m'embrasse passionnément sur la bouche. Slava me garantit que c'est une très ancienne coutume géorgienne. La voiture s'enrichit de nouveaux messages d'amitié tracés dans la poussière qui recouvre la carrosserie. « La France et l'URSS sont les deux plus grands *tovarichi* de la terre », affirme l'un d'eux. « Vive Yves Montand et Édith Piaf », proclame une autre inscription. « Les ouvriers de Kharkov saluent ceux de la France », « La paix au monde entier »... Nous renonçons à laver la voiture afin de pouvoir rapporter en France tous ces messages d'un peuple chaleureux, sans savoir que cette décision risque de nous valoir une lourde amende. La loi soviétique impose en effet à tout conducteur qu'il maintienne son véhicule en état de parfaite propreté.

À notre retour à Moscou, la saleté de la Marly fait sensation. Les policiers de la circulation nous prennent en chasse. Des coups de sifflet nous intiment de stopper. Des agents sortent de leur guérite et passent leur index sur la carrosserie avec un air scandalisé. Comme il nous est difficile de répéter à chacun en russe la raison pour laquelle nous tenons à conserver cette poussière avec ses inscriptions, je demande à Slava de rédiger sur un morceau de carton une déclaration à l'intention des agents de police du Grand Moscou pour leur dire que « c'est pour rapporter en France un peu de la terre russe et les innombrables témoignages d'amitié que les gens y ont marqués que nous n'avons pas lavé notre automobile ».

*

Le jour du grand retour est arrivé. Slava exulte : il a obtenu l'autorisation de nous raccompagner en France. Son journal lui a confié une monumentale Zim noire, sur les flancs de laquelle il a fait peindre en français « Moscou-Paris – Journaliste soviétique ». Hélas, sa femme Vera ne sera pas du voyage. Afin d'étouffer toutes velléités que pourrait avoir son mari de profiter de cette sortie d'Union soviétique pour « choisir la liberté », les autorités policières la gardent en otage. Notre confrère trouve tout naturel que « l'école de Vera ait absolument besoin de sa présence pour enseigner le piano à ses élèves ». C'est un cameraman de la télévision soviétique qui viendra à la place de la jeune femme. Nous sommes tristes de laisser notre amie russe derrière le rideau de fer.

Un matin d'octobre, lestée de boîtes de caviar, de disques, de livres et de toute une collection de poupées gigognes et de Kremlin miniatures reçus en cadeau à Gorki, Rostov, Minsk, Yalta, et ailleurs, la Marly démarre de la place Rouge sous les regards étonnés des centaines de personnes qui font la queue pour entrer dans le mausolée de Lénine. Direction : Paris. L'hiver rôde déjà au-dessus de l'immensité russe. Partout, les habitants ont endossé les vestes molletonnées et chaussé les bottes de feutre qui constituent l'uniforme du froid. Dans trois ou quatre semaines, la route aura disparu sous le matelas blanc du général Hiver, vainqueur de Napoléon et de Hitler.

Notre retour au bercail est salué par toute la rédaction de *Paris Match* accourue sur les Champs-Élysées. De nombreux représentants de la presse, des photographes d'agence, des cameramen d'actualités télévisées et de cinéma sont également là. Slava et son confrère n'en croient pas leurs yeux : ils sont reçus tels le tsar et le grand-duc. Une équipe de *Match* les attend pour les piloter à travers la France. Le premier contact de notre camarade avec notre pays s'est pourtant soldé par un petit fiasco. Voulant à tout prix fraterniser avec le policier qui contrôlait son passeport à la frontière, Slava lui offrit une cigarette russe, un de ces *papirossi* avec un long embout en carton et très peu de tabac. Le Français examina la cigarette avec une moue dédaigneuse.

– Chez nous, mon pote, on appelle ça un mégot.

Nous faisons des adieux émus à notre Marly. Je caresse son gros volant de Bakélite noire et fais rugir une dernière fois son moteur qui m'a donné tant de joies et quelques cauchemars. Je me console en pensant qu'après cette voiture il y aura forcément d'autres autos dans ma vie : j'ai fêté mes vingt-cinq ans entre Kharkov et Kiev. Mais je garderai toujours la nostalgie de cette sonorité profonde, généreuse, que seul le mariage de huit cylindres peut offrir. Les représentants de Simca m'invitent à lui faire parcourir la dernière étape de son grand voyage jusqu'à la vitrine du magasin d'exposition de la marque, avenue des Champs-Élysées, où elle va être offerte aux regards curieux des Parisiens comme la revenante d'une autre planète. Des panneaux photographiques illustrant ses aventures au long des treize mille kilomètres de notre parcours ont été préparés pour encadrer la fière auto couverte de graffitis d'amitié tracés dans la poussière accumulée à travers l'immensité russe.

La mort d'un archange

Hélas, la joie de savourer notre exploit nous fut refusée par l'Histoire. Quatorze jours après notre retour, des patriotes hongrois se soulevèrent à Budapest contre la dictature communiste qui écrasait leur pays. Ils parvinrent à conquérir plusieurs sites névralgiques de la capitale. L'insurrection gagna de nombreux quartiers avant de s'étendre à d'autres régions de la Hongrie. Le monde communiste était sur le point de perdre l'un de ses bastions. Les Soviétiques décidèrent d'intervenir. Alors que des convois de chars lourds marqués de l'étoile rouge se mettaient en marche vers Budapest, une Alfa-Roméo blanche partie de Vienne forçait le passage de la frontière hongroise et fonçait vers la capitale en flammes. Au volant, cheveux au vent, sanglé dans son éternel Mackintosh, son Leica autour du cou, un grand garçon chantait à tue-tête. Jean-Pierre Pedrazzini n'avait pas hésité à répondre à l'appel du rédacteur en chef de *Paris Match*. Il avait bouclé sa valise, embrassé sa femme, fait une brève incursion dans le bureau où je classais les photos de notre équipée en Russie pour me crier : « À bientôt, vieux ! », et foncé vers Orly au volant de sa Jaguar.

Le 30 octobre, il est à Budapest devant le QG du Parti communiste, place de la République. Les insurgés sont en train de donner l'assaut au bâtiment. Des chars arborant leurs drapeaux apparaissent. La foule les ovationne et entonne *La Marseillaise*. Mais, soudain, c'est un hurlement d'horreur. Les drapeaux rebelles sont une feinte. Les blindés sont en fait conduits par des tankistes soviétiques qui tirent sur la foule. Jean-Pierre est atteint de trois volées de balles de mitrailleuse, aux jambes, au dos, au ventre. Son camarade de reportage, le Hongrois Paul Mathias, le porte dans ses bras jusqu'à une ambulance de la Croix-Rouge. « Attention aux appareils ! Tu as les pellicules ? » s'inquiète Jean-Pierre en claquant des dents. L'ambulance arrive à l'hôpital. Spectacle effroyable : des centaines de blessés, de mourants sont entassés dans les couloirs, les cours, et jusque dans les caves. On manque de pansements, de médicaments, d'anesthésiques. Le courage de Jean-Pierre, qui souffre atrocement, fait l'admiration de tous. Il n'a qu'une préoccupation : ses photos. Quand une infirmière vient lui faire une seconde piqûre d'Acromicyne, sachant que cet antibiotique est rarissime, il refuse :

– Gardez l'ampoule ! D'autres en ont autant besoin que moi.

Des chirurgiens hongrois tentent de refermer les blessures qui ont déchiqueté son ventre. Ils n'ont plus de catgut, plus de pansements, plus d'antibiotiques. Seule une évacuation immédiate pourrait peut-être sauver notre camarade. Sitôt prévenue, la direction de *Paris Match* et toute la rédaction se sont mobilisées pour envoyer un avion sanitaire à Budapest. Un chirurgien réputé de l'hôpital des Invalides, le docteur Dieckman, se porte volontaire pour aller chercher le blessé. Au moment de décoller de Budapest, un char russe se met en travers de la piste. J'appelle l'ambassadeur de France à Moscou, chez lequel nous avions tous dîné, moins de deux semaines plus tôt, et le supplie d'intervenir auprès des plus hautes autorités soviétiques pour qu'elles fassent immédiatement dégager la piste. L'ambassadeur de l'Union soviétique à Paris, la Présidence de la République, l'Hôtel Matignon, le Quai d'Orsay sont mis en branle. En quelques instants, une vibrante chaîne de solidarité se noue pour sauver Jean-Pierre. L'avion peut enfin décoller. Ce sera le dernier à quitter la capitale hongroise encerclée par le gros des forces soviétiques. À trois heures trente du matin, le vendredi 2 novembre, il se pose au Bourget. Tout le journal attend au pied de la passerelle, le cœur battant. C'est un visage ravagé, mangé de barbe, livide, les yeux enfoncés dans les orbites, que j'aperçois sur l'oreiller de la civière. Une infirmière tient un flacon de perfusion au-dessus de la chevelure en désordre. Jean-Pierre paraît inconscient. Une ambulance l'emporte dans une clinique de Neuilly mais toutes les sommités médicales appelées à son chevet sont unanimes : son état de faiblesse interdit toute intervention chirurgicale. Il faut attendre que son organisme reprenne quelques forces. Une cruelle ironie veut que sa chambre, la n° 35, soit celle où est mort, quatre ans plus tôt, le maréchal de Lattre de Tassigny. La poignante photographie du chef de la Ire armée française en grand uniforme sur son lit de mort avait été l'un des premiers scoops que Jean-Pierre ait réussis pour *Paris Match*.

Tandis que mon camarade agonise, Paris se déchaîne en faveur des Hongrois révoltés. Les responsables du magasin d'exposition de Simca sur les Champs-Élysées s'empressent de dissimuler la Marly sous une bâche et retirent toutes les photos de notre périple russe de peur que des pavés ne pulvérisent leur vitrine. Je me précipite à l'hôtel où nous avons installé Slava pour m'assurer que sa sécurité n'est pas en danger. Je trouve le malheureux à genoux sur le trottoir, en train d'effacer frénétiquement à coups de brosse des ailes de sa Zim la mention « Moscou-Paris – Journalistes soviétiques ».

– Dominique, on va mettre le feu à notre voiture et peut-être nous tuer aussi ! gémit-il en écoutant l'écho des cris de « À bas l'URSS ! Mort aux communistes ! » qui nous parviennent des Champs-Élysées tout proches.

Je lui raconte la tragédie qui frappe Jean-Pierre. Il semble si bouleversé que je crains qu'il ne s'effondre.

– Des balles soviétiques ! dis-je. Quelle ironie après ces trois mois d'amitié partagée entre nous.

À ces mots, les verres de ses grosses lunettes s'embuent de larmes. Il me prend les deux mains et les serre de toutes ses forces.

– Pauvre Jean-Pierre, murmure-t-il douloureusement. Pauvre Jean-Pierre.

*

– Dominique, je veux voir mes photos !

Entre ses crises de délire, la question ne cesse de revenir. Après avoir arraché la page qui le montre sur sa civière à la sortie de l'avion, véritable mort vivant, je lui apporte le numéro de *Paris Match* contenant son reportage. Ce sera sa dernière joie. Son état empire rapidement. Son taux d'urée monte à 1,40 gramme, signe que tout son organisme est en train de s'empoisonner. Il trouve quand même la force de demander à ses infirmières de composer le numéro de téléphone Balzac 00 24. C'est celui de *Match*.

– Dites-leur de venir me chercher, supplie-t-il.

J'essaie de le rassurer. Il est impressionnant avec ses yeux mi-clos dont on ne voit plus que le blanc. Ses joues, son front ont pris une teinte cireuse. Il guette les bruits. Au moindre pas dans la chambre, ses yeux s'entrouvrent, ses pupilles tournent de tous côtés avec des lueurs d'angoisse. Apercevant sa sœur Marie-Charlotte, l'être dont il est sans doute le plus proche, il veut se redresser :

– Charlie, emmène-moi ! lui crie-t-il.

Puis, soudain, c'est moi qu'il agrippe aux épaules pour m'attirer vers lui avec une force extraordinaire.

– Allez, Dominique, on s'en va ! gémit-il. On s'en va !

Vers minuit, une infirmière lui fait une piqûre de morphine, mais il continue de délirer. On lui administre alors une dose massive de penthotal. À trois heures du matin, le pouls devient difficile à percevoir. Une heure plus tard, la respiration se fait de plus en plus haletante et irrégulière. L'infirmière lui applique un masque d'oxygène sur le visage. À quatre heures quarante, il cesse tout à fait de respirer. Sa sœur dépose un baiser sur son front et lui ferme les yeux.

Je regardai mon camarade mort et je compris que ma jeunesse était terminée.

*

Slava Petoukhov rentra précipitamment en URSS. L'écrasement dans le sang de la révolution hongroise par les chars de son pays et la mort de Jean-Pierre avaient mis une fin précoce à son rêve de découvrir la France dont il parlait la langue avec tant d'amour. Quand, le mois de février suivant, *Paris Match* publia sur trois numéros le grand reportage de notre voyage sur les routes russes illustré des surprenantes photos de Jean-Pierre, Slava fut immédiatement sanctionné par la direction de son journal et les autorités policières qui l'avaient chargé de nous surveiller pendant notre voyage. Comment avait-il eu l'imprudence de nous laisser tant de libertés ? Il tenta de se racheter en écrivant, en première page de la *Komsomolskaïa Pravda,* un article au vitriol dénonçant la façon dont j'avais rendu compte de nos aventures et de nos rencontres avec le peuple russe. Mais ce pamphlet pathétique contre « ses amis français » ne suffit pas à le soustraire à une implacable punition. Il fut licencié et exilé en Sibérie pendant trois ans.

Aujourd'hui, Slava vit à Moscou, à demi paralysé à la suite d'une opération de la colonne vertébrale. Il s'est séparé de Vera, il y a une dizaine d'années, et s'est remarié avec son infirmière. Je lui téléphone de temps en temps pour évoquer les jours heureux de notre jeunesse, quand nous découvrions ensemble l'univers interdit de son pays.

Le Souffle de l'extase

C'était l'un des plus beaux joyaux nés du génie de l'homme du XXe siècle. Depuis que deux gentlemen britanniques, un aristocrate pilote de course et un fou de mécanique, avaient, au début du siècle, réuni leurs talents pour transmettre au beau monde leur passion des voitures, les Rolls-Royce symbolisaient la perfection suprême en matière d'automobiles. Carrosses préférés des têtes couronnées, des émirs, des sultans, des maharajas, des chefs d'État, du souverain pontife, des stars de Hollywood, des rois de la finance, de l'industrie, du commerce, les Rolls-Royce avaient illustré en une myriade de carrosseries et de modèles, la capacité de leurs créateurs à faire d'une voiture un mythe. Ce mythe se nourrissait de légendes. Ne disait-on pas que les moteurs des Rolls-Royce étaient de telles perfections que leurs capots étaient plombés afin que seuls les mécaniciens de la marque aient le droit de les ouvrir pour en assurer l'entretien ? Que toutes les pièces étaient usinées et ajustées à la main ? Que la production d'une seule voiture prenait tout un mois de travail ? Qu'il n'en existait pas deux vraiment identiques ? Que sur les soixante mille Rolls-Royce fabriquées depuis la naissance de la marque, quelque cinquante mille, c'est-à-dire huit sur dix, roulaient encore trois quarts de siècle plus tard ?

Une telle excellence avait évidemment un prix. Les Rolls-Royce étaient les autos les plus chères du monde. Le coupé huit cylindres Corniche vert pâle de six litres et demi de cylindrée, que je contemplais ce jour d'octobre dans une vitrine de Londres, valait la bagatelle de quarante mille livres sterling, presque cinq cent mille francs, le prix cette année-là de vingt-cinq Peugeot 403. Le plus curieux était que la ligne de cette voiture, comme celles des autres modèles exposés, n'avait rien de vraiment exceptionnel. Les carrossiers italiens d'après-guerre nous avaient habitués à plus de chic et d'originalité. Cette Corniche, comme tous les derniers modèles, avait un aspect un peu massif. Était-ce là le secret de sa majesté ? Je crois plutôt que ce secret trouvait son origine dans un accessoire religieusement conservé sur toutes les voitures depuis la naissance de la marque : cette superbe calandre chromée qui faisait penser au fronton d'un temple grec. C'était en quelque sorte le blason des Rolls-Royce. Sa hauteur avait diminué au cours du temps, mais elle avait toujours gardé, plantée sur le bouchon de son radiateur, la même mascotte de femme ailée presque nue prenant son envol. L'artiste qui l'avait sculptée lui avait donné le beau nom de *Spirit of Ecstasy* (Le Souffle de l'extase), mais on se contenta par la suite de l'appeler *The Flying Lady* (La Dame volante). L'impudeur de cet emblème sur le joyau automobile de la puritaine Angleterre m'avait toujours étonné.

Une curiosité gourmande m'attira à l'intérieur du magasin. Comme on peut avoir envie d'effleurer la surface biseautée d'une pierre précieuse, de caresser l'épaule nue d'une jolie femme, je ressentis un désir irrépressible de promener mes mains sur la carrosserie et les chromes de ce coupé Corniche. J'attendis que le vendeur soit en conversation avec un visiteur pour palper doucement les ailes de la Flying Lady, pour laisser descendre mes doigts le long du drapé de son voile jusqu'au bouchon du radiateur. Puis je caressai lentement l'imposant triangle chromé de la calandre ornée de l'écusson portant les initiales entremêlées et les noms de Rolls et de Royce avec au-dessous, comme les tuyaux d'un orgue céleste, la double grille des entrées d'air. Puis mes mains s'égarèrent à gauche et à droite pour effleurer les doubles phares qui ressemblaient à un masque de bal sur les yeux d'une marquise vénitienne. Je fis ainsi plusieurs fois le tour de la voiture avant d'oser m'asseoir à l'intérieur. Quelle émotion quand la portière se referma, me laissant seul, presque allongé, ébahi par la richesse de l'habitacle tapissé de cuir et de bois précieux. Je ressentis quelque chose de surnaturel à toucher le petit volant de bois, à presser l'accélérateur du pied. De ma paume, j'englobai la boule en loupe d'orme du levier de vitesse, je tripotai les manettes de la climatisation automatique, celle de la radio à huit haut-parleurs, celle du régulateur de vitesse. Je basculai les deux tablettes en marqueterie encastrées dans le dossier des sièges de devant à l'intention des passagers installés à l'arrière. Je réglai mon fauteuil électrique dans toutes les positions imaginables. Bien calé dans ce siège enveloppant, respirant à pleins poumons l'enivrante odeur du cuir, je contemplai, à travers le pare-brise, le long capot effilé au bout duquel s'élançait la gracieuse Flying Lady. En rêve, je devinais le silence du moteur, un silence si parfait qu'on prétendait qu'à bord d'une Rolls-Royce le seul bruit qu'on entendait était le tic-tac de la pendule.

C'était bien le souffle de l'extase ! Loin de me laisser bercer, je me sentais brusquement emporté par l'envie de conduire cette merveille au bout du monde, de me l'offrir en cadeau pour mes quarante ans et pour la nouvelle grande enquête littéraire que Larry et moi venions de commencer et qui allait nous emmener en Inde. En Inde, où justement les Rolls-Royce avaient connu leurs plus belles années.

Étais-je devenu fou ? Avais-je le droit de vouloir tout sacrifier à cette passion des voitures qui m'avait valu d'être assommé par le parapluie de ma mère à l'âge de quatorze ans ? Je fis un bref calcul. Si cette Rolls-Royce coûtait cinq cent mille francs, TVA britannique comprise, elle n'en valait plus qu'environ quatre cent mille, TVA déduite, puisqu'elle partirait pour l'étranger. Quatre cent mille francs, c'était le montant de ma part de l'à-valoir reçu de nos éditeurs pour le nouveau livre que nous avions mis en chantier. Je pouvais donc tout juste m'offrir cette folie pour mon quarantième anniversaire. Happy birthday Dominique !

Avant de m'arracher aux moquettes épaisses comme des édredons pour aller annoncer la nouvelle au vendeur, je pris la précaution d'ajuster ma cravate dans l'un des quatre miroirs de courtoisie et d'épousseter mon blazer. Je ne possédais malheureusement ni gibus ni parapluie pour asseoir ma crédibilité. Ni carnet de chèques britannique pour verser immédiatement un acompte afin de concrétiser mon coup de cœur.

Le vendeur me toisa avec une politesse condescendante avant de m'adresser un « *Good afternoon, Sir, what may I do for you ?* (Que puis-je pour vous ?) » aussi peu chaleureux que celui d'un contrôleur des Chemins de fer à qui je serais venu demander l'horaire d'un train. C'était un grand type maigre d'une cinquantaine d'années, au visage couperosé. Il portait une chemise blanche à col dur, un gilet noir sous une veste également noire, et un pantalon gris rayé. Il faisait davantage penser au majordome de quelque manoir qu'à un vendeur de voitures. Il faut dire que les voitures qu'il vendait n'étaient pas celles du commun des mortels. L'austérité de son accoutrement soulignait précisément la différence. Je désignai la Corniche vert pâle au fond du magasin.

– Je désire acheter cette voiture, dis-je, en prenant mon accent le plus british.

Le vendeur poussa un « oh ! oh ! » de stupeur. Sa pomme d'Adam dansa le long de sa gorge.

– Vous voudriez acquérir cette voiture ? répéta-t-il en appuyant fortement sur chaque syllabe, comme s'il cherchait à se convaincre d'avoir bien entendu.

– C'est exact, répondis-je.

Il émit encore plusieurs « oh ! oh ! » troublés. C'était visiblement la première fois de sa vie qu'une personne d'apparence aussi jeune et dépourvue de gibus, de parapluie, et de col dur, venait lui dire qu'il souhaitait acheter l'une de ses voitures. Il se frotta le menton plusieurs fois puis m'adressa une question qui, sur le moment, me parut saugrenue.

– Dans quel pays comptez-vous emmener cette voiture ?

Il avait dû repérer une intonation étrangère sous mon accent british.

– *India !*

Les yeux du vendeur s'arrondirent comme des boules de billard. Si je lui avais répondu : « *The Moon* (la Lune) », il n'eût sans doute pas été plus surpris.

– *India ?* répéta-t-il, médusé.

Il y eut alors un silence pesant. Il baissa la tête comme si je l'avais frappé. J'avais jeté le trouble dans son esprit. Il n'avait jamais eu affaire à pareil client. On venait lui acheter ses voitures pour aller et venir entre Londres et quelque château du Yorkshire ou des Highlands. Et voilà qu'un hurluberlu lui parlait d'emmener une de ses voitures en Inde !

– Avez-vous bien dit : *India* ?

Il y avait dans sa voix un trémolo où je crus discerner un soupçon de nostalgie. Je confirmai d'un signe de tête. Il hocha plusieurs fois la sienne.

– Dans ce cas, Sir, je dois appeler en consultation notre Export Manager. Lui seul pourra prendre la responsabilité d'accéder à votre demande.

Il disparut dans un bureau voisin. Après quelques

secondes, je l'entendis expliquer au téléphone : « Il y a au magasin un gentleman étranger qui souhaiterait acheter une Corniche pour l'emmener en... – Il s'étrangla et reprit : Pour l'emmener en Inde... Je crois, Sir, que cette requête justifierait votre intervention. »

Quelques minutes plus tard, je vis arriver un petit homme grassouillet, avec une courte moustache à la Chaplin, également habillé en noir. Une chaîne en or brillait à la poche de son gousset. Il me salua avec un brin de dédain.

– On me dit que vous avez exprimé le désir d'acheter une de nos voitures pour l'emmener en... – Il trébucha comme le vendeur sur le nom de l'Inde, comme si l'association d'une Rolls-Royce avec ce pays était décidément la plus incongrue qui soit. Le problème, Sir, c'est que nous n'avons plus d'agent aux Indes, continua-t-il. Si vous étiez victime d'un ennui mécanique, même insignifiant, il vous faudrait expédier votre voiture jusqu'en... – Il me fit signe de le suivre dans une pièce où se trouvait, accrochée au mur, une carte du monde piquetée de points rouges figurant les agences Rolls-Royce. Il hésita et chercha le point rouge le plus rapproché du sous-continent indien. Sir, il vous faudrait expédier votre voiture jusqu'au Koweït.

À vue de nez sur la carte, le Koweït devait être à trois mille kilomètres au moins de New Delhi.

– Je croyais qu'une Rolls-Royce ne tombait jamais en panne, objectai-je avec surprise.

– Certes, mais un malheur peut toujours survenir, répliqua le petit homme en baissant les yeux. Et puis, il y a aussi les opérations d'entretien.

– Vous voulez dire le changement d'huile ?

– Le changement d'huile, les graissages, la pression des pneus, bref, toutes sortes de petits contrôles et réglages.

J'eus du mal à garder mon sérieux.

– Il me semble que n'importe quel garage indien devrait être capable de changer l'huile et de faire ces diverses opérations de routine. Sans parler de la pression des pneus : l'air de New Delhi doit être aussi convenable pour les pneumatiques d'une Rolls-Royce que celui de Londres. N'est-ce pas ?

Les visages de mes deux interlocuteurs se glacèrent à cette dernière remarque. Tant d'impertinence s'agissant d'une Rolls-Royce était indigne d'un candidat à l'achat d'une telle voiture. Je lisais tout cela dans leur regard réprobateur. L'Export Manager trouva une porte de sortie.

– Sir, m'annonça-t-il, je vais consulter le responsable de notre service après-vente. Lui seul pourra nous dire s'il est raisonnable d'introduire une de nos voitures dans cette partie du monde. Pourriez-vous avoir l'obligeance de repasser demain en fin de matinée ?

J'expliquai que je devais prendre le train une heure plus tard pour Romsey, près de Southampton, où j'avais rendez-vous avec Lord Mountbatten pour une interview concernant mon prochain livre.

– J'aimerais donc avoir, ce jour même, l'avis du responsable du service après-vente, dis-je.

Ni le nom du dernier vice-roi des Indes, ni le fait que j'avais décliné ma qualité d'écrivain n'eurent le moindre effet sur le petit homme grassouillet et son acolyte à col dur. Chez Rolls-Royce, on ne rendait compte qu'à Dieu. L'Export Manager consentit tout de même à appeler le responsable de l'après-vente. Je vis arriver un troisième larron également de noir vêtu. L'appel de son collègue l'avait visiblement dérangé dans ses occupations. Il paraissait de fort méchante humeur. L'Export Manager lui résuma la situation. Comme je m'y attendais, il tiqua sur le mot « India », au point d'en laisser tomber sur son nez ses lunettes qu'il tenait sur le front. Les deux hommes firent alors retraite vers le bureau voisin, me laissant seul en compagnie du vendeur.

Fort amusé par cette situation qui devenait comique, j'en profitai pour explorer le reste du magasin. Outre « mon » beau coupé Corniche vert pâle, il y avait une Silver Shadow à quatre portes, peinte dans ce fameux vert bouteille que les Anglais appellent fièrement le *British racing green*. Était également présentée la toute dernière Phantom VI, semblable à celle que Sa Majesté la reine venait de s'offrir, avec ses six litres et demi de cylindrée, et ses deux turbines indépendantes de climatisation qui permettaient de réfrigérer séparément l'avant ou l'arrière de l'habitacle. Ce wagon pour *Royals* coûtait la bagatelle de cent mille livres, plus d'un million de francs. Je retournai caresser la Flying Lady sur la calandre de « ma » Corniche, plus sûr que jamais qu'elle et moi étions voués à une brûlante histoire d'amour d'un bout à l'autre de la terre.

C'est alors que les deux hommes en noir émergèrent de leur délibération à huis clos. Ils me rejoignirent devant l'objet de ma concupiscence.

– *We are really sorry, Sir,* déclara l'Export Manager avec la bonne conscience d'un magistrat envoyant un condamné au bagne. *We cannot sell you this motorcar.* (Nous regrettons, monsieur, mais nous ne pouvons pas vous vendre cette voiture.)

J'accusai le coup avec toute la dignité dont j'étais capable. Puis, la rage au cœur, je courus à la gare Victoria prendre le train pour Romsey. L'objet de ce déplacement était d'interroger Lord Mountbatten sur sa première découverte des Indes quand, en 1921, en sa qualité de jeune aide de camp de son cousin le prince de Galles, il avait parcouru le joyau de la couronne impériale, jouant au polo avec les maharajas, chassant les tigres et les panthères dans leurs forêts, dînant en grand uniforme sur les terrasses de leurs palais illuminés. C'était au cours de ce prodigieux voyage que le jeune Louis avait rencontré, lors d'une soirée de gala chez le vice-roi, la belle Edwina qui allait devenir son épouse. Il avait raconté dans son journal intime les moments marquants de cette fabuleuse découverte de l'empire des Indes. En homme méticuleux et organisé, il avait rassemblé ses notes et réflexions dans un volume relié de cuir rouge qu'il accepta de me confier pour que je puisse en recopier les épisodes les plus remarquables. De retour cette nuit-là à Paris, je me plongeai dans cette excitante lecture. Quelle ne fut pas ma stupéfaction de découvrir, à la date du 21 avril 1921, le récit d'une chasse au tigre chez le maharaja de Mysore.

« Son Altesse a fait transformer en break de chasse l'une de ses nombreuses Rolls-Royce pour permettre à ses invités de tirer les fauves depuis la plate-forme la plus confortable dont on puisse rêver, avait écrit Mountbatten. Cette voiture est une pure merveille. Elle franchit les cours d'eau, descend et escalade les rives les plus abruptes sans même qu'il soit nécessaire de changer de vitesse, traverse la jungle en se jouant des obstacles. Ah, si un représentant de Rolls-Royce s'était trouvé là ! Quelle fierté il eût éprouvée !... »

Cette description me submergea de bonheur. Comme la Jeannette de Drapier et Larigaudie, comme mon Amilcar et la Marly sur les routes infernales de Grèce et du Caucase, une Rolls-Royce pouvait donc relever tous les défis et s'ouvrir un chemin là où il n'y en avait pas. Belle leçon pour les croque-morts du magasin de Londres ! Je photocopiai cette page inoubliable et la plaçai religieusement dans mon portefeuille.

Lors de mon passage suivant dans la capitale britannique, je me précipitai au magasin d'exposition de Rolls-Royce. « Ma » Corniche vert pâle se trouvait à la même place dans la vitrine.

Le vendeur à col dur me reconnut instantanément. Je le priai d'appeler l'Export Manager. Quand ce dernier arriva, je lui tendis la photocopie de l'extrait du journal intime de l'oncle de la reine d'Angleterre.

– Ce texte, monsieur, a été écrit par l'un de vos compatriotes les plus illustres, déclarai-je, heureux de prendre ma revanche. Permettez-moi de vous l'offrir. Lisez-le. Il explique sans aucun doute pourquoi vous n'avez pas jugé prudent de me vendre l'une de vos voitures. Je crains, en effet, que les Rolls-Royce d'aujourd'hui ne valent plus celles d'hier.

*

Mes déboires avec les représentants d'une marque dont il avait toute sa vie été l'un des plus fervents utilisateurs scandalisèrent Mountbatten.

– Puisqu'ils ne sont plus assez sûrs de leurs voitures pour les laisser partir en Inde, achetez donc un modèle ancien, me conseilla-t-il. Une bonne vieille Silver Cloud, par exemple. Allez chez Frank Dale & Stepsons à Sloane Square. C'est le plus grand marchand de Rolls-Royce d'occasion du monde. Vous y trouverez votre bonheur.

Une porte étroite dans une rue derrière Sloane Square, en plein cœur de Chelsea. Une simple plaque de cuivre : « Frank Dale & Stepsons ». Je sonnai et j'entrai, un peu étonné par la banalité des lieux, dans une pièce envahie de fumée de cigarette. Assis dans un coin sous la photo d'une voiture de course, un vieux monsieur lisait le journal en tirant sur un cigarillo. C'était Frank Dale, le propriétaire du garage. Avec son blazer et sa cravate jaune rayée de bleu, il faisait très British Empire. Il me souhaita aimablement la bienvenue et me fit signe de le suivre. La porte qu'il ouvrit alors me révéla un spectacle qui me coupa le souffle. Aucun musée de l'automobile, aucun collectionneur de belles voitures n'aurait pu rêver de rassembler en un même lieu autant de merveilles. Toutes étaient des Rolls-Royce. Il y avait une somptueuse Silver Phantom décapotable à quatre portes des années trente, avec d'énormes roues à rayons ; une Silver Ghost de 1929 *open tourer*, avec ses ressorts enveloppés dans une gaine de cuir, son pare-brise rabattable, son coffre à outils aux airs de coffret à bijoux ; un exquis cabriolet bleu ciel, avec une capote d'alpaga crème maintenue à demi ouverte par deux arceaux chromés en forme de S comme sur les landaus des bébés de la gentry. Plus loin encore, un immense capot blanc ivoire illuminait d'une impériale majesté cet incroyable rendez-vous de chefs-d'œuvre. C'était la décapotable à quatre portes de la star américaine des années trente Jean Harlow. Elle avait, paraît-il, fait assortir la couleur de la sellerie à celle de sa chevelure blond platine. La plupart des modèles exposés avaient remporté des prix d'élégance, gagné des coupes d'excellence. Toutes portaient un nom prestigieux de carrosserie. Elles s'appelaient Ascot, Deauville, Regent, Brougham, Pullman.

Il y avait aussi au fond du garage quelques-unes de ces Silver Cloud des années cinquante que m'avait vantées Mountbatten. Il me semblait que les âmes des anciens propriétaires habitaient encore ces écrins de cuir et de bois précieux, et leur donnaient une vie, une résonance, une chaleur particulières.

– Vous arrive-t-il d'avoir une Silver Cloud avec une conduite à gauche ? demandai-je à mon guide en blazer.

– Hélas, presque jamais ! Et quand, par chance, nous en trouvons une, elle part immédiatement pour les États-Unis.

– Lord Mountbatten m'a conseillé de rechercher une voiture qui serait équipée d'un filtre à air à bain d'huile. À cause des nombreux déserts et des routes non asphaltées terriblement poussiéreuses de l'Inde.

Le propriétaire du garage me regarda avec des yeux ronds. Aucun client ne lui avait jamais fait part de tels desiderata. Sa surprise était compréhensible. Une Rolls-Royce est un monde à part, un vaisseau dégagé de toutes les contingences propres aux autres voitures, où la poussière, pas plus que les bruits et les odeurs de l'extérieur, n'a le droit de pénétrer.

– Je crains qu'un tel filtre à bain d'huile ne soit pas un

accessoire habituel de nos modèles, répondit Frank Dale, visiblement désolé de ne pouvoir satisfaire ce client un tantinet excentrique. – Il ajouta, avec humour : Du fait de notre climat, la priorité de nos acheteurs porterait plutôt sur la fiabilité des essuie-glaces.

En bon commerçant, il m'assura qu'il allait cependant se mettre en chasse pour essayer de découvrir la rareté que je convoitais. Je promis de revenir dès mon prochain passage à Londres. À défaut d'une conduite à gauche, je pourrais toujours acquérir l'un des superbes modèles disponibles.

C'est alors que Drapier et Larigaudie décidèrent de me faire une surprise. J'étais à peine rentré dans ma chambre d'hôtel que le téléphone sonna. J'eus du mal à reconnaître la voix du marchand que je venais de quitter. Perdant jusqu'à la dernière once de son flegme britannique, il criait dans l'appareil :

– Un miracle, monsieur Lapierre, un miracle ! Vous veniez tout juste de sortir du garage quand un médecin britannique retiré en France nous a apporté sa superbe Silver Cloud. Elle dispose de la conduite à gauche, elle est équipée d'un filtre à air à bain d'huile, elle a la climatisation et, pour couronner le tout, elle est immatriculée en France. Oui, monsieur Lapierre, un numéro 17 de la ville de La Rochelle ! Êtes-vous intéressé ?

– *Of course !* (Bien sûr !) criai-je en avalant à moitié le combiné. Mille fois oui ! Je viens la chercher dans la minute.

Je restai un instant foudroyé par cette extraordinaire coïncidence qui m'apparut comme un encouragement du ciel : La Rochelle ! Le berceau de mes aïeux ! Châtelaillon où j'étais né n'était qu'à douze petits kilomètres des tours de La Rochelle !

*

La Silver Cloud du médecin anglais était d'une aristocratique couleur noir et gris. La distinction de son avant, sa puissance discrète en faisaient à mon avis de néophyte l'un des modèles les plus réussis de toute l'histoire de la marque. Je ne me lassais pas de la beauté de ses lignes toute faite de sobriété, d'élégance, de puissance virile. Elle avait en outre le mérite de ne coûter que cinquante mille francs, à peine plus qu'une DS Citroën neuve. En prévision du long exil indien auquel je la destinais, je passai toute une journée à me familiariser, en compagnie de ma femme Dominique, avec les différents organes de ce joyau. Dominique notait pieusement sur un cahier d'écolier les explications du chef mécanicien du garage. Elle dessinait la forme des boulons, des vis, des pièces qu'il nous faudrait peut-être un jour remplacer quelque part dans un désert perdu du Rajasthan ou du Deccan. Ce voyage initiatique dans les secrets de mon auto fut la première étape de mon roman d'amour avec elle. Avant de l'embarquer pour la grande aventure, j'ajoutai à sa perfection une petite touche personnelle : des plaques minéralogiques qui se terminaient par 83, le numéro du Var, mon pays d'adoption. Je n'étais pas peu fier de faire voyager ces deux chiffres fétiches sur une si belle voiture et en des terres si lointaines.

Une Rolls au pays des maharajas

Aussi soigneusement emmaillotée de rouleaux d'ouate que si elle avait été la Vénus de Milo, enfermée dans une caisse, mon auto quitta Marseille la veille de Noël. Trois mois plus tard, je l'accueillais sur le port de Bombay. Sa première nuit indienne eut pour décor l'un des majestueux garages du Royal Bombay Yacht Club qui abritaient jadis les Silver Phantom et les Silver Ghost des hauts dignitaires de l'empire. C'est sous les regards émerveillés et les ovations des promeneurs, des enfants, des marchands ambulants de la grande place voisine de la Porte de l'Inde que je pris, le lendemain, la route de New Delhi où Larry Collins m'attendait. Cette attitude me rassura. À Paris, des amis s'étaient offusqués que je veuille circuler dans un pays accablé par tant de pauvreté à bord d'une voiture aussi luxueuse. Conscient du problème, j'avais un moment hésité, puis j'avais interrogé mes anges gardiens. Une remarque de Larigaudie dans *La Route aux aventures* avait fait taire mes scrupules. À bord de sa Jeannette superéquipée, il s'était posé la même question. « À condition de le partager avec les autres, il n'est pas de plaisir indécent », avait-il écrit. À peine le long capot de la Rolls avait-il quitté le centre de Bombay que je compris que l'Inde partageait mon plaisir. À chaque arrêt, j'étais entouré, submergé, englouti par une foule enthousiaste. Pour me guider jusqu'à la capitale indienne distante de mille cinq cents kilomètres, et pour me servir d'interprète en cas de besoin, j'avais invité un jeune chauffeur du consulat de France de Bombay. Il s'appelait Ashok et il était hindou. Piloter le char céleste d'Arjuna ne l'aurait pas rendu plus fier. Mais trouver la sortie d'une mégapole tentaculaire comme Bombay requérait d'autres connaissance que mythologiques. Je dus appeler un taxi au secours pour nous escorter jusqu'à la grand-route de Delhi.

Pauvre Rolls ! À quelle épreuve t'avais-je condamnée ! Un parcours du combattant doublé d'un jeu de massacre. Sur des centaines de kilomètres, la chaussée était à voie unique. Chaque croisement avec un véhicule venant d'en face devenait un duel à mort, une partie de roulette russe. Les camions refusaient systématiquement de céder la place. Je devais donc jeter les deux tonnes de mon auto sur le bas-côté, au risque d'arracher ses pneus, puis remonter sur la route. En apercevant la Rolls, certains chauffeurs semblaient pris d'un accès de folie. Ils lâchaient leur volant, tapaient des mains, déclenchaient l'ouragan de leurs klaxons, se livraient à d'acrobatiques manœuvres. Je vis des camions lourdement chargés basculer dans le ravin, se télescoper à pleine vitesse, des voitures se retourner comme des crêpes après m'avoir imprudemment doublé. Je dus, hélas, me séparer de mon chauffeur au bout de quelques centaines de kilomètres. L'Inde est un pays où l'on parle sept cent cinquante langues et dialectes. À mesure que nous nous éloignions de sa région d'origine, le pauvre Ashok ne parvenait plus à se faire comprendre. Qu'importe ! Je trouvais presque partout un ancien militaire, un retraité de quelque administration, qui baragouinait assez d'anglais pour me renseigner. La gentillesse naturelle des Indiens faisait le reste. Je ne me sentais jamais perdu.

*

Traverser les mille vacarmes de l'Inde en écoutant dans le silence ouaté d'une Rolls-Royce le sitar endiablé de Ravi Shankar ou les cantates apaisantes de Bach, quel délice ! En six mois, nous parcourûmes ma voiture et moi plus de vingt mille kilomètres. Interviews, recherche de documents, descriptions de situations et des lieux historiques, je poursuivais à chaque étape l'enquête pour le nouveau livre que j'avais en chantier avec Larry.

Un jour, un imperceptible cliquetis commença à troubler le ronronnement d'habitude inaudible du moteur. L'accablante chaleur, la mauvaise qualité de l'essence, l'absence d'entretien régulier allaient-elles donner raison aux trois représentants en col dur de Londres ? N'en pouvant plus, je finis par téléphoner au propriétaire de la seule autre Rolls-Royce qui roulait en Inde : l'ambassadeur de Grande-Bretagne à New Delhi. Il me rassura d'une voix empressée.

– Je fais entretenir et réparer ma Silver Shadow dans un garage de Connaught Circus à mon entière satisfaction, m'affirma-t-il. Je vous conseille de lui porter votre Silver Cloud.

– Comment s'appelle ce garage ? demandai-je, très excité.

La réponse me laissa pantois :

– *The British Garage.*

Sacrée Albion ! Vingt-cinq ans après que la perle de ton empire t'avait mise à la porte, le meilleur garage de New Delhi se nommait toujours le « British Garage ».

Cravate rayée et blazer comme le vieux Frank Dale de Londres, le directeur indien était un colonel à la retraite. Il écouta mon exposé avec une attention religieuse. J'insistai sur le fait que ma voiture fonctionnait parfaitement : le cliquetis n'était qu'une gêne subjective et passagère, et non l'indice d'un mal plus profond.

– Nous allons vérifier, me dit-il avec le sérieux d'un médecin en présence d'un patient.

Tous les employés du garage s'étaient précipités autour de la voiture pour échanger des commentaires passionnés. Au British Garage, plus que nulle part ailleurs, l'apparition d'une si belle anglaise était une fête ! Le directeur me pria d'ouvrir le capot et de mettre le moteur en marche. Il ausculta longuement le ralenti puis me fit signe d'appuyer sur l'accélérateur. C'est à mi-course que l'insidieux cliquetis devint perceptible. Il fallait une oreille avertie pour déceler ce bruit infime. Il se releva et tapa dans ses mains. À cet appel apparut un vénérable sikh à barbe grise coiffé d'un turban rouge écarlate. C'était le chef mécanicien.

J'étais rassuré : les sikhs sont les chauffeurs de taxi, les routiers, les pilotes de l'Inde. Le gourou Nanak, le saint fondateur de leur communauté, leur a insufflé le génie de la mécanique. Le vieil homme écouta à son tour le souffle de la Rolls-Royce. J'assistai alors à un extraordinaire rituel comme seule l'Inde des castes pouvait en inventer. Son examen terminé, le vieux sikh tapa à son tour dans ses mains. À ce signal, un jeune mécanicien de naissance « inférieure », sans doute originaire du Sud comme l'indiquait sa peau très noire, apporta sur un plateau un tournevis, une pince et une clef à molette. Le vieux sikh saisit délicatement le tournevis et enfouit son turban écarlate dans le moteur. Je guettai fébrilement le résultat de cette plongée. Une longue concertation s'engagea alors à mots feutrés entre le directeur et son chef mécanicien. Ils parlaient en panjabi. À la gravité de leurs visages, je compris que leur diagnostic n'était guère optimiste. Enfin, le directeur se tourna vers moi :

– Monsieur Lapierre, nous aimerions garder votre voiture pour lui faire subir un examen approfondi, m'annonça-t-il.

– Un examen approfondi ? répétai-je, subitement pris de panique.

C'était ce que je redoutais le plus. Ne risquais-je pas de retrouver mon auto handicapée à vie alors qu'elle ne souffrait que d'une indisposition passagère ?

– Combien de temps souhaiteriez-vous garder la voiture ? m'inquiétai-je.

– Oh... disons... une petite semaine, répondit le directeur après avoir consulté son chef mécanicien.

Je vécus ces huit jours dans la plus épouvantable anxiété. Je partis au Cachemire dans l'espoir d'exorciser l'image de ma Silver Cloud désossée sur un établi de garage. Mais ni les féeries de mes promenades en barque sur le lac Dal de Srinagar, ni l'enivrante découverte des jardins de Shalimar, ni celle des trésors de l'artisanat local ne purent détourner ma pensée du British Garage. Le huitième jour, le cœur battant, je retrouvai enfin ma voiture. Elle me parut plus belle et éclatante que je l'avais laissée. Sa vitre était ouverte et la clef était engagée dans le tableau de bord. Sans prendre le temps de m'installer au volant, j'allongeai la main pour mettre le moteur en marche. Il n'y eut pas l'ombre d'un frémissement sous le capot. Je répétai l'opération. En vain. Ma Rolls restait inanimée. Fou de douleur, je courus jusqu'au bureau du directeur.

– Qu'avez-vous fait à mon auto ? m'écriai-je, le regard brouillé de larmes.

Sans répondre, l'homme ajusta sa cravate et se leva. Arrivé devant la voiture, il me pria d'ouvrir le capot.

– Oh ! fis-je, stupéfait.

Le moteur que je croyais mort tournait bel et bien, mais dans un tel silence qu'on ne l'entendait plus. Quant au cliquetis, un coup d'accélérateur me confirma qu'il avait disparu sous les doigts magiques du sikh au turban écarlate. Le vieil Indien avait été le mécanicien des Rolls-Royce du dernier vice-roi de l'empire des Indes.

New Delhi–Saint-Tropez, la chevauchée magique de la Flying Lady

Le couronnement de mes rêves d'enfant. Trente-cinq ans après Drapier et Larigaudie, j'allais m'élancer à mon tour sur *La Route aux aventures* de mes idoles, du moins sur une partie de son parcours. Le temps de mes dix ans où je dévorais le récit de leur raid, caché sous les couvertures du lit de ma chambre glaciale de la rue Jean-Mermoz, me semblait si proche ! Je venais de fêter quarante ans. J'avais remplis le coffre de la Silver Cloud de toute la documentation que Larry et moi avions amassée. New Delhi–Saint-Tropez : cela représentait dix mille kilomètres environ sur les cartes, le quart du tour de la Terre. Notre arrivée à la frontière indo-pakistanaise fut un événement. Depuis le dernier conflit entre les deux pays, celle-ci n'était ouverte que deux jours par semaine et seulement pendant quelques heures. Malchance : nous arrivions le mauvais jour. Mais quelle frontière resterait close devant le capot d'une Rolls-Royce ? Le major indien Palam Sing et le commandant pakistanais Habib Ullah acceptèrent de s'entendre pour nous laisser passer. Nous débouchâmes notre dernière bouteille de champagne en hommage à cette fraternisation inattendue.

Quelle excitation de rouler sur cette Great Trunk Road qui, de la passe de Khyber jusqu'à Calcutta, unifiait jadis d'un trait d'asphalte de deux mille kilomètres tout le nord de l'empire des Indes. J'imaginai la Jeannette de mes lectures se faufilant comme nous dans le flot des camions, des autobus, des charrettes, des cyclo-pousse. À Lahore, le cocher d'une *tonga* nous serra de si près que son moyeu cabossa l'enjoliveur de la roue avant droite. Je fis le vœu de ne jamais débosseler cette légère marque laissée dans la chair de mon auto par une carriole du bout du monde.

Peshawar, aux portes de l'Afghanistan. Le gouverneur de la région nous invita à dîner. Je songeai avec délice au récit qu'avait fait Larigaudie de son passage dans cette même ville.

« À Peshawar, nous dînons chez Sir George Cunningham, gouverneur de la North-West Province of India, avait-il écrit. Une Rolls-Royce longue et silencieuse, presque onctueuse, conduite par deux chauffeurs tombés du char enchanté des *Mille et Une Nuits,* nous transporte au palais. Un bref claquement de mains sur les crosses, la garde nous présente les armes.

« Gazon anglais, tennis, piscine, arbres tropicaux au bord des allées sablées, mosaïques fleuries des massifs, pavillons éclatants de blancheur, bâtiments et jardins écrasent de toute la puissance de l'Angleterre la ville indigène dispersée aux alentours comme un jeu de construction en boîtes d'allumettes.

« La porte franchie, l'Inde disparaît. Le salon puis la salle à manger, n'était le glissement silencieux des domestiques enturbannés, semblent meublés par un décorateur d'Oxford Street. »

Rien n'avait vraiment changé depuis la rédaction de ces lignes. Le charmant gouverneur pakistanais, diplômé de Cambridge, paraissait aussi britannique que son prédécesseur d'avant l'indépendance, son whisky venait des mêmes Highlands, sa garde claquait des mains sur les crosses et présentait les armes avec la même rigueur qu'au temps de l'empire.

L'historique passe de Khyber, où les bons tireurs des tribus insoumises s'amusaient parfois à faire sauter à coups de fusil les bouchons de radiateur des voitures, vit passer le lendemain notre majestueux capot. J'adressai une prière à saint Larigaudie pour que les guerriers pathans s'abstiennent de faire un carton sur la Flying Lady. Taillée à flanc de montagne, enjambant ravins et gorges sur d'audacieux travaux d'art, doublée sur toute sa longueur d'une piste caravanière, dominée par des postes militaires qui en commandaient chaque tronçon, la route coupait l'une des frontières les plus dangereuses du monde. J'eus un serrement de cœur quand apparurent, gravés sur un pan de la montagne, les blasons de tous les régiments britanniques qui vinrent défendre ici les portes de l'empire. Au-delà d'un dernier virage et d'un poste de douane, un grand panneau proclamait : « *Welcome to Afghanistan. Keep to the right* (Conduisez à droite) ».

À Kaboul, la garde personnelle du roi Zaher Chah rendit les honneurs à la Silver Cloud. Le monarque avait accepté de nous recevoir, Larry et moi, pour un long entretien sur la situation tourmentée que traversait son pays. Dans moins de six semaines, cet homme affable et cultivé, qui s'exprimait dans un français recherché, serait chassé du pouvoir par un coup d'État. L'Afghanistan sombrerait alors dans l'un des plus longs et terribles drames de son histoire.

Nous passâmes notre dernière nuit afghane à la sortie de la grosse ville de Herat, dans l'unique hôtel avant la frontière iranienne. L'établissement était, paraît-il, un repaire de trafiquants de drogue. Depuis que le chah d'Iran faisait impitoyablement fusiller les passeurs, les trafiquants cherchaient de nouveaux moyens d'acheminer leur marchandise. L'une des astuces, nous avait-on avertis, était d'utiliser les voitures des touristes en dissimulant durant leur sommeil des paquets de drogue dans les pare-chocs ou sous les châssis. Il suffisait de les récupérer la nuit suivante dans le garage de l'unique hôtel de Mecched, première étape en Iran.

Fort de cette mise en garde, je pris la précaution de m'arrêter à quelques kilomètres de la frontière pour m'assurer que nous ne transportions rien de suspect. Je passai la main à l'intérieur du pare-chocs avant. Horreur : mes doigts effleurèrent un sachet en Cellophane plein de poudre collé par des rubans adhésifs. Même découverte dans le pare-chocs arrière. D'autres petits sacs étaient fixés à l'intérieur des ailes et sous le coffre. Larry, qu'un long reportage sur la French Connection de Marseille avait rendu très expert, examina nos prises et annonça : « Conditionnement chinois ». La poudre blanche qu'on nous faisait convoyer venait donc de Chine, via le Pakistan et l'Afghanistan. Larry évalua sa valeur à plusieurs centaines de milliers de dollars. Je m'empressai d'arrêter le minibus des amis français qui nous accompagnaient depuis Lahore.

– Pierrot, fouille ta bagnole de fond en comble ! dis-je

à mon vieil ami Pierre Foucault. On nous a bourrés de came !

Pendant qu'il s'exécutait avec l'aide de ses coéquipiers, j'examinai avec attention l'un des petits sacs posés sur le capot. La texture légèrement granuleuse de la poudre me surprit. Je croyais que l'héroïne avait l'aspect d'un talc extrêmement fin. J'ouvris l'un des paquets et goûtai un peu de poudre. Surprise : c'était du sel ! Tout le monde s'étonna, Larry le premier. Nous ouvrîmes les autres sacs : du sel, rien que du sel. Les passagers du minibus, mon ami Pierrot en tête, éclatèrent alors de rire et nous racontèrent qu'ils avaient vidé toutes les réserves de sel de l'hôtel pour nous jouer ce tour. Ce fut Larry qui eut le mot de la fin :

– Bande de salauds ! Dire que vous auriez pu nous faire fusiller pour cinq paquets de sel !

*

Dressée sur un éperon, une forteresse gardait le désert : le poste frontière avec l'Iran. Grand seigneur, le chef de poste nous fit entrer dans une vaste pièce voûtée, où divans, sièges, murs et planchers disparaissaient dans une profusion de tapis. Des serviteurs nous apportèrent verres et aiguières, et nous prîmes le thé avec quelques Afghans barbus, tandis que, dans un bureau voisin, on tamponnait nos passeports. Aucune formalité de sortie, aucune visite de la voiture que les gardes du poste vinrent contempler avec un respect quasi religieux. De l'autre côté, le chef du poste frontière iranien nous accueillit avec la même déférence courtoise.

*

Arrivée en Grèce du nord, la Rolls fit un détour pour aller saluer à Komotini le mécanicien qui, vingt-deux ans plus tôt, avait ressuscité l'Amilcar après le dramatique remorquage qui avait manqué la briser. Belle fraternité de la mécanique ! Nous tombâmes dans les bras l'un de l'autre, comme deux frères qui se retrouvaient. La piste où je faillis périr était devenue une superbe route à trois voies. Quant à la rivière où s'était noyée ma malheureuse torpédo, c'était un ouvrage presque aussi majestueux que le Golden Gate Bridge qui l'enjambait aujourd'hui.

Le voyage devint alors une promenade. Nous musardâmes à Athènes, Olympie, Delphes, Corinthe, Naples, Rome. Trente-deux jours, dix-sept heures et douze minutes après avoir quitté le Fort Rouge de New Delhi, la pancarte « SAINT-TROPEZ » apparut devant la Flying Lady. Le compteur annonçait dix mille deux cent quarante-huit kilomètres exactement. Avant de parcourir les trois derniers kilomètres jusqu'au portail du Grand Pin, j'offris à mon vaillant équipage une pause pastis sur le port de Saint-Tropez. J'avais l'impression de rentrer d'une longue traversée comme celles que faisaient jadis les corsaires et les navigateurs originaires de la petite cité, jusqu'aux rivages d'Afrique et des Indes. Tandis que je savourais cet instant de bonheur, une des marchandes de poisson de la place aux Herbes fit respectueusement le tour de mon vaisseau. Éberluée par sa longueur, elle releva soudain la tête et s'écria :

– *Boudiou,* pour un tel wagon, c'est un parcmètre devant et un parcmètre derrière qu'il faut !

*

Depuis, la belle auto achetée dans le musée londonien de Frank Dale n'a jamais cessé de partager ma vie. Comme un vieux couple que l'amour aurait uni pour l'éternité, nous avons parcouru ensemble bien d'autres milliers de kilomètres à travers la France et l'Europe. Elle a aujourd'hui trente-huit ans, j'en ai soixante-six. Grâce à Dieu, nous partageons tous les deux le privilège d'une santé éblouissante.

Puisque je nous compare à un vieux couple, il me faut bien évoquer un épisode qui fait inévitablement partie de l'histoire de tous les vieux ménages.

Une récente fin d'été, alors que je feuilletais un merveilleux journal spécialisé dans les voitures anciennes et de collection [1], je reçus un choc en plein cœur. La photo que j'avais sous les yeux était celle du cabriolet Chrysler Royal 1938 de mes vingt ans, la voiture de mon voyage de noces achetée cent dollars chez un casseur de Pennsylvanie. Je reconnus chaque détail : la calandre carnassière, le spider en guise de coffre, le long marchepied, les chromes en forme de moustaches sur le capot. Seule la couleur différait. Elle était noire. Elle était proposée

1. *La Vie Automobile.*

dans une vente aux enchères de l'ouest de la France. Dans la minute, j'appelai le commissaire-priseur et lui donnai un ordre d'achat. Huit jours plus tard, la voix d'une secrétaire m'annonçait que la voiture m'attendait dans un garage de la Vienne. Je sautai dans un TGV et débarquai à Poitiers, le cœur battant. C'était elle ! Oui, c'était bien l'auto de ma jeunesse, de ma traversée des États-Unis et du Mexique, la puissante décapotable à la sonorité symphonique.

– Vous allez provoquer des bouchons sur l'autoroute ! me prédit avec humour le garagiste.

Une escale à l'île de Ré chez un oncle très cher, une autre chez de vieux amis dans le Gers : en trois jours, la Chrysler me ramenait avec ma femme à Ramatuelle, entouré de la stupéfaction admirative de tous les automobilistes rencontrés.

La Rolls-Royce ne m'en a pas voulu. La Chrysler et la Silver Cloud sont aujourd'hui garées côte à côte comme deux sœurs sous les tuiles rouges de l'abri de voitures construit juste en face de la pièce où j'ai installé ma table de travail. Comme El Cordobés, je n'ai qu'à lever les yeux pour apercevoir de l'autre côté de la fenêtre ces deux symboles des joies de ma vie et puiser dans cette image l'inspiration de nouveaux rêves.

13

Les derniers proconsuls du fabuleux empire de Victoria

On venait de servir le dessert, une superbe tarte Tatin. Mon hôte retira tout à coup ses épaisses lunettes d'écaille et me considéra de ses petits yeux de myope.

– Et maintenant, Dominique, quel sujet allez-vous attaquer avec Collins ?

Cet homme à la voix chaleureuse avait été mon maître et mon modèle à *Paris Match*. Depuis des années, les articles et reportages de Raymond Cartier racontaient chaque semaine les événements du monde avec un souffle et une richesse d'informations qui passionnaient des millions de lecteurs. Jeune journaliste, j'avais eu la chance de travailler pendant deux ans à New York aux côtés de ce grand professionnel aussi habile à révéler les secrets de la guerre froide ou à démasquer les raisons de la brouille russo-chinoise qu'à analyser le mythe de Brigitte Bardot. Il avait applaudi au succès de *Paris brûle-t-il?* et approuvé ma décision de m'éloigner de *Paris Match* pour tenter une aventure littéraire et historique telle qu'il aimait en vivre lui-même entre ses grands reportages d'actualité.

Nous venions, Larry et moi, de publier *Ô Jérusalem*. Cette vaste enquête sur la naissance de l'État d'Israël et des mois d'écriture difficile nous avaient mis KO.

– Vous le savez bien, Raymond, il existe si peu de sujets auxquels on ait envie de consacrer quatre ans de sa vie, dis-je. Auriez-vous une idée à nous suggérer ?

Cartier fronça les sourcils et se rapprocha de moi comme pour me faire une confidence.

– Mon cher Dominique, quand j'avais votre âge, je me

suis rendu dans un village perdu du nord du Bengale pour interviewer un petit bonhomme à peine vêtu qui avait mis à genoux l'un des plus puissants empires de tous les temps. Il s'appelait Mohandas Gandhi. Pourquoi ne raconteriez-vous pas avec Larry Collins l'histoire de cet Indien et de la chute de l'Empire britannique des Indes dont la population représentait à l'époque un cinquième de l'humanité ? Cela se passait en 1947, il y a moins de vingt-cinq ans. Beaucoup d'acteurs de cette formidable page d'histoire doivent encore être en vie. Vous pourriez sûrement les retrouver.

Cartier vit mon regard s'allumer de curiosité. Il poursuivit :

– Le 15 août 1947 est probablement l'une des dates majeures de notre temps. Ce jour-là, l'Inde et le Pakistan proclament leur indépendance. Ce jour-là, à New Delhi et à Karachi, devant des centaines de milliers d'hommes et de femmes à la peau noire et aux pieds nus, s'écroule la domination de l'homme blanc sur toute une partie de l'univers. Ce jour-là naît ce que l'on va appeler le tiers monde. À partir de ce 15 août 1947, le monde ne sera plus jamais le même. Les auteurs de ce bouleversement sont tous des personnages extraordinaires : d'abord, ce petit mahatma que Churchill appelait « *the half naked fakir* » (le fakir à demi nu). Ensuite, Nehru, l'homme à la rose, un aristocrate brahmane du Cachemire, pur produit de l'éducation britannique, mais qui a passé le tiers de sa vie dans les prisons anglaises. Ensuite, un certain Mohammed Ali Jinnah, sorte de De Gaulle asiatique, inflexible et arrogant, qui a réussi à donner le Pakistan à la minorité musulmane des Indes. Enfin, Lord Mountbatten, cousin du roi George VI, dernier vice-roi des Indes, qui reçoit la triste mission de liquider le joyau de l'empire assemblé par son arrière-grand-mère Victoria. Vous avez là, Dominique, tous les ingrédients d'une tragédie antique avec des héros hors du commun. Si j'avais votre âge, c'est ce soir même que je me jetterais sur cette enquête !

Cher Raymond, je n'ai jamais pu vous dire que j'ai appelé Larry à peine sorti de chez vous. Car vous nous avez brusquement quittés peu de temps après ce dîner mémorable. Larry était chez ses parents, dans le Connecticut. Quinze jours plus tard, nous déjeunions à Londres avec Lord Mountbatten, le dernier des grands acteurs de ces événements historiques encore vivant. Notre rencontre eut lieu chez nos amis Geoffroy et Martine de Courcel qui représentaient alors la France en Grande-Bretagne.

Quel personnage, en effet ! La jeunesse de son allure faisait d'emblée oublier ses soixante-douze ans. Grand, mince, souple comme un félin, l'œil bleu pétillant de malice et de curiosité, cet homme né avec le siècle et qui avait vécu tant de vies, n'avait rien de compassé, rien d'empesé. Je l'imaginais galopant sur son poney de polo, ou sanglé dans son grand uniforme de Premier Lord de l'Amirauté constellé de plaques, médailles et aiguillettes étincelantes, ou bien arborant sa casquette à feuilles d'or de commandant en chef des opérations de guerre en Asie, ou encore dans sa tunique ornée d'étoiles et de décorations de vice-roi des Indes.

Notre projet l'enchanta. Il déplorait que ses compatriotes aient si peu apprécié sa réussite de décolonisateur, qu'ils lui aient reproché avec tant d'acharnement la façon expéditive dont il s'était acquitté de sa tâche. L'accusation lui paraissait injuste et imméritée. En extirpant son pays du guêpier indien sans qu'une seule goutte de sang britannique ait été versée, Mountbatten avait épargné à la Grande-Bretagne l'une de ces guerres coloniales dont la France s'était fait une spécialité. Notre projet entraîna d'autant plus facilement son adhésion que nous étions par chance les auteurs d'un de ses livres préférés.

– J'ai relu au moins quatre fois votre *Paris brûle-t-il ?* nous avoua-t-il. Voilà comment il faut raconter l'histoire.

Dès la fin du déjeuner, il nous embarqua dans sa Jaguar pour nous emmener chez lui, au château de Broadlands, près du village de Romsey dans le sud de l'Angleterre. C'était dans cette magnifique demeure environnée de chênes centenaires qu'il avait pris sa retraite. Sur sa table de travail s'entassaient des piles de lettres venues pour la plupart de l'Inde ou du Pakistan, correspondances d'inconnus, d'amis restés fidèles, ou d'anciens serviteurs auxquels, depuis vingt-cinq ans, il envoyait régulièrement un petit viatique. Duna, son labrador noir, et le chat Mistou étaient ses seuls compagnons dans cet intérieur chaleureux rempli de meubles victoriens, aux tapis moelleux et aux lourds rideaux. D'innombrables photographies disposées dans des cadres d'argent – portraits de famille ou de grands de ce monde, images de guerre, de missions, de voyages – rappelaient quelle riche existence avait été la sienne. L'un des portraits était celui d'Élisabeth II affectueusement dédicacé *To my uncle Dickie*; une photo montrait le frêle Mahatma Gandhi drapé dans son *dhoti* [1] entre Lord Louis et son épouse Edwina, alors vice-roi et vice-reine des Indes; plus loin, on découvrait les jeunes époux Mountbatten en voyage de noces à Hollywood, entourés de leurs amis Charlie Chaplin, Mary Pickford et Douglas Fairbanks. Mais la véritable originalité de cette maison résidait dans ses sous-sols où le maître de maison nous entraîna avec une fierté non dissimulée. Dans ce labyrinthe de tunnels, il avait rassemblé les documents professionnels et les souvenirs personnels soigneusement conservés tout au long de sa vie. Pour Larry et moi, impatients de démarrer l'enquête sans doute la plus ambitieuse de notre duo littéraire, il s'agissait d'un véritable trésor. Ces documents et ces souvenirs ne racontaient pas seulement les péripéties d'une décolonisation. Ils étaient l'histoire de notre siècle.

Mountbatten ouvrit au hasard un tiroir. Nous y trouvâmes un paquet de lettres toutes jaunies par le temps. La première, manuscrite, était signée par Nicolas II, tsar de toutes les Russies, qui invitait son jeune neveu Louis à venir passer les vacances de l'été 1914, en compagnie de ses cousines impériales, sur le yacht familial ancré à Saint-Pétersbourg. Cinquante-huit ans plus tard, les yeux bleus qui avaient fait palpiter tant de cœurs féminins brillèrent imperceptiblement à la vue de cette relique.

– J'étais alors amoureux fou de la grande-duchesse Marie, nous confia-t-il. Elle ressemblait à un portrait de Gainsborough.

Sous cette lettre, il y avait un faire-part. « Victoria, reine de Grande-Bretagne, d'Irlande et des Dominions, protectrice de la Foi et impératrice des Indes », y annonçait la naissance de son « arrière-petit-fils, Louis Francis Albert Victoria Nicolas de Battenberg [2] ». C'était le 25 juin 1900. Le siècle avait six mois. Victoria régnait sur le plus grand empire colonial de tous les temps, une construction grandiose que l'enfant qui venait de naître allait devoir démanteler un demi-siècle plus tard.

1. Pagne de coton.
2. Le père du jeune Louis abandonnera le nom allemand de Battenberg pour celui de Mountbatten au début de la guerre de 14-18.

Toutes les têtes couronnées qui se penchèrent sur son berceau appartenaient à sa famille. Charlemagne était son ancêtre direct ; ses oncles et ses cousins s'appelaient Guillaume II, Alphonse XIII, Ferdinand Ier de Roumanie, Gustave VI de Suède, Constantin Ier de Grèce, Haakon VII de Norvège, Alexandre Ier de Yougoslavie. Les crises de l'Europe étaient des affaires de famille.

D'un autre tiroir, Mountbatten exhuma un paquet de vieilles enveloppes couvertes d'une fine écriture au crayon.

– Devinez qui est l'auteur de ces gribouillages ! s'exclama-t-il en riant. Gandhi lui-même ! *The dear old man* observait en effet chaque lundi une journée de silence. Il utilisait les enveloppes retournées de son courrier et un minuscule bout de crayon pour me communiquer ce qu'il avait à me dire. Au moins, ce jour-là, je ne risquais pas quelque intempestive déclaration de l'imprévisible Mahatma à la sortie de mon bureau.

Nous étions déjà en plein cœur de notre sujet. Quand il posa le pied sur la terre indienne le 21 mars 1947, Mountbatten n'avait pas encore quarante-sept ans. Le destin de presque quatre cents millions d'hommes et la décolonisation pacifique du plus grand empire colonial de l'Histoire allaient dépendre de la confiance que l'envoyé de Londres et Gandhi allaient pouvoir établir entre eux.

Étrange couple, que tout semblait opposer. D'un côté, un aristocrate anglais raffiné, élégant, athlétique, un grand chef de guerre, un homme comblé par la fortune ; de l'autre, un vieil Indien à demi nu, apôtre de la non-violence, vivant dans le dénuement. Par une miraculeuse alchimie, l'Anglais et l'Indien se comprirent. Cinq mois après son arrivée, le 15 août 1947, le dernier vice-roi des Indes accordait l'indépendance à trois cents millions d'Indiens, et à quatre-vingts millions de Pakistanais. Quand il quittera l'Inde, des dizaines d'hommes et de femmes se jetteront sous les roues de son landau pour l'empêcher de partir. L'un des six chevaux de l'attelage refusant d'avancer, une voix dans la multitude s'écriera : « C'est un signe de Dieu, vous devez rester avec nous ! »

*

Nous revînmes dix-neuf fois à Broadlands, et chacune de ces visites fut un vrai bonheur. Mountbatten avait une mémoire phénoménale : il se rappelait la couleur de la rose que portait Nehru à la boutonnière lors de tel entretien, ou la marque des cigarettes que Mohammed Ali Jinnah, le fondateur du Pakistan, fumait à la chaîne. Mais surtout, nous avions la chance que chaque souvenir, chaque événement qui s'était déroulé durant les semaines cruciales précédant l'indépendance des Indes fût consigné par écrit dans des dossiers méticuleusement classés au fond des armoires du château de Broadlands. Mountbatten n'avait pas reçu un visiteur, fait un déplacement ou participé à une manifestation, pas eu un entretien téléphonique sans avoir dicté aussitôt un compte rendu à l'un des innombrables secrétaires de son cabinet. Ces textes étaient si précis, si détaillés, que nous pouvions reconstituer les situations comme si nous les avions vécues nous-mêmes.

Comme tous ses proches, nous appelions l'ancien vice-roi « Lord Louis ». Il nous réservait parfois de drôles de surprises. Ainsi s'excusa-t-il un jour d'avoir invité sans nous prévenir un autre convive au repas qui coupait nos séances de travail. Nous eûmes ainsi le plaisir de déjeuner avec le prince Charles. À la façon dithyrambique dont son grand-oncle lui décrivit nos recherches, nous comprîmes que nous lui apportions l'une de ses dernières grandes joies, celle de revivre par le détail les seize mois qui avaient été le point culminant de sa carrière. Il se prit au jeu au-delà de toutes nos espérances. Ainsi nous confia-t-il un jour des documents demeurés secrets depuis vingt-cinq ans, et qui pouvaient, s'ils étaient révélés, perturber gravement les relations entre la Grande-Bretagne et ses anciennes possessions. Il alla même jusqu'à intervenir auprès de Sa Majesté la reine, sa nièce, pour qu'elle accorde une dérogation à l'embargo de cinquante ans sur certains papiers d'État qu'il jugeait indispensables à notre travail.

L'intérêt scrupuleux qu'il portait aux moindres détails de notre enquête nous fascina. Un jour que je visitai à New Delhi le garage abritant le somptueux carrosse dans lequel il avait, en compagnie de son épouse Edwina et du Premier ministre Nehru, traversé le 15 août 1947 la capitale indienne en liesse, j'avais trouvé sur l'une des lanternes le nom du constructeur. Je l'avais noté dans mon carnet. Six mois plus tard, après avoir lu la scène où nous décrivions ce carrosse, Lord Louis m'avisa qu'une erreur s'était glissée dans l'orthographe du nom en question. Il avait « le souvenir qu'il s'agissait de Parker, et non de Barker ». Je vérifiai aussitôt mes notes. Il avait raison. J'avais bien noté « Parker ». Notre secrétaire avait fait une erreur de transcription.

Souvent, son humour pimentait de scènes comiques ou touchantes l'austère et studieuse reconstitution des faits. Il nous raconta que la nuit de l'Indépendance des Indes, alors que la domination britannique était sur le point de s'achever, il s'était retiré dans la solitude de son cabinet. « Je suis toujours l'un des hommes les plus puissants du monde, songea-t-il. De ce bureau, je règne pour quelques minutes encore sur un cinquième de l'humanité. » À cette pensée, il s'était souvenu d'un conte de H. G. Wells, *L'homme qui faisait des miracles*. C'était l'histoire d'un Anglais qui a la faculté, pendant un seul jour, d'accomplir n'importe quoi. « Je suis là, en train de vivre mes derniers moments de vice-roi des Indes, s'était-il dit. Je dois réaliser quelque chose d'exceptionnel, mais quoi ? » Tout à coup, il avait eu une inspiration. « Je vais promouvoir l'épouse du nawab de Palampur à la dignité d'Altesse. »

Mountbatten et le nawab de Palampur, petit État du centre de l'Inde, étaient liés par une vieille amitié. En 1945, lors d'un séjour chez cet ami, Lord Louis avait reçu du résident britannique accrédité auprès du prince, une requête très particulière. Le nawab avait épousé une Australienne, à qui le vice-roi de l'époque refusait obstinément d'accorder le titre d'Altesse sous prétexte qu'elle n'était pas de sang indien. Cette étrangère s'était pourtant convertie à l'islam et jouissait d'une réelle popularité parmi la population. Le nawab était désespéré. Mais l'intervention de Mountbatten n'avait servi à rien. Londres s'opposait farouchement au mariage des princes indiens avec des étrangères. La nuit de l'Indépendance, profitant des derniers instants de son autorité suprême, Lord Louis avait donc élevé l'épouse australienne du nawab de Palampur à la dignité d'Altesse.

*

Trente ans après cet épisode, alors que je dédicaçais mes livres à la sortie d'une conférence que je venais de donner à Genève, je vis une femme modestement vêtue s'approcher de moi. Son visage marqué de rides ne portait aucun maquillage. Ses cheveux gris étaient dissimulés par un foulard. Elle posa sur la table un exemplaire tout écorné de *Cette nuit la liberté,* le livre que nous avions consacré à l'indépendance des Indes, et me pria timidement de le lui dédicacer.

– À quel nom ? demandai-je.

Elle hésita. Puis, avec un je-ne-sais-quoi de nostalgique dans le regard, elle répondit :

– À la bégum de Palampur.

Après l'indépendance, elle et son mari avaient quitté l'Inde pour s'installer en Europe. Le nawab était mort dans une relative précarité. Celle dont Mountbatten avait fait une Altesse donnait aujourd'hui des leçons d'anglais aux enfants de riches Arabes installés au bord du lac Léman.

*

Nous ne manquions jamais de discuter avec Lord Louis des résultats souvent inattendus de nos recherches. Nous lui apportâmes un jour le compte rendu de notre rencontre avec le médecin indien qui soignait en 1947 le fondateur du Pakistan, Mohammed Ali Jinnah. Cette lecture le fit soudain blêmir.

– Incroyable ! s'exclama-t-il, stupéfait. C'est incroyable.

Quand il releva la tête, son regard bleu toujours si calme brillait d'une intense émotion. Il battit l'air plusieurs fois avec nos feuillets.

– Si, à l'époque, j'avais su tout cela, le cours de l'Histoire eût été différent. J'aurais retardé de quelques mois l'octroi de l'indépendance. Il n'y aurait pas eu de partition. Le Pakistan n'aurait pas existé. Les Indes auraient conservé leur unité. Trois guerres auraient été évitées...

Lord Louis était abasourdi.

Ce compte rendu décrivait en détail une radiographie pulmonaire que nous avions découverte chez le médecin de Jinnah. Le cliché confirmait une tuberculose avancée. Mohammed Ali Jinnah, l'inflexible leader musulman qui avait anéanti tous les efforts de Mountbatten pour préserver l'unité des Indes, savait, au printemps de 1947, qu'il n'avait plus que quelques mois à vivre.

*

L'examen des souvenirs et des archives du principal acteur britannique de notre enquête nous accapara pendant plus d'une année. Avant de quitter l'Angleterre pour l'Inde et le Pakistan, nous voulions rencontrer quelques anciens administrateurs et militaires de ce prodigieux empire sur lequel avait régné Lord Louis, ces *white Englishmen* dont Rudyard Kipling disait qu'ils avaient été chargés par un impénétrable dessein de la Providence de « dominer les pauvres peuples privés de lois ». Il s'agissait à l'époque d'une minuscule élite : les deux mille fonctionnaires de l'Indian Civil Service et les dix mille officiers qui encadraient l'armée des Indes. L'autorité de cette poignée d'hommes avait gouverné et maintenu l'ordre dans un pays deux fois plus peuplé que toute l'Europe. Les espaces infinis du continent indien avaient offert à ces Anglais ce que ne pouvaient leur donner leurs étroits rivages insulaires, une arène sans limites où étancher leur soif d'aventure. Ils étaient arrivés, jeunes et timides, sur les quais de Bombay. Quarante ans plus tard, ils étaient repartis le visage tanné par l'excès de soleil, la voix éraillée par trop de whisky, le corps marqué par les maladies tropicales, les griffes des panthères, les chutes au polo, les balles reçues, mais fiers d'avoir vécu leur part de rêve dans le dernier empire romantique du monde.

Pour la plupart, l'aventure avait commencé dans la confusion théâtrale de la gare Victoria de Bombay. Là, sous les arcades néogothiques, ils avaient éprouvé leur premier choc au contact du grouillement fébrile de la population indigène, de l'odeur âcre, omniprésente, de l'urine et des épices, de la moiteur brûlante de l'atmosphère. Ils découvraient avec étonnement la complexité du monde indien devant les fontaines de la gare où des robinets différents distribuaient l'eau aux Européens, aux hindous, aux musulmans, aux parsis, aux chrétiens et aux intouchables. La vue des voitures vert foncé du *Frontier Mail* ou du *Hyderabad Express,* dont les locomotives portaient le nom d'illustres généraux britanniques, les rassurait. Derrière les rideaux des compartiments de première classe les attendait un univers familier de banquettes aux appuis-tête brodés, de bouteilles de champagne mises au frais dans des seaux en argent ; un univers où les seuls Indiens qu'ils risquaient de rencontrer étaient le contrôleur et les serveurs du wagon-restaurant. Dès leur arrivée, les nouveaux venus apprenaient la règle essentielle : la Grande-Bretagne régnait sur les Indes, mais les Anglais y vivaient à part.

Les jeunes administrateurs de l'empire avaient souvent connu de rudes années. Affectés à des postes lointains, la plupart du temps à l'écart de toute civilisation, sans télégraphe ni électricité, sans routes ni chemins de fer, ils s'étaient retrouvés isolés au milieu d'un monde inconnu. À l'âge de vingt-quatre ou vingt-cinq ans, ils étaient souvent devenus les maîtres tout-puissants de territoires parfois plus vastes que la Corse et plus peuplés que la Belgique. Ils avaient inspecté leur district à pied ou à cheval, allant de village en village à la tête d'une caravane de serviteurs, tandis qu'une cohorte d'ânes ou de chameaux transportait leur tente-bureau, leur tente-chambre, leur tente-salle à manger, leur tente-cuisine, leur tente-salle de bains, ainsi que des vivres pour un mois. À chaque étape, la tente-bureau devenait la salle d'audience d'un tribunal. Dignement installés derrière une table pliante, encadrés de deux serviteurs chassant les mouches à coups d'éventail, ils rendaient la justice au nom de Sa Majesté. Au coucher du soleil, après un bain dans une baignoire en peau de chèvre, ils revêtaient cérémonieusement leur smoking pour un dîner solitaire sous la moustiquaire de la tente-salle à manger éclairée d'une lampe-tempête tandis que résonnaient autour d'eux les bruits de la jungle, parfois même le rugissement d'un tigre. À l'aube, ils repartaient exercer ailleurs « l'autorité souveraine de l'homme blanc ».

Ce dur apprentissage préparait les serviteurs impériaux à accéder à ces îlots de verdure privilégiés d'où l'aristocratie impériale régnait sur les Indes. Ghettos dorés des Anglais, les *cantonments* constituaient de véritables corps étrangers accolés aux principales villes indiennes. Chacun comprenait son jardin public, ses pelouses à l'anglaise, sa banque, son école, ses boutiques et son église avec son campanile de pierre, réplique des clochers du Dorset ou du Surrey. Le cœur de ces enclaves était l'institution la plus britannique du monde : le club. À l'heure bénie où le soleil s'évanouissait à l'horizon, les dignes représentants de Sa Majesté s'installaient sur les pelouses ou sous les fraîches vérandas de ces clubs pour savourer leur *sundowner,* le premier whisky de la soirée qu'apportaient des serviteurs en tunique blanche. Confortablement calés dans des fauteuils de cuir, ils se plongeaient dans la lecture du *Times* de Londres dont les pages, vieilles d'un mois ou plus, leur livraient les échos lointains des débats aux Communes, les faits et gestes de la famille royale, les événements de la vie londonienne et, surtout, l'annonce des naissances, des mariages et des décès de leurs compatriotes dont ils étaient séparés par un quart de la surface du globe.

C'était l'Inde romantique et pittoresque des contes de Kipling. L'Inde des gentlemen blancs en casque à plumes entraînant leurs escadrons de cavaliers enturbannés ; l'Inde des collecteurs d'impôts perdus dans les immensités torrides du Deccan ; l'Inde des somptueuses fêtes du Bengal Club de Calcutta ; l'Inde des parties de polo dans la poussière du désert du Rajasthan et des chasses aux tigres en Assam ; l'Inde des officiers en dolman rouge, escaladant les pentes vertigineuses de la passe de Khyber et poursuivant les féroces rebelles pathans dans la fournaise de l'été ou le blizzard de l'hiver ; l'Inde d'une caste d'hommes sûrs de leur supériorité dînant avec leurs *memsahibs* sur les pelouses de leurs clubs.

Lord Louis éplucha ses carnets d'adresses pour nous aider à retrouver quelques survivants de ce rêve impérial. Il nous recommanda aussi de mettre une annonce dans le *Times* de Londres, pour inviter les anciens de l'empire ayant vécu des expériences exceptionnelles à nous contacter. L'idée fut fructueuse. Nous parcourûmes alors la Grande-Bretagne du Suffolk au Surrey, de la Cornouailles à l'Écosse, du Kent au pays de Galles, à la recherche des anciens de l'empire des Indes.

*

Un jour, dans le Kent, je sonnai à la porte du cottage où habitait l'ancien colonel détaché par Mountbatten auprès de Mohammed Ali Jinnah, le fondateur du Pakistan, pour diriger son cabinet militaire au lendemain de l'indépendance. Il s'appelait William Birnie. Grand, athlétique, des joues bien roses d'amateur de gin et de whisky, Birnie avait vécu plusieurs mois dans l'intimité du leader musulman. Il était une irremplaçable source de renseignements sur l'un des principaux acteurs de l'imbroglio indien. Birnie avait rapporté de son séjour aux Indes de nombreux souvenirs, dont une impressionnante peau de tigre qui s'étalait à l'entrée de son salon. Je m'arrêtai, subjugué, devant cette bête à l'air féroce. S'amusant de mon trouble, le colonel enleva sa veste, son pull-over, sa chemise. En quelques secondes, il était nu jusqu'à la ceinture. Je découvris alors le profond sillon d'une cicatrice qui barrait sa poitrine de l'épaule à la taille. L'Anglais pointa une main vers la tête du tigre et posa l'autre sur sa cicatrice.

– *Yes, it's him!* (Oui, c'est lui!)

Une nuit, alors qu'il était jeune lieutenant en opérations dans les provinces centrales, il avait eu l'idée saugrenue de tuer l'un des nombreux tigres qui rôdaient autour du campement. Il avait attaché une chèvre au pied d'un banian. Puis, une lampe torche ficelée au canon de son fusil, il s'était mis à l'affût dans un fourré. Au bout de quelques minutes, il entendit un fracas de branches brisées suivi de bêlements terrifiés.

– J'ai allumé ma lampe. Un superbe tigre s'était jeté sur la malheureuse chèvre. J'ai aussitôt tiré mais, dans la semi-obscurité, je n'ai pas réussi à foudroyer l'animal. Au lieu de s'enfuir sous la douleur de l'impact, ce *bastard* (ce salaud) a bondi sur moi sans me donner le temps de tirer un deuxième coup. J'ai tout juste réussi à retourner mon fusil pour lui planter la crosse dans la gueule. Ce fut un corps à corps désespéré. Il me lacérait avec ses griffes et je voyais ses crocs prêts à me broyer la tête. Mon fusil dans la gueule finit par lui faire lâcher prise. Il rompit le combat et disparut dans la nuit. J'en profitai pour grimper dans l'arbre le plus proche. Tout cela avait été réellement *uncomfortable.*

– Vous avez dû être rudement soulagé de vous retrouver en vie sur votre branche!

– *Not at all!* (Pas du tout!) protesta vivement l'Anglais. J'étais furieux! Imaginez que ce *bastard* avait décampé avec mon fusil! Un Holland & Holland tout neuf, que j'avais acheté la veille au prix astronomique de cinquante livres!

Birnie et ses camarades s'élancèrent le lendemain à dos d'éléphant à la poursuite du tigre. Ils le retrouvèrent au bout de deux jours. Birnie put l'achever d'une seule balle. Mais il ne retrouva jamais son beau fusil tout neuf.

*

Dans un modeste cottage de la campagne du Sussex, je rencontrai un autre jour le dernier gouverneur britannique du Bengale, Sir Frederick Burrows. Rien chez cet ancien leader syndicaliste ne rappelait qu'il avait été, de 1945 à 1947, le souverain d'un territoire plus peuplé que la Grande-Bretagne et l'Irlande réunies. Avec ses soixante-cinq millions d'habitants, le Bengale s'étendait sur plus de mille kilomètres depuis les jungles des contreforts de l'Himalaya aux embouchures du Gange et du Brahmapoutre. Calcutta, la capitale de cette province, était la plus grande ville britannique après Londres. Raj Bhavan, la résidence du gouverneur, était un superbe palais de cent trente-sept pièces au milieu d'un parc de quinze hectares. On y avait donné des fêtes somptueuses. Les soirs de réception, Sir Frederick prenait place sur un trône de velours pourpre rehaussé de dorures, entouré d'un aréopage d'aides de camp et d'officiers en grand uniforme. Alors qu'il avait eu à son service jusqu'à cinq cents domestiques portant le blason impérial sur leur livrée, l'ancien gouverneur n'employait plus aujourd'hui qu'une paysanne du voisinage pour faire son ménage.

Sous mes yeux éblouis, il feuilleta ses albums de photos, témoins de l'étape finale de la domination britannique. Il ne me cacha ni sa nostalgie ni son amertume. Si l'Angleterre avait donné la liberté aux populations qu'elle gouvernait, elle n'avait pu les empêcher de s'entre-tuer dès son départ. Il me raconta avec tristesse la fin de son propre règne. Alors que Lady Burrows et lui-même bouclaient leurs bagages dans une aile de leur palais, des centaines de manifestants déchaînés envahissaient le reste de l'édifice, pillaient la vaisselle et l'argenterie, arrachaient les rideaux, dansaient de joie dans les salons, les couloirs, les escaliers. L'ultime vision de leur chambre à coucher restait gravée dans sa mémoire : des dizaines de petits hommes noirs qui n'avaient jamais dormi ailleurs que sur la terre battue sautaient et rebondissaient sur les ressorts de leur lit comme sur un trampoline de foire. Les gardes durent ouvrir un passage à travers la populace pour permettre au gouverneur et à son épouse de gagner l'embarcadère où les attendait une vedette. La confusion de cette retraite ne permit aucun adieu. Les derniers représentants de l'empire de Victoria avaient quitté Calcutta à la sauvette.

Sir Frederick avait aimablement prévu un déjeuner pour interrompre notre séance de travail. Cet homme qui avait eu cinq cents domestiques à son service apporta lui-même les plats. À la fin du repas, il se leva. Désignant nos assiettes et nos couverts, il me demanda :

– Monsieur Lapierre, verriez-vous un inconvénient à ce que nous poursuivions notre conversation à la cuisine tout en faisant la vaisselle ?

*

Le lieutenant-colonel John Platt avait été, lui, le dernier officier britannique à quitter le sol des Indes. En embarquant dans les chaloupes amarrées devant la Porte des Indes de Bombay, ce matin du 28 février 1948, Platt et ses hommes avaient mis un point final à l'aventure impériale britannique. Vingt-cinq ans plus tard, devenu général, il m'invita à déjeuner dans le cadre majestueux de l'Army and Navy Club de Londres pour évoquer ce départ historique. Il commandait le premier bataillon du Somerset Light Infantry, un régiment où s'étaient déjà illustrés son père et son grand-père, et qui depuis 1842 n'avait cessé de guerroyer sur les frontières de l'empire des Indes. Le blason du régiment arborait d'ailleurs un clairon et une couronne surmontée de l'inscription « Jalalabad », lieu d'une sanglante victoire sur les tribus afghanes au siècle dernier.

Ce départ se déroula dans une atmosphère de fête. Platt et ses hommes allèrent de festivités en réceptions, la dernière offerte par la nouvelle direction indienne du Royal Bombay Yacht Club où, jusqu'au jour de l'indépendance, aucun Indien, fût-il un maharaja, n'avait pu pénétrer. À l'heure des adieux, les représentants de l'armée indienne offrirent à l'officier anglais leur nouveau drapeau national marqué du rouet de Gandhi, ainsi qu'une maquette en argent de la *Gateway of India,* cette Porte des Indes qui avait été le premier monument aperçu par tant de jeunes Anglais arrivant de leur île lointaine. Platt reçut également un document, hommage à la vieille camaraderie d'armes des Indiens avec leurs anciens colonisateurs. C'était la photo d'un soldat indien recevant la Victoria Cross des mains d'un général anglais. En retour, Platt présenta un drapeau britannique en soie de Chine, et émit le vœu qu'il soit exposé dans la salle d'honneur de la nouvelle garnison indienne de Bombay.

Le lendemain, le Somerset Light Infantry en short kaki et bandes molletières blanches défila sur l'immense esplanade devant la Porte des Indes autour de laquelle s'étaient massés des dizaines de milliers d'habitants venus de tous les quartiers de Bombay, y compris les bidonvilles de ses banlieues. Des bataillons de soldats sikhs et gurkhas rendaient les honneurs. Une musique de la marine indienne jouait le *God save the king*. C'était vraiment un départ « en fanfare ».

– Alors que mes hommes et moi arrivions sous l'arche de la Porte des Indes, j'entendis un chant monter de la foule massée sur la place et la jetée, poursuivit-il. Il s'enfla rapidement, jaillissant de milliers de poitrines. C'était *Auld Lang Syne* (*Le Chant des adieux*). Parmi ceux qui chantaient *Ce n'est qu'un au revoir*, il y avait de vieux militants du parti du Congrès avec leur calot blanc. Peut-être certains crânes gardaient-ils encore les cicatrices des coups de matraque assenés par nos policiers ! Il y avait des femmes en sari, des étudiants dans leur uniforme de collégien, des mendiants en guenilles. Même les soldats de la garde d'honneur mêlaient leurs voix aux autres. Je vous assure, c'était...

Je vis les yeux du général briller dans la pénombre. Il ne put finir sa phrase et but son café en silence. J'imaginais l'émotion de cette scène finale, j'entendais ce chant spontané sur l'esplanade, poignante promesse d'un « au revoir » pour ces Anglais qui partaient. C'était toute une époque qui s'achevait devant cette Porte des Indes ; une autre commençait, celle qu'avait déclenchée le frêle vieillard dont Mountbatten nous avait tant parlé, l'ère de la décolonisation.

Un jour de janvier 1915, revenant d'Afrique du Sud, Gandhi, le futur libérateur, était passé sous cette même *Gateway of India*. Il portait ce jour-là sous le bras son manifeste *Hind Swaraj* (*Autonomie de l'Inde*), qui allait devenir le bréviaire du combat pour l'indépendance. Après le départ de Platt et de ses hommes, nombreux seraient les ports du monde colonial où se déroulerait une cérémonie semblable à celle de ce 28 février 1948 à Bombay. Mais aucune ne baignerait dans la ferveur évoquée par le général anglais. Les chaloupes conduisirent le Somerset Light Infantry à bord du paquebot *Empress of Australia* mouillé dans la rade. L'une des cantines de son chef contenait les peaux des quatre tigres qu'il avait tués dans les jungles indiennes. Comme tous les passagers envahis par la nostalgie, l'Anglais monta sur le pont pour contempler une dernière fois le panorama de la lumineuse et grandiose métropole de Bombay déployée en arc de cercle.

Le contact d'une main sur son épaule le tira de sa mélancolie. C'était le radio du bord qui lui apportait un télégramme. « GOOD BYE. GOOD LUCK. GOOD HUNTING. (Au revoir. Bonne chance. Bonnes chasses) », souhaitait le message. Envoyé par le club des Chasseurs de renards de Bombay, c'était le dernier salut de l'Inde à ses colonisateurs.

*

Dans un manoir en brique rouge du Wiltshire, je retrouvai l'ancien capitaine de marine qui avait été le chef des aides de camp de Louis Mountbatten. À l'âge de trente et un ans, Peter Howes avait assisté en direct à l'historique partie de poker qui avait décidé, au printemps de l'année 1947, du sort des Indes.

À Delhi, les journées du jeune officier commençaient à six heures du matin, par un galop dans la campagne en compagnie des trois autres aides de camp.

– Lord Louis se joignait souvent à nous, se souvenait-il. Les Indiens que nous rencontrions s'étonnaient de voir leur nouveau vice-roi se promener sans escorte comme n'importe quel sahib. Dès son arrivée, il avait imprimé d'une marque personnelle et nouvelle les relations de l'Angleterre avec l'élite locale. Pour la première fois, les dîners officiels que je fus chargé d'organiser comptaient plus d'invités indiens que britanniques. Et pour la première fois aussi, on servit des plats végétariens à la table du vice-roi. Après la partition du pays, quand des centaines de milliers de réfugiés affamés affluèrent dans la capitale, Edwina nous réduisit tous à la portion congrue. « L'Inde meurt de faim, nous déclara-t-elle, nous devons donner l'exemple. » Nous qui étions jeunes et sportifs, nous avions le plus grand mal à supporter ces restrictions. Dès la nuit tombée, nous nous évadions vers les restaurants de Connaught Place pour remplir nos estomacs qui criaient famine.

Mountbatten le voulait expressément : la domination impériale devait s'achever dans une apothéose de pompe et de faste comme les Indes n'en avaient jamais connu, me raconterait Howes. Il fit en sorte que la cérémonie d'intronisation surpasse en éclat les sacres des souverains britanniques à Londres. Déployés au pied de l'escalier monumental qui montait vers le Durbar Hall, la salle du trône située au cœur du palais, des détachements de l'armée des Indes, de la marine et de l'aviation rendaient les honneurs. Leurs lances scintillant au soleil du matin, les cavaliers de la garde en tunique rouge et or, culottes blanches et bottes noires, formaient une haie d'honneur jusqu'à l'entrée.

– Je me trouvais en tête du cortège, une trentaine de pas devant Lord et Lady Mountbatten. Nous portions, mes camarades et moi, le superbe uniforme de parade des aides de camp, tunique écarlate avec boutons dorés, pantalon blanc et casque à plumes rouges. Ah, si mes camarades de la marine avaient pu me voir dans cette tenue ! Quand le cortège pénétra dans la salle faiblement éclairée, des trompettes attaquèrent une marche en sourdine. Quelques instants plus tard, à l'entrée des Mountbatten, trompettes et lumières explosèrent triomphalement sous les voûtes. C'était fantastique. Je remerciai le ciel d'avoir la chance de vivre de pareils moments.

Le jeune capitaine de marine vit alors le vice-roi et son épouse se diriger lentement vers leurs trônes surmontés d'un dais de velours cramoisi. Toute l'élite des Indes se trouvait là, sous le dôme de marbre blanc. Il reconnut les juges de la Cour suprême en robe noire et perruque bouclée ; les hauts fonctionnaires de l'Indian Civil Service, proconsuls de l'empire, dont la pâleur anglo-saxonne tranchait sur les sombres profils de leurs jeunes collègues indiens ; une délégation de maharajas étincelants de satin et de bijoux ; et, surtout, Jawaharlal Nehru, l'homme à la rose, avec ses compagnons du parti du Congrès, tous coiffés du petit calot blanc, signe de ralliement des combattants de l'indépendance.

Le président de la Cour suprême s'avança, et Howes entendit Mountbatten prononcer, la main droite levée, le serment qui faisait de lui le dernier vice-roi des Indes. Le fracas des canons du Royal Horse Artillery rassemblés dans la cour résonna alors dans la salle.

Howes se souvenait des quelques mots poignants que Mountbatten avait adressés à l'assemblée de notables réunie devant lui. « Je suis sans illusions sur la difficulté de ma tâche. J'ai besoin de la bonne volonté de tous et je demande à l'Inde de me témoigner dès aujourd'hui cette bonne volonté. Évitez toute parole ou tout acte qui pourrait ajouter au nombre des victimes innocentes. »

Des gardes ouvrirent les battants de la massive porte en teck. Le jeune capitaine aperçut alors la perspective majestueuse des bassins et des pelouses qui s'étendaient au loin vers le cœur de New Delhi. Il se sentit soudain envahi d'une folle euphorie. Cette cérémonie démontrait à ses yeux la pérennité des liens entre l'Angleterre et les Indes. Son optimisme ne tarderait pas à être balayé par le flot de visiteurs impatients qui traverseraient la salle des aides de camp pour aller discuter avec le nouveau vice-roi de l'urgence de mettre fin à la domination de la Grande-Bretagne.

Un jour, l'un de ces visiteurs faillit mourir dans ses bras. Le climatiseur surpuissant que Howes avait fait installer dans le bureau de Mountbatten pour l'aider à supporter la chaleur tropicale avait transformé le Mahatma Gandhi en stalactite. Appelé au secours, le capitaine emporta d'urgence le frêle vieillard dans ses bras pour le réchauffer dans le jardin. Il s'en fallut de peu que les négociations critiques engagées entre l'Inde et l'Angleterre ne basculassent ce jour-là dans la tragédie.

Le plus grand divorce de l'Histoire

En se séparant, l'Inde et le Pakistan avaient dû se partager un patrimoine accumulé au cours des siècles. C'était sa participation à ce gigantesque partage qui laissait au capitaine Howes l'un de ses plus émouvants souvenirs. Il avait fallu répartir les avoirs des banques ; les locomotives, les wagons-restaurants et les voitures de marchandises des chemins de fer ; les machines à écrire, les tables, les chaises, les crachoirs, les balais des bureaux des ministères ; les guêtres, les turbans, les matraques des forces de police. À Lahore, un responsable divisa en deux lots les instruments de la fanfare municipale. Il donna une trompette au Pakistan, une paire de cymbales à l'Inde, une flûte au Pakistan, un tambour à l'Inde. Certains partages, comme celui des bibliothèques, entraînèrent de furieuses disputes. Des collections complètes de l'Encyclopédie britannique furent fractionnées, les volumes pairs allant à un État, les volumes impairs à l'autre. On divisa les dictionnaires, l'Inde héritant des lettres A à K, et le Pakistan du reste de l'alphabet. Lorsqu'il n'existait qu'un seul exemplaire d'un ouvrage, il fallut trancher. On vit ainsi des hommes en venir aux mains pour s'arracher *Alice au pays des merveilles* ou *Les Hauts de Hurlevent*. Ailleurs, on vit des fonctionnaires respectables marchander un encrier contre une cruche, un porte-parapluies contre une patère. Les musulmans réclamèrent la démolition du Taj Mahal et son transport, pierre par pierre, au Pakistan, arguant que ce mausolée avait été édifié par un empereur moghol. De leur côté, des brahmanes indiens revendiquèrent la possession de l'Indus, dont le cours parcourait le cœur du Pakistan, parce que leurs Veda sacrés avaient été écrits sur ses berges vingt-cinq siècles auparavant.

Ni l'Inde ni le Pakistan n'avaient rechigné à réclamer les symboles les plus voyants du colonialisme. Le somptueux train blanc et or des vice-rois fut attribué à l'Inde. En compensation, le Pakistan reçut la Rolls-Royce officielle du commandant en chef de l'armée des Indes et celle du gouverneur du Panjab. Le plus étonnant de tous ces partages se déroula dans la cour des écuries du palais du vice-roi. Douze carrosses en étaient l'enjeu. Avec leurs ornements surchargés d'or et d'argent, leurs harnais étincelants, leurs coussins chamarrés, ils symbolisaient la pompe et la majesté qui avaient fasciné les sujets indiens de l'Empire tout en suscitant leur révolte. Six voitures étaient décorées d'or, les six autres d'argent. Il n'était pas question de les dépareiller. Il fut donc décidé que l'un des dominions recevrait les attelages dorés, l'autre les voitures à décor d'argent.

– C'est à moi que Lord Mountbatten confia la tâche de déterminer les bénéficiaires, me raconta fièrement l'ancien aide de camp. Rude mission ! Faute d'une meilleure idée, je décidai de jouer l'affaire à pile ou face. Je convoquai donc dans la cour des écuries les deux futurs commandants des gardes présidentielles de l'Inde et du Pakistan. Je leur demandai de choisir pile ou face, et je jetai une pièce en l'air. « Face ! » cria l'Indien. Lorsque la pièce retomba sur les pavés de la cour, nous nous précipitâmes. L'Indien laissa éclater sa joie. Le hasard venait d'attribuer les carrosses dorés de l'empire de Victoria aux chefs de la future Inde socialiste ! Vint ensuite la distribution des harnais, des fouets, des bottes, des perruques, des uniformes de cocher. Il ne resta bientôt qu'un accessoire : la trompe du postillon royal dont il n'existait qu'un exemplaire.

« Je montrai l'instrument aux deux officiers et leur dit : " Il n'est pas possible de partager cette trompe en deux. J'ai donc trouvé une solution équitable. Je vais la garder. " »

Je vis alors l'ancien capitaine se lever avec un air malicieux. Il fit le tour de son salon et s'arrêta devant la cheminée. Un formidable coup de trompe fit soudain vibrer toutes les vitres de la maison. Howes brandissait l'instrument triomphalement.

– Je ne manque jamais une occasion de faire sonner cette trompe qui me rappelle les jours les plus mémorables de mon existence.

*

Armé d'un sécateur, il taillait l'un des magnifiques buissons de roses qui s'étalaient devant sa propriété, un ancien prieuré accolé aux ruines d'une église gothique du Warwickshire, non loin de Birmingham. De taille moyenne, les lèvres minces, ses rares cheveux gris soigneusement plaqués sur les tempes, le nez fin chaussé de lunettes rondes en métal, Sir Cyril Radcliffe avait un air froid et réservé qui n'invitait guère aux confidences. De tous les anciens de l'épopée indienne, il avait été le seul à montrer quelque réticence à nous recevoir. En fait, Sir Cyril n'était pas, à proprement parler, un ancien de l'aventure impériale. Sa relation avec les Indes avait même été tout le contraire d'une épopée. La main qui taillait avec délicatesse le buisson de « Dorothy Perkins » aux feuilles luisantes avait vingt-cinq ans plus tôt découpé la carte du sous-continent indien à coups de ciseaux. Aussi sûrement que le scalpel d'un chirurgien, cette vivisection avait créé deux États séparés, le Pakistan et l'Inde, ce qui avait affecté les vies de près de cent millions de personnes.

L'homme à qui avait échu cette terrible besogne ignorait tout des Indes : il n'y avait jamais mis les pieds.

C'était curieusement à cause de cette ignorance que cet avocat renommé de quarante-cinq ans avait été arraché, un jour de juin 1947, aux dossiers de son cabinet londonien.

– La convocation émanait du Lord Chancelier de Grande-Bretagne, se souvenait-il. Il m'expliqua que le plan de partition des Indes laissait en suspens le problème capital du partage des provinces du Panjab et du Bengale. Sachant qu'ils ne parviendraient jamais à un accord sur le tracé des nouvelles frontières, Jinnah et Nehru avaient décidé d'en confier la responsabilité à une commission de bornage indo-pakistanaise. Pour présider cette commission, ils voulaient un juriste britannique qui n'eût aucune expérience des Indes, ce qui offrirait une garantie d'impartialité. Le Lord Chancelier pensait que j'étais l'homme de la situation.

– C'était un honneur considérable, remarqua Larry.

Sir Cyril se raidit dans son fauteuil.

– Diviser ces deux grandes provinces était bien la dernière tâche dont je souhaitais me voir chargé. Si j'ignorais tout des Indes, j'avais assez d'expérience pour savoir que cette mission serait impitoyable.

– Le fait qu'à cet instant critique de leur histoire commune deux adversaires aussi acharnés que Nehru et Jinnah aient décidé de choisir un Anglais était un hommage à la Grande-Bretagne, soulignai-je. Pouviez-vous refuser ?

Sir Cyril poussa un soupir en guise de réponse, puis il nous raconta qu'une heure après sa rencontre avec le Lord Chancelier, un haut fonctionnaire du secrétariat d'État aux affaires indiennes était venu dérouler devant lui une carte géographique pour lui montrer les provinces qu'il aurait à partager.

– Je savais vaguement qu'elles se situaient toutes deux au nord du pays, dit-il, l'une à l'ouest, l'autre à l'est. Je vis le doigt du fonctionnaire courir le long de l'Indus, effleurer la barrière de l'Himalaya, descendre jusqu'à New Delhi, remonter vers le Gange, longer les rivages du golfe du Bengale... La vue de ces deux immenses régions que j'allais devoir couper en deux me donna le vertige.

Sir Cyril était arrivé quelques jours plus tard dans la chaleur suffocante de New Delhi. Mountbatten avait mis à sa disposition un bungalow dans l'enceinte même de son palais. Cloîtré derrière ses volets, il avait aussitôt commencé à tracer sur la carte d'état-major du Royal Engineers les frontières qui allaient séparer ces immenses populations. Privé de tout contact avec les lieux et les gens qu'il était en train de disséquer, il ne pouvait prévoir les conséquences de sa chirurgie sur ces terres grouillantes de vie.

– Je savais que l'eau est partout le symbole de la vie, que celui qui contrôle l'eau contrôle la vie, nous déclara-t-il. Et voilà que je me trouvais contraint de découper sur une carte des canaux d'irrigation, des canalisations, des écluses, des réservoirs. Je mutilais des rizières et des champs de blé sans les avoir jamais vus. Je n'avais pu visiter un seul des villages à travers lesquels passerait ma frontière, ni me faire une idée des drames qu'elle entraînerait pour de pauvres paysans subitement privés de leurs champs, de leurs puits, de leurs chemins. Le matériel dont je disposais était totalement inadéquat. Il me manquait des cartes à très grande échelle, et les renseignements portés sur les autres se révélaient parfois erronés. Je m'aperçus ainsi que les cinq fleuves du Panjab avaient une fâcheuse tendance à couler à plusieurs kilomètres du lit que leur avaient assigné les services hydrographiques officiels. Les statistiques démographiques qui devaient constituer ma référence de base étaient inexactes. Elles avaient été falsifiées par les uns et les autres pour appuyer leurs prétentions antagonistes.

Il y avait quelque chose de surréaliste à écouter ce récit dans le décor confortable et paisible de cette demeure anglaise. J'observais cet homme si convenable, si respectable, et j'avais du mal à imaginer qu'il ait pu être l'ordonnateur méticuleux d'une pareille tragédie.

– Des deux provinces du Bengale et du Panjab, quelle est celle qui vous donna le moins de mal? demanda Larry, soucieux de trouver quelque souvenir rafraîchissant dans cette sombre évocation.

– Le Bengale, sans aucun doute. J'hésitai seulement sur le sort de Calcutta. Jinnah en avait revendiqué la possession, ce qui me paraissait justifié du point de vue économique. Mais la forte majorité hindoue de sa population représenta finalement à mes yeux un facteur plus important que toute autre considération. Une fois ce principe établi, le reste était relativement simple. Ma frontière n'était qu'un trait de crayon tracé sur un morceau de papier. Dans l'enchevêtrement des marécages et des plaines à demi inondées du Bengale, il n'existait aucune barrière naturelle qui pût servir de frontière.

– Et le Panjab ? demandai-je.

Le seul nom de cette province fit trembler les sourcils du juriste. Il s'épongea le front avec son mouchoir.

– Toute la région était une mosaïque de communautés religieuses imbriquées les unes dans les autres. Délimiter une frontière qui respectât l'intégrité de ces communautés était impossible. J'ai dû trancher dans le vif.

Sir Cyril se souvenait de la chaleur torride de ces semaines d'été, une moiteur cruelle, suffocante, annihilante. Les trois pièces de son bungalow étaient jonchées de cartes, de documents, de rapports dactylographiés sur des centaines d'impalpables feuilles de papier de riz. Lorsqu'il travaillait en manches de chemise, les feuilles se collaient à ses bras humides, lui laissant sur la peau d'étranges stigmates : l'empreinte d'un lieu qui signifiait peut-être l'espoir de centaines de milliers d'êtres humains. Un ventilateur accroché au plafond brassait l'air surchauffé. Les feuilles se mettaient alors à tourbillonner dans la pièce, tempête symbolique présageant le triste destin qui attendait les villages du Panjab.

– Depuis le début, je savais qu'un bain de sang suivrait la promulgation de mon plan de partage. Les massacres avaient déjà commencé dans les villages que j'étais en train de diviser. Je n'avais aucun contact avec l'extérieur. Si je m'aventurais dans une réception ou un dîner, je me trouvais instantanément encerclé par une foule de gens qui m'assaillaient de leurs suppliques.

Le découpage de Sir Cyril Radcliffe arriva sur le bureau de Lord Mountbatten le 13 août 1947 à midi, soit trente-six heures avant la proclamation officielle de l'indépendance des deux États nés du partage de l'empire des Indes. Redoutant que les deux pays ne contestent avec violence l'arbitrage du juriste londonien, le vice-roi ordonna que ses conclusions demeurent secrètes jusqu'au lendemain des fêtes de l'Indépendance. Lord Louis avait fait enfermer dans son coffre-fort les deux enveloppes jaunes de Sir Cyril destinées à Jinnah et à Nehru. Pendant les soixante-douze heures suivantes, tandis que les deux pays s'abandonnaient à la liesse, le tracé de leurs nouvelles frontières resta dans ce coffre comme les mauvais esprits enfermés dans la boîte de

Pandore. L'Inde et le Pakistan allaient naître sans que leurs dirigeants connaissent les composantes fondamentales de leurs nations, le nombre de leurs citoyens, les limites de leurs territoires.

*

Sur le papier, le résultat pouvait sans doute paraître acceptable. Dans la réalité, ce fut un désastre. Au Bengale, la ligne de partage allait condamner chaque partie à la ruine économique. Alors que quatre-vingt-cinq pour cent du jute mondial y poussait, il ne se trouvait pas une seule usine de transformation dans la zone revenant au Pakistan. En revanche, la partie indienne se retrouvait sans aucune plantation de jute mais avec plus d'une centaine d'usines et le seul port d'exportation, Calcutta. Au Panjab, la frontière coupait en deux les terres et les populations de l'une des communautés les plus militantes et les plus unies des Indes, les sikhs. Poussés par le désespoir, ceux-ci allaient devenir pour toute une génération les principaux responsables d'une tragique instabilité qui mettrait en péril l'unité nationale.

*

Ainsi qu'on pouvait le craindre, Jinnah et Nehru explosèrent de colère quand ils prirent connaissance du plan de partage établi par l'envoyé de Londres. Les deux leaders avaient pourtant promis d'accepter ses décisions et de les faire appliquer. Si leur colère mutuelle prouvait la parfaite impartialité de Sir Cyril Radcliffe, leur condamnation de son travail fut pour lui un douloureux désaveu. Écœuré, il répondit par la seule attitude qu'il jugeait décente : il refusa les deux mille livres sterling de ses honoraires.

L'avion spécial qui le ramena quelques jours plus tard en Angleterre survola le Panjab qu'il venait de partager. Sous ses ailes se déroulait la plus grande migration de l'histoire de l'humanité. Des dizaines de colonnes de réfugiés fuyaient sur les sentiers, le long des canaux, à travers les champs, vers l'asphalte brûlant de la Great Trunk Road. Des villages musulmans qui avaient salué avec enthousiasme la naissance du Pakistan s'étaient retrouvés en Inde. Ailleurs, des zones peuplés d'hindous ou de sikhs s'étaient vues rattachées au Pakistan. Des dizaines, des centaines de milliers de gens ne devraient la vie qu'à une fuite éperdue vers l'une ou l'autre des deux nouvelles nations.

Certaines aberrations n'allaient pas tarder à apparaître. Les vannes d'alimentation de certains canaux d'irrigation se retrouvèrent dans un pays alors qu'ils coulaient dans l'autre. La frontière traversait parfois le cœur d'un hameau. Il arrivait même qu'elle coupât en deux une maison, laissant la porte d'entrée du côté indien, et la fenêtre de derrière ouverte sur le Pakistan. Mais, surtout, les ciseaux de Sir Cyril avaient laissé cinq millions d'hindous et de sikhs dans la moitié pakistanaise du Panjab, et autant de musulmans dans la partie indienne. Une folie meurtrière allait s'emparer de ces masses désespérées.

– Comme je l'avais prévu, l'Inde du Nord allait sombrer dans un bain de sang, nous dira d'une voix douloureuse le responsable involontaire de cet épouvantable désastre.

*

En apercevant, un jour de l'été 1979, Lord Mountbatten qui descendait de sa voiture devant le perron de son château de Broadlands, je pensai à l'image que Charles de Gaulle avait utilisée dans les dernières pages de ses *Mémoires*. Le « naufrage de la vieillesse » pourrait-il jamais frapper ce géant ? Il venait de fêter ses soixante-dix-neuf ans. Sanglé et botté dans son uniforme de colonel du régiment de la Garde de la reine, la poitrine constellée de toutes ses décorations, le port altier, la démarche triomphante, il ressemblait à sa photo de vice-roi marchant, trente-deux ans plus tôt, vers le trône des Indes.

Nous avions parfois abordé le sujet de la mort au cours de nos entretiens. L'assassinat de Gandhi, en particulier, le fascinait : par sa fin tragique, le leader indien avait obtenu ce qu'il n'avait pu réussir de son vivant, la réconciliation des communautés de l'Inde. Ce résultat, croyait Lord Louis, avait donné à sa disparition une dimension et une signification que le destin accorde rarement. Bien qu'il ne l'ait jamais explicitement formulé, il nous avait laissé entendre qu'il souhaitait que le dernier chapitre de sa vie puisse, lui aussi, s'achever sur une victoire.

Comme chaque été, il se préparait à passer des vacances familiales dans son château d'Irlande. Il restait, depuis trente-cinq ans, fidèle à ce coin de la grande île qu'il chérissait : le village de Mullaghmore sur la côte de Sugo. Là, au milieu des siens, entouré de l'affection de tous, il se sentait en totale sécurité.

La veille de son départ, Larry lui parla au téléphone.

– Lord Louis, faites bien attention là-bas, lui recommanda-t-il, car vous êtes une cible particulièrement tentante pour les enragés de l'IRA.

– Mon cher Larry, répondit vivement Mountbatten, votre mise en garde montre à quel point vous êtes ignorant de la situation. Les Irlandais savent très bien ce que je pense de la question irlandaise. Je ne cours aucun danger.

Tous les jours ou presque, l'ancien vice-roi des Indes emmenait ses proches à la pêche sur le *Shadow V*, une solide barcasse à moteur. Cet après-midi du 27 août, ils étaient sept à bord. Autour de Lord Louis, qui tenait la barre, se trouvaient sa fille Pamela et son mari, John Brabourne, leurs jumeaux Nicholas et Timothy, âgés de quatorze ans, leur grand-mère, Lady Brabourne, et un marin irlandais.

Quelques instants après avoir adressé de joyeux saluts à l'équipage qui sortait du port, les habitants de Mullaghmore entendirent une explosion. Le *Shadow V* venait d'exploser. Des barques de pêche partirent aussitôt à son secours. Elles ramenèrent les trois corps affreusement mutilés de Lord Mountbatten, de son petit-fils Nicholas et du jeune marin irlandais. Les autres victimes furent emmenées à l'hôpital dans un état désespéré. La presse britannique donna le ton de la détresse et de la colère de l'Angleterre tout entière en traitant les terroristes irlandais de « salauds d'assassins ».

Tandis que l'Inde faisait mettre ses drapeaux en berne et décrétait un deuil national de neuf jours, la Grande-Bretagne offrit au décolonisateur de son empire des funérailles nationales à Westminster. Contrairement à son épouse Edwina qui avait demandé à être immergée en pleine mer, Lord Louis fut inhumé près de son château de Broadlands. Dix-huit ans plus tard, au début de 1997, Thomas McMahon, le terroriste qui avait placé la bombe à bord du *Shadow V*, fut libéré de la prison où il purgeait une condamnation à perpétuité.

L'assassinat de Louis Mountbatten n'eut malheureusement pas les conséquences bénéfiques qu'avait eues celui de Gandhi. Souvent, au cours de nos rencontres, Lord Louis s'était étonné que l'on pût si facilement blâmer en Occident les hindous et les musulmans de l'Inde pour ces flambées de violences sporadiques entre leurs communautés, « alors qu'en Irlande du Nord un peuple d'une même origine vénérant le même Dieu s'étripe à tout instant ». Presque vingt ans après sa disparition, son sacrifice et celui de toutes les victimes de ce conflit fratricide n'ont toujours pas réussi à pacifier les cœurs du peuple irlandais comme la mort de Gandhi avait pacifié ceux des populations de l'Inde.

14

Le rendez-vous du vieux prophète avec les trois balles d'un fanatique

Trois siècles et soixante-treize années après qu'un certain William Hawkins, capitaine du galion *Hector*, eut débarqué sur le sol des Indes pour y entamer l'aventure coloniale britannique, l'équipe franco-américaine de Collins et Lapierre arrivait à New Delhi pour enquêter sur la fin de cette aventure. Larry avait emmené femme et enfants. Une amie nous avait trouvé deux maisons mitoyennes dans un nouveau quartier à l'extrémité de Shanti Path, la majestueuse avenue qui courait au milieu de l'enclave des ambassades. Devant le portail m'attendaient, alignés comme une garde d'honneur, les six domestiques qu'elle avait embauchés à mon service. Je m'étonnai du nombre. J'ignorais encore que chaque tâche ancillaire relève en Inde d'une caste bien particulière. Mon personnel comptait un *bearer,* c'est-à-dire un majordome, un cuisinier, un *dhobi* chargé du linge, un *sweeper* préposé au ménage, un *mali* pour l'entretien du jardin et, enfin, un *chowkidar* pour garder la maison. Je m'inquiétai du coût d'une domesticité aussi nombreuse. On me rassura. La totalité des salaires représentait moins de cinq cents francs par mois. J'étais seulement tenu de fournir, en plus, le thé et le sucre. Quant au paiement d'éventuelles charges sociales, ma question suscita l'étonnement. L'Inde socialiste n'avait pas encore fait sienne cette obligation qui rend en Occident les emplois de maison tellement onéreux. Je devais en revanche m'acquitter d'une formalité indispensable : fournir à mon personnel des uniformes de fonction. Le bearer me désigna un homme au crâne rasé qui trônait sur le trottoir devant une machine à coudre. C'était un tailleur prêt à confectionner sur-le-champ les uniformes aux mesures de mes serviteurs.

Ce bearer avait l'air très avisé.

– *Sir, I am roman catholic, and my name is Dominic,* m'annonça-t-il.

J'apprendrai que cette façon d'indiquer d'emblée sa religion est une habitude typiquement indienne. Elle précède toute autre forme d'identification. Le cuisinier était musulman, ce qui était plutôt une chance si je voulais échapper à des menus exclusivement végétariens. Les responsables du linge et du jardin étaient hindous, mais de très basses castes. Le gardien lui aussi était hindou. Quant au préposé au ménage, celui qu'on appelait le « sweeper », un homme malingre et très noir de peau, il était un « hors-caste », c'est-à-dire un « intouchable ». Il accomplissait en effet les besognes que les Indiens jugeaient les plus viles, puisque l'une d'elles était le nettoyage des WC.

En dépit de leurs religions et de leurs « naissances » différentes, mes six domestiques cohabitaient harmonieusement dans les deux chambres de service aménagées à l'arrière de la maison. J'eus, quelques jours plus tard, la surprise de découvrir que j'hébergeais en fait un village d'une bonne cinquantaine de personnes. Un emploi et un logement constituent un tel pactole en Inde que chacun de mes serviteurs avait immédiatement rameuté des quatre coins du pays femmes, enfants, grands-parents, oncles, tantes et cousins.

Dans cette capitale pourtant cosmopolite, l'arrivée de deux *sahibs*, d'une *memsahib* et de leur progéniture était un événement. J'allais vite découvrir que l'une des particularités de la vie en Inde est l'absence totale d'intimité. À peine avions-nous pris possession de nos résidences que les sonnettes des deux portails se mirent à retentir. La première visite fut celle du laitier accompagné de son troupeau de bufflesses, qui venait nous proposer du lait « trait devant nos yeux ». Ensuite apparut un montreur d'ours, puis de singes, puis un charmeur de cobras avec ses mangoustes. Tous insistaient pour faire leurs numéros devant les enfants de Larry émerveillés. Puis ce fut un défilé ininterrompu de colporteurs proposant tapis, tissus, saris, objets en bois, en pierre, en verre, en papier mâché, en vannerie, bref, les innombrables produits du riche artisanat de toutes les provinces indiennes. Vinrent aussi des marchands de chiens, d'oiseaux, de poissons rouges. Sans parler du nettoyeur d'oreilles, de plusieurs coiffeurs, d'un magicien, d'un astrologue, d'un chiromancien, d'un groupe de musiciens et de moines chanteurs en robe brune, le front bariolé de poudres multicolores. Pour couronner ce flot intarissable, nous vîmes arriver un splendide éléphant et son cornac enturbanné qui voulait à tout prix promener à travers le quartier ces maharajas venus d'Occident.

*

New Delhi devint le camp de base de nos recherches indiennes. Un coup de téléphone m'apprit un soir que la fille unique et bien-aimée du pandit Nehru, l'homme qui avait été le premier chef de l'Inde indépendante, acceptait d'évoquer avec moi les heures glorieuses et tragiques de l'été 1947. Vingt-cinq ans après son père, le destin avait déposé sur les frêles épaules d'Indira Gandhi un extraordinaire fardeau, gouverner la démocratie la plus peuplée du monde. De son monumental bureau de Raj Path, l'avenue impériale ouverte par les Anglais au cœur de la capitale, cette femme de cinquante-six ans régnait sans partage sur sept cents millions d'hommes, presque un cinquième de l'humanité. Chaque matin, avant d'aller exercer ses écrasantes fonctions, elle recevait dans le jardin plein de roses et de bougainvilliers de sa résidence de Safdarjang Road le petit peuple de l'Inde venu de tout le pays chercher auprès de sa grande prêtresse un *darshan*, une communion visuelle, avec celle qui incarnait l'autorité. C'est là qu'elle me reçut.

Arrivé en avance, j'observai avec étonnement le spectacle de cette femme au teint très clair trottinant dans les voiles de son sari d'un groupe à l'autre, rencontrant ici des paysannes à la peau très noire originaires de l'extrême Sud ; là, une délégation de travailleurs des chemins de fer du Bengale en dhoti de coton écru ; plus loin, une classe de jeunes écolières à longues nattes ; plus loin encore, une escouade de balayeurs intouchables, pieds nus, venus de leur lointaine province du Bihar. À chacun des groupes la « mère de la nation » disait quelques mots, elle lisait les pétitions qu'on lui tendait, répondait par une promesse, se prêtait gracieusement au rituel de la photo-souvenir. Comme au temps des empereurs moghols, l'Inde profonde accédait ainsi quotidiennement, l'espace d'un rêve, aux sources du pouvoir.

Indira se prit au jeu de ma curiosité. Notre premier entretien sera suivi de nombreux autres. Tous eurent pour décor le salon qui s'ouvrait sur le parc. Une seule décoration ornait la pièce : un grand portrait de Jawaharlal Nehru au sourire charmeur, une rose à la boutonnière, coiffé du calot blanc des militants du Congrès. Je cherchai, en vain, un trait physique commun entre le père et la fille, mais leur ressemblance était sans doute plus intérieure qu'apparente. Je regardai ses doigts longs et fins et songeai aux lettres passionnées qu'elle lui avait envoyées au fond de ses cachots. D'Oxford où elle faisait ses études, elle lui avait écrit : « Père, je vous aime, je baise vos mains. Je souffre avec vous. Je lutte avec vous. Je vous admire tant. » Ses diplômes obtenus, elle avait retrouvé son héros et ne l'avait plus quitté. Ensemble, ils avaient affronté les dernières batailles contre la puissance coloniale britannique, sillonnant inlassablement le pays, haranguant les foules des campagnes et des quartiers populaires sous l'écrasant soleil ou dans les tornades de la mousson. Partout où ils passaient, les gens accouraient, même si la plupart d'entre eux ne comprenaient rien à ce qu'ils disaient. Qu'importe ! Il leur suffisait d'apercevoir le calot blanc de Jawaharlal par-dessus l'océan des têtes.

À vingt et un ans, Indira avait rejoint son père dans les rangs du Congrès, le tout-puissant parti de l'Indépendance dont il était devenu le président. Une première ascension dans la hiérarchie politique qu'elle avait célébrée en prison où les Anglais l'envoyèrent à son tour sous l'inculpation de subversion. Cette expérience avait encore davantage fortifié leurs liens.

Le 15 août 1947, l'Inde brisait ses chaînes. Nehru avait cinquante-sept ans, Indira trente. Jour de triomphe pour le père et la fille, plus unis que jamais dans un même combat pour l'avènement d'une Inde débarrassée de ses superstitions et de ses pesanteurs, d'une Inde moderne plus juste et plus fraternelle. Nehru venait de perdre sa femme, emportée par un cancer. Indira s'était installée auprès de lui dans la résidence coloniale de York Road, d'où il tentait de diriger un pays menacé d'éclatement. Outre les massacres qui faisaient couler des fleuves de sang dans le Nord, le Cachemire, pays de leurs ancêtres, était sur le point de tomber aux mains des tribus pathanes. Des maharajas menaçaient de rétablir la souveraineté de leurs royaumes. Indira ne quittait pas son père, veillant sur sa santé, lui apportant ses conseils.

Indira Gandhi me raconta ces jours tragiques qui restaient gravés dans sa mémoire avec une précision hallucinante.

– Le soir du 14 août, nous venions de nous mettre à table, mon père et moi, quand la sonnerie du téléphone grésilla dans la pièce voisine. C'était quelques heures à peine avant que mon père proclamât l'indépendance de l'Inde à la radio. La communication était si mauvaise que je l'entendis crier pour faire répéter ce qu'on lui disait. Il revint, les traits décomposés. Incapable de parler, il enfouit son visage dans ses mains et resta un long moment silencieux. Quand il releva la tête, ses yeux étaient remplis de larmes. Il me dit que l'appel venait de la ville de Lahore que le plan de partage avait attribuée au Pakistan. Les nouvelles autorités avaient coupé l'eau dans les quartiers hindous et sikhs. L'été était torride. Torturés par la soif, les gens devenaient fous. Les femmes et les enfants qui se hasardaient à aller mendier une gamelle d'eau étaient aussitôt massacrés par des musulmans. Déjà, des incendies ravageaient des rues entières. Mon père était bouleversé. Je l'entendis se poser des questions d'une voix à peine audible : « Comment vais-je pouvoir parler ce soir au pays ? Comment vais-je pouvoir prétendre que mon cœur se réjouit pour l'Indépendance quand je sais que Lahore, notre belle Lahore, est en train de brûler ? »

Indira avait essayé d'apaiser ce père tant aimé. Elle l'avait aidé à préparer son discours. Elle savait qu'il laisserait parler son cœur.

– Mais ce coup de téléphone avait irrémédiablement gâché ce moment triomphal, ajouta-t-elle. Même si les mots vinrent spontanément à ses lèvres, son esprit ne pouvait se détacher de la vision de Lahore en flammes.

Peu de discours historiques atteignirent pourtant une telle grandeur, une telle noblesse.

« Il y a de nombreuses années, nous avons donné un rendez-vous au destin, et l'heure est venue de tenir notre promesse, déclara Nehru. Sur le coup de minuit, quand dormiront les hommes, l'Inde s'éveillera à la vie et à la liberté. L'instant est là, un instant rarement offert par l'Histoire, quand un peuple sort du passé pour entrer dans l'avenir, quand une époque s'achève, quand l'âme d'une nation, longtemps étouffée, retrouve son expression. [...] L'Inde enfin s'est retrouvée. [...] L'heure n'est pas aux critiques mesquines et destructives, ni à la rancune ou aux blâmes. Nous devons construire la noble demeure de l'Inde libre, accueillante pour tous ses enfants. »

– À peine mon père eut-il quitté le micro que la pendule au-dessus de la tribune du Parlement sonna les douze coups de minuit, se souvenait Indira. Puis la plainte d'une conque traversa l'hémicycle. Elle saluait la naissance de la deuxième nation la plus peuplée du monde, et la fin de l'ère coloniale.

*

Le principal artisan de cette victoire historique ne participait pas à cette nuit de liesse. Il priait, jeûnait, et filait son rouet à l'autre bout de l'Inde, au cœur de la ville de Calcutta menacée d'un carnage entre hindous et musulmans. Pour conjurer ce cauchemar, Mountbatten avait dépêché dans la capitale du Bengale la seule armée dont il disposât, la « sainte âme » avec laquelle il avait négocié la décolonisation des Indes. Seule la présence de Gandhi pouvait, il en était convaincu, empêcher une guerre civile, calmer les passions, ramener à la raison les habitants de la ville la plus violente de l'Inde.

Sécrétée par la faim, la misère, les haines religieuses, la violence était une malédiction endémique dans l'enchevêtrement fétide et grouillant des bidonvilles. Quatre ans avant l'indépendance, une épouvantable famine avait fait des centaines de milliers de morts dans cette agglomération, sans nul doute l'un des plus grands désastres urbains de la planète. Les gens s'étaient traînés jusqu'aux poubelles et aux dépôts d'ordures pour y chercher de quoi survivre, des mères avaient tué les enfants qu'elles ne pouvaient plus nourrir ; les hommes avaient mangé des chiens, et les chiens avaient dévoré des vieillards. Le virus de la haine religieuse avait donné à cette violence une nouvelle dimension. Un an avant l'indépendance, des massacres intercommunautaires avaient laissé plus de vingt-cinq mille cadavres affreusement mutilés dans les rues. Depuis, hindous et musulmans s'observaient dans une atmosphère de méfiance et de terreur. Chaque jour apportait sa moisson de victimes. Armés de couteaux, de revolvers, de mitraillettes, de bouteilles incendiaires, de crochets en fer appelés « dents de tigre » parce qu'ils permettaient d'arracher les yeux, les bandes des deux communautés se préparaient, en ce mois d'août 1947, à plonger la ville dans le bain de sang qui hantait Mountbatten.

Gandhi s'était installé le 13 août dans une vieille maison à balustres que son dernier propriétaire avait abandonnée aux rats, aux serpents, aux cafards. On avait balayé d'urgence les immondices qui la souillaient et réparé la commodité qui l'avait signalée à l'attention du Mahatma : les WC, une rareté dans les quartiers populaires de Calcutta. C'était là, dans cette demeure environnée de puanteur, de vermine et de fange, qu'il s'était attaqué à l'impossible mission que lui avait assignée le dernier vice-roi.

*

Pendant que Larry s'envolait pour Madras, Bangalore et Bombay afin d'y rencontrer d'importants acteurs des événements de 1947, je m'en allai à Calcutta sur les traces de Gandhi. En dehors de ses jambes, le chemin de fer avait été l'unique moyen de locomotion utilisé par le libérateur des Indes dans ses incessants déplacements à travers le pays. Il avait toujours exigé de ne voyager qu'en troisième classe, avec les intouchables, les lépreux, les paysans. Ces trajets en compagnie des plus déshérités avaient tout au long de sa vie aidé le Mahatma à s'identifier aux forces profondes de la nation.

« Si vous saviez ce que ces caprices de Gandhi coûtèrent au Trésor britannique ! nous avait révélé Mountbatten. Nous avions tellement peur qu'il fût assassiné que tous les voyageurs de ses wagons de troisième classe, intouchables, mendiants, lépreux, étaient des inspecteurs de police déguisés. »

Pour mieux me pénétrer du souvenir du Mahatma, j'avais pris moi aussi un wagon de troisième classe. Rude mais riche expérience ! Je partageai mon austère banquette de bois avec trois superbes créatures vêtues de saris de mousseline aux couleurs vives, le visage maquillé de poudre écarlate et de pâte de santal. Leurs voix très graves ne me laissèrent aucun doute : mes compagnons de voyage étaient des eunuques. Ils se rendaient au grand pèlerinage qui rassemble chaque année dans la région de Bénarès trois cent mille membres de leur communauté. Quelle aventure de se traîner pendant deux jours à quarante kilomètres à l'heure à travers les immensités grillées de soleil de la plaine indo-gangétique, dans la chaleur suffocante, les projections de suie, les cris, les pleurs, les odeurs d'encens, de curry, d'urine, au milieu d'un prodigieux festival de couleurs, de sourires, de vitalité, de dignité ! Gandhi avait bien raison : la meilleure façon pour connaître et aimer un peuple, c'est de prendre un wagon de troisième classe.

L'énorme caravansérail de la gare de Howrah, en face de Calcutta, où avait débarqué le Mahatma vingt-cinq ans plus tôt, était toujours un campement de réfugiés squattant les quais, les halls, les salles d'attente, les trottoirs. Comme la partition en 1947, la guerre de 1971 entre l'Inde et le Pakistan avait catapulté vers Calcutta des millions de gens fuyant la terreur et les massacres. Je fus projeté dans une cour des miracles. Des femmes aux seins vides épouillaient, sous la lumière blafarde des tubes de néon, des enfants au ventre ballonné ; des gamins en haillons fouillaient des tas d'ordures à la recherche de quelque nourriture ; des lépreux se traînaient sur des planches à roulettes en agitant leur sébile ; des hordes de chiens galeux dormaient enroulés sur eux-mêmes. Comme en contrepoint se produisaient des scènes de vie trépidantes. Une nuée de coolies en tunique rouge trottinait en tous sens, portant sur la tête des pyramides de ballots et de valises ; des vendeurs de bétel, de fruits, de cigarettes se faufilaient à travers la foule ; un flot de voitures et de taxis s'ouvrait un passage à coups de klaxon pour déposer les voyageurs à la porte même de leurs wagons ; d'interminables queues se bousculaient autour des guichets. J'étais ivre de spectacles et ahuri par l'assourdissante cacophonie des haut-parleurs, des cris, des appels, des sifflements des locomotives.

Une vision insolite m'étonna. Pourquoi y avait-il dans ce hall de gare autant de balances automatiques ? Devant chacune d'elles se pressaient des gens qui n'avaient que la peau sur les os. Pourquoi dépensaient-ils vingt précieux *paisa* pour connaître le misérable poids de leur squelette ? Je finis par le savoir. Au revers de l'indication de poids, chaque ticket vous donnait aussi votre horoscope ! À Calcutta, seules les balances automatiques osaient garantir la promesse d'un meilleur karma.

Avec les derniers « hommes-chevaux » de la planète

J'avais pu trouver à me loger au Bengal Club. Jusqu'à la fin de l'empire, une plaque à la porte de ce temple de la suprématie de l'homme blanc annonçait que l'entrée du club était interdite « aux chiens et aux Indiens ». Sans rancune, les bourgeois prospères de la ville avaient pris la relève de leurs colonisateurs. Ils avaient laissé les portraits de leurs anciens maîtres sur les murs des salons et des fumoirs. Des serviteurs aux pieds nus, vêtus des mêmes livrées et coiffés des mêmes turbans que jadis, continuaient de servir, dans la vaisselle aux armes de la Compagnie des Indes, l'insipide *Mulligatawny soup* et l'agneau à la menthe importés des brumes anglaises sous les tropiques du Bengale. Chaque matin, à quatre heures trente précises, le vieux bearer musulman attaché à ma chambre, et qui avait passé la nuit dans le couloir, prêt à bondir au moindre appel, m'apportait le traditionnel *early morning tea* bien noir, bien chaud et bien sucré par lequel commence toute journée en Inde. Ce riche breuvage me propulsait vers les proches jardins du Victoria Memorial pour une promenade matinale. J'y retrouvai des centaines de commerçants ventripotents en dhoti, de matrones bien en chair enveloppées de saris multicolores, d'étudiants en pantalon et chemise blanche, de retraités coiffés du légendaire calot blanc du combat pour l'indépendance. Tous venaient se dégourdir les jambes dans l'attente de l'événement primordial qui gouverne la vie de tant d'Indiens : le lever du soleil.

Pour me déplacer dans cette ville perpétuellement paralysée par des embouteillages de cauchemar, pour circuler surtout dans les étroites ruelles des bidonvilles que Gandhi avait pacifiés en 1947, j'utilisai un moyen de transport que toutes les cités de l'ex-monde colonial avaient depuis longtemps banni de leurs rues : un pousse-pousse. À Calcutta, cinquante mille hommes-chevaux s'attellent encore à des carrioles pour transporter des gens et des marchandises. Je me liai d'amitié avec l'un d'eux. Hasari Pal était originaire du Bihar, une province très pauvre du Nord-Est. À trente-cinq ans, il avait atteint un âge record dans cette profession où l'on dépasse rarement trente ans, les poumons dévorés par la tuberculose. Comme tant de paysans, Hasari Pal avait été contraint de vendre son unique champ pour réunir la dot sans laquelle sa fille n'aurait pas pu se marier. Privé de toute ressource, il était parti pour la ville-mirage de Calcutta. Un tireur de pousse-pousse originaire d'un village voisin l'avait hébergé dans la soupente qu'il partageait avec six autres Biharis de la même région. Par la suite, ce tireur l'avait fait engager par son patron. Après avoir payé la location de sa carriole et versé les différentes dîmes revenant aux intermédiaires, policiers et autres parasites, il restait à Hasari moins de cent francs par mois pour se nourrir et envoyer un mandat à sa famille restée au village.

Je demandai un jour à ce forçat la permission de m'atteler à son outil de travail. Sidéré qu'un sahib veuille, même provisoirement, changer à ce point d'incarnation, il s'empressa de me satisfaire. Il me montra les marques de ses paumes sur les brancards, là où la peinture avait disparu.

– Tu vois, grand frère, l'important c'est de trouver l'équilibre du pousse-pousse en fonction du poids que tu trimballes. Pour cela, tu dois poser tes mains au bon endroit.

Suivant ses conseils, je me plaçai entre les brancards et m'arc-boutai pour tenter de mettre l'engin en mouvement. Il fallait une force de buffle car, même à vide, il pesait facilement quatre-vingts kilos. Mes muscles se tendirent à craquer. Mes joues se gonflèrent. Je me sentis propulsé en avant, emporté par le poids de la carriole, qui paraissait avancer toute seule. C'était une sensation irréelle. Pour ralentir ou stopper, il fallait une force plus grande encore que pour démarrer.

Mon initiative saugrenue provoqua un attroupement. De mémoire de Bengali, on n'avait jamais vu un homme-cheval à peau blanche courir dans les rues de Calcutta. Hasari exultait. L'opprimé, l'écrasé, le souffre-douleur, l'esclave humilié durant tant de milliers de kilomètres, avait pris place comme passager sur l'étroite banquette de moleskine rouge. Une meute de gamins nous escortait en riant. Hasari devait se croire sur le char mythologique d'Arjuna tiré par ses ânes ailés à travers le cosmos. Pauvre Hasari ! Il savait que, dans la jungle de la circulation, il n'était qu'un paria comparé aux chauffeurs des véhicules à moteur, en particulier ceux des bus et des camions qui prenaient un plaisir sadique à frôler les pousse-pousse au plus près, à les asphyxier de leurs gaz d'échappement, à les terroriser à coups de klaxon. Je sortis de cette aventure brisé, mais débordant d'admiration pour le courage de ces victimes d'un karma pourri.

L'évangile de la Grande Âme

Ma bonne étoile d'enquêteur veillait sur moi, même dans l'enfer de Calcutta. Je retrouvai deux intimes compagnons du Mahatma. Ils ne l'avaient pas quitté pendant toutes les journées dramatiques d'août 1947 où sa seule présence avait empêché la ville de basculer dans l'horreur. Ranjit Gupta était l'un des officiers de police chargés de sa sécurité ; l'écrivain bengali Nirmal Bose lui avait servi de secrétaire. Ils devinrent tous deux mes sherpas, me guidant, pas à pas et heure après heure, dans l'intimité du sauveur de la capitale du Bengale.

C'est par une simple réunion de prière dans la cour de sa résidence que Gandhi avait pris contact avec le peuple de Calcutta. Ces réunions étaient le vecteur de son message à l'Inde dans sa longue marche vers la liberté. Il y parlait aussi bien des valeurs nutritives du riz complet, que de la malédiction de la bombe atomique, de l'importance d'aller régulièrement à la selle, des beautés du Bhagavad-gita, des avantages de la continence sexuelle, des injustices de l'impérialisme et des bienfaits de la non-violence. Transmises de bouche à oreille à travers tout un continent, ces allocutions quotidiennes avaient été le ciment de son mouvement, et l'évangile du Mahatma, la « Grande Âme » de l'Inde.

À présent, dans la cour de cette maison délabrée au cœur de la cité de la haine, il s'apprêtait à prendre la parole pour sa dernière réunion de prière de l'ère coloniale. Toute la journée, il avait reçu des délégations d'hindous et de musulmans, et leur avait expliqué la nature du contrat de non-violence qu'il entendait proposer à Calcutta. La présence de plusieurs milliers de personnes indiquait qu'il avait été entendu.

« Demain, nous serons délivrés du joug de la Grande-Bretagne, déclara-t-il. Mais à partir de ce soir, à minuit, l'Inde se trouvera divisée. Demain sera un jour de fête, mais aussi, à cause de la partition, un jour de deuil. »

Il avertit ses fidèles que l'indépendance allait placer de lourdes responsabilités sur les épaules de chacun.

« Si Calcutta embrasse un idéal de fraternité et retrouve la raison, peut-être que l'Inde entière sera sauvée. Mais si les flammes d'un combat fratricide embrasent le pays, comment notre liberté toute neuve survivrait-elle ? »

L'appel du vieux prophète se répandit comme une traînée de poudre. Dans les jungles humaines de Kelganda Road, dans le quartier des docks, autour de la gare de Sealdah, les chefs de bande hindous et musulmans rengainèrent leurs couteaux pour accrocher ensemble des drapeaux indiens aux réverbères et aux fenêtres. Des cheikhs ouvrirent leurs mosquées aux adorateurs de Kali, la déesse de la destruction et patronne de la ville pour les hindous ; ces derniers invitèrent leurs voisins musulmans à venir dans leurs temples. Des ennemis de toujours s'étreignirent en pleine rue. Les enfants des deux communautés échangèrent leurs jouets et des friandises.

Durant toute la journée de l'Indépendance, hindous et musulmans continuèrent d'affluer vers la résidence du Mahatma. Chaque demi-heure, il était contraint d'interrompre sa méditation et son travail au rouet pour se montrer à la foule. Il n'avait préparé aucun message de félicitations pour le peuple qu'il avait conduit à la liberté. Ce jour où quatre-vingts millions d'Indiens quittaient l'Inde à cause de la partition pour fonder une autre nation était pour lui un jour d'intense souffrance.

À un groupe de responsables politiques venus chercher sa bénédiction, il se contenta de déclarer :

– Méfiez-vous du pouvoir, car le pouvoir corrompt. Ne tombez pas dans ses pièges. N'oubliez pas que votre mission est de servir les pauvres des villages de l'Inde.

*

Le lendemain, ils étaient plus de trente mille qui se pressaient devant l'estrade de sa réunion de prière. Les jours suivants, ils furent cent mille, puis deux cent mille, puis cinq cent mille, hindous et musulmans mêlés dans un même océan fraternel, scandant des slogans d'unité et de solidarité, échangeant des cigarettes, des gâteaux, des bonbons, s'arrosant d'eau de rose. Le 29 août, ils se massèrent à plus d'un million sur l'immense esplanade du Maidan pour entendre leur prophète.

C'était trop beau. Soudain, le matin du 31 août, après seize jours d'un calme inespéré, le virus de la haine religieuse enflamma à nouveau Calcutta. Comme ailleurs, l'infection avait été propagée par le récit des atrocités commises au Panjab. Une vague rumeur annonçant qu'un jeune hindou avait été battu à mort par des musulmans dans un tramway remit le feu aux poudres. Incendies, meurtres, pillages rallumèrent la guerre civile.

Le vieux prophète était brisé : « le miracle de Calcutta » n'avait donc été qu'un mirage. Sous le choc, il refusa toute nourriture et se mura dans le silence.

« Je prie pour la lumière. Je cherche au plus profond de moi », confia-t-il simplement.

Quelques heures plus tard, il annonça qu'il allait faire une grève de la faim pour obliger Calcutta à revenir à la raison.

Une grève de la faim ! C'était l'arme la plus paradoxale qu'on pût brandir dans cette ville où mourir de faim était le sort quotidien de tant de malheureux. Mais toute la vie de Gandhi avait été jalonnée de victoires remportées grâce à ses jeûnes publics. Cette fois, il déclara qu'il poursuivrait son sacrifice jusqu'à la mort. Pour sauver des millions d'innocents, il offrait sa propre vie.

Des milliers de gens se précipitèrent vers sa résidence.

« Ou bien la paix revient à Calcutta, ou je mourrai », répéta-t-il inlassablement à leurs représentants.

Ses forces déclinèrent rapidement. À l'aube du troisième jour, sa voix n'était plus qu'un imperceptible murmure et son pouls était si faible que son entourage craignit une issue fatale. Tandis que l'annonce de sa fin prochaine se répandait, l'angoisse et le remords s'emparèrent de Calcutta.

Des notables hindous, sikhs et musulmans rédigèrent une déclaration commune promettant solennellement de lutter jusqu'à la mort pour empêcher que ne renaisse la haine religieuse dans la ville. Des cortèges de musulmans et d'hindous mêlés sillonnèrent les bidonvilles les plus violents pour y restaurer l'ordre et le calme. La preuve définitive qu'un vent nouveau soufflait sur Calcutta apparut à midi ce troisième jour, quand vingt-sept chefs de bande des quartiers du centre vinrent se présenter au libérateur de l'Inde. La tête basse, la voix vibrante de remords, ils reconnurent leurs crimes, demandèrent son pardon à Gandhi et le supplièrent de renoncer à son jeûne. Quelques heures plus tard, l'un des plus célèbres bandits vint confesser ses actes sanguinaires, avant de déclarer au Mahatma : « Nous sommes prêts à nous soumettre avec joie à tout châtiment que vous choisirez pourvu que vous mettiez fin à votre sacrifice. » Pour prouver leur sincérité, ses acolytes et lui-même ouvrirent les pans de leurs dhoti et jetèrent aux pieds du vieil homme une pluie de couteaux, de poignards, de « dents de tigre », de sabres, de pistolets, certains encore rouges de sang.

À vingt et une heures quinze, le 4 septembre 1947, après soixante-treize heures d'épreuve, Gandhi mit fin à sa grève de la faim en buvant quelques gorgées de jus d'orange. Auparavant, il avait adressé un avertissement aux représentants des différentes communautés qui se pressaient à son chevet.

« Calcutta détient la clef de la paix dans l'Inde tout entière, leur déclara-t-il. Le moindre incident ici est capable d'engendrer ailleurs des répercussions incalculables. Même si le monde venait à s'embraser, vous devez faire en sorte que Calcutta reste en dehors des flammes. »

Le message sera entendu. Cette fois, le « miracle de Calcutta » durerait. La ville la plus rétive et sanguinaire des Indes saurait être fidèle à son serment et au vieux prophète qui avait voulu offrir sa vie pour elle.

*

Gandhi put rentrer à New Delhi. Pour mieux assurer sa protection, Nehru l'installa chez l'industriel Birla qui possédait une élégante demeure enfouie dans les rosiers grimpants au cœur d'un quartier résidentiel. Ce lieu est l'un des sanctuaires les plus poignants que je connaisse. Tout y a été religieusement préservé. Tout, c'est-à-dire peu de chose : la Grande Âme de l'Inde ne possédait presque rien. À côté de l'étroit *charpoy* qui lui servit de lit et de fauteuil, on voit son petit crachoir et son rouet de bois, emblème du message qu'il délivrait aux foules de l'Inde. Sur une table de chevet sont posés ses lunettes cerclées d'acier, son dentier, sa montre de gousset Ingelsol à huit shillings dont le vol, un jour, l'avait fait pleurer, et les quelques livres qui reflétaient l'éclectisme du prophète de la réconciliation : le Bhagavad Gita hindou, un Coran, les *Pratiques et Préceptes de Jésus*, et un recueil de pensées juives. Il y a aussi la statuette fétiche représentant trois singes qui se bouchent les oreilles, les yeux et la bouche avec les mains, ce qui symbolisait pour Gandhi les secrets de la sagesse : « N'écoute pas le mal, ne vois pas le mal, ne dis pas le mal. » La pièce aux murs nus s'ouvre par une porte-fenêtre sur le jardin. Dans l'allée menant jusqu'à la pelouse, on remarque des empreintes de pas en ciment coloré : les dernières foulées du Mahatma. Les pas s'arrêtent trente mètres plus loin, au sommet de trois marches, devant une stèle ornée de fleurs chaque jour renouvelées. C'est ici que l'apôtre de la non-violence a rencontré son assassin, le 30 janvier 1948, à dix-sept heures et sept minutes.

La situation que trouva Gandhi à New Delhi était pire que celle qu'il avait connue à Calcutta. En attendant leur évacuation vers la terre promise du Pakistan, les habitants de confession musulmane avaient été rassemblés dans des casernes et des forts. Ils mouraient par centaines, de faim, d'insolation, de typhoïde, du choléra. N'osant pas sortir de leurs refuges, ils jetaient leurs morts aux chacals par-dessus les murailles. Certaines rues de la vieille ville étaient le théâtre d'effroyables charniers. L'ampleur de ces massacres brisa plus que jamais le cœur du vieux sage. Surmontant son extrême faiblesse, il alla rendre visite aux réfugiés pour tenter de les apaiser, prêchant les valeurs qui l'avaient toujours inspiré : l'amour, la non-violence, la vérité, une croyance inébranlable dans un Dieu universel. Mais parler de pardon et de fraternité à des hommes qui avaient vu leurs enfants massacrés, leurs épouses violées, leurs parents assassinés, à des êtres qui touchaient le fond du désespoir, était devenu un pari impossible.

*

Je revins plusieurs jours de suite dans la chambre de Birla House où Gandhi, pendant les derniers cent quarante et un jours de sa vie, avait souffert et prié pour le salut de l'Inde. Pour m'imprégner de l'atmosphère qui régnait autour de lui durant ces mois tragiques de l'automne 1947 et de l'hiver 1948, j'apportai avec moi de nombreuses photographies datant de l'époque. Elles montraient le vieux leader allongé sur son lit de cordes tressées, le ventre recouvert d'un cataplasme d'argile. Agenouillé à son chevet, on voyait Nehru, l'héritier spirituel, le visage sombre. Sur l'une des images, je reconnus la chevelure ébouriffée de Pyarelal Nayar, l'infatigable secrétaire qui, pendant quarante ans, consigna dans ses gros cahiers les moindres faits, gestes, pensées ou paroles du Mahatma. Sur un autre document, il y avait Manu et Abba, ses petites-nièces, avec leurs tresses et leurs lunettes cerclées de fer. Elles ne quittaient pas leur saint maître. Elles dormaient près de lui, le massaient, priaient avec lui, préparaient ses cataplasmes, lui administraient ses lavements, le soignaient quand il souffrait de diarrhées, et mangeaient avec lui dans la même écuelle de mendiant.

Le cercle autour du vieil homme comptait aussi une souriante jeune femme aux cheveux courts. Sushila Nayar, trente-deux ans, surveillait les fonctions vitales du corps à demi nu allongé devant elle. Elle était le médecin personnel du Mahatma. Elle accepta de revenir dans le poignant décor de sa chambre pour évoquer devant Larry et moi le jour tragique où la Grande Âme avait signé son arrêt de mort.

– Bapu [1] décida d'utiliser une nouvelle fois l'arme qui lui avait permis de sauver Calcutta, nous raconta-t-elle. Le 12 janvier 1948, il annonça qu'il entreprendrait une grève de la faim jusqu'à la mort pour que cesse la violence, et pour que le gouvernement respecte ses obligations envers le Pakistan.

« Il prit ce soir-là un dernier repas : deux chapati, une pomme, du lait de chèvre et trois quartiers de pamplemousse. Quand il eut terminé, il nous entraîna dans le jardin pour y tenir une petite réunion de prière. Il parais-

1. Père.

sait très gai, très confiant. Il avait retrouvé son optimisme. Je clôturai la petite cérémonie en entonnant le cantique chrétien qui l'émouvait toujours depuis qu'il l'avait entendu en Afrique du Sud. Tous ensemble, nous chantâmes *Ta croix, Seigneur, est mon bonheur.* Bapu regagna alors sa chambre, s'étendit sur son charpoy, et s'assoupit. Son dernier grand défi avait commencé. »

Des cendres dans les eaux de l'Indus

La présence dans la capitale de centaines de journalistes indiens et étrangers donna au nouveau pari du Mahatma un retentissement encore plus grand que son jeûne de Calcutta. Une partie de la population l'accueillit comme une provocation. La situation à New Delhi était explosive. La ville était envahie de réfugiés hindous qui répandaient leur haine contre les musulmans et criaient vengeance. Ils s'emparaient des mosquées et des maisons musulmanes après avoir égorgé leurs occupants. Et voilà que Gandhi les menaçait de sa propre mort pour obliger les hindous, les sikhs et les musulmans à se réconcilier ! Et ce chantage, il l'aggravait encore en contraignant l'Inde à verser les sommes dues au Pakistan !

Son attitude suscita une révolte immédiate au sein d'un petit groupe d'extrémistes vivant à Poona, une ville du centre de l'Inde. Ils appartenaient au parti nationaliste Hindu Mahasabha, le « Grand rassemblement hindou ». Réunis autour du journaliste Nathuram Godsé, directeur du journal *Hindu Rashtra,* La Nation hindoue, ces fanatiques caressaient le rêve de reconstruire un grand empire hindou allant des sources de l'Indus à celles du Brahmapoutre, des neiges de l'Himalaya aux plages du cap Comorin. Leur gourou, Vîr Savarkar, un théoricien de la suprématie raciale hindoue et un partisan de l'action violente, professait une haine implacable envers les musulmans.

Les yeux rivés sur le téléscripteur de son journal, Nathuram Godsé et ses compagnons blêmirent en apprenant la nouvelle grève de la faim de Gandhi et les conditions qu'il posait pour l'interrompre. Godsé avait maintes fois proclamé en public la délivrance que représenterait pour l'Inde la disparition de celui qui prêchait l'entente entre hindous et musulmans. L'air grave, il se tourna vers ses compagnons, et leur déclara :

– Nous devons éliminer Gandhi.

Seize jours plus tard, le 30 janvier 1948, Nathuram Godsé passa des paroles à l'acte en foudroyant de trois balles de revolver la Grande Âme de l'Inde qui s'apprêtait à tenir sa réunion de prières.

– La lumière s'est éteinte sur nos vies, et tout n'est plus que ténèbres ! s'écria Nehru avec des mots qui traduisaient la douleur de la nation.

« Le Mahatma Gandhi a été assassiné par son propre peuple pour la rédemption duquel il a vécu, titra sur toute sa première page le quotidien *Hindustan Standard*. Cette seconde crucifixion dans l'histoire du monde s'est déroulée un vendredi – le même jour que celui où Jésus a été mis à mort, 1915 années plus tôt. Père, pardonne-nous. »

Nathuram Godsé fut appréhendé sur les lieux mêmes de son crime, le revolver à la main. Il n'opposa aucune résistance. La capture de ses complices suivit peu après.

Nous parvînmes à mettre la main sur les rapports rédigés par les responsables de la police chargés d'enquêter sur ce qu'on appela « le meurtre du siècle ». Ils furent loin d'éteindre notre curiosité. Comment Gandhi, qui était protégé jour et nuit par des dizaines d'inspecteurs, avait-il pu être assassiné aussi facilement ? Pourquoi des fanatiques fichés dans les registres de la police criminelle de Poona n'avaient-ils pas été arrêtés alors qu'ils ne faisaient pas mystère de leurs intentions ? Pourquoi les policiers de New Delhi, qui étaient au courant d'un complot et qui possédaient même l'identité de ses conjurés, n'avaient-ils pas communiqué leurs informations à leurs collègues de Poona et de Bombay ? S'agissait-il de simples négligences ? Ou d'une volonté délibérée de laisser éliminer le Mahatma ? En 1960, douze ans après les faits, une commission d'enquête officielle fut constituée pour éclaircir l'étrange comportement de la police de l'époque. Malheureusement, la plupart des responsables en cause étaient décédés. La commission se contenta de conclure que la sécurité du Mahatma Gandhi n'avait pas été convenablement assurée, et que l'enquête policière n'avait pas été menée avec « l'ardeur que réclamait un crime contre sa vie ».

*

L'assassin du Mahatma, Nathuram Godsé, et son principal complice, Narayan Apte, furent pendus. Les quatre autres conjurés furent condamnés à la détention perpétuelle. Un jour de mars 1972, un encadré en première page du *Times of India* nous fit sursauter, Larry et moi. Les quatre conjurés venaient de bénéficier d'une mesure de grâce pour bonne conduite. Cette clémence providentielle nous offrait la possibilité de faire quelques rencontres spectaculaires.

Larry se précipita aux trousses de Vishnu Karkaré qui avait déjà repris la direction de la Deccan Guest House, son auberge d'Ahmednagar, dans le Maharashtra. De mon côté, je me lançai à la poursuite de Gopal Godsé, le propre frère du meurtrier. Je finis par le retrouver au troisième étage d'une vieille maison de la banlieue de Poona. C'était un quinquagénaire plutôt distingué, aux cheveux blancs soigneusement peignés, portant avec élégance une longue chemise blanche. Conscient d'être un personnage historique, il se montra aimable, voire chaleureux, tout à fait disposé à répondre sans réserve à mes questions. La véranda où il m'accueillit s'ornait d'une carte géante de l'Inde englobant le territoire du Pakistan. Un ruban d'ampoules électriques figurant le cours de l'Indus serpentait dans la partie supérieure de la carte, tandis qu'une grande photo du meurtrier ornée d'une guirlande de fleurs était accrochée en son centre. Il n'y avait aucun remords, aucun regret dans les réponses précises et détaillées que me fit Gopal Godsé. Je fus surpris de l'entendre prononcer le nom de Gandhi avec révérence. Il lui ajoutait le suffixe *ji* qui donne, en hindi, une connotation affectueuse à un patronyme. « Gandhiji » par-ci, « Gandhiji » par-là, j'avais de la peine à en croire mes oreilles. L'idéal de non-violence de Gandhiji ?

– *My dear friend* (Mon cher ami), rappelez-vous, les femmes hindoues se faisaient brûler vives pour échapper à l'infamie d'être violées par les musulmans, et Gandhiji leur disait que la victime est le vainqueur.

Après vingt-cinq années de prison, la colère de Gopal Godsé restait intacte.

– La non-violence de Gandhi a jeté les hindous dans les griffes de leurs ennemis. Les réfugiés hindous mouraient de faim, et Gandhiji exaltait leur sacrifice en prenant la défense de leurs oppresseurs musulmans. Jusqu'à quand pouvions-nous tolérer cela ? Oui, jusqu'à quand, *my dear friend* ?

Godsé me convia à la cérémonie qui commémorait, chaque 15 novembre, l'exécution de son frère. Il avait placé sur un piédestal devant la grande carte de l'Inde une petite urne argentée contenant les cendres de Nathuram. Celui-ci avait en effet demandé, la veille de son exécution, que ses cendres « soient conservées jusqu'au jour où elles pourraient être répandues dans les eaux de l'Indus coulant à travers un pays enfin réuni sous la domination hindoue ». Tous les membres de la famille du meurtrier, femmes et enfants compris, ainsi que plusieurs disciples de Vîr Savarkar, le gourou hindou qui avait inspiré les conjurés, étaient présents. Une mélopée lancinante, jouée sur un sitar accompagné du martèlement d'un tabla, emplit bientôt la pièce. À l'appel du maître de maison, les participants levèrent le poing et jurèrent, face à l'urne funéraire et au portrait de l'assassin, de reconquérir « la portion amputée de notre mère patrie », c'est-à-dire le Pakistan, et de réunifier l'Inde sous la domination hindoue. Avec un sens calculé de la mise en scène, Godsé ouvrit ensuite un coffre dont il sortit quelques vêtements.

– Voici la chemise que portait Nathuram le jour où il a supprimé Gandhiji, annonça-t-il en exhibant une tunique kaki tachée de sang, souvenir des coups de matraque reçus lors de l'arrestation.

Puis il montra le pantalon et les sandales. Chacun vint s'incliner respectueusement devant ces reliques. Godsé lut ensuite le testament de son frère. Tandis que sitar et tabla reprenaient leur mélopée, les participants vinrent l'un après l'autre se prosterner devant les cendres, une bougie à la main. Chacun fit tourner sa chandelle plusieurs fois autour de l'urne avant de l'élever vers le serpent lumineux qui symbolisait le fleuve Indus. En chœur, tous répétèrent leur promesse de reconquérir la terre perdue de l'Inde.

*

L'ex-terroriste Madanlal Pahwa, quarante-neuf ans, s'était installé à Bombay. C'était lui qui avait tenté de tuer Gandhi une première fois en faisant exploser une bombe de fabrication artisanale au pied de son estrade de prière. Après deux jours d'une traque acharnée, je finis par le découvrir dans un quartier périphérique habité par des hindous réfugiés du Pakistan. Impossible de ne pas le reconnaître : il avait la même chevelure noire épaisse séparée par une raie de côté et la même fine moustache que sur les photos anthropométriques prises par la police vingt-cinq ans plus tôt. Madanlal était le seul des conjurés à avoir été chassé de chez lui par la partition. Après avoir tout perdu et connu les souffrances de l'exode, il avait pris la tête d'un commando d'hindous fanatiques, et massacré des centaines de réfugiés musulmans dans les trains remontant vers le Pakistan. Il avait été arrêté après sa tentative d'assassinat ratée. Au bout de deux jours d'interrogatoires musclés, il avait donné les noms de tous ses complices. C'est par lui que la police de New Delhi savait, deux semaines avant l'assassinat, qu'un groupe de terroristes se trouvait dans la capitale pour tuer Gandhi. Elle connaissait même le signalement détaillé de chacun.

Madanlal m'accueillit d'abord avec méfiance. L'intérêt que je portais à ses nouvelles activités finit par l'amadouer. Il s'était reconverti dans un commerce inattendu : les jouets. L'article dont il était le plus fier était une fusée à air comprimé qui s'élevait à une centaine de mètres avant de redescendre suspendue à un parachute. Il m'offrit de devenir son représentant dans le but de « concurrencer les Japonais sur les marchés européens ».

Toujours à Bombay, je retrouvai le personnage le plus inquiétant de cette brochette d'assassins, l'ancien trafiquant d'armes Digambar Badgé, qui avait fourni le revolver du crime. Avec sa longue barbe, il ressemblait davantage à un saint homme qu'à un révolutionnaire. Badgé s'était reconverti depuis sa sortie de prison dans une activité insolite. Après avoir passé des années à vendre des engins destinés à infliger la mort, il fabriquait aujourd'hui un accessoire permettant de se protéger contre elle. Avec l'aide de son vieux père, il « tricotait » des cottes de mailles comme en portaient les chevaliers du Moyen Âge. Ces gilets à l'épreuve des balles étaient très prisés des tueurs à gage, des briseurs de grèves, des politiciens de tous bords. Son carnet de commandes était rempli pour les deux années à venir.

– Vous avez des clients français ? lui demandai-je.

Il prit un air malicieux.

– Pas encore. Mais notre rencontre pourrait combler cette lacune, n'est-ce pas ?

Sacrés assassins ! L'empressement de leur accueil me donna une idée. Pourquoi ne pas les ramener tous à New Delhi pour leur faire mimer les gestes de leur crime devant une caméra. Je mesurai le danger. La police indienne elle-même avait dû renoncer à toute reconstitution lors de l'instruction du procès de crainte de sanglantes réactions de vengeance. J'allai à Poona proposer ce voyage à Gopal Godsé. Allait-il me traiter de provocateur et me jeter dehors ? À peine avais-je exposé mon projet que je vis sa tête dodeliner de gauche à droite avec un air de béatitude.

– *It's a very good idea* (C'est une très bonne idée). – Puis, soudain, son visage se renfrogna. *But only if we can take our families along* (Mais seulement si nous pouvons emmener nos familles avec nous).

J'achetai des billets pour tout le monde et, huit jours plus tard, nous nous retrouvions sur le quai de la gare Victoria de Bombay devant le Frontier Mail en partance pour New Delhi. J'avais l'impression de partir en excursion avec une famille dont je venais de faire la connaissance. On me donnait du *« Dear friend »*, et du *« Mister Dominique »* en me faisant déguster les innombrables friandises, pâtisseries et victuailles apportées dans des paniers. Godsé, Karkaré et Madanlal m'affirmèrent que c'était le même train qu'ils avaient pris vingt-cinq ans plus tôt pour aller assassiner Gandhi. Pour réduire les risques de se faire arrêter tous ensemble, Nathuram avait pris l'avion.

– Nous avions rendez-vous à Delhi dans le jardin du temple dédié à la déesse Lakshmi, se souvenait fièrement Godsé.

Après vingt-huit heures de voyage, je les avais ramenés dans ce même jardin. J'avais engagé un cameraman et un preneur de son auxquels, par prudence, je n'avais pas révélé l'identité des personnes qui m'accompagnaient.

Godsé entraîna Karkaré vers l'immense sanctuaire peint en rose et lui montra la cloche suspendue au-dessus de la porte.

– Tu te souviens ? Nous l'avions fait sonner avant d'aller nous recueillir au pied de la divinité.

Les épouses écoutaient, béates d'admiration et de fierté, les explications de leurs maris. On aurait dit une escouade d'anciens combattants revenant sur le champ de bataille où ils avaient gagné la croix de guerre. Derrière le sanctuaire, il y avait un petit bois.

– C'est là que Nathuram a essayé son revolver, expliqua Karkaré. Par chance il n'y avait personne. Ne sachant si Gandhiji serait assis ou debout quand Nathuram tirerait sur lui, nous avons répété l'acte dans les deux positions. On a choisi un arbre. L'un de nous s'est accroupi contre le tronc pour donner une idée de la silhouette qu'offrirait Gandhi dans la position assise. Nous l'avons dessinée avec un morceau de craie. Nathuram a reculé d'une dizaine de mètres, et a fait feu cinq fois. Toutes les balles étaient dans le mille !

Godsé nous emmena ensuite au buffet de la gare centrale où, la veille du meurtre, ils avaient fait tous ensemble un dîner « pantagruélique ».

Comme les assassins l'avaient fait ce jour de janvier 1948, nous prîmes ensuite des carrioles à cheval pour gagner Birla House, la résidence de Gandhi. Des flots de visiteurs déambulaient en silence à travers les pièces et dans le jardin. Les murs de cette demeure vénérée sont couverts de photographies montrant le Mahatma à toutes les époques de sa vie. Les pèlerins se recueillaient avec un respect particulier dans sa chambre, ils empruntaient l'allée qui mène à la petite stèle élevée à l'endroit où il fut assassiné, ils méditaient sur la grande pelouse où il avait tenu ses dernières réunions de prière. Ne risquais-je pas de profaner ce saint lieu en y ramenant ceux qui l'avaient si odieusement souillé ?

Je me posais sérieusement la question quand j'entendis une voix appeler mon nom. Je me retournai et reconnus le conservateur des lieux, un brahmane distingué qui se passionnait pour notre travail d'historiens.

– *Dear Mr. Lapierre,* je vois que vous êtes venu aujourd'hui avec de la compagnie ! s'exclama-t-il aimablement. Vous avez même des cinéastes avec vous ! Pourriez-vous me présenter vos amis ?

Mon dos ruissela d'une sueur froide.

– Bien volontiers, dis-je en essayant de cacher mon trouble. Permettez-moi de vous présenter M. et Mme Gopal Godsé, M. et Mme Vishnu...

À mesure que j'égrenais les noms de mes compagnons,

je vis le visage du conservateur se décomposer. Allait-il se trouver mal ? Surmontant sa surprise, il m'adressa un sourire un peu forcé avant de déclarer :

– M. Lapierre, voulez-vous que nous allions tous dans mon bureau ?

Nous entrâmes dans la vaste pièce du rez-de-chaussée où Larry et moi avions si souvent évoqué avec lui les dernières heures de la vie de Gandhi. Un serviteur apporta des chaises supplémentaires et nous prîmes place devant sa table de travail. Qu'allait-il faire ? Décrocher son téléphone et appeler la police ? Chasser ces visiteurs indésirables ? Le conservateur se tassa dans son fauteuil, écrasé par l'inattendu de la situation. Son silence dura pendant plusieurs minutes. Enfin il se redressa, ses yeux s'animèrent. Je m'attendais au pire.

– *What will you have to drink ? Tea or Kampa-Cola ?* (Qu'aimeriez-vous boire ? Du thé ou un Kampa-Cola ?) demanda-t-il.

*

Quelques instants plus tard, j'étais avec les assassins à l'endroit exact où se trouvait Nathuram Godsé, le 30 janvier 1948 à dix-sept heures et sept minutes quand il tua Gandhi. La caméra était braquée plein cadre sur son frère.

– Le jardin était noir de monde, racontait Gopal Godsé. Gandhiji était en retard de plusieurs minutes. Soudain, nous vîmes des gens qui s'écartaient. Le cortège arrivait. Gandhiji marchait en tête, s'appuyant des deux mains sur ses petites-nièces. Nathuram s'était placé dans le passage menant à l'estrade de prière. C'était une position idéale. Je le vis sortir le revolver de sa poche.

Notre présence avait attiré vers nous la foule des pèlerins. Il y avait parmi eux beaucoup de sikhs reconnaissables à leurs turbans. Quelle allait être leur réaction quand ils apprendraient l'identité de l'homme que filmait la caméra ?

Gopal Godsé poursuivait, imperturbable :

– Nathuram dissimula de son mieux le revolver entre ses paumes jointes et s'inclina respectueusement devant Gandhiji en disant : « *Namaste, Bapu* (Salut, Père) ». Puis il écarta l'une des jeunes filles pour ne pas risquer de la blesser et fit feu : une fois, deux fois, trois fois. Gandhi balbutia : « *He Ram !* (Ô mon Dieu !) » et s'affaissa lentement dans l'herbe. C'était fini.

À ces mots, je vis un grand sikh à l'air farouche fouiller fébrilement dans les plis de sa ceinture. J'en étais convaincu : il cherchait le poignard que portent les membres de sa communauté. J'imaginais déjà la lame étincelant dans le soleil. Il allait égorger les trois criminels, et peut-être les cameramen et moi avec. Ainsi aurait-il vengé les centaines de millions d'Indiens qui étaient restés inconsolables de la perte de leur Grande Âme.

Je me trompais. Gandhi était mort depuis trop longtemps. Ce que cherchait le farouche sikh dans les plis de sa ceinture n'était pas le poignard de la vengeance. Il tendit à Godsé un morceau de papier et un stylo à bille. Il voulait son autographe.

Des collectionneurs de femmes, de Rolls et d'éléphants

Les architectes de l'indépendance, Gandhi et Nehru en tête, ne leur avaient fait aucune place dans l'Inde nouvelle. Les cinq cent soixante-cinq maharajas hindous et nawabs musulmans régnaient pourtant en souverains héréditaires et absolus sur un tiers du territoire indien, et environ cent millions de ses habitants. Des princes comme le nizzam de Hyderabad et le maharaja du Cachemire étaient à la tête d'États aussi vastes et peuplés que les grandes nations d'Europe. La confrérie princière comptait quelques-uns des hommes les plus riches du monde, et des monarques aux revenus plus modestes que ceux d'un marchand du bazar de Bombay. Des experts avaient cependant calculé que chacun possédait en moyenne 11 titres ; 5,8 femmes ; 12,6 enfants ; 9,2 éléphants ; 2,8 wagons privés de chemin de fer ; 3,4 Rolls-Royce, et un palmarès de 22,9 tigres abattus.

Riches ou moins riches, les maharajas indiens formaient en tout cas une aristocratie hors du commun. Selon Rudyard Kipling, « ces hommes avaient été créés par la Providence afin de pourvoir le monde en décors pittoresques, en histoires de tigres et en spectacles grandioses ». Les récits de leurs vices et de leurs vertus, de leurs extravagances et de leurs prodigalités, de leurs lubies et de leurs excentricités avaient enrichi le folklore de l'humanité et émerveillé un monde assoiffé d'exotisme et de rêve. Avant d'être balayés par le vent de l'histoire, ces aristocrates originaux, au moins les plus fortunés d'entre eux, avaient traversé l'existence sur le tapis volant d'un conte oriental. Leurs passions s'appelaient la chasse, le polo, les palais, les femmes, les bijoux et les automobiles. Parmi ces dernières, leurs préférées étaient naturellement les reines des voitures, les Rolls-Royce.

Larry Collins décréta que cette passion que je partageais pour les Rolls-Royce me qualifiait tout naturellement pour une enquête auprès des maharajas. En 1947, usant de son influence et de son charisme auprès de ces hommes dont beaucoup étaient ses amis, Mountbatten avait obtenu qu'ils renoncent volontairement à leur souveraineté et déposent leurs États dans la corbeille de l'indépendance indienne. La recherche des acteurs de ce hara-kiri collectif fut une exaltante aventure.

*

Le maharaja sikh Yadavindra Singh, dernier prince en titre de l'État de Patiala au nord-ouest de l'Inde, occupait encore avec quelques serviteurs un des palais à clochetons édifié par ses aïeux. Ses garages, qui abritaient en 1947 une écurie de vingt-sept Rolls-Royce, n'hébergeaient plus aujourd'hui qu'une Ambassador de fabrication locale et une antique de Dion-Bouton française qui portait le numéro fétiche de « Patiala 1 ». Car cette relique datant de 1898 avait été la première voiture importée aux Indes. Ce géant de deux mètres, amateur de cricket et de polo, avait épousé l'Inde nouvelle au lendemain de l'indépendance en devenant l'un de ses diplomates les plus respectés. En entrant dans l'extravagant appartement où il m'offrit l'hospitalité, je remarquai une feuille de papier posée sur la table à la tête de mon lit. Elle m'invitait à cocher la case inscrite en face des différents modes de transport qui m'étaient proposés pendant mon séjour. Souhaitais-je circuler en calèche ? En automobile ? En chaise à porteurs ? À cheval ? Ou à dos d'éléphant ?

Yadavindra Singh était monté sur le trône de l'État de Patiala à la mort de son père en juillet 1938. Son couronnement avait donné lieu à sept jours et sept nuits de fêtes et de célébrations. La plupart de ses pairs avaient afflué des quatre coins du pays, et le représentant de l'Empire britannique avait épinglé sur son turban la pierre précieuse qui consacrait l'allégeance du jeune prince à la Couronne. Il faut dire que le jeune prince de Patiala succédait à l'un des personnages les plus hauts en couleur de cette caste pourtant prodigue en figures de légende.

Avec sa stature colossale, ses cent trente kilos, ses moustaches relevées comme les cornes d'un taureau brave, sa splendide barbe noire soigneusement enroulée et nouée derrière le cou à la mode des Sikhs, ses lèvres sensuelles et l'arrogance de son regard, son père, Sir Bhupinder Singh, dit « le Magnifique », septième maharaja de Patiala, paraissait sortir d'une gravure moghole. Pour le monde de l'entre-deux-guerres, Sir Bhupinder avait incarné toute la splendeur des maharajas des Indes. Son appétit était tel qu'il lui fallait chaque jour une vingtaine de kilos de nourriture. Il avalait volontiers deux ou trois poulets à l'heure du thé. Il adorait le polo. En galopant à la tête de ses « Tigres de Patiala », il avait remporté sur tous les terrains du globe des trophées qui emplissaient les vitrines de son palais. Pour permettre ces prouesses, ses écuries abritaient cinq cents des plus beaux spécimens de la race chevaline.

Dès sa prime adolescence, Bhupinder Singh avait montré les aptitudes les plus vives à l'exercice d'un autre divertissement également digne d'un prince, l'amour. Les soins qu'il portait au développement de son harem avaient même éclipsé sa passion pour la chasse et le polo. Il sélectionnait lui-même ses nouvelles pensionnaires en fonction de leurs attraits et de leurs talents amoureux. Au faîte de sa gloire, le harem royal de Patiala compta trois cent soixante-cinq épouses et concubines, une pour chaque jour de l'année.

Pendant les étés torrides du Panjab, nombre d'entre elles s'installaient chaque soir au bord de la piscine, jeunes beautés aux seins nus auprès desquelles le prince venait s'ébattre. Des sacs de neige pilée apportés de l'Himalaya par une armée de coolies rafraîchissaient l'eau. Les plafonds et les murs des appartements privés étaient décorés de scènes inspirées des bas-reliefs érotiques des temples pour lesquels les Indes étaient célèbres, véritable catalogue d'exhibitions amoureuses propres à épuiser l'esprit le plus imaginatif et le corps le plus athlétique. Un large hamac de soie permettait à Son Altesse de chercher entre ciel et terre l'ivresse des plaisirs suggérés par les ébats des personnages de son plafond.

Pour satisfaire ses désirs insatiables, l'inventif souverain avait décidé de renouveler régulièrement les charmes de ses femmes. Il ouvrit son palais à toute une cour de parfumeurs, de bijoutiers, de coiffeurs, d'esthéticiens et de couturiers. Les plus grands maîtres de la chirurgie plastique furent invités à venir modeler les traits de ses favorites au gré de ses caprices et des canons des revues de mode qu'il se faisait expédier de Londres et de Paris. Afin de stimuler ses ardeurs, il avait converti une aile de son palais en un laboratoire qui produisait parfums, lotions, cosmétiques et philtres aphrodisiaques.

Mais aucun homme, fût-il un sikh aussi généreusement pourvu par la nature que Bhupinder Singh « le Magnifique », ne pouvait combler les appétits des trois cent soixante-cinq beautés qui se morfondaient derrière les moucharabiehs de son harem. Ses alchimistes durent rivaliser d'imagination. Ils élaborèrent de savantes décoctions à base d'or, de perles, d'épices, d'argent, d'herbes, de fer. Pendant quelque temps, la potion la plus efficace fut une mixture de carottes et de cervelles de moineaux. Lorsque l'effet de ces préparations commença à faiblir, Sir Bhupinder Singh fit venir des spécialistes de France, pays qu'il pensait expert en matière d'amour. Un traitement au radium devait malheureusement se révéler d'un rendement aussi éphémère que les potions magiques. Sir Bhupinder « le Magnifique » était mort à quarante-cinq ans – d'épuisement.

*

Une des premières décisions de son successeur fut de fermer le harem paternel. Yadavindra appartenait à une nouvelle génération de princes moins hauts en couleur, moins extravagants, moins fabuleux que leurs aînés mais de plus en plus conscients de la précarité de leurs privilèges et de la nécessité de réformer les mœurs de leurs royaumes.

En fait, l'Inde des maharajas et des nawabs avait aussi un autre visage, que faisaient parfois oublier les excès et les excentricités de quelques princes. Le maharaja de Kapurthala, dont le palais aux allures de petit Versailles conservait un cendrier de l'hôtel Negresco de Nice, avait doté sa principauté de routes, de voies ferrées, d'écoles, d'hôpitaux, et même d'institutions démocratiques qui en faisaient un État moderne et libéral que pouvaient lui envier les provinces directement administrées par les Anglais. Le maharaja de Baroda avait interdit la polygamie et combattu en faveur des intouchables avec autant d'acharnement que Gandhi. Le maharaja de Bikaner avait transformé certaines parties de son désert du Rajasthan en une véritable oasis de jardins, de lacs artificiels, de cités florissantes mis à la disposition de ses sujets. La principauté musulmane de Bhopal avait accordé aux femmes une liberté sans exemple dans tout l'Orient. L'État de Mysore possédait l'université des sciences la plus réputée d'Asie. Héritier de l'un des plus grands astronomes de l'Histoire, un savant qui avait traduit les principes de la géométrie d'Euclide en sanskrit, le maharaja de Jaipur avait fait de l'observatoire de sa capitale un centre d'études de renommée internationale.

Les princes indiens avaient été les instruments les plus zélés de l'Angleterre dans sa domination des Indes. Ils avaient accepté la suzeraineté du roi-empereur, représenté par le vice-roi, lui abandonnant le contrôle de leurs affaires extérieures et de leur défense en échange de leur souveraineté intérieure. Ils n'avaient ménagé ni leur argent ni leur sang au cours des deux guerres mondiales. Ils avaient levé, équipé, entraîné des corps expéditionnaires qui s'étaient illustrés sur tous les fronts sous la bannière de l'Union Jack. Le maharaja de Bikaner, lui-même général de l'armée britannique et membre du cabinet de guerre, avait lancé ses chameliers à l'assaut des tranchées allemandes de la Grande Guerre. Les lanciers de Jodhpur avaient enlevé Haïfa aux Turcs le 23 septembre 1917. En 1943, sous la conduite de leur jeune maharaja, commandant dans les Lifeguards, les cipayes de la ville rose de Jaipur avaient nettoyé les pentes du Monte Cassino et ouvert la route de Rome aux armées alliées. En récompense pour son courage à la tête de son bataillon, le maharaja de Bundi avait reçu la Military Cross en pleine jungle birmane.

Les Anglais avaient témoigné leur reconnaissance à ces fidèles et prodigues vassaux en les couvrant d'une pluie d'honneurs et de décorations. Les maharajas de Gwalior, de Cooch Behar et de Patiala reçurent l'insigne privilège d'escorter à cheval, en qualité d'aides de camp honoraires, le carrosse royal d'Edouard VII pendant les fêtes de son couronnement. Oxford et Cambridge accordèrent des parchemins honorifiques à toute une série de princes. Les poitrines des souverains les plus méritants s'enrichirent des plaques étincelantes d'ordres nouveaux créés pour la circonstance – l'ordre de l'Étoile des Indes et l'ordre de l'Empire des Indes.

Ce fut surtout par la subtile gradation d'une forme ingénieuse et inédite de récompenses que la puissance suzeraine sut le mieux témoigner sa gratitude. Le nombre des coups de canon qui saluaient un monarque indien était le signe de sa place dans la hiérarchie princière. Le vice-roi avait le pouvoir d'augmenter le nombre de salves en reconnaissance de services exceptionnels, ou de le réduire en signe de punition. Cinq souverains – ceux de Hyderabad, du Cachemire, de Mysore, de Gwalior et de Baroda – avaient droit au suprême honneur de vingt et une salves. Venaient ensuite les États à dix-neuf, puis dix-sept, quinze, treize, onze, et neuf coups. Pour quatre cent vingt-cinq humbles rajas et nawabs régnant sur de petites principautés presque oubliées des cartes, il n'y avait aucun salut. Ils avaient été les princes délaissés des Indes, les hommes pour lesquels le canon ne tonnait pas.

Mais, que tonnât ou non le canon en cet été 1947, les maharajas et nawabs des Indes s'étaient tous retrouvés logés à la même enseigne d'un irréversible adieu à une époque disparue.

15

Des hommes, des femmes et des enfants lumières du monde

Après deux années de bonheur passées à la parcourir, j'éprouvais le besoin de dire merci à l'Inde. Le succès de *Cette nuit la liberté* m'en donnait les moyens. Je décidai de faire don d'une partie de mes droits d'auteur à une œuvre indienne soignant des enfants lépreux. Tout naturellement, je me rendis à Calcutta qui comptait, hélas, plusieurs milliers de victimes de la lèpre.

J'allai avec ma femme frapper à la porte d'une vaste bâtisse grise, en plein cœur de la ville. Il était cinq heures trente du matin. Calcutta s'éveillait à peine. Sur le seuil, une plaque de bois annonçait : « MOTHER TERESA ». La sainte de Calcutta trouverait certainement une institution que ma contribution pouvait aider. Une jeune sœur indienne en sari blanc à liséré bleu nous ouvrit la porte. Un vieil homme famélique tenta de se glisser avec nous dans l'entrebâillement, mais la religieuse le repoussa gentiment, lui indiquant en bengali le centre de soins le plus proche. Puis elle nous guida jusqu'à la chapelle, au premier étage, une vaste salle où une centaine de jeunes novices récitaient des psaumes, noyés dans le vacarme des tramways et des camions passant sur l'avenue. Pour toute décoration, il y avait au mur, derrière l'autel, un simple crucifix de bois surmonté de l'inscription « J'AI SOIF ».

Je reconnus alors la légendaire silhouette agenouillée sur un vieux sac de jute rapiécé, toute ratatinée sur elle-même. Ses lèvres frémissaient d'une prière ininterrompue. Sitôt la messe terminée, Mère Teresa nous rejoignit au parloir. La fatigue d'une vie de privations, de courses épuisantes à travers le monde, de nuits sans sommeil, n'avait pas terni l'éclat de son regard si plein de foi et d'amour. Je lui exposai la raison de notre venue à Calcutta.

– *Mother*, je sais bien que ce que nous apportons n'est qu'une goutte d'eau dans l'océan des besoins...

– Mais si cette goutte d'eau ne venait pas rejoindre l'océan, elle lui manquerait. Et c'est le bon Dieu qui vous envoie, me coupa-t-elle avec une tendresse amusée.

Fichier vivant de toutes les détresses de cette ville, la religieuse n'eut pas besoin de réfléchir longtemps pour savoir qui avait besoin d'un secours financier urgent.

Le soir même, un Européen d'une quarantaine d'années, vêtu d'une chemise indienne et d'un pantalon de coton, se présenta de sa part à notre hôtel. En douze ans, l'Anglais James Stevens avait arraché à la misère et à la mort plus de mille enfants lépreux des bidonvilles de Calcutta. Ce prospère marchand de chemises et de cravates avait vendu tous ses biens et renoncé à son existence confortable en Angleterre pour consacrer sa vie à sauver des enfants promis à la déchéance totale. Le foyer qu'il avait fondé dans la banlieue de Calcutta s'appelait « Udayan », un mot hindi qui signifie « Résurrection ».

La jovialité et le teint fleuri de notre visiteur n'étaient qu'une façade masquant le drame qu'il vivait : il était à la veille de fermer son établissement et de renvoyer à leur misère les cent cinquante enfants qu'il hébergeait. Il avait épuisé toutes ses ressources personnelles et n'avait pu trouver d'aide financière pour poursuivre son œuvre. Un îlot de lumière au cœur de l'enfer était sur le point de disparaître.

Du temps des Anglais, Barrackpore était une coquette banlieue résidentielle. Quelques oasis de verdure abritant d'anciennes résidences, vestiges de la splendeur impériale, subsistaient encore au milieu du grouillement industriel d'aujourd'hui. C'est dans le grand salon lambrissé d'une vieille maison palladienne à colonnades, décrépie par des lustres de mousson, que nous accueillirent le lendemain l'Anglais James Stevens et ses petits pensionnaires.

Nous arrivions au moment le plus important de la journée, celui du déjeuner. Les cent cinquante enfants étaient assis par terre, jambes repliées en tailleur. Les mains jointes, les yeux clos, intensément recueillis, ils chantaient d'une voix aiguë. Devant chaque tête brune était posée une feuille de bananier contenant du riz, un peu de viande et de la purée de lentilles. Une ration équilibrée de saine nourriture encore inconnue de quatre cents millions d'Indiens. Stevens chantait lui aussi l'action de grâces. C'était une prière du grand poète bengali ami de Gandhi, Rabindranath Tagore. Elle affirmait : « Tout ce qui n'est pas donné est perdu ». À la fin du cantique, James récita une courte invocation en bengali. Cent cinquante petites mains s'abattirent alors sur la nourriture pour en malaxer les divers composants en une première boulette aussitôt portée à la bouche et engloutie. Hormis le bruit de mastication, le silence était total. Chaque visage était concentré sur un acte sacré, chaque bouchée rassemblée avec gravité, chaque geste accompli avec dignité.

James nous entraîna ensuite dans les dortoirs qui servaient également de salles de classe, de judo, de yoga, de gymnastique. Une image de Jésus, une autre de Vishnou et une sourate du Coran décoraient chaque pièce. Une aile de la maison abritait les ateliers où les enfants apprenaient à devenir tailleurs, mécaniciens, électriciens, des métiers qui leur garantissaient de trouver un travail à la sortie du centre et de pouvoir ainsi arracher leur famille à la misère. En Inde, un seul emploi décroché, ce sont vingt personnes sauvées. Sur les murs de l'infirmerie, des affichettes dénonçaient quelques préjugés relatifs à la lèpre. Non, la lèpre n'est pas une fatalité. Non, elle n'est pas forcément contagieuse. Non, elle n'est pas héréditaire. Non, ce n'est pas une maladie honteuse. Oui, on peut être soigné. Oui, on peut guérir de la lèpre.

Trois fois par semaine, un médecin indien venait de Calcutta administrer aux pensionnaires des soins appropriés. Un enfant sur cinq arrivait au foyer atteint des premiers symptômes, en général une dépigmentation de la peau en plusieurs endroits du corps. À cet âge, les mutilations étaient rares. Un traitement énergique à base de sulfone faisait généralement disparaître ces premiers signes en moins d'un an. Mais la lèpre n'était qu'une des nombreuses affections qui frappaient ces enfants venant de taudis sans hygiène, d'infâmes courées où ils disputaient leur nourriture aux cafards et aux rats. Ils souffraient de carences nutritionnelles qui entraînaient une kyrielle de maladies : rachitisme, tuberculoses pulmonaire et osseuse, malaria, amibiase. Certains étaient même atteints de xérophtalmie, une cécité nocturne due au manque de vitamine A.

James Stevens avait entrepris ses sauvetages à bord d'une vieille camionnette prêtée par Mère Teresa, le 21 juillet 1969, le jour même où trois hommes se posaient sur la Lune. Il s'était enfoncé dans le bidonville de Pilkhana situé près de la grande gare de Howrah. La colonie des lépreux était confinée à l'extrémité du quartier. Les premiers contacts furent difficiles. L'Anglais ne connaissait que quelques mots de bengali et de hindi. C'est par gestes qu'il dut convaincre les parents de lui confier leurs enfants pour qu'il puisse les soigner, les nourrir, les vêtir, leur apprendre à lire et à écrire.

– Je n'oublierai jamais ce premier jour, nous raconta-t-il. Les parents me regardaient d'un air méfiant, comme si je voulais voler leurs enfants et les emmener comme esclaves dans quelque pays étranger. De la part d'hommes et de femmes si démunis, cette résistance était pathétique.

Au fond d'une cahute où s'entassaient plusieurs familles, Stevens avait aperçu un garçon d'une dizaine d'années vêtu de haillons. Il vivait avec sa mère, une pauvre veuve sans doigts et au visage rongé par la lèpre. Lui-même portait déjà quelques taches sur le corps. L'Anglais fit comprendre à la malheureuse qu'il souhaitait s'occuper de son fils et le soigner. Elle haussa les épaules, l'air de dire : « Jamais il ne restera chez vous ! » James Stevens apprit par des voisins que cet enfant était un vrai petit sauvage qui disparaissait parfois pendant des mois. À la surprise générale, il accepta de partir avec l'Anglais et fut ainsi le premier pensionnaire du foyer Résurrection. Il s'appelait Budi Ram. En quelques mois, il apprit à lire et à écrire, et devint l'un des élèves les plus doués de l'atelier de mécanique automobile. Il était si habile que son bienfaiteur l'envoya parfaire son apprentissage au Panjab dans une école technique réputée. À sa sortie, il fut embauché par la firme de tracteurs Escort pour superviser l'exécution d'un important contrat au Népal. Avec ses premières économies, il acheta un lopin de terre dans la campagne proche de Calcutta et fit construire une maison pour y installer sa mère. Elle n'irait plus agiter sa sébile sur les quais de la gare voisine.

Non loin de là, Stevens amadoua un autre petit sauvageon. Laxman Singh avait huit ans, vivait seul et se nourrissait de détritus sur les tas d'ordures. L'Anglais mit des semaines à connaître son histoire. Il avait quatre ou cinq ans, lorsque ses parents l'avaient emmené avec ses frères et sœurs à la fête de la déesse Durga, la patronne hindoue de Calcutta. Dans la cohue, il avait été séparé des siens. Il ne les reverrait jamais. Voyant cet enfant perdu, un passant l'avait pris chez lui pour en faire son domestique, le contraignant à toutes les dures besognes de la maison. Laxman avait fini par s'enfuir. Il avait survécu grâce à de menus larcins et à de petits emplois dans des bistrots ou des *teastalls* de l'immense cité. Quand James le recueillit, il portait une tache de lèpre sur la joue gauche. Gonflé par les vers, son ventre ressemblait à un ballon. Il souffrait aussi d'ulcérations de la cornée. Était-il possible de le guérir ? Le médecin du foyer fit tout pour cela. Laxman Singh deviendrait plus tard l'un des meilleurs mécaniciens d'Air India.

Le premier soir, Stevens ramena neuf garçons et deux fillettes âgés de quatre à dix ans. Six d'entre eux présentaient déjà les stigmates de la terrible maladie. Il les fit asseoir en rond sur le sol du salon et leur distribua un repas. Il avait lui-même fait cuire du riz, des lentilles et un peu de poisson. Les enfants considéraient ce festin avec des regards stupéfaits. Jamais ils n'avaient vu d'assiettes aussi pleines. L'Anglais s'assit par terre au milieu d'eux et commença à manger. Apprivoiser ces rescapés de l'enfer fut difficile. Le pire vint avec la nuit. Ces petits êtres apeurés refusèrent d'abord de s'endormir et, quand enfin le sommeil les emporta, ce fut pour les plonger dans d'horribles cauchemars. Leurs cris d'effroi étaient entrecoupés de lambeaux de phrases, révélatrices des visions terrifiantes qui peuplaient leurs rêves. Il y était question de tigres, de mauvais génies, et de *bhut,* les fantômes. James allait de l'un à l'autre, épongeant les fronts en sueur. Se souvenant qu'il avait été ténor dans une troupe d'amateurs d'opéra, il leur chanta des airs de *Rigoletto,* de *La Traviata,* des mélodies de son Yorkshire natal, et les enfants s'apaisèrent.

Au fil des jours, la vie s'organisa. Bientôt, le foyer compta une trentaine de pensionnaires. Chand, un garçon de onze ans trouvé sur les docks, souffrait de tuberculose ganglionnaire et se traînait sur une planche à roulettes. Quelques mois d'une alimentation survitaminée et de soins médicaux énergiques produisirent une amélioration spectaculaire. La lèpre fut enrayée, la tuberculose stoppée. Des enfants qui, à leur arrivée, pesaient la moitié du poids normal pour leur âge retrouvèrent une croissance équilibrée. Chand put remarcher, d'abord avec des béquilles, puis sans aucune aide. Un autre enfant fut opéré à cœur ouvert. James donna son sang pour les transfusions. Autant de réussites qui se manifestèrent bientôt par un signe révélateur : les rescapés du foyer Résurrection réapprenaient à rire.

La générosité du « grand frère » blond fut bientôt connue dans toutes les colonies de lépreux. Sa camionnette était assaillie dès qu'elle apparaissait dans les ruelles. À la fin de l'année, le foyer comptait cinquante jeunes pensionnaires, hindous, musulmans et chrétiens. Stevens nous raconta le premier Noël.

– Ils avaient tous ensemble décoré la maison et confectionné une crèche magnifique. Un arbre d'Ashoka servait de sapin. Je m'étais déguisé en père Noël et j'ai remis un cadeau à chacun. Nous avions préparé un véritable banquet. Pour la première fois de leur vie, ils mangèrent ce que leurs parents trop pauvres n'avaient jamais pu leur offrir : un curry de poulet avec des légumes, et une orange.

Une nouvelle étape commença alors. James ouvrit une école composée de deux sections, l'une pour les enfants de langue bengali, l'autre pour ceux qui parlaient le hindi. Tous se retrouvaient après la classe aux cours de chant, de yoga, d'artisanat, et aux travaux d'entretien de la maison et du jardin. Pour les plus grands, James créa des ateliers d'apprentissage afin d'enseigner un métier à chacun. Il nous présenta Sultan Ali, le fils d'un tireur de pousse-pousse qui, à onze ans, était déjà un champion de la machine à coudre. Il était presque guéri de la lèpre. Comme beaucoup de musulmans, il voulait devenir tailleur. Cette orientation manuelle profitait aussi à ceux qui ne parvenaient pas à suivre un enseignement scolaire normal parce que leur sous-alimentation en bas âge avait perturbé leur développement cérébral.

En 1972, James Stevens s'enracina définitivement dans cette Inde à laquelle il avait déjà donné son cœur. Il épousa Lallita, une enseignante chrétienne, originaire du Panjab. Avec leur fils Ashwini, ils menèrent l'existence des enfants du foyer, dormant comme eux sur une natte déroulée chaque soir à même le sol, partageant leurs repas, leurs joies, leurs peines, priant avec eux les divinités hindoues, Allah le Miséricordieux et Jésus.

En 1979, un don de l'organisation suisse Frères de nos Frères permit à James d'acheter un terrain de deux hectares en pleine campagne et d'y construire un bungalow pour les enfants et deux cabanons destinés à abriter l'école et le dispensaire. Dans cet espace protégé de la pollution urbaine, il envisageait de créer une petite exploitation agricole afin de satisfaire les besoins du foyer en légumes, en œufs, en volaille et même en poisson, grâce à un élevage piscicole. Hélas, ses propres ressources étaient aujourd'hui épuisées et les organisations caritatives qui l'avaient soutenu s'étaient engagées ailleurs. Inlassablement, James chercha d'autres sources de financement. En vain. Il dut emprunter de l'argent à des taux faramineux pour nourrir ses pensionnaires.

James nous révéla qu'il allait devoir fermer le foyer et renvoyer tous les enfants à l'horreur de leurs taudis.

Bouleversée par cette nouvelle, ma femme sortit de son sac le paquet de dollars que nous avions apporté.

– Ce premier secours vous permettra de payer vos dettes, dis-je, avant d'ajouter sans trop bien réfléchir : Nous allons nous battre pour que vous ne fermiez jamais le foyer Résurrection.

Cet engagement allait changer nos vies.

*

À notre retour en France, je fondai une association régie par la Loi 1901 [1], dont le but initial était de soutenir financièrement l'œuvre admirable de cet Anglais anonyme. Pour la faire connaître, je racontai l'histoire du foyer Résurrection dans le magazine *La Vie*. À la fin de mon récit, je lançai un appel aux lecteurs :

« Si nous sommes mille à envoyer chaque année trois cents francs – le prix d'un bon repas dans un restaurant –, nous pourrons tous ensemble sauver cent cinquante enfants de la misère des bidonvilles. »

Quelques jours plus tard, notre concierge sonna à notre porte.

– Le facteur vient de décharger cinq sacs postaux dans la loge. Ils sont tous pour vous. Que dois-je en faire ?

1. Action pour les enfants des lépreux de Calcutta.
26, avenue Kléber, 75116 Paris. CCP 1590 65 C Paris.

Il nous fallut les monter jusque chez nous, au quatrième étage sans ascenseur. Des parents et amis, appelés à la rescousse, vinrent nous aider à dépouiller ce raz de marée d'enveloppes contenant des encouragements presque toujours accompagnés d'un chèque bancaire ou postal.

« Notre petite Marie a un mois aujourd'hui, écrivait un couple. Cette naissance est un appel à la vie et nous voulions qu'elle soit signe de joie et de partage. Nos amis et notre famille ont remplacé le traditionnel cadeau de bienvenue à Marie par une obole pour l'action de James Stevens à Calcutta. Voici l'ensemble de nos dons. Nous savons que c'est une goutte d'eau, mais elle est signe de vie. »

Un couple d'Évreux confiait que le baptême de leur fils Simon avait été pour eux l'occasion de réfléchir à la situation d'autres enfants qui n'avaient pas eu la chance de naître dans un pays riche. « Nous avons alors demandé à nos familles, à nos amis, à notre communauté chrétienne, que le cadeau de baptême de Simon soit de participer à un don pour les enfants du tiers monde et plus précisément ceux du foyer Résurrection de James Stevens. »

Madeleine Maire, de Sainte-Colombe, envoyait le produit de la collecte faite parmi les parents et amis venus veiller son mari après sa mort. « Jean-Marie était guide de haute montagne, écrivait-elle. Le 13 septembre 1981, il a été emporté par une avalanche dans le massif du Mont-Blanc. C'était un homme bon et dévoué qui avait le souci des autres. Que les enfants de James Stevens sachent qu'ils ne seront pas abandonnés. »

Un correspondant joignait à son obole une photo de trois enfants à la peau sombre rayonnants de joie de vivre. « Nous nous sentons concernés, disait-il, car nous avons adopté deux enfants indiens de Pondichéry et une petite fille du Guatemala. Ils nous apportent tant de bonheur que nous voudrions que tous les enfants du monde puissent eux aussi connaître un avenir heureux. Poursuivez votre action avec courage. Nous sommes avec vous. »

Une grand-mère avait envoyé toutes ses économies.

Une mère inconsolable qui venait de perdre sa fille souhaitait que l'argent qu'elle aurait dépensé pour elle « serve à aider d'autres enfants à grandir et à apprendre à sourire ».

« J'ai pris tout l'argent de ma tirelire pour le donner aux enfants de Calcutta, écrivait de son côté Laurent, un garçon de douze ans. Ce n'est pas beaucoup, mais je penserai à eux dès que je pourrai encore faire un envoi. »

Ils étaient des centaines, les enfants comme Laurent, qui avaient cassé leur tirelire. Parfois, c'était toute une classe qui adressait le produit d'une collecte. Marie-Josée Hayes, dix-neuf ans, envoyait la moitié de son premier salaire et sa mère ajoutait un chèque en souvenir de son fils Jean-Louis « mort il y a cinq ans dans un accident de mobylette alors qu'il allait participer à une réunion d'entraide. Il rêvait d'un monde plus juste, plus fraternel. En son nom, je continuerai à vous aider ».

« Je ne suis qu'une femme de ménage, confiait quelqu'un d'autre, mais c'est avec joie que je travaillerai quelques heures de plus pour les enfants de votre monsieur James. »

Des smicards se privaient du minimum, des personnes âgées partageaient leurs économies, un anonyme avait mis dans une enveloppe un paquet de bons du Trésor, un monsieur deux billets de cent francs avec un mot priant James Stevens d'accepter « un peu de notre superflu afin de faire vivre tous ses enfants ».

Une enveloppe contenait un chèque avec cette explication : « Je viens de toucher la somme de quarante-quatre mille francs de ma compagnie d'assurances en dédommagement d'un vol. Je vous l'envoie pour James et ses enfants. »

Des personnes offraient de parrainer un enfant, d'autres d'aller à Calcutta travailler bénévolement au foyer Résurrection.

« Nous avons entre neuf et dix ans, disaient dans une lettre collective les élèves d'une école, et nous parlons beaucoup de ceux qui sont moins favorisés que nous. Dites aux enfants de Calcutta que nous les aimons et les aiderons de toutes nos forces. Dites surtout à M. Stevens de ne pas perdre courage. »

L'association que je venais de fonder se trouvait d'un coup soutenue par près de trois mille donateurs dont les fiches remplirent bientôt plusieurs boîtes à chaussures. Je n'avais plus qu'à envoyer à notre ami James le plus beau télégramme de ma vie : « Foyer Résurrection sauvé. Vous pouvez même prendre cinquante enfants de plus. Nous arrivons. »

Une kermesse chez les lépreux

Cinquante têtes brunes sous une banderole qui proclamait en grosses lettres rouges : « WELCOME TO OUR FRENCH BROTHER AND SISTER », nous attendaient à l'aéroport de Calcutta. La chaleur de cet hommage se prolongea au foyer où les enfants avaient organisé un programme de danses, de jeux, de compétitions sportives. James avait invité leurs parents à se joindre à la fête. Aucune présence ne pouvait nous faire sentir plus intensément les liens qui nous unissaient désormais à notre famille indienne. Ces pères et ces mères qui entouraient leur progéniture débordante de vie n'avaient plus de pieds, plus de doigts, plus de nez. Mais ils étaient très dignes et si fiers de leurs enfants.

Pour nous aider à comprendre quel joyau représentait ce foyer Résurrection, James nous proposa de l'accompagner dans la colonie de lépreux où il avait recueilli ses premiers pensionnaires et où il emmenait deux garçons, Raju et Mohan, voir leurs parents. De l'extérieur, rien ne la différenciait du bidonville à la périphérie duquel elle était implantée. C'était pourtant un ghetto d'une espèce singulière. Aucun habitant bien portant n'y pénétrait jamais. Entassés à dix ou douze par pièce, les six cents lépreux y vivaient dans une ségrégation totale. Une vision dantesque de visages défigurés, de pieds et de mains réduits à l'état de moignons, de plaies parfois purulentes et couvertes de mouches. Sous des auvents de fortune, à même le sol ou sur des nattes, ces êtres meurtris s'activaient aux tâches quotidiennes. Le spectacle était peu de chose à côté de l'odeur, des relents mêlés de pourriture, d'alcool et d'encens à nous soulever le cœur. Pourtant, comme si souvent dans ce pays, le sublime côtoyait l'insupportable : au milieu des détritus et des déjections, des enfants jouaient aux billes en riant aux éclats.

Notre arrivée mit la colonie en émoi. Une foule d'éclopés, d'aveugles, de manchots, d'unijambistes accourut pour avoir un *darshan*, une communion visuelle, avec le grand-frère James et ses amis. On nous souriait et ces sourires n'avaient rien de forcé ni d'implorant. Certains frappaient dans leurs mains atrophiées pour applaudir.

D'autres se bousculaient pour s'approcher et nous toucher. Le jeune Raju nous présenta sa mère, un petit bout de femme atrocement mutilé. Elle n'avait plus de doigts et sa face rongée ressemblait à un masque de momie. Mais son sourire éclatant faisait oublier sa disgrâce. Dominique alla vers elle et la serra dans ses bras. Le geste était doublement surprenant. Non seulement il transgressait l'habituelle retenue des Indiens, mais surtout il s'adressait à un être « maudit », un paria parmi les parias.

Notre visite tourna à la kermesse. Un groupe de musiciens nous donna une aubade de flûtes et de tambourins. Devant la porte d'une cahute, un vieillard presque aveugle poussa vers moi un enfant de trois ans qu'il venait d'adopter. L'homme mendiait devant le temple de Kali quand, un matin, ce gosse rachitique s'était réfugié auprès de lui comme un chien perdu sans collier. Bien que malade et dénué de tout, il avait pris le petit garçon sous sa protection. Un peu plus loin, nous fûmes éblouis par le spectacle d'une fillette qui massait de ses doigts encore intacts le corps décharné de son petit frère. Dans une courée, quatre hommes jouaient à la belote. Les cartes voltigeaient entre leurs moignons avant de retomber sur le sol dans un concert d'exclamations et de rires. Comment tant de vitalité, tant de joie de vivre pouvaient-elles surgir d'une telle abjection ? Ces gens étaient la vie. La VIE en majuscules. La vie qui palpite, qui tourbillonne, qui vibre comme elle vibrait partout ailleurs à Calcutta. De nombreux habitants de cette colonie de lépreux venaient du Bengale, du Bihar, de l'Orissa, du Sud. La plupart n'avaient jamais reçu de soins.

James était fêté comme le grand frère envoyé du Ciel. Des jeunes filles lui passaient des guirlandes d'œillets autour du cou. Les familles des pensionnaires du foyer avaient décoré l'entrée de leurs logis d'un parterre de *rangoli,* ces magnifiques dessins géométriques tracés sur le sol avec de la farine de riz et des poudres de couleur. L'apparition du bienfaiteur donna lieu à une scène pathétique. Une jeune femme en sari jaune lâcha ses béquilles pour se jeter à ses pieds et essuyer la poussière de ses sandales avant de porter sa main à son front et sur son cœur. James se pencha pour l'aider à se relever tandis que Dominique lui rendait ses béquilles. La jambe droite de cette malheureuse était amputée jusqu'au genou. Son visage intact était d'une beauté aussi pure que celui d'une madone de Raphaël. Un petit garçon rachitique s'accrochait aux plis de son sari.

– *Dadah*, Grand frère, prends-le, je t'en prie, prends-le, pour l'amour de Dieu ! implora la lépreuse en bengali.

Elle expliqua à James que son mari l'avait abandonnée, et qu'elle n'avait plus rien à donner à manger à ses enfants. Nous étions bouleversés. J'avais envie de crier à notre ami anglais d'accepter la demande de cette mère, que nous trouverions bien les quelques centaines de francs nécessaires à la prise en charge de son enfant, qu'il y avait en France et ailleurs des familles qui partageraient leur superflu pour arracher ce gosse à son destin tragique. Mais je n'osai intervenir. C'était James qui vivait à Calcutta, pas moi. C'était lui qui affrontait chaque jour la détresse de ses habitants. Le suspense se prolongea. Je voyais que James était déchiré. Plusieurs dizaines de lépreux faisaient cercle autour de nous. Les effluves nauséabondes et la chaleur rendaient l'air irrespirable. Dominique était devenue livide.

James prit l'enfant dans ses bras et lui parla doucement. Le visage de sa mère s'illumina d'un sourire éblouissant. Que cette femme était belle !

– *Thank you, dadah*, dit-elle en saluant de ses deux mains jointes qu'elle porta à son front puis devant son cœur.

Je pensai à cette phrase de Mère Teresa : « Sauver un enfant, c'est sauver le monde. »

Le royaume de misère du « grand frère » blanc

Avec ses ruelles rectilignes, ses maisons basses construites autour d'une petite cour, ses toits de tuiles plates, le reste du bidonville ressemblait à une cité ouvrière. D'après les statistiques municipales, il constituait l'une des plus fortes concentrations humaines de la planète : soixante-dix mille personnes entassées sur un espace à peine plus étendu que trois terrains de football, un environnement si pollué que nos yeux et nos gorges brûlèrent de picotements immédiats ; des taudis sans eau, sans électricité, sans fenêtres ; des venelles bordées d'égouts à ciel ouvert. J'imaginai cet endroit écrasé par la fournaise de l'été, noyé dans le déluge de la mousson, les allées et les gourbis transformés en lacs de boue et d'excréments. J'imaginai la puanteur, les maladies, les épidémies dues à la présence de centaines de bufflesses confinées dans des étables sordides, propagées par des hordes de rats, de cafards et autre vermine. James Stevens nous apprit qu'ici l'espérance de vie n'atteignait pas quarante ans. Neuf personnes sur dix disposaient de moins d'une roupie par jour (quatre-vingts centimes) pour faire cuire un peu de riz. Les habitants de ce bidonville étaient presque tous des paysans chassés de leurs terres par un des fléaux climatiques – sécheresse, cyclone, inondation – si fréquents dans cette région du monde. Ce lieu m'apparut comme l'antichambre de l'enfer.

James nous entraîna à travers les ruelles grouillantes jusqu'au fond d'une courée. Là, dans un réduit de deux mètres sur un mètre cinquante, sans eau ni électricité, sans fenêtre ni meuble, pas même un lit de camp, vivait un Suisse de quarante-quatre ans. Son extrême pâleur, sa maigreur et sa longue chemise indienne le faisaient ressembler à quelque routard sur le chemin de Katmandou. Il s'appelait Gaston Grandjean.

– Désolé, les amis, mais ici on ne reçoit pas les touristes ! lança-t-il en nous apercevant.

Pauvre Gaston ! Comment aurait-il pu se douter que l'arrivée de ces deux étrangers allait quelque peu chambouler son existence ?

Depuis douze ans, l'infirmier Gaston Grandjean et les travailleurs sociaux indiens qu'il avait formés au service des plus déshérités parcouraient sans relâche ce quartier surpeuplé. L'insalubrité, la malnutrition, les superstitions, le manque d'hygiène ne laissaient aucun répit à cet autre « grand frère blanc ». Il lui avait pourtant fallu plusieurs mois pour se faire accepter. Les gens se demandaient ce qui pouvait pousser le citoyen d'un pays riche à venir partager leur extrême pauvreté. Le bruit courait qu'il était fiché à la police, à la fois comme espion de la CIA, comme taupe maoïste et comme missionnaire militant chargé de convertir pour le compte de Jésus-Christ.

Personne ne savait vraiment comment ce fils d'ouvriers du Valais avait échoué dans ce bidonville indien. Adolescent, il voulait être missionnaire, mais les pères blancs de Fribourg l'en avaient dissuadé à cause de sa santé précaire. Il était parti travailler dans les mines de charbon du nord de la France avec les immigrés maghrébins, turcs et yougoslaves, puis dans une aciérie de la région parisienne. Une rencontre avait alors orienté son besoin d'aider ceux qui souffrent.

Fondée à la fin du siècle dernier par un prêtre lyonnais nommé Antoine Chevrier, la Fraternité du Prado rassemble des religieux et des laïcs consacrés qui ont fait le vœu de « rejoindre les plus pauvres et les plus déshérités là où ils sont, de vivre la même vie qu'eux, et de mourir avec eux ». Séduit par cet idéal, le jeune Suisse rejoignit les rangs du Prado. Il étudia l'espagnol et le portugais dans l'espoir d'être envoyé dans les bidonvilles ou les favelas d'Amérique du Sud. Mais c'est en Inde qu'on lui demanda de se rendre, après qu'il eut reçu une formation d'infirmier.

Avec pour seul bagage une musette contenant un exemplaire des Évangiles, un rasoir et une brosse à dents, il y débarqua un matin de l'hiver 1972. Quelques jours plus tard, il s'était installé dans ce bidonville de Calcutta. La guérison d'une petite voisine presque aveugle et sa solidarité dénuée de tout prosélytisme surmontèrent peu à peu la méfiance des habitants. La réserve du Suisse à notre égard risquait d'être plus difficile à désarmer. Un incident vint heureusement à notre secours. Gaston venait de commencer sa consultation dans son dispensaire de fortune quand une fillette arriva en courant.

– *Dadah,* viens tout de suite ! cria-t-elle, hors d'haleine. Sunil est en train de mourir.

L'infirmier rendit à sa mère le bébé qu'il venait d'examiner, attrapa sa trousse de premiers secours, bondit dans la ruelle et, nous apercevant, demanda :

– Vous avez une voiture ?

Il nous fallut plus d'une heure pour atteindre le bidonville où habitait le mourant. Ce robuste garçon de vingt ans habitué à tirer de lourdes charges sur son cyclo-pousse n'était plus qu'un spectre décharné. Ses yeux révulsés ne laissaient voir que le blanc. Sa mère, très digne, pleurait doucement en lui épongeant le front et les joues. Le malheureux était atteint d'une septicémie gazeuse. Il ne respirait plus que par saccades. Sa fin paraissait imminente. Les membres de sa famille étaient désemparés. Gaston remplit une seringue de Coramine pour lui soutenir le cœur, mais il eut du mal à faire l'injection, car le pauvre garçon n'avait plus que la peau sur les os.

– Nous connaissons un dispensaire où vient d'arriver un médecin allemand, dis-je. Peut-être qu'il...

Le Suisse m'interrompit :

– Emmène-le ! On ne sait jamais. Moi, je m'occupe des parents.

Dominique s'installa sur la banquette arrière et je déposai le mourant dans ses bras. Les embouteillages de cette ville en état d'asphyxie permanente nous forcèrent à rouler au pas pendant des kilomètres, alors que chaque minute, chaque seconde comptait. La respiration de Sunil devint de plus en plus irrégulière. Dominique caressait son visage immobile comme pour lui insuffler sa propre vie. « Accroche-toi, accroche-toi, petit frère », murmurait-elle inlassablement.

Notre chauffeur tentait des manœuvres insensées pour grignoter quelques dizaines de mètres. Le petit temple qui nous servait de repère avec ses quatre clochetons en forme de tulipe apparut enfin et, aussitôt après, le passage menant au dispensaire. Je bondis de la voiture et traversai la cour des miracles qui assiégeait la salle de consultation. Un jeune Européen blond était en train d'ausculter un enfant au ventre gonflé.

– Docteur, il y a un mourant dans notre voiture. Je vous en prie, venez vite !

Le médecin allemand se leva sans poser de questions. Il prit Sunil des bras de ma femme puis, tranquillement, dit :

– Merci, je vais m'en occuper [1].

*

Ce simple geste de solidarité nous valut la sympathie de l'infirmier suisse. Nous n'étions plus à ses yeux des

1. Ce n'est que plusieurs mois plus tard, à l'occasion d'une nouvelle visite au Bengale, que nous avons connu l'épilogue de notre tentative de sauvetage. Soudain, sur une diguette entre deux rizières, nous avons vu apparaître un cyclo-pousse chevauché par un grand garçon athlétique. Quelqu'un nous a dit : « C'est Sunil ! » Le garçon a sauté de sa machine et s'est précipité vers nous. Son père et sa mère accoururent peu après. Nous étions bouleversés. Pour la première fois de ma vie, j'eus le sentiment d'avoir directement contribué à sauver une vie humaine.

touristes venus prendre un bain de misère exotique avant de retourner à leur confort de nantis. Il nous accueillit avec un sourire amical lorsque nous revînmes le voir. Ce jour-là, un Indien décharné, serré dans un dhoti à carreaux bleus, un châle de coton ramené autour du cou, était assis en tailleur dans sa chambre et priait devant la reproduction du saint suaire de Turin qui ornait l'un des murs. C'était Krishna, le plus proche voisin de Gaston, un ancien marin originaire du Sud. Au cours d'une escale, il avait échoué dans ce bidonville. Bien qu'hindou, il venait régulièrement se recueillir devant cette image du Christ flagellé qui exprimait si bien la souffrance des habitants de ce quartier. « *Ram... Ram... Ram...* (Dieu, Dieu, Dieu) », répétait-il inlassablement entre les quintes d'une toux caverneuse qui secouaient sa frêle carcasse. Il occupait la chambre voisine avec sa femme et leurs cinq enfants. Il était au dernier stade de la tuberculose. Trois fois, Gaston l'avait conduit au mouroir de Mère Teresa. Trois fois, il en était ressorti avec assez de forces pour rentrer chez lui à pied.

Convaincu de la sincérité de nos sentiments envers l'Inde, et de notre réelle volonté de lui manifester notre reconnaissance en aidant les plus démunis, Gaston accepta de nous faire connaître son royaume de misère. Un pourrissoir, ce royaume ? Une fourmilière en folie, plutôt. Partout, devant chaque masure, chaque échoppe, dans une succession de petits ateliers, des gens étaient affairés à vendre, marchander, fabriquer, bricoler, réparer, trier, nettoyer, clouer, coller, percer, porter, tirer, pousser. Ici, c'étaient des enfants occupés à découper des feuilles de laiton pour en faire des ustensiles de cuisine ; là, des adolescents qui confectionnaient des pétards en s'empoisonnant lentement à force de manipuler des substances toxiques. Près de chez Gaston, dans le fond d'un local sans lumière, des hommes luisant de sueur laminaient, soudaient, ajustaient des pièces de ferronnerie dans une odeur d'huile brûlée et de métal chauffé à blanc. À côté, dans un appentis sans aération, une dizaine de vieillards assis en tailleur roulaient des *bidi*, ces minuscules cigarettes indiennes.

– Presque tous des tuberculeux ! expliqua Gaston. Ils n'ont plus la force de manœuvrer une presse ou de tirer un pousse-pousse, alors ils roulent des cigarettes. À condition de ne jamais s'arrêter, ils parviennent à en produire jusqu'à mille trois cents par jour. Pour mille bidi, ils reçoivent moins de dix francs.

Un peu plus loin, cinq ouvriers étaient en train d'élargir à la pioche l'entrée de l'atelier où ils avaient forgé une hélice de navire d'au moins deux mètres d'envergure. Ils ripèrent le mastodonte et le basculèrent sur un char à bancs. Trois coolies s'arc-boutèrent alors dans un effort désespéré pour faire démarrer le charroi. Les roues tournèrent enfin. Le patron de l'atelier parut soulagé de ne pas avoir à engager un quatrième coolie pour livrer sa marchandise. Mais je frémis à l'idée de ce qu'il allait advenir des trois malheureux quand ils arriveraient au pied de la rampe du pont de Howrah.

Combien de temps me faudrait-il pour découvrir tous les lieux où des forçats de tous âges passaient leur vie à fabriquer des ressorts, des pièces de camion, des boulons, des réservoirs d'avion, et même des engrenages de turbines au dixième de micron. J'en avais le vertige : toute une main-d'œuvre d'une habileté, d'une ingéniosité, d'une débrouillardise inimaginables assemblait, reproduisait, réparait n'importe quelle pièce, n'importe quelle machine.

– Ici, rien ne va jamais à la casse, commenta Gaston. Tout renaît toujours comme par miracle.

Après deux heures d'exploration, nous étions comme ivres. Ce bidonville était un laboratoire de survie. Nous y revînmes le lendemain et les jours suivants pour faire de nouvelles découvertes, de nouvelles rencontres avec les êtres de lumière qui le peuplaient. Telle Bandona, cette radieuse infirmière assamaise de vingt-deux ans aux yeux bridés, venue des hauts plateaux de l'Himalaya pour soulager les détresses, et que les habitants du bidonville avaient surnommée « l'Ange de miséricorde ». Ou ce simple d'esprit qui se promenait nu en administrant sa bénédiction aux passants. Ou Margareta, drapée dans son sari blanc de veuve, qui recueillait dans son taudis les orphelins de ses voisins emportés par la maladie. Ou Ashish et Shanta Gosh, un jeune couple qui passait son temps libre à panser les plaies des lépreux. Ou cette adorable petite Padmini qui, à peine âgée de huit ans, se levait chaque jour à l'aube pour contribuer à la survie de sa famille.

Un matin, nous avons voulu savoir où Padmini allait de si bonne heure et nous l'avons suivie. Elle escaladait le remblai des voies ferrées toutes proches pour glaner entre les rails les résidus de charbon tombés des locomotives pendant la nuit. Sa mère vendait ce misérable trésor pour acheter le peu de riz qui empêchait ses enfants de mourir de faim. Comme toutes les Indiennes de son âge, Padmini vaquait ensuite aux travaux domestiques. Elle allait chercher l'eau à la fontaine, récurait les ustensiles de cuisine, nettoyait l'unique pièce familiale, débarbouillait et épouillait ses plus jeunes frères et sœurs, ravaudait leurs haillons. Parmi toutes ses tâches, la plus émouvante était le massage quotidien qu'elle administrait au dernier-né de la famille, le petit Santosh. Padmini s'asseyait alors au bord de la ruelle et allongeait l'enfant sur ses cuisses. Elle humectait ses paumes de quelques gouttes d'huile de moutarde et commençait à le masser. Habiles, souples, attentives, ses mains remontaient et descendaient le long du corps maigrelet. Travaillant tour à tour comme des vagues, elles partaient des flancs du bébé, traversaient sa poitrine et remontaient vers l'épaule opposée. Entre les regards de la fillette et du bébé passait comme une flamme : on aurait dit qu'ils se parlaient avec leurs yeux. Padmini faisait ensuite pivoter son petit frère sur le côté, lui étendait les bras et les massait délicatement. Puis elle s'emparait de ses mains qu'elle pétrissait avec les pouces. Le ventre, les jambes, les talons, la plante des pieds, la tête, la nuque, le visage, les ailes du nez, le dos, les fesses étaient successivement caressés, vivifiés par les doigts souples et dansants. C'était un hymne à la vie, un spectacle de tendresse et d'amour, dont l'apothéose était le sourire béat de cette enfant qui savait être maman bien avant d'avoir l'âge d'être mère.

Un autre jeune protégé de Gaston nous entraîna sur le terrain de ses exploits quotidiens : la décharge de Calcutta. Nissar avait neuf ans et n'avait jamais pu aller à l'école. Pour gagner sa vie, il était chiffonnier. Avec des dizaines d'autres garçons et filles, sous un soleil de feu et dans une puanteur insoutenable, il fouillait à mains nues les monceaux d'ordures apportés par les camions jaunes de la municipalité, dans l'espoir d'y trouver des débris susceptibles d'être vendus. Nissar et ses camarades n'hésitaient pas à ramper sur les ordures pour se glisser derrière les pelles des bulldozers afin d'être les premiers à explorer la manne déversée. Chacun avait sa spécialité.

Nissar ramassait les bouts de plastique, d'autres s'occupaient du verre, du bois, du papier, du métal, des chiffons, des vieux tubes de dentifrice, des piles usagées, du caoutchouc. À la fin de la journée, tous apportaient leurs paniers aux revendeurs qui venaient sur place acheter leur pitoyable récolte pour quelques roupies.

Parmi tous ceux qui faisaient fête à Gaston au hasard des ruelles, le plus fervent était un gnome à barbichette. Surnommé « Gunga (le Muet) », il débordait de vitalité et de joie de vivre. Il était arrivé dans le bidonville après une terrible inondation où il avait failli se noyer. Chaque soir, une famille lui offrait une assiette de riz et un coin de toit sous lequel il pouvait dormir à l'abri. Gunga devint aussi notre ami. Ses cris de joie dès qu'il nous apercevait nous attachèrent chaque jour davantage à l'humanité poignante de ce quartier.

Dans ce monde en apparence si sordide, je devais trouver plus de courage, plus de générosité, plus de sourires, et finalement peut-être plus de bonheur que dans notre riche Occident. Gaston nous raconta que, quelque temps après son arrivée, des voisins étaient venus le voir dans sa chambre :

– Grand frère, avait déclaré l'un d'eux, nous voudrions réfléchir avec toi à la possibilité de faire quelque chose d'utile pour les habitants de notre quartier.

Quelque chose d'utile ? Dans ce lieu où sévissaient la tuberculose, la lèpre, la dysenterie, où toutes les maladies de carence réduisaient l'espérance de vie à l'un des niveaux les plus bas du monde, tout était à faire. Il fallait un dispensaire et une léproserie. Il fallait distribuer du lait aux enfants rachitiques, installer des fontaines d'eau potable, multiplier les latrines, expulser les vaches et les bufflesses propagatrices de tuberculose...

– Je vous suggère de faire un sondage autour de vous, afin de savoir ce que souhaitent les gens en priorité, avait répondu Gaston.

Les résultats se firent connaître trois jours plus tard. Ce que voulaient d'abord les hommes et les femmes du bidonville, ce n'était pas une amélioration de leurs conditions de vie. La nourriture dont ils avaient faim était d'abord celle de l'esprit. Ce qu'ils souhaitaient avant tout, c'était une école du soir pour que leurs enfants, qui travaillaient de jour dans les ateliers et les *teashops*, puissent apprendre à lire et à écrire.

Gaston invita les familles concernées à chercher un local qui pût servir de salle de classe et proposa de consacrer ce que lui avaient laissé des amis de passage à la rémunération de deux instituteurs. C'était sans doute la seule école de ce genre qui existât au monde. Trop exiguë pour accueillir plus d'une vingtaine d'enfants à la fois, elle restait ouverte du soir jusqu'à l'aube.

*

Après *Paris brûle-t-il?*, *... Ou tu porteras mon deuil, Ô Jérusalem*, *Cette nuit la liberté,* ces récits historiques qui reconstituaient le combat de millions d'hommes pour leur liberté, j'ai senti que c'était la bataille quotidienne des soixante-dix mille inconnus de ce bidonville que je devais raconter. La saga de ces êtres sans voix qui avaient eu la malchance de naître dans cette région infortunée de la planète, mais dont le courage, l'amour, la foi et la dignité étaient des exemples pour tous les hommes de notre temps. Et tout d'abord pour nous, les nantis, qui ne savions plus toujours voir la valeur des choses et qui oublions trop souvent d'apprécier notre bonheur.

Je savais que Larry Collins avait pris goût au genre romanesque avec *Le Cinquième Cavalier,* et qu'il avait en tête une idée de livre sur un épisode de la Seconde Guerre mondiale [1]. Nous pourrions toujours nous retrouver plus tard pour retracer ensemble d'autres grands événements historiques. Ma femme Dominique soutint mon projet avec enthousiasme, d'autant plus que j'avais décidé d'offrir la moitié de mes futurs droits d'auteur au foyer Résurrection de James Stevens et à des actions destinées à améliorer les conditions d'existence des habitants des bidonvilles.

De retour à Paris, je contactai les différents éditeurs français et étrangers des ouvrages que j'avais écrits avec Larry. Tous auraient préféré me voir repartir sur les chemins d'une grande enquête historique avec mon partenaire américain. Tous, sauf Robert Laffont, complice au soutien aussi fidèle qu'inconditionnel, et mon conseiller littéraire américain, Morton Janklow. Ce dernier, après avoir lu le synopsis que je lui avais envoyé, m'assura que

1. Son livre s'appellera *Fortitude.* Il connaîtra un grand succès et sera adapté à la télévision.

ce témoignage pourrait bien être « un des plus grands succès de cette fin de siècle ». L'hyperbole me fit sourire.

Cela nous encouragea, Dominique et moi, à refaire nos valises et à repartir pour Calcutta.

Trois étoiles au *Guide Michelin*

Afin de me plonger d'un coup dans la réalité, je décidai de passer ma première nuit d'enquête avec Gaston, en plein cœur du bidonville. Il me donna rendez-vous devant le cinéma de la Great Trunk Road. L'édifice était assiégé par une foule bruyante. Pour la moitié d'une roupie, à peine quarante centimes, on venait ici oublier la faim qui tord le ventre.

– Les inspecteurs du *Guide Michelin* ne nous ont pas encore honorés de leur visite et ils ont bien tort, me dit avec malice Gaston qui voulait absolument me présenter son bidonville sous le meilleur jour. – Il pouffa de rire. Ainsi, ce soir, nous dînons chez le Maxim's du coin !

– Pour un religieux qui s'est fait l'apôtre des pauvres, tu as l'air rudement au courant ! m'étonnai-je. Tu connais Maxim's !

Le décor rendait notre échange complètement surréaliste. Nous étions attablés face à face sous une ampoule noircie de chiures de mouches, dans une pièce enfumée, meublée d'une dizaine de tables toutes occupées par des ouvriers et des coolies. Un ventilateur fatigué brassait un air torride chargé de relents de friture. Trônant au bout de la pièce sur un tabouret de bois, le patron ventripotent en maillot de corps touillait le contenu d'une énorme bassine où mijotait le plat du jour, un ragoût de couenne de buffle.

– Pour une roupie, tu as toutes les protéines du monde là-dedans, commenta le Suisse en se brûlant les doigts pour confectionner une boulette aussi consistante que possible.

Il était difficile de savoir avec précision ce que nous mangions, mais Gaston ne tarissait pas d'éloges sur les vertus de cette gélatine épicée qui enflammait le palais. Je m'étais souvent demandé ce qui poussait les Indiens à abuser à ce point des condiments. Un soir, dans un bistrot de Madras, j'avais compris. L'odeur provenant de la cuisine ne m'avait laissé aucun doute. La viande servie était avariée. Mais elle était épicée de tant de piments, de poivre et de curry que personne ne s'en rendait compte. De tout temps, les épices avaient pallié en Inde l'absence de réfrigérateurs.

La traversée du bidonville jusqu'à la chambre de Gaston fut, après ces agapes, une promenade inoubliable. À chaque pas, des gens saluaient joyeusement le grand frère d'Occident qui partageait leur condition. Certains se contentaient de toucher son vêtement avec respect. Pieds nus dans des sandales à trois roupies, la taille serrée dans un simple pagne de coton, il était celui qui savait les soigner, les apaiser, les soulager, les guérir.

À tout instant, une porte ouverte dans un mur de torchis me dévoilait dans une quasi-obscurité le spectacle d'une trentaine d'enfants accroupis autour d'une lampe à pétrole, déclamant les lettres de l'alphabet et apprenant à compter sous la direction d'un mollah à barbiche ou d'un instituteur hindou à calot blanc. Depuis que l'infirmier suisse avait créé sa première école, ces petites salles de classe où les enfants se relayaient toutes les deux heures s'étaient multipliées.

La chambre de Gaston avait un air de fête. En l'honneur de ma venue, Nirmala, la fille aînée de l'hindou Krishna, son voisin tuberculeux, avait dessiné à la craie sur la terre battue une grande fleur de lotus et décoré d'une guirlande de pétales de jasmin l'icône d'une « Vierge de tendresse » posée sur le petit oratoire. Elle avait aussi allumé la bougie à côté du livre ouvert des Évangiles. Cette attention était habituelle. Nulle part je n'avais observé autant de respect pour les manifestations de Dieu que dans ce bidonville. Tout, ici, baignait dans une surprenante spiritualité. J'avais remarqué qu'à chaque appel du muezzin lancé du minaret de la mosquée au cœur du quartier, les femmes récitaient, depuis le seuil de leurs foyers, des sourates du Coran. À toute heure de la journée, on entendait psalmodier dans les venelles et les courées ces *Ôm... ôm... ôm...* hindous, invocations mystiques qui permettent d'entrer en contact avec Dieu tout en vous apportant la paix intérieure. Gaston lui-même égrenait régulièrement des ôm, les accompagnant de temps à autre du nom de Jésus.

– C'est pour moi une façon de rejoindre la prière des pauvres qui approchent et vivent Dieu en permanence, m'expliqua-t-il.

Gaston dormait à même le sol de terre battue. Il conservait ses quelques possessions – un peu de linge, son blaireau et son rasoir, une bible de Jérusalem –, dans une cantine en fer-blanc où les cafards avaient réussi à s'infiltrer. L'été, les cataractes de la mousson qui font déborder les latrines et les égouts, et qui transforment le bidonville en un lac d'excréments, l'obligeaient à se réfugier sur un échafaudage de planches posées sur des briques. L'absence de fenêtre l'obligeait à laisser sa porte toujours ouverte. Pendant neuf mois de l'année, la température dans la pièce dépassait quarante degrés centigrades avec un taux d'humidité atteignant presque cent pour cent.

J'avais de la chance : nous étions en hiver. Un hiver jugé glacial par Gaston et les habitants : la nuit, le thermomètre descendait jusqu'à dix degrés. Température polaire pour cette population aux pieds nus, sans vêtements chauds, qui couchait par terre sur une natte, dans des cases humides. Au coin des ruelles, des habitants faisaient brûler des détritus pour tenter de se réchauffer. Mais le pire, c'était la pollution que la couche d'air froid faisait retomber sur le *slum* [1]. L'épaisse fumée que dégageaient les galettes de bouse de vache servant à cuire les aliments emprisonnait chaque soir le quartier dans un voile âcre qui brûlait les yeux et les gorges. Un bruit dominait alors tous les autres, celui des quintes de toux déchirant les poumons. C'était impressionnant.

Le vacarme habituel reprit ses droits avec l'extinction des fourneaux à bouses de vache. C'était une assourdissante cacophonie où se mêlaient les voix des femmes toujours stridentes, les cris des enfants, les disputes, les altercations entre les consommateurs du débit clandestin d'alcool installé par le parrain local au fond de la courée, la surenchère des haut-parleurs, les sirènes des trains passant le long du bidonville, le vrombissement des machines dans les ateliers voisins, la fanfare d'une procession, les aboiements des chiens, les appels des marchands ambulants, des montreurs d'ours, de singes, des charmeurs de serpents...

Gaston s'était assis en lotus, les jambes repliées sous ses cuisses, dans cette position si inconfortable pour des Occidentaux n'ayant pas pratiqué le yoga. J'avais mis en route mon magnétophone pour capter le concert de

1. Mot indien désignant un bidonville.

bruits qui nous assaillait. De grosses voix masculines nous arrivaient aussi de la chambre d'en face. Intrigué, je décidai d'aller voir. Assises en rond, quatre personnes vêtues de saris très colorés jouaient aux cartes à la lumière d'une lampe tempête. Leurs joues étaient maquillées d'une poudre écarlate et, au moindre geste, leurs poignets tintinnabulaient du cliquètement d'innombrables bracelets.

– Tu ne te doutais pas que tu allais passer la nuit en compagnie d'eunuques ? commenta Gaston avec malice.

– Des eunuques ici ?

– Parfaitement ! Même dans ton paradis excentrique de Saint-Tropez, tu n'aurais pas cette chance !

– Pourquoi « cette chance » ?

– Parce que les eunuques jouent un rôle très important dans la vie du bidonville. Les hindous leur attribuent des pouvoirs purificateurs, entre autres celui d'effacer chez les nouveau-nés les fautes accumulées dans leurs incarnations précédentes. Les familles ne manquent jamais de faire appel à leurs services lors d'une naissance. Et ils se font payer chaque fois une petite fortune.

Ma présence avait attiré la curiosité de ces insolites voisins. L'un d'eux s'était levé pour apporter à Gaston des bâtonnets d'encens allumés qu'il planta devant l'icône de la Vierge. Une odeur suave un peu écœurante se répandit dans la chambre. Par ce geste, les eunuques rendaient hommage au saint homme qui vivait dans la courée.

La tête et les épaules enveloppées d'un châle de laine marron, les yeux clos, le visage tendu vers l'image du Christ sur le mur, volontairement sourd aux bruits extérieurs, Gaston m'offrit alors de partager son action de grâces « pour la joie qui nous est donnée de nous trouver ensemble ».

« Jésus, merci d'accueillir Dominique dans ce lieu où souffrent tant de tes enfants, commença-t-il à voix basse. Merci de lui avoir donné l'envie de témoigner de ce qu'il aura vu et ressenti au milieu de tous les innocents martyrisés de ce bidonville qui, tous les jours, commémorent ici ton sacrifice sur la croix. » À ce moment de l'invocation, un rat à la queue démesurée fit son apparition sur le coin du petit oratoire, juste devant les bâtonnets d'encens apportés par l'eunuque. Son assurance m'étonna. On aurait dit qu'il était venu participer à notre prière. Gaston qui ne s'était même pas aperçu de sa présence, continuait :

« Jésus de ce bidonville, toi, la voix des hommes sans voix, toi qui souffres à travers eux, permets-nous de te dire ce soir, Dominique et moi, avec tous ceux qui nous entourent, que nous t'aimons. »

Il était minuit. Les palabres et les disputes s'étaient apaisées, de même que la plupart des pleurs des enfants, les quintes de toux, les aboiements des chiens, les sifflements des locomotives. Un silence fragile enveloppait tout à coup le slum assoupi. Je pliai ma chemise et mon jean en guise d'oreiller et m'allongeai sur la natte que mon hôte avait empruntée pour me protéger de l'humidité du sol. En longueur, sa chambre mesurait à peine plus que ma taille. Après un dernier regard à l'image du Saint Suaire, Gaston souffla la bougie et me lança un *good-night, brother !* sur le ton d'un briscard s'adressant à une jeune recrue passant sa première nuit dans une tranchée de la ligne de feu.

L'appellation de « brother » me toucha doublement. D'abord, parce qu'elle émanait de quelqu'un qui avait fait de la fraternité l'idéal de sa vie. Ensuite, pour la solidarité qu'elle m'exprimait dans l'aventure de cette nuit qui commençait. Car elle serait pour moi une véritable aventure. Il m'était arrivé de dormir dans des lieux insolites ou même dangereux – à la belle étoile dans une jungle africaine pleine de lions et d'éléphants, dans une rizière de Corée face aux mitrailleuses chinoises, sur des océans déchaînés –, mais jamais dans le goulag de souffrance d'un bidonville du tiers monde. Avais-je le droit de partager le sommeil de ces emmurés condamnés à vivre ici jusqu'à leur dernier jour, moi qui passerais la nuit du lendemain dans le confortable appartement d'un quartier résidentiel ? Soudain, cette expérience m'apparut sous un jour un peu indécent.

Un incident vint mettre fin à mes débats intérieurs. Mon compagnon dormait déjà quand une sarabande endiablée éclata au-dessus de nos têtes. Je grattai une allumette et découvris une troupe de rats qui se poursuivaient sur les bambous de la charpente et dévalaient le long des murs en poussant des cris perçants. J'allumai une bougie, bondis sur mes pieds et, malgré mon désir de préserver le sommeil de Gaston, je me mis à pourchasser les intrus à coups de chaussure. À mesure que les uns se sauvaient, d'autres arrivaient par les trous de la toiture. Que faire devant une telle invasion ? Je finis par renoncer. Pour répugnante qu'elle fût, cette cohabitation faisait ici partie de l'ordre des choses. Je n'étais qu'un visiteur : je n'avais pas le droit de me révolter. Je me recouchai. Gaston dormait toujours comme un bienheureux.

Presque aussitôt, je sentis quelque chose frémir dans mes cheveux. Je craquai une nouvelle allumette, secouai la tête et vis tomber un énorme mille-pattes tout poilu. Bien que fervent admirateur du Mahatma Gandhi et de ses principes de non-violence, je l'écrasai sans pitié. Je n'apprendrais que le lendemain la nature de cette bestiole : une scolopendre, animal à vingt et une paires de pattes dont la piqûre peut être aussi venimeuse que celle d'un scorpion. Je me recouchai pour la seconde fois. Dans l'espoir de trouver un peu de sérénité, j'égrenai un chapelet de ôm. Mais je sentis un curieux va-et-vient sur mes jambes. Une troisième allumette pour rallumer la bougie et je vis, cette fois, des cancrelats. Il y en avait partout, sur les murs, sur les poutres, autour de l'icône de la Vierge, sur les pages de l'Évangile, sur les vêtements qui me tenaient lieu d'oreiller. Que faire ? J'étais prêt à en découdre à nouveau à coups de semelle. Mais à quoi bon ? Il en arrivait toujours et encore. Je me recouchai. À la lueur vacillante, presque fantomatique de la flamme, j'aperçus alors, sur une poutre de bambou de la charpente, un spectacle digne de l'hippodrome de Longchamp. Un lézard pourchassait un énorme cafard qui s'enfuyait à toute allure. J'encourageai le lézard comme le plus passionné des turfistes. Sur le point d'être rattrapé, l'insecte commit une imprudence fatale. Il se réfugia sous le ventre d'une grosse tarentule dont le corps velu constituait un superbe bouclier. Trop heureuse de se voir offrir cette proie inespérée, l'araignée saisit l'intrus entre ses pattes et lui planta dans le corps les deux crochets dont son abdomen était armé. Puis elle le goba comme un œuf. Quelques minutes plus tard, la carapace du cafard tomba sur moi. Au réveil, je retrouverai par terre plusieurs cancrelats ainsi vidés de leur substance.

Le martyre des innocents

Après ces différents intermèdes, je finis par m'assoupir. Ce ne fut qu'une courte trêve. Vers une heure du matin, je fus réveillé par des gémissements provenant d'une des chambres de la courée. Bientôt, leur rythme s'accéléra et j'entendis des râles. Gaston s'était réveillé lui aussi.

– C'est Sabia, soupira-t-il, le fils de la musulmane d'en face. Le pauvre gosse est en train de mourir d'une tuberculose osseuse dans d'atroces douleurs. J'ai tout essayé pour le sauver... tout.

L'explication me fit mal. Elle encourageait la révolte qu'inspiraient ces plaintes. Je m'étais laissé prendre aux sourires trompeurs pour me persuader que ces gens parvenaient à surmonter leur malheur dans la joie. Les râles de Sabia m'ouvraient les yeux : ce bidonville était bien un rassemblement de damnés. Comment admettre l'apparente résignation qu'affichait Gaston ? Je l'interpellai vivement.

– Comment toi, un croyant, acceptes-tu que Dieu permette l'agonie de cet innocent dans un lieu déjà accablé par tant de souffrances ?

Gaston resta un long moment à l'écoute des gémissements.

– Je n'ai malheureusement pas de réponse satisfaisante à te donner, finit-il par dire. Moi-même, j'ai été lâche devant la souffrance de cet enfant. Au début, pour ne pas entendre ses râles, je me suis bouché les oreilles. Comme Job, j'étais au bord de la colère. Même dans les Écritures, je n'ai pas trouvé d'explication à l'idée que Dieu puisse laisser faire cela. Comment dire à cet enfant qui se tord de douleur : « Sois heureux, toi le pauvre, car le royaume de Dieu est à toi. Sois heureux, toi qui pleures aujourd'hui, car demain tu riras. Sois heureux, toi qui as faim, car tu seras rassasié » ? C'est impossible.

– C'est tout ce que Jésus a dit aux hommes qui souffrent ? demandai-je.

– Jésus a vraiment dit peu de chose aux hommes qui souffrent, reconnut Gaston.

Il admit aussi qu'il lui avait fallu plusieurs nuits pour accepter d'entendre les cris de Sabia. Et plusieurs autres encore pour les entendre non plus seulement avec ses oreilles, mais avec son cœur. Entre sa foi de chrétien consacré et sa révolte d'homme, il s'était senti écartelé. « Ai-je le droit d'être heureux, de chanter les louanges de Dieu, alors que continue, à côté de moi, ce supplice intolérable ? » s'était-il demandé. Faute de pouvoir s'ouvrir de son dilemme à quelqu'un, il avait eu recours à la prière. Chaque nuit, quand l'enfant de sa voisine recommençait à gémir, il avait fait le vide en lui et s'était mis à prier. Un jour, n'y tenant plus, il alla acheter une dose de morphine à l'hôpital de Howrah.

– Puisque son mal était incurable, et que ma prière avait échoué, Sabia devait au moins pouvoir finir sa vie sans souffrir.

La maladie du petit voisin connut quelques semaines de rémission. Sa mère, qui gagnait quelques roupies en confectionnant des sacs en papier avec de vieux journaux, répétait que Dieu avait sauvé son fils.

– Moi, je n'osais croire à un miracle, m'avoua Gaston. Hélas, j'avais raison. L'agonie a recommencé il y a trois nuits.

Les gémissements avaient cessé : Sabia avait dû s'endormir. Le fragile silence de la courée ne dura que quelques instants. Soudain, une musique tonitruante jaillit d'un transistor, dans une chambre proche. Je regardai ma montre : il était quatre heures du matin. Le raffut couvrit les quintes de toux qui recommençaient. À l'autre bout de la courée un coq se mit à chanter, puis il y eut des bruits de seaux et des piaillements d'enfants. La courée s'éveillait.

Des gens partaient déjà satisfaire « l'appel de la nature ». Depuis la veille, la fosse d'aisances la plus proche débordait. On pataugeait dans la merde. Les vidangeurs municipaux étaient en grève. Ceux qui ne voulaient pas trop s'éloigner devaient se soulager dans l'égout à ciel ouvert qui courait le long des habitations.

Gaston, lui, fréquentait des latrines récemment installées à trois ruelles de la courée. L'édicule était surmonté d'une guérite, ce qui assurait une relative intimité. À quatre heures et demie du matin, son accès était déjà bloqué par plusieurs dizaines de personnes. Tout le monde salua joyeusement le grand frère avec son crucifix en sautoir, mais la venue d'un autre sahib en jeans et en baskets suscita une vive curiosité, d'autant plus que, dans mon ignorance des coutumes du pays, j'avais commis une bévue contre laquelle mon compagnon avait omis de me mettre en garde : j'avais apporté quelques feuilles de papier hygiénique.

– Pour ces Indiens, tu es un barbare, m'expliqua Gaston, enchanté de faire mon apprentissage. Comment ne s'étonneraient-ils pas que tu veuilles recueillir dans du papier une souillure expulsée par ton corps pour la laisser ensuite aux autres ?

En me montrant la boîte de conserve pleine d'eau qu'il tenait à la main, un gamin me fit comprendre que je devais procéder à une ablution intime avant de nettoyer la cuvette. Je constatai que chacun avait en effet apporté un récipient avec de l'eau. Certains en possédaient même plusieurs qu'ils poussaient du pied à mesure que la file avançait.

– Ils font la queue pour d'autres, m'indiqua Gaston. C'est un des mille petits boulots du slum.

Un homme, la tête emmitouflée dans un châle, remonta la file comme une flèche, sa boîte à la main. Il avait l'air d'être en grande détresse. Tous s'écartèrent pour le laisser passer. Les crises de dysenterie étaient fréquentes et leurs manifestations urgentes et sans merci. Moi-même, j'allais bénéficier d'un passe-droit inattendu quand un jeune garçon se planta devant moi et me fit signe d'aller directement jusqu'à la guérite sans attendre que vienne mon tour. Je m'étonnai de cette faveur. Gaston interrogea le gamin qui pointa aussitôt son doigt vers mon poignet :

– *Dadah,* répondit-il, tu as une montre, c'est donc que tu es pressé !

Je dus enjamber une mare d'excréments avant d'atteindre le lieu d'aisances. La puanteur saisissait à la gorge. Que des gens gardent leur bonne humeur au milieu de tant d'abjection me parut sublime. Ils plaisantaient, ils riaient. Les enfants surtout qui apportaient leur fraîcheur et la gaieté de leurs jeux dans ce cloaque. Après les péripéties de la nuit, cette équipée acheva de me mettre KO.

Cette première expérience de partage sur le terrain n'était pourtant pas achevée. À mon retour, la courée était déjà en pleine activité. Des mères criaient pour réprimander leurs enfants. Des fillettes revenaient de la fontaine chargées de seaux si lourds que leur colonne vertébrale en était toute tordue, d'autres récuraient les ustensiles du repas de la veille avec de la cendre, ou allumaient des braseros dont les volutes de fumée emprisonnaient aussitôt la courée dans un nuage asphyxiant.

Devant la chambre de Sabia, deux garçons ramonaient le drain bouché avec un morceau de bambou, raclaient les caniveaux, poussaient les déjections vers l'égout extérieur. Une toute petite fille ébouriffée courait pieds nus au milieu des tas d'ordures que grattait furieusement une horde de chiens galeux. Où que l'on regardât, la vie explosait. C'était l'heure de la toilette. Ces gens qui avaient passé la nuit à dix ou douze dans un réduit infesté de rats et de vermine renaissaient à la lumière comme au premier matin du monde.

Les femmes parvenaient à se laver entièrement sans dévoiler une parcelle de leur nudité. Depuis leurs longs cheveux jusqu'à la plante des pieds, rien n'était oublié, pas même leur sari. Elles prenaient le plus grand soin à huiler, peigner et tresser leur chevelure, avant d'y piquer une fleur fraîche, trouvée Dieu sait où. Des gamins se frottaient les dents avec des bâtonnets de margousier enduits de cendre, des vieillards se lissaient la langue avec un fil de jute, des mères épouillaient leurs enfants avant de savonner vigoureusement leurs petits corps nus, même dans le froid mordant de ce matin d'hiver.

Décidé à me laisser découvrir tout seul les subtilités des usages, Gaston ne m'avait rien dit des rites de la toilette à l'indienne. Comme je l'avais vu faire aux hommes, je me déshabillai, ne gardant sur moi que mon slip. Je pris mon récipient plein d'eau et un peu du savon de fabrication locale prêté par Gaston, c'est-à-dire une boulette d'argile et de cendre mélangée, et j'allai dans la ruelle m'accroupir sur les talons dans cette position typiquement indienne si difficile à maintenir pour moi. J'enlevai mes chaussures souillées d'excréments, versai un peu d'eau sur mes pieds, et commençai à me frotter vigoureusement les orteils, quand le vieil hindou qui tenait la teashop juste en face m'interpella, horrifié.

– *Brother*, ce n'est pas comme ça que tu dois te laver ! C'est par la tête que tu dois commencer. Les pieds, c'est à la fin, quand tu as nettoyé tout le reste.

J'étais sur le point de balbutier quelque excuse quand apparut une fillette. Je reconnus mon amie, l'exquise Padmini, celle qui se levait à quatre heures pour aller glaner des morceaux de charbon le long des voies ferrées. Le spectacle de ce sahib à moitié nu qui s'aspergeait l'amusa tellement qu'elle éclata de rire.

– Pourquoi te frottes-tu si fort, *dadah* ? Tu es déjà si blanc !

Des êtres modèles d'humanité

Gaston accepte de m'emmener dans sa tournée matinale. En premier, il va voir le jeune Sabia dont les gémissements ont hanté ma nuit. Sa mère nous accueille avec un beau sourire. Elle envoie sa fille aînée chercher deux coupelles de thé chez le vieil hindou de la ruelle et nous invite à pénétrer sous son toit. J'hésite quelques secondes sur le seuil avant de plonger dans la pénombre.

Le petit musulman gît sur un matelas de chiffons, les bras en croix, la peau creusée d'ulcères grouillants de mouches, les genoux à demi repliés sur son torse décharné. Gaston s'approche, une seringue de morphine dans la main. L'enfant ouvre les yeux. Une étincelle de joie illumine son regard. Je suis bouleversé. Comment un tel sourire peut-il jaillir de cet être martyrisé ?

– *Salam,* Sabia, dit Gaston.

– *Alaikoum Salam, dadah !* répond l'enfant d'une voix faible. Qu'as-tu dans la main, une sucette [1] ?

Nous entrons dans une autre courée. Une mère présente au grand frère un bébé rachitique au ventre ballonné. Âgé de deux ans mais ne paraissant que six mois, c'est un pauvre petit être décharné. « Quatrième degré de malnutrition », constate Gaston. Il souffre depuis sa naissance de telles carences que ses fontanelles ne se sont pas fermées. Par manque de calcium, son crâne s'est déformé. Son faciès dolichocéphale est impressionnant. À ce point de malnutrition, une grande partie de ses cellules grises sont probablement détruites.

– Même si on arrive à le sauver, grommelle l'infirmier suisse en tirant de sa musette un sachet de farine vitaminée, il sera toujours déficient cérébralement.

Apprenant la présence du grand frère, une fillette accourt, portant sa petite sœur à cheval sur sa hanche.

1. Sabia mourra quelques jours après cette visite. Son corps drapé dans un linceul de velours sera porté au cimetière musulman, suivi par tous les habitants de la courée, y compris les hindous.

L'enfant a été victime d'une méningite que Gaston a réussi à guérir mais elle est restée mentalement diminuée. Le père, coolie au Burra Bazaar, le Grand Marché, la mère, tous les frères et sœurs entourent la petite handicapée de tant d'amour que Gaston n'a jamais pu la confier à un foyer pour enfants retardés. Elle est superbe. Elle gesticule, elle sourit, elle gazouille. Elle est, elle aussi, la Vie avec un grand V.

Étape suivante : un couloir obscur entre deux taudis, près de la mosquée. Allongée sur un charpoy, une toute jeune femme crache dans une cruche rougie de taches sombres. Ses yeux brûlent de fièvre. Elle respire avec peine. Tuberculose terminale. Chaque matin, Gaston vient lui faire une piqûre. Il lui parle. La malade répond, mais une toux caverneuse interrompt le dialogue. Deux gosses à moitié nus jouent aux billes au pied de son lit de corde.

Deux ruelles plus loin, Ashu, un garçon de onze ans recroquevillé sur un sac de jute, attend la visite du grand frère. Sa famille, trop pauvre pour payer le moindre loyer, squatte une véranda au toit crevé. Gaston a sauvé Ashu d'une méningite tuberculeuse. Il était complètement paralysé. En trois ans de traitement et de rééducation, le grand frère lui a réappris à bouger les bras. Chaque semaine, il paie son transport en pousse-pousse jusqu'à un centre spécialisé. Il rêve de lui faire faire une greffe de la hanche.

Comme tous les matins, le pèlerinage de l'apôtre suisse se termine dans un taudis, près des voies ferrées, chez une chrétienne lépreuse et aveugle. La pauvre femme est si maigre que son squelette apparaît sous sa peau toute parcheminée. Derrière elle, accroché à un clou dans le mur de torchis, pend un crucifix et, au-dessus de la porte, une niche abrite une statuette de la Vierge toute noircie par la fumée. Quel âge peut avoir cette femme ? Quarante ans au plus. Un sixième sens l'a avertie de l'arrivée de Gaston. Dès qu'elle le sent approcher, elle fait un effort pour se redresser. Avec ce qui lui reste de mains, elle lisse sa chevelure, dans un émouvant geste de coquetterie. Puis elle aménage la place à côté d'elle, tapotant un coussin de guenilles pour y accueillir le grand frère. Veuve d'un employé de la municipalité de Calcutta, elle parle un peu d'anglais. Ses quatre petits-enfants dorment sur une natte élimée au pied de son charpoy.

– *Good morning, Brother!* lance-t-elle, radieuse.

– *Good morning, Grandma!* répond Gaston en se déchaussant. Je suis venu vous voir aujourd'hui avec mon ami Dominique, un écrivain français.

– *Good morning, brother Dominique!* s'écrie aussitôt l'aveugle.

Je la salue à mon tour. Elle tend vers Gaston ses bras décharnés, approche ses moignons de sa figure, les promène sur son cou, ses joues, son front. On dirait qu'elle cherche à palper la vie de ce visage. Il y a plus d'amour dans l'effleurement de cette chair meurtrie que dans toutes les étreintes du monde.

– *Brother,* je voudrais tant que le bon Dieu vienne me chercher, déclare-t-elle alors. Qu'attendez-vous pour le lui demander?

– Si le bon Dieu vous garde avec nous, *Grandma,* c'est qu'Il a encore besoin de vous ici.

La lépreuse joint ses moignons dans un geste de prière qui n'a rien de suppliant. Gaston lui raconte notre visite au jeune Sabia.

– Dites-lui que je vais prier pour lui.

– Je vous ai apporté le corps du Christ, annonce alors l'infirmier en sortant de sa poche une custode contenant une hostie consacrée.

Elle entrouvre les lèvres et Gaston dépose l'hostie sur le bout de sa langue après avoir prononcé les paroles de l'Eucharistie.

– Amen! murmure-t-elle.

Je vois des larmes couler de ses yeux vides. Son visage s'est éclairé d'une joie intense.

– *Thank you, dadah. Thank you, dadah*, répète-t-elle.

Les quatre petits corps endormis n'ont pas bougé. Quand Gaston se lève pour partir, la lépreuse élève vers lui son chapelet dans un geste de salut et d'offrande.

– Dites bien à tous ceux qui souffrent que je prie pour eux.

Ce soir-là, Gaston Grandjean notera dans son cahier :

« Cette femme sait que cette souffrance n'est pas inutile. J'affirme que Dieu veut utiliser sa souffrance pour aider d'autres à supporter la leur... Voilà pourquoi ma prière devant cette malheureuse ne peut plus être douloureuse. » Quelques lignes plus loin, il conclura : « Sa souffrance est la même que celle du Christ sur la croix; elle est positive, rédemptrice. Elle est l'espérance. Je ressors chaque fois revivifié du taudis de ma sœur, la lépreuse aveugle. Ce bidonville mériterait de s'appeler " la Cité de la joie ". »

*

La Cité de la joie ! Avant même d'avoir écrit le premier mot de mon récit, je savais quel serait son titre. Malgré la malédiction qui semblait l'accabler, ce bidonville était en effet une cathédrale de joie, de vitalité, d'espérance. Pour s'en convaincre, la courée de Gaston était un observatoire incomparable. Elle était avant tout le royaume des enfants. Leur insouciance, leur joie de vivre, leurs sourires magiques, leurs visages sombres aux regards malicieux coloraient de beauté la grisaille du décor. Gaston ne cessait de le rappeler : si les adultes gardaient ici quelque espérance, c'était grâce aux enfants. « Sans eux, le slum ne serait qu'un abîme de désespoir », disait-il. Jour après jour, je découvrais à quel point ces enfants concouraient à la survie collective. L'article 24 de la Constitution indienne avait beau stipuler que « aucun enfant ne peut être mis au travail dans une fabrique ou une mine, ni occupé à aucun autre poste dangereux », les gamins de la Cité de la joie peinaient, comme les adultes, aux tâches les plus rudes dans une myriade de fabriques et d'ateliers. Leur docilité, l'habileté de leurs petites mains, le maigre salaire qu'on leur versait les faisaient souvent préférer aux adultes. Les quelques roupies qu'ils rapportaient à leurs parents faisaient la différence entre la disette absolue et une fragile survie de la famille.

Quelle activité, quel défilé de l'aube à la nuit ! À tout instant, une sonnette, un gong, un coup de sifflet, une voix annonçaient l'entrée de quelque marchand ambulant ou bateleur. En l'espace de quelques secondes, la misérable cour cernée de taudis devenait un théâtre et un champ de foire. J'eus du mal à recenser tous les acteurs de cette incroyable métamorphose. La liste était interminable. Montreurs d'ours, dresseurs de singes, de chèvres, de mangoustes, de rats, de perroquets, de scorpions ; charmeurs de cobras et de vipères ; chanteurs de geste, marionnettistes, bardes, conteurs, fakirs, mimes, prestidigitateurs, acrobates... tous transfiguraient grands et petits avec leurs spectacles.

Plus surprenantes encore étaient les fêtes qui ébranlaient à tout instant la vie du slum. J'eus l'occasion d'assister au rituel du rasage des cheveux d'un nouveau-né, à celui de la première nourriture solide donnée par son père à un bébé de six mois, à celui encore de la célébration des premières règles d'une fillette. Au fond de leur misère, les naufragés de ce bidonville avaient su conserver leur culture, leurs traditions, leur goût de la fête. La fête qui, l'espace d'un jour ou d'une semaine, les arrachait à la réalité ; la fête pour laquelle ils s'endettaient ou se privaient de nourriture ; la fête qui véhiculait la religion mieux qu'aucun catéchisme, qui embrasait les cœurs et les sens par la magie des chants et des cérémonies. Je finis par me perdre dans ce perpétuel feu d'artifices.

Un beau matin, je retrouvai les ateliers du quartier transformés en reposoirs débordant de fleurs. Les ouvriers de la Cité de la joie célébraient ce jour-là la fête de Vishwakarma, le dieu des artisans. Les esclaves de la veille arboraient des chemises rutilantes et des longhi tout neufs ; leurs épouses avaient sorti leurs saris de cérémonie si difficilement préservés de la voracité des cancrelats dans le coffre familial. Les enfants resplendissaient dans leurs habits de petits princes. La sarabande joyeuse des cuivres et des tambours remplaçait, de ruelle en ruelle, le vacarme des machines autour desquelles officiait le prêtre brahmane, agitant une cloche d'une main, de l'autre portant le feu purificateur, afin que tous les instruments de travail soient consacrés. Chaque atelier exposait une statue du dieu somptueusement décorée. Ce peuple privé de tout s'abandonnait à la magie de sa culture. Les ouvriers et leurs familles allaient d'atelier en atelier, s'émerveillaient devant les statues. Partout, des haut-parleurs déversaient des airs populaires, des pétards ponctuaient les libations.

De toutes les fêtes qui transfiguraient le slum, aucune ne me parut plus en communion avec ce lieu de misère que la célébration de la naissance de Jésus. S'il existait un endroit où vibrait le message de Dieu se faisant homme pour sauver l'humanité, c'était bien ce bidonville. Bethléem et la Cité de la joie ne faisaient qu'un. Les chrétiens étaient peu nombreux, mais des guirlandes de lucioles, des banderoles ornaient leurs logements badigeonnés à neuf. Des haut-parleurs diffusaient des cantiques. Pour tous, le plus beau symbole de cette nuit magique était l'étoile géante lumineuse qui se balançait au bout d'un bambou au-dessus de la chambre de Gaston. Des voisins hindous et musulmans avaient eu l'idée de hisser cet emblème dans le ciel, comme pour dire à tous les habitants du slum : « N'ayez plus peur. Vous n'êtes pas seuls. Cette nuit où le Dieu des chrétiens est né, il y a parmi nous un sauveur. »

Le « sauveur » en question nous invita, Dominique et moi, à partager cette soirée au milieu de ses frères de misère. La tête et les épaules enveloppées dans un châle à cause du froid très vif, il animait une veillée de prière devant une cinquantaine de fidèles rassemblés dans une courée où vivaient plusieurs familles chrétiennes. Il parlait en bengali. Mon petit magnétophone enregistrait ses paroles.

« C'est parce que les pauvres sont seuls à connaître la richesse de la pauvreté qu'ils peuvent se dresser contre la misère, contre l'injustice, contre la souffrance, disait-il. Frères, si le Christ a choisi de naître parmi les pauvres, c'est parce qu'il a voulu que les pauvres enseignent au monde la bonne nouvelle de son amour pour les hommes. »

J'observais les visages tournés vers ce grand frère venu de l'autre bout du monde. Ils l'écoutaient comme devaient le faire les foules rassemblées autour de Jésus, ou celles qui se pressaient autour des prédicateurs du Moyen Âge.

« Frères et sœurs, continuait Gaston, c'est vous qui portez aujourd'hui la flamme de l'espérance. Moi, votre frère, je vous le jure : un jour viendra où le tigre s'assiéra à côté de l'enfant, où le cobra dormira à côté de la colombe, où tous les habitants de tous les pays se sentiront frères et sœurs [1]. »

1. Gaston nous racontera qu'en disant ces mots il avait songé à une photographie du pasteur américain Martin Luther King méditant devant une crèche de Noël.

Dans la légende de cette image publiée par un magazine, Luther King expliquait que, devant cette crèche, il avait eu la vision d'« un immense banquet sur les collines de Virginie, où les esclaves et les fils d'esclaves s'asseyaient avec leurs maîtres pour partager un repas de paix et d'amour ». Ce soir de Noël, Gaston s'était senti porté par le même rêve. Un jour, il en était sûr, les riches et les pauvres, les esclaves et les maîtres, les bourreaux et leurs victimes, tous s'assiéraient ensemble à la même table.

*

C'était évident : non seulement ces malheureux accomplissaient l'exploit de rester des hommes, mais ils parvenaient à se dépasser, à devenir ce que Gaston appelait « des êtres modèles d'humanité ». Ils m'en offrirent un bel exemple la veille de mon retour en France après deux années d'enquête. J'étais avec Gaston dans sa chambre, assis en tailleur devant l'image du Saint Suaire, pour notre prière d'adieu, quand le passage d'une fanfare dans la ruelle nous fit sursauter. Derrière les musiciens marchait une procession d'hommes, de femmes et d'enfants parés d'habits de fête. Gaston ne savait pas quelle divinité ou quel événement honorait ce jour-là cette manifestation. Il se renseigna auprès de son voisin Krishna. Le tuberculeux parut fort surpris de son ignorance.

– Mais, voyons, grand frère, tu ne sais pas ! Nous fêtons aujourd'hui la naissance du printemps.

La naissance du printemps ! Dans ce bidonville où je n'avais pas vu un seul arbre, une seule plante, une seule fleur, un seul oiseau, un seul papillon...

*

Avant de nous arracher à Calcutta, Dominique et moi fûmes témoins d'un événement qui prouvait que l'exode des millions de pauvres paysans vers cette ville mirage n'était peut-être pas une fatalité inexorable. Que cet exode pourrait peut-être se tarir un jour. Que son cours pourrait même s'inverser.

Deux jeunes habitants du bidonville, Ashish et Shanta Gosh, vinrent annoncer à Gaston qu'ils avaient décidé de retourner dans leur village. Ashish et Shanta étaient hindous. Beaux, sains, lumineux, ils passaient leur temps libre à panser les plaies des lépreux. Sous son voile de coton rouge décoré de motifs floraux, la jeune femme ressemblait à une princesse moghole. Elle était la fille aînée d'un paysan sans terre d'un village isolé du delta du Gange. Pour faire vivre sa famille, son père allait récolter du miel sauvage dans la forêt des Sundarbans. Un jour, il n'était pas revenu. Il avait été emporté par l'un des tigres mangeurs d'hommes qui dévorent chaque année dans cette jungle plus de trois cents « cueilleurs » de miel.

C'était dans la petite école primaire locale que Shanta avait connu le gaillard aux cheveux bouclés qui devait devenir son mari. Ashish – l'Espoir – vingt-six ans, était le fils d'un ouvrier agricole journalier.

Le cas de ce couple était presque unique : ils s'étaient mariés par amour. Ce défi à toutes les traditions provoqua un tel scandale qu'ils furent obligés de fuir leur village et d'aller chercher refuge à Calcutta. Après avoir crevé de faim pendant un an, Ashish avait trouvé un emploi de moniteur dans un centre pour enfants handicapés. Shanta était devenue institutrice dans une école de banlieue.

À la naissance de leur premier enfant, ils dénichèrent l'eldorado : une chambre dans une courée hindoue du bidonville. Deux salaires réguliers de deux cents roupies (deux fois cent soixante francs) peuvent paraître une misère. Dans la Cité de la joie, c'était la fortune.

Pendant trois ans, les jeunes époux économisèrent roupie après roupie pour acheter un hectare de terre proche de leur village. Ils firent creuser un bassin pour élever des poissons et aménager un rudimentaire réseau de canaux d'irrigation afin d'obtenir une deuxième récolte de saison sèche. Mais, surtout, ils voulaient que leur retour apportât quelque chose aux habitants du village. Ashish projetait de créer une coopérative pour les paysans. « Avec de l'eau, la terre du Bengale peut donner au moins trois récoltes », m'avait-il un jour déclaré. Quant à Shanta, elle voulait ouvrir une école primaire et un atelier d'artisanat pour les femmes.

L'annonce de leur départ provoqua la fièvre dans les courées. Pour presque tous les habitants du bidonville, le grand rêve commun de retourner au village paraissait, au bout de plusieurs années, une utopie irréalisable. Qu'un jeune couple renonçât volontairement au luxe inouï de deux salaires réguliers pour aller planter du riz dépassait l'entendement. Curieusement, c'est là-bas, dans leur village, que les réactions aux projets des Gosh furent les plus hostiles. « Quand la déesse Lakshmi a mis de l'huile dans votre lampe, c'est un crime d'éteindre la flamme pour s'en aller ailleurs », décrétèrent, furieux, les parents du garçon. Ils menacèrent même d'empêcher par la force son retour au village.

Un matin à l'aube, les Gosh et leurs enfants empilèrent leurs affaires dans un pousse-pousse et s'en allèrent. Je les accompagnai avec Gaston jusqu'à la gare routière. À l'instant de monter avec les siens dans l'autocar, Ashish se tourna vers celui qui avait partagé les souffrances de sa famille dans le slum.

– Grand frère, dit-il, la voix étranglée par l'émotion, tu sais que nous sommes hindous, mais cela nous ferait vraiment plaisir que tu nous donnes la bénédiction de ton Jésus.

Contrôlant ses larmes avec peine, Gaston éleva la main et dit :

– Soyez bénis dans la paix du Christ, car vous êtes les lumières du monde.

*

Cette longue, difficile et parfois douloureuse enquête restera l'un des temps forts de ma vie. Elle m'obligea à m'adapter à des situations que je n'avais jamais connues. Elle me fit découvrir que des gens pouvaient affronter des conditions d'existence inhumaines avec le sourire ; qu'ils pouvaient accomplir des travaux de bête avec seulement quelques boulettes de riz dans le ventre ; rester propres avec moins d'un litre d'eau par jour ; allumer un feu dans le déluge de la mousson avec une seule allumette ; créer une turbulence d'air autour du visage tout en dormant pendant la fournaise de l'été. Avant d'être adopté par les flagellés de ce bidonville, j'ai dû me familiariser avec leurs habitudes, comprendre leurs peurs et leurs détresses, connaître leurs luttes et leurs espoirs, m'initier petit à petit à toutes les richesses de leur culture. Chemin faisant, j'ai découvert le vrai sens des mots courage, amour, dignité, compassion, foi, espérance. J'ai appris à remercier Dieu pour le moindre bienfait, à écouter les autres, à ne pas avoir peur de la mort, à ne jamais désespérer. C'est là, sans aucun doute, l'une des expériences les plus enrichissantes que puisse vivre un homme.

Ma vie en fut changée, ma vision du monde, mon sens des valeurs transformés. J'essaye de ne plus accorder autant d'importance aux petits problèmes de chaque jour, comme celui de trouver une place de stationnement pour ma voiture. Le fait d'avoir côtoyé pendant des mois des gens qui ne disposaient même pas d'un franc par jour pour survivre m'a fait découvrir la valeur de la moindre chose. Je ne sors plus jamais d'une chambre d'hôtel sans éteindre la lumière, j'utilise jusqu'au bout un morceau de savon, j'évite de jeter ce qui peut encore servir ou être recyclé.

Cette expérience unique m'a également enseigné la beauté du partage. Pendant deux ans, je n'ai jamais croisé un seul mendiant dans les ruelles de la Cité de la joie. Parmi tous ceux que j'ai rencontrés, personne ne m'a tendu la main ni réclamé un secours. Au contraire, on n'a fait que nous donner. L'une de mes préoccupations fut justement d'empêcher que des hommes et des femmes dépourvus de tout ne sacrifient quelque ultime ressource pour nous accueillir selon les rites de la généreuse hospitalité indienne. Mon interprète m'avait un jour signalé qu'une femme que j'allais interviewer avait desserti le petit anneau en or qui pendait à une aile de son nez. Elle l'avait mis en gage chez l'usurier-bijoutier pour acheter un peu de café, quelques sucreries et des biscuits à notre intention. Pour prévenir ce genre de sacrifice, Dominique eut une idée typiquement indienne. Chaque fois que nous entrions dans une courée, elle faisait annoncer par notre interprète que je ne pouvais rien accepter à boire ou à manger parce que c'était mon jour de jeûne. Je craignais que l'on ne s'inquiète de me voir me priver si souvent de nourriture. J'avais tort. J'aurais dû penser au Mahatma Gandhi et à la mystique du jeûne en Inde. Même les affamés d'un bidonville offraient chaque semaine aux dieux un jour d'abstinence volontaire.

Il n'était pas question, en revanche, de partir sans emporter dans nos bagages la montagne de cadeaux délicatement enveloppés que nous avions reçue de nos frères et sœurs de la Cité de la joie. Deux grosses valises supplémentaires suffirent à peine à contenir tous ces témoignages d'amour et de générosité.

*

En quittant l'inhumaine métropole avec une vingtaine de carnets couverts de notes, des centaines d'heures d'interview enregistrées, deux mille photos, je savais que j'emportais la plus surprenante documentation de toute ma carrière d'écrivain. Sitôt rentré, je m'installai au Grand Pin. Plusieurs jours me furent nécessaires pour me réhabituer au calme et à la douceur de l'environnement paradisiaque de la campagne de Ramatuelle. Chaque matin, avant de commencer à écrire, pour m'aider à retrouver la fourmilière de Calcutta, ses bruits, ses odeurs, ses couleurs, je me projetais des dizaines de photos, j'écoutais les bandes-son de vie trépidante que j'avais enregistrées. Je faisais tinter le grelot que m'avait donné mon ami le tireur de pousse-pousse Hasari Pal, avec lequel il annonçait sa présence dans les flots hurlants de la circulation. Ce bruit symbolisait pour moi l'héroïsme des derniers « hommes-chevaux » de la planète. Ce grelot deviendra mon talisman. Je ne manque jamais de le glisser au fond de ma poche à l'instant de partir en voyage.

Des urgences satisfaites en quelques mois

Il me fallut plus d'une année pour raconter l'épopée de survie des habitants de la Cité de la joie. Bien que je fusse convaincu de l'intérêt captivant de ce récit, je fus réellement surpris de l'accueil enthousiaste des lecteurs. Loin de rebuter, ces aventures d'une communauté de pauvres confrontés à la pire adversité furent reçues comme des témoignages d'amour, de courage, d'espérance.

« Ce livre est un détonateur qui m'a révélé en pleine lumière la victoire de l'amour sur le mal et la souffrance », m'écrivit une avocate parisienne. « Ce livre est un chant d'amour, un cri de bonheur, une leçon de tendresse et d'espérance pour tous les hommes de notre temps », écrivit de son côté un journaliste, alors qu'un autre affirmait : « Les héros de *La Cité de la joie* font renaître en nous le goût de Dieu et de toutes les valeurs qui tendent à disparaître. »

Je reçus près de deux cent mille lettres. Nombre de messages s'accompagnaient d'un soutien à notre action humanitaire : un chèque bancaire, un virement postal et même plusieurs bons du Trésor. Parfois aussi, c'était un petit paquet qui nous parvenait, dans lequel nous trouvions un pendentif, une bague, des boucles d'oreilles en or. Une enveloppe arriva avec deux alliances scotchées sur une feuille de papier. « Nous avons porté ces anneaux pendant trente années de bonheur, expliquait un mot non signé. Vendez-les. Ils seront plus utiles aux habitants de la Cité de la joie qu'à nos doigts. » Ce geste donna à Dominique une ingénieuse idée. Au lieu de vendre ces alliances, elle les emporta en Inde avec d'autres petits bijoux en or que nous avions reçus. Un bijoutier local transforma le tout en pendentifs d'oreilles et en incrustations pour les narines au goût bengali. Grâce à ces humbles parures, nous pûmes offrir une modeste dot à des jeunes filles très pauvres que connaissait Gaston. Faute d'un tel viatique, elles n'auraient jamais pu se marier.

*

Mes droits d'auteur me permirent de répondre sur-le-champ à plusieurs demandes pressantes d'aide financière. Un petit dispensaire – créé dans une zone particulièrement déshéritée du delta du Gange, par un ancien terroriste que Gaston avait converti à l'aide humanitaire – manquait de tout. Les centaines de tuberculeux squelettiques qui l'assiégeaient chaque jour repartaient presque tous sans avoir reçu ni soins, ni médicaments, ni secours alimentaire. Pourtant, l'éradication de la tuberculose avait été proclamée « cause nationale prioritaire » par le gouvernement indien. Des études épidémiologiques établissaient qu'un tiers des habitants du pays était atteint par ce fléau principalement dû à la malnutrition et au manque d'hygiène. Dans les campagnes du delta du Gange, cette proportion grimpait à près d'une personne sur deux. La maladie touchait d'abord le père de famille, puis les enfants et la mère. En l'absence de toute infrastructure médicale, elle était l'aubaine des guérisseurs, des sorciers, des pharmaciens de campagne qui vendaient les potions et les cachets volés dans les hôpitaux de Calcutta. Pour acheter ces médicaments, les patients devaient gager leurs récoltes, puis vendre leur vache, leurs champs, leurs huttes, et finalement se traîner à pied vers Calcutta. Aucun hôpital ne les acceptait. Quand la « fièvre rouge » frappait, c'était la mort certaine à brève échéance.

Le dispensaire de l'ancien révolutionnaire voulait s'opposer à cette fatalité. Mais il lui fallait un médecin à plein temps, des infirmiers, un laboratoire de pathologie, un microscope, une installation de radiologie, une réserve d'antibiotiques. Il lui fallait un bâtiment en dur, résistant aux agressions de la mousson, aux brûlures du soleil, aux rapines des voleurs pour qui une simple boîte de cachets d'aspirine représentait un butin royal. Nous pûmes satisfaire toutes ces urgences en quelques mois. J'allai moi-même négocier l'achat d'un équipement radiologique chez le représentant de Siemens à Calcutta. L'arrivée de cet appareil ultra-sophistiqué en pleine campagne provoqua la stupeur qu'aurait causée un ovni tombant du ciel. Pour qu'il pût remplir sa fonction, il fallait, hélas, du courant électrique, et même beaucoup de courant. Cette zone rurale étant encore dépourvue de ce bienfait, j'allai réclamer l'installation d'une ligne prioritaire au ministre de l'Énergie du Bengale. Mes efforts se perdirent dans un tel marécage d'obstacles bureaucratiques que je dus recourir à l'arme utilisée par Gandhi contre les Anglais. Je menaçai le ministre de réunir une conférence de presse pour annoncer que l'auteur de *Cette nuit la liberté* et de *La Cité de la joie* appuyait sa demande humanitaire par une grève de la faim devant la porte de son bureau. Trois jours plus tard, une escouade d'ouvriers plantait les premiers poteaux et tirait des câbles. En dix jours, la ligne était en place. Mais encore fallait-il que les autorités veuillent bien l'alimenter. Une nouvelle menace me permit d'obtenir les premiers kilowatts. Une victoire que Wohab, l'ancien terroriste musulman, et Sabitri, la jeune hindoue qui administrait le dispensaire, décidèrent de célébrer en réalisant sur-le-champ une première radiographie. Cette merveilleuse image montrait l'ossature de leurs quatre mains s'étreignant par les poignets, symbole de l'union sacrée dont ils avaient fait le logo de leur comité d'entraide. Dix ans et vingt mille clichés plus tard, la tuberculose aura disparu de mille deux cents villages de la région, et cent mille malades auront été guéris. Quinze tonnes de farine hypervitaminée auront été distribuées; cinq cent quarante et un puits d'eau potable et près de mille latrines creusés.

Lors de l'inauguration des nouvelles installations du dispensaire, Wohab et Sabitri avaient planté dans la cour un jeune acacia. À son pied, ils placèrent une plaque portant son nom. Ils l'avaient appelé *Dominiques' Tree,* l'arbre des Dominique. Désormais, l'acacia devint un personnage de notre vie. Il nous envoyait régulièrement une carte postale. « Grand frère et grande sœur Dominique, on m'a bien arrosé, disait l'une d'elles. J'ai poussé d'un coup de quarante centimètres. Bientôt, je vais pouvoir donner de l'ombre aux malades. Revenez vite ! Je me languis de vous. »

*

Un prêtre français, qui hébergeait plusieurs centaines d'enfants handicapés issus de familles très pauvres dans des foyers de la banlieue de Calcutta et du nord du Bengale, sollicita également notre aide. Certains de ses pensionnaires, frappés par la polio ou la tuberculose osseuse, ne pourraient jamais se déplacer autrement que sur des planches à roulettes. D'autres, mongoliens, handicapés moteurs, retardés cérébraux, ne seraient jamais complètement autonomes. Il y avait aussi des sourds-muets, des aveugles, des autistes. Ces enfants avaient besoin de l'assistance d'un personnel nombreux et expérimenté, ce qui doublait leurs frais d'entretien. Car le père François Laborde, le « monsieur Vincent » des petits handicapés de Calcutta, ne se contentait pas de les recueillir, de les vêtir, de les nourrir, de les soigner. Il leur offrait aussi une chance de renaître à une vie presque normale. Il faut avoir vu avec quelle infinie patience de jeunes *didi* en sari remettaient en mouvement les jambes et les bras inertes des petits infirmes, rallumaient l'intelligence de gamins mongoliens, enseignaient la broderie à des fillettes aveugles, initiaient à la danse des enfants sourds de naissance, pour comprendre la somme d'amour et d'espoir que représentaient ces foyers. J'assumai immédiatement la prise en charge de cent vingt-cinq de ces enfants, ainsi que la construction d'une première école.

Pour significative qu'elle fût, mon action était loin d'être unique. Cette société indienne aux ramifications innombrables accomplissait d'extraordinaires gestes de solidarité. Je ne cessais de découvrir des associations de secours, des organisations d'entraide et de développement. Elles émanaient des Églises, des clubs, des temples, des sectes, des confréries, des syndicats, des castes, des équipes sportives, des écoles, des usines. Gaston les connaissait toutes. Un jour, il nous présenta un jeune musulman qui était né et avait grandi dans son bidonville. Mohammed Kamruddin, vingt-six ans, vouait sa vie à secourir les détresses de son quartier. Le jour, il travaillait comme infirmier dans un dispensaire et, la nuit, il répondait aux urgences des ruelles et des courées. Ce garçon, qui parlait et écrivait un anglais raffiné, rayonnait d'une curiosité et d'une culture stupéfiantes pour quelqu'un qui n'avait jamais eu d'autre horizon que les égouts à ciel ouvert et les façades lépreuses de son quartier. Grâce à des ouvrages médicaux procurés par Gaston, il avait réussi à obtenir le diplôme de docteur en homéopathie. Son rêve était d'ouvrir un dispensaire dans un bidonville encore plus pauvre de la grande banlieue de Calcutta. Il bouillonnait d'autres projets. Tous s'attaquaient aux racines mêmes de la misère et du sous-développement : Kamruddin voulait créer des crèches, des écoles primaires, des centres d'éducation professionnelle, des bibliothèques, des ateliers d'artisanat. Il voulait organiser un système de prêt d'ustensiles de cuisine, de vaisselle et de tentes pour les fêtes des mariages, creuser des puits et des latrines, aménager des égouts. Il voulait bâtir tout un village pour héberger des familles aborigènes vivant dans d'infâmes cahutes dévastées chaque été par la mousson.

Nous aiderons le jeune médecin musulman à réaliser tous ses rêves. Il construira son village : cinquante logements avec fontaines et toilettes, et deux grandes salles communautaires destinées aux cérémonies religieuses, aux réunions éducatives, à un atelier d'apprentissage pour jeunes filles et pour des femmes abandonnées ou veuves. Il y créera même un foyer pour jeunes handicapés. Ce village s'ajoutera aux six cent cinquante mille autres que compte ce pays-continent. Kamruddin le baptisera « The Dominique & Dominique City of Joy Village ».

D'autres êtres de lumière formés par Gaston reçurent aussi notre aide enthousiaste. Shukesi, une intrépide infirmière bengali, en savait autant que tous les spécialistes des hôpitaux de Calcutta. Le dispensaire qu'elle animait pratiquement seule en pleine zone rurale du sud du delta drainait toutes les détresses à quarante kilomètres à la ronde. Avec pour seuls moyens un peu d'alcool, une pince, un bistouri et quelques médicaments, elle soignait plus de six cents malades par jour. Le spectacle de ces défilés pathétiques me hantera éternellement. Les mères apportaient leurs enfants couverts de furoncles, d'abcès, d'anthrax, de pelade, de gale. Gastro-entérites et parasites affectaient un cas sur trois. Le plus insupportable était le spectacle des bébés rachitiques au ventre ballonné. À un an, ils pesaient moins de trois kilos. Il y avait aussi les urgences : les morsures de chien enragé et de serpent, les accidents, les coups de couteau, les brûlures, les crises de folie, les empoisonnements. Un jour, une jeune hindoue montra à Shukesi une marque claire sur son joli visage. La piqûre d'une épingle au centre de la tache suffit à l'infirmière pour diagnostiquer la lèpre. Beaucoup venaient parce qu'un miracle était leur seul espoir : cancéreux, grands cardiaques, fous, aveugles, muets, paralysés, difformes. Heureusement, il y avait parfois des occasions de sourire. Un jour, un malade s'approcha en brandissant une ordonnance vieille de plusieurs années sur laquelle Shukesi lut que, souffrant d'un cancer généralisé en phase terminale, il devait absorber six comprimés d'aspirine par jour. Un autre exhiba, avec vénération, une radiographie pulmonaire révélant des cavernes grosses comme le poing datant d'une bonne vingtaine d'années. La jeune infirmière prenait toujours le temps d'écouter, de rassurer, d'offrir à chacun le réconfort de son sourire. Elle-même avait connu la détresse. Fille de pauvres paysans, elle avait été abandonnée enceinte par son mari, parti avec la caisse du dispensaire et les quelques ornements en or qui constituaient sa modeste dot.

Grâce à *La Cité de la joie* et à la solidarité de ses lecteurs, notre petite sœur indienne réalisera, elle aussi, tous ses rêves. Elle donnera leur chance à une centaine d'enfants intouchables en leur bâtissant une école et en leur distribuant deux repas quotidiens riches en protéines et en vitamines. Elle construira un foyer pour soixante enfants handicapés moteurs et mentaux, lancera des campagnes de vaccinations contre la variole, le tétanos, la tuberculose. Bientôt, mille enfants souffrant de malnutrition recevront chaque semaine un complément alimentaire. Les plus démunis, les plus âgés, les handicapés, les veuves, bref, tous les êtres en détresse du secteur trouveront auprès d'elle un secours financier pour démarrer une petite activité : ouvrir une boutique, créer un élevage de poulets, monter un atelier d'artisanat.

À toutes ces qualités, Shukesi ajoutait celle de cordon-bleu. Ses aubergines frites et son riz à la cardamome resteront des souvenirs gastronomiques inoubliables.

*

Parmi tous les centres auxquels je pus apporter le secours de mes droits d'auteur se trouvait évidemment l'institution qui avait été le détonateur de notre engagement humanitaire. Le foyer Résurrection de l'Anglais James Stevens devint un véritable petit campus. Il s'agrandit de plusieurs hectares de terres et de quatre pavillons où les enfants découvrirent l'eau courante, les douches, l'éclairage électrique... et ce luxe inimaginable dans leurs colonies de lépreux, des ventilateurs qui rafraîchissaient la fournaise des nuits d'été, cadeau d'un commerçant de Calcutta. Grâce aux terres nouvellement acquises, James put réaliser l'un des projets qui lui tenaient depuis si longtemps à cœur : rendre le foyer et ses deux cent cinquante enfants presque autosuffisants en riz, légumes, fruits, poisson, œufs et volailles. Une victoire symbolique contre l'ancestrale malédiction de l'Inde – la faim.

Une bataille quotidienne pour défendre l'argent des pauvres

Quelques déceptions, quelques échecs et beaucoup de souffrances se cachaient cependant derrière le bilan de nos réussites. Aider n'est pas une chose facile. L'envoi d'un chèque est un geste infinitésimal en comparaison du travail de contrôle qu'implique ce soutien financier. Il ne suffit pas d'expédier de l'argent, il faut garantir la transparence de son emploi. L'association Action pour les enfants des lépreux de Calcutta, que j'avais fondée après notre rencontre avec James Stevens, fonctionne sans aucun collaborateur salarié. Nous assumons nous-mêmes tous les frais de bureau pour que mes droits d'auteur et les dons des lecteurs soient intégralement envoyés à leurs destinataires. Depuis plus de quinze ans, cet acharnement mobilise une bonne moitié de notre temps. Notre vigilance dut s'exercer dès l'envoi des premiers fonds en Inde. Les banques, qui n'ont pas l'habitude de faire de cadeaux, grevaient lourdement nos transferts de commissions de change et autres frais de gestion. Comme la menace d'une grève de la faim n'aurait eu aucun effet sur leurs directeurs, je dus chercher d'autres arguments pour faire baisser le coût exorbitant de ces opérations bancaires. Presque toujours, j'eus gain de cause. Chaque victoire permettait de sauver un ou plusieurs enfants de plus. À l'autre extrémité, en Inde même, notre combat consista d'abord à obtenir les meilleurs taux de change. Selon les banques et l'humeur de leurs responsables, un dollar représente un jour trente roupies, un autre trente et une, un autre trente-deux roupies ou plus. Sur cent mille dollars, cela signifie encore beaucoup d'enfants arrachés à leur misère.

Il fallait également veiller à ce que les comptes des bénéficiaires de nos envois soient immédiatement crédités, ce qui était rarement le cas. Comme dans tout pays pauvre, la moindre arrivée d'argent est en Inde l'occasion d'une foule de petits profits. Il s'agissait parfois de véritables détournements. Un transfert de deux cent mille francs disparut un jour entre Paris et Calcutta. Après six mois de recherches, je finis par apprendre que la somme était retenue dans une banque de Bombay. Je fis un détour par le grand port indien et me précipitai au siège de l'établissement concerné. J'entrai directement dans le bureau du directeur. Au froid polaire qui régnait dans la pièce, je compris que j'avais ouvert la bonne porte. En Inde, plus un bureau est réfrigéré, plus élevé est le rang de son occupant. Je me présentai.

– Monsieur le directeur, votre banque détient depuis six mois deux cent mille francs qui appartiennent aux pauvres de Calcutta, m'emportai-je en présentant les télécopies que m'avait remises ma banque à Paris. Je voudrais connaître les raisons de cette retenue.

L'homme se leva de son fauteuil. Son visage exprimait une gêne extrême.

– *I'll pay interests, Mister Lapierre ! I'll pay interests !*

Il appuya sur une sonnette et trois responsables en costume-cravate firent leur entrée. Le directeur leur ordonna de se renseigner d'urgence. Les trois hommes sortirent et revinrent cinq minutes plus tard.

– Sir, déclara le plus âgé, le jour où cette somme est arrivée, la banque centrale n'avait pas fixé le taux de change entre le franc français et la roupie. Notre service des devises ne savait donc pas quel taux appliquer.

Je n'en croyais pas mes oreilles. Le froid me donnait plutôt envie d'éternuer que de rire, mais la scène était réellement comique. J'eus droit à un torrent d'excuses.

– Combien d'intérêts allez-vous donner aux pauvres de Calcutta pour réparer cette incroyable négligence ? demandai-je.

– Douze pour cent ! lâcha le directeur dans un fol accès de générosité.

– Ce n'est pas assez !

– Quinze pour cent !

– C'est encore insuffisant.

Les trois employés et le directeur échangèrent des regards stupéfaits.

– Il m'est impossible d'aller au-delà.

– Je demande au moins dix-sept pour cent. L'argent que vous avez gardé était destiné à des enfants lépreux. Je fais appel à votre générosité.

Le directeur me tendit la main.

– C'est d'accord : dix-sept pour cent.

*

Beaucoup plus grave fut la soudaine décision du gouvernement indien d'interdire la réception de subsides étrangers. Par cette mesure, le gouvernement central espérait priver les organisations sikhs indépendantistes du Panjab et les militants musulmans du centre du pays des contributions extérieures qui permettaient aux uns d'acheter des armes, et aux autres de construire des mosquées. Pour les bénéficiaires de nos secours, c'était une tragédie. Du jour au lendemain, ils se trouvèrent sans argent pour acheter la nourriture des enfants des foyers, les médicaments, les plaques de radiologie, les briques, le ciment, les tuiles, les charpentes des nouvelles constructions, les coffrages des puits et des latrines ; pour payer les salaires des médecins, des infirmiers, des travailleurs sociaux, des maîtres d'école. Nous étions étranglés. Je dus emprunter en catastrophe plusieurs milliers de roupies à des amis indiens et changer toutes nos devises personnelles pour fournir une bouffée d'oxygène à nos organisations menacées de mort. Nos équipes montrèrent une générosité exemplaire. Infirmiers, enseignants, travailleurs sociaux et tous les petits employés des centres acceptèrent de poursuivre leur tâche sans toucher leur salaire pendant des mois. Cet héroïsme me poussa à remuer ciel et terre. Je fis le siège des ministères de New Delhi avec des albums de photos montrant les centaines d'enfants lépreux guéris et scolarisés, les tuberculeux soignés, les distributions de nourriture, les puits d'eau potable creusés, les villages reconstruits après le dernier cyclone. Je plaidai désespérément pour qu'on accorde à ces actions d'entraide et de développement le droit de recevoir d'urgence les fonds nécessaires à leur survie. Un jour, je réussis à forcer la porte du ministre de la Justice. Par chance, il était originaire de Calcutta et avait lu *La Cité de la joie.* Que cet homme soit béni ! Quelques jours plus tard, tous nos centres reçurent comme une mousson salvatrice l'argent attendu depuis six mois.

*

Je dus apprendre à faire face à toutes sortes de menaces. Telle cette prétention du parti communiste bengali de faire engager une fournée de ses militants par notre foyer Résurrection. Ou ce pot-de-vin réclamé par deux inspecteurs du fisc chargés d'examiner les comptes d'un de nos dispensaires. Ou ce détournement, par l'organisation qui les réceptionna, des pompes à énergie solaire que je destinais à dix villages misérables privés d'eau en saison sèche. Ou cette décision des douanes indiennes de taxer de trois fois sa valeur une camionnette Peugeot offerte à un religieux qui creusait des puits pour les pauvres dans la région de Madras.

La saga de cette camionnette est un bon exemple des situations ubuesques dans lesquelles la bureaucratie indienne peut avoir le génie de vous engluer. Un jour que Dominique et moi faisions visiter Madras à un groupe d'amis européens et américains, j'avais demandé au père jésuite Pierre Ceyrac de venir nous parler à notre hôtel de cette Inde que nos compagnons de voyage privilégiés ne connaîtraient jamais, celle des villages où il forait ses puits, l'Inde profonde chantée et vénérée par le Mahatma Gandhi. J'avais une idée derrière la tête. Je savais que cet apôtre utilisait, pour le transport du matériel de construction des puits, une antique camionnette Peugeot avec laquelle il avait dû parcourir dix fois la distance de la Terre à la Lune. Cette guimbarde était sur le point d'expirer. Or Bertrand et Christiane Peugeot faisaient partie de notre groupe. Je ne doutais pas qu'après leur rencontre avec cet apôtre leur firme nous consentirait un rabais important sur l'achat d'un véhicule neuf.

Le père Ceyrac sut parler de son Inde avec des mots qui tirèrent des larmes à chacun de nous. À la fin du repas, j'offris de le raccompagner à sa camionnette et j'entraînai nos amis Peugeot. Le père tenta de nous dissuader de sortir dans l'extrême chaleur.

– J'ai garé ma voiture très loin, s'excusa-t-il.

Nous insistâmes et lui emboîtâmes le pas. Nos chaussures s'enfonçaient dans l'asphalte fondu. La réverbération était telle que nous avancions presque à l'aveuglette. Il faisait plus de cinquante degrés.

Nous étions enfin arrivés devant la guimbarde du prêtre. Il s'installa au volant. La pauvre voiture n'avait plus de vitres et ses portes tenaient par des bouts de fil de fer. Il nous adressa un signe d'adieu amical et appuya sur le démarreur. On entendit une série de hoquets mais le moteur refusa de se mettre en marche. Le père insista. En vain. Nous vîmes alors son visage dégoulinant de sueur apparaître à la portière.

– Elle doit être froide, déclara-t-il.

Trois mois plus tard, un bateau déchargeait une camionnette flambant neuve sur un quai de Bombay. Elle était blanche et portait le nom du père Ceyrac. Cadeau de ses amis de France, elle avait pu être achetée à des conditions exceptionnelles. Malheur ! À cause d'un formulaire d'importation incorrectement rempli, les douanes indiennes mirent le grappin sur le véhicule. J'eus beau courir de bureau en bureau, aucun argument ne parvint à fléchir les gabelous du port de Bombay. Trois années passèrent. Je n'étais même plus certain que la voiture existât encore. Avait-elle été revendue en douce à quelque mafioso local, dépecée pièce par pièce, réduite en poussière par les assauts conjugués de la mousson et du soleil tropical ? J'eus un jour envie de le savoir. Je pris un taxi avec Dominique pour aller à sa recherche dans les docks de Bombay. Un décor de Fritz Lang ! Des bassins à n'en plus finir. Des entrepôts capables d'héberger la moitié de la population indienne. Une galaxie de réservoirs jusqu'au bout de l'horizon. Des bidonvilles partout. Un grouillement insensé de petits bazars au milieu de montagnes de containers, de caisses, de sacs, de ballots. Après deux heures d'exploration, épuisés, noirs de poussière, à demi asphyxiés par les fumées, nous décidâmes de rebrousser chemin. Mais soudain, une plaque d'immatriculation rouge entre deux piles de cageots sur un quai attira mon attention. Nous nous précipitâmes. Elle était là, les pneus à plat, les pare-chocs dans une gangue de crasse, les enjoliveurs rougis de rouille. Elle était là, sale, méconnaissable. Mais elle était là ! Et apparemment entière. Par chance, le gardien de l'entrepôt parlait assez correctement l'anglais. C'était un musulman. Il s'appelait Saïd.

– Saïd, tu vois cette voiture ? Eh bien, elle appartient à un saint homme qui a donné sa vie aux pauvres de l'Inde. Elle va lui permettre de transporter les matériaux nécessaires pour creuser des puits dans des villages du Tamil Nadu.

Saïd contemplait la montagne de poussière et de crasse dans un silence à la fois craintif et respectueux.

– Toi aussi, tu es un saint homme, repris-je en posant mon doigt sur le petit Coran qui pendait à son cou. Alors, tu vas veiller sur cette voiture comme s'il s'agissait de ta propre sœur. Tu vas la nettoyer, la laver, la faire briller. Tu vas la recouvrir d'une bâche, gonfler ses pneus, faire tourner son moteur. Tu vas vraiment la considérer comme une personne de ta famille. Et moi, pendant ce temps, je vais me débrouiller pour la faire envoyer au saint homme à qui elle est destinée.

– Tu peux compter sur moi, *brother,* dit Saïd en dodelinant du chef. Je ferai tout ce que tu m'as dit.

Je lui donnai mon nom et mon adresse, sans trop d'illusions. Quand la mousson éclata, il m'envoya une carte postale : « Rassure-toi, *brother,* j'ai déplié une bâche sur la voiture. Elle est propre et belle comme la bague d'une bégum. Elle attend que tu viennes la chercher. »

Des mois passèrent encore. Les douaniers restaient inflexibles. Je décidai alors de m'adresser directement au sommet. Je demandai une audience au Premier ministre, Rajiv Gandhi. Nous nous étions rencontrés à plusieurs reprises lorsque je venais à Safdarjung Road interviewer sa mère Indira pour notre livre *Cette nuit la liberté.* J'étais convaincu que cet homme chaleureux, ouvert, si atypique dans le monde politique indien, accepterait de distraire quelques minutes de ses tâches écrasantes pour m'écouter. Il le fit.

– Ces bureaucrates devraient être pendus ! conclut-il. Vous pouvez dire à votre saint homme qu'il va recevoir très vite son véhicule.

Trois jours plus tard, la camionnette du père Ceyrac échappait enfin aux griffes de ceux qui l'avaient retenue pendant si longtemps.

Un président chez les pauvres et un pauvre chez les riches

C'était l'hiver. Un hiver sinistre. Depuis cinquante ans, il n'était pas tombé autant d'eau sur le midi de la France. La presqu'île de Saint-Tropez n'était plus qu'une éponge. Il faisait un froid mordant, humide. Bref, notre moral n'était pas au beau fixe. Nous venions de prendre, Dominique et moi, une décision douloureuse. Notre engagement humanitaire dans les bidonvilles de Calcutta et les zones déshéritées du delta du Gange nécessitait des fonds de plus en plus importants. Mes droits d'auteur, la générosité de milliers de lecteurs, les conférences que j'étais invité à donner un peu partout en Europe et en Amérique ne suffisaient plus à boucler nos budgets d'aide qui représentaient à présent un total de deux millions et demi de francs par an. Nous avions donc décidé de mettre le Grand Pin en vente et de nous installer dans la maison, plus modeste et d'un entretien plus facile, que nous avions fait construire dans le bas de la propriété en prévision de nos vieux jours.

Abandonner le Grand Pin était une triste perspective. Tant de souvenirs m'attachaient à chaque coin et recoin de cette maison bâtie peu à peu grâce aux droits d'auteur de chacun de mes ouvrages ! Déménager onze pièces remplies de livres, de documents, de meubles, d'objets, de souvenirs rapportés de tant de voyages dans un espace trois fois plus restreint nous obligerait à des choix déchirants. Et puis, trouverions-nous un acheteur ? La crise immobilière et cette affreuse saison étaient peu propices aux transactions rapides.

C'est alors que le téléphone sonna.

« Ici le palais de l'Élysée, je vous passe le service du protocole. »

Mon interlocuteur m'informa que le président de la République désirait nous inviter, ma femme et moi, à l'accompagner lors de son prochain voyage officiel en Inde. L'itinéraire présidentiel comptait une escale à Calcutta. À cette occasion, le chef de l'État souhaitait rencontrer quelques-uns des personnages dont je faisais le portrait dans *La Cité de la joie*. Pouvais-je organiser ces rencontres ?

Dix jours plus tard, je m'engageai avec Dominique sur l'impressionnant tapis rouge qui reliait le salon d'honneur de l'aérodrome Charles-de-Gaulle au Concorde qui allait emmener en Inde le président de la République, sa suite et ses invités. Avant de prendre place dans sa cabine spécialement aménagée, François Mitterrand avait salué chacun de ses invités.

« Pour vous, c'est presque un retour au bercail ! m'avait-il gentiment lancé, avant d'ajouter avec chaleur : Revenir à Calcutta avec l'auteur de *La Cité de la joie*, voilà qui est une joie. »

Revenir à Calcutta ? En effet, quand il avait été élu premier secrétaire du parti socialiste au congrès d'Épinay, en 1971, François Mitterrand avait désiré passer deux semaines dans un pays en voie de développement. C'est ainsi qu'il s'était retrouvé aide-infirmier dans le dispensaire d'un prêtre français à Calcutta.

Ce voyage d'État en Inde devait lui donner, dix-huit ans plus tard, l'occasion de revoir la ville qui l'avait tant impressionné. Le Premier ministre Rajiv Gandhi prêta son Boeing 737 personnel pour ce déplacement, la piste de l'aérodrome de Calcutta étant trop courte pour accueillir le Concorde présidentiel. Après deux heures de vol au-dessus des immensités parcheminées de la vallée du Gange, nous survolâmes la luxuriante campagne bengalie. Puis je reconnus tout à coup le campanile néo-gothique de la cathédrale Saint-Paul, l'énorme pâtisserie de pierres du Victoria Memorial, le champ de courses, les vieux autobus rouges à impériale se traînant au milieu du parc du Maidan. Nous arrivions à Calcutta.

Avant de se poser, l'avion décrivit un cercle autour des bâtiments du vieil aérogare de Dum Dum. Un océan de têtes noires grouillait autour du hall d'arrivée pavoisé d'une haie de drapeaux. Des gens agitaient des banderoles, brandissaient des guirlandes de fleurs. Sur le bord de la piste attendait une superbe rangée de cavaliers enturbannés, les fameux lanciers du Bengale glorifiés par les films de Hollywood, ainsi qu'une fanfare en uniformes chamarrés. Tout le faste de l'Inde romantique était rassemblé autour des officiels en dhoti blanc et de leurs épouses en sari pour recevoir le chef du pays qui avait naguère disputé à l'Angleterre la possession de ces marches impériales. Après l'accueil officiel plutôt réservé de New Delhi, les masses indiennes allaient enfin offrir au président français le bain de foule asiatique qu'il espérait.

Comment décrire mon embarras, quelques minutes plus tard à la sortie de l'aérogare, quand François Mitterrand découvrit que cette foule n'était pas venue pour lui, que les pancartes, les banderoles, les calicots aperçus du ciel proclamaient « WELCOME DOMINIQUE & DOMINIQUE ». Ce comité d'accueil était composé d'anciens tuberculeux que les droits d'auteur de *La Cité de la joie* avaient arrachés à une mort précoce.

Le président eut l'élégance de se montrer beau joueur. Avant de monter en voiture, il me glissa à l'oreille :

– À Calcutta, c'est vous, Lapierre, qui méritez les ovations populaires.

J'abandonnai le cortège officiel pour sauter dans un taxi. J'avais un rendez-vous urgent. La Bellevue Clinic était l'établissement hospitalier le plus moderne du Bengale. Le plus cher aussi. Seuls les riches commerçants, les chefs d'entreprise, les hauts dignitaires du régime communiste local pouvaient s'offrir le luxe de bénéficier de son scanner, de sa bombe au cobalt, de ses blocs opératoires, de son personnel qualifié, de ses chambres climatisées. Mais, pour la première fois de son histoire, la clinique comptait ce jour-là un indigent parmi ses pensionnaires. La pollution hivernale et le surmenage avaient eu raison des poumons de Gaston. On l'avait retrouvé sans connaissance. Aucun hôpital n'avait voulu accueillir ce sahib vêtu comme un pauvre et dont les poches ne contenaient même pas une pièce de dix *paisa*. Il avait fallu l'intervention d'un médecin ami de James Stevens pour le faire admettre en catastrophe à la Bellevue Clinic. Le fait qu'il fût dans un semi-coma avait permis cette hospitalisation car, eût-il été conscient, Gaston n'aurait jamais accepté d'entrer dans cet établissement pour riches où le prix d'une journée de soins dépassait ce que pouvait espérer gagner un tireur de pousse-pousse en six mois de courses épuisantes. Au moment où j'allais quitter Paris, un coup de téléphone angoissé de Calcutta m'avait averti que la clinique exigeait sans délai le versement d'une caution importante.

Le directeur n'était pas dans son bureau. Sa secrétaire

m'informa qu'il était en conférence avec la propriétaire de l'établissement dans la pièce adjacente. C'était ma chance ! Je me précipitai vers la porte, frappai et, sans attendre de réponse, entrai dans un vaste salon où trônait derrière un bureau une dame opulente vêtue d'un sari de mousseline mauve. Elle me lança un regard courroucé. Je la priai de m'excuser et me présentai. Mon nom, associé au titre de mon livre *La Cité de la joie*, me valut un grand sourire. Sans lui laisser le temps de s'étonner de mon intrusion, je pris sa main aux doigts ornés de bagues et m'écriai :

– Madame, votre clinique a le privilège d'héberger parmi ses malades un saint, un homme qui a tout quitté pour offrir sa vie aux pauvres de votre pays, pour soulager leurs misères, pour leur apporter son amour. Cet apôtre s'est épuisé à cette tâche. On l'a retrouvé à demi mort il y a trois jours. Aucun hôpital n'a voulu de lui. Des amis ont pu le faire entrer chez vous. Depuis, vos médecins luttent pour le sauver. Aujourd'hui, on menace de l'expulser.

Connaissant l'importance du sacré en Inde, je suppliai :

– Madame, allez rendre visite à ce malade dans sa chambre, ayez un darshan avec cet homme de Dieu. Il est aussi grand que le Mahatma Gandhi, aussi grand que tous les sages de l'Inde, sa bénédiction vous portera bonheur...

Que n'aurais-je dit pour sauver Gaston !

– C'est toujours une chance, repris-je, de contribuer à préserver une vie. Celle-ci vous a été confiée par le destin pour enrichir votre karma. Je vous demande de lui faire le cadeau de sa guérison dans votre belle clinique.

La référence au « destin » et au « karma » parut faire impression. L'opulente dame questionna son directeur en bengali. Il y eut un bref échange. Finalement, elle se leva de son fauteuil et répondit à ma requête par un mot, un seul.

– *Granted !* (Accordé !)

Dédaignant les ascenseurs trop lents, je grimpai à pied jusqu'au cinquième étage et me précipitai dans la chambre 519. Vêtu d'une chemise bleu pâle, Gaston gisait sur son lit, la tête surélevée par deux oreillers. Plusieurs flacons de goutte-à-goutte, suspendus à des potences, distillaient un souffle de vie dans ce corps exsangue. Un masque à oxygène était accroché au mur pour parer à une nouvelle crise d'étouffement. Il était blême, émacié, épuisé. Mon arrivée alluma quand même un sourire malicieux au coin de ses lèvres.

– Gaston je t'apporte le salut du président de la République française ! Je t'apporte surtout le salut de la propriétaire de cette clinique, qui te fait cadeau de ta guérison. Tu peux te laisser cajoler, dorloter, pouloter par les infirmières, tu peux absorber tous les médicaments qu'on t'apportera, manger tout ce qu'on te servira. Tout, tu entends, *tout* est offert par la maison. Sois rassuré : tu ne priveras pas les pauvres d'une seule roupie.

Il fit un effort pour parler.

– Merci... mais je veux partir d'ici et aller dans un hôpital pour tout le monde...

Un spasme le secoua. Je contemplai le corps inerte et me demandai un instant si Gaston n'était pas mort. Puis je perçus le sifflement irrégulier de sa respiration. Une infirmière entra pour lui donner des soins. Je me retirai. En descendant l'escalier, je songeai à toutes les discussions que j'avais eues avec lui à propos de sa santé. Combien de fois avais-je cherché à le convaincre que sa vie était plus importante que sa mort, que son départ créerait un vide abyssal pour tous les déshérités dont la survie dépendait de sa présence, et pour ceux qui, de loin, se battaient pour soutenir son action ! Chaque fois, je m'étais entendu répondre que sa vie était entre les mains de Dieu, et que son principal problème n'était pas de vivre mais de « pouvoir regarder en face, et sans honte, les hommes qui l'entouraient ».

*

Ce soir-là, à cinq heures, la plupart des principaux héros de *La Cité de la joie* vinrent prendre le thé avec le président Mitterrand dans la bibliothèque du collège La Martinière. Fondée au XVIIIe siècle par un aristocrate de Lyon, l'institution formait l'élite de l'adolescence bengali. Parmi les invités se trouvaient James Stevens et son épouse, ainsi que François Laborde, ce prêtre français chez lequel il avait travaillé comme infirmier volontaire en 1971, et dont nous avions adopté plusieurs des foyers qu'il avait fondés pour des enfants handicapés. Quelle émotion de voir réunis autour d'une même table le président de la France, ses ministres, ses conseillers, et de l'autre côté, ces hommes pauvrement vêtus, maigres, mais habités par un idéal d'amour et de partage !

Dans l'avion qui nous emmenait le lendemain à Bombay, François Mitterrand, très impressionné par ses rencontres, me questionna sur la façon dont la France pourrait leur apporter son aide. J'énumérai aussitôt quelques idées. Puis, sur le ton de la plaisanterie, j'ajoutai :

– En attendant, monsieur le Président, montrez-leur l'estime de la France : donnez-leur à tous la Légion d'honneur [1] !

*

Calcutta était devenue notre seconde patrie. Lors de l'un de nos fréquents séjours, une surprise de taille nous attendait. Le maire communiste, M. K. K. Basu, et les deux cent cinquante membres de son conseil municipal tinrent à nous recevoir dans la salle des fêtes de leur vieil hôtel de ville décoré d'une immense banderole de bienvenue. Dans son discours d'accueil, le maire exprima « la gratitude de Calcutta » pour la façon dont j'avais révélé au monde « les vertus de courage, de vitalité et d'espérance de sa population ». En remerciement, les élus de la grande métropole avaient décidé de nous faire, ma femme et moi, citoyens d'honneur et de nous offrir la médaille d'or de la ville. Très ému, je répondis que c'était au nom de tous les héros des bidonvilles, au nom de tous les tireurs de pousse-pousse, de tous les êtres de lumière que nous avions eu la chance de rencontrer dans cette ville magique, que nous acceptions cette médaille. Elle était d'abord la leur. Elle honorait des hommes, des femmes, des enfants qui montraient chaque jour au monde que, « si l'adversité est grande, comme disait le grand poète bengali Tagore, l'homme est encore plus grand que l'adversité ».

Mais la distinction la plus surprenante que je devais recevoir en ce jour mémorable fut un document qui montrait l'impact qu'avait eu mon livre sur les administrateurs de la cité. Le programme de développement urbain de Calcutta qu'ils avaient élaboré était intitulé : « Calcutta – Cité de la joie – Projets pour demain ».

1. La suggestion sera suivie d'effets.

Parmi les premières actions prévues pour changer les conditions de vie de la population figurait la distribution quotidienne de dix litres d'eau potable à chacun des trois millions d'habitants des bidonvilles.

*

« Cité de la joie », cette appellation que j'avais empruntée à Gaston pour décrire les valeurs exemplaires de l'un de ses plus sordides quartiers, toute la ville de Calcutta voulut s'en parer. À la sortie de l'aéroport des panneaux accueillirent bientôt les visiteurs avec de gigantesques WELCOME TO THE CITY OF JOY. Des fabricants de peinture achetèrent des pages entières de publicité dans les journaux pour annoncer que leurs produits « allaient repeindre la ville en une Cité de la joie » ; des citoyens mécontents interpellèrent leurs élus aux cris de : « Quand ferez-vous de notre ville une authentique Cité de la joie ? » Même le gouvernement marxiste s'empara de l'appellation pour en faire un slogan. « Venez investir vos capitaux dans la Cité de la joie », proclama sa propagande officielle, soucieuse d'effacer la réputation détestable de la capitale du Bengale dans les milieux d'affaires internationaux.

Le bienheureux qui est aimé de Dieu

Une ombre obscurcissait toutefois notre histoire d'amour avec l'Inde. Celui qui nous avait ouvert les portes de la Cité de la joie ne parvenait pas à obtenir ce qu'il considérait comme le plus beau cadeau qu'il pourrait jamais recevoir. Gaston avait épousé le petit peuple de l'Inde. Il s'était identifié à ses joies, ses souffrances, ses peurs, ses révoltes. Il luttait avec lui, priait avec lui, espérait et pleurait avec lui, comme aucun homme venu d'ailleurs ne l'avait peut-être jamais fait. Le *dadah* était bien le frère de tous les malheureux de cette ville. Hélas, cette évidence n'était pas reconnue par une petite poignée de fonctionnaires xénophobes et méfiants du ministère de l'Intérieur du Bengale. Ils refusaient obstinément d'accorder au « grand frère suisse » la gratitude officielle du pays, ils refusaient de l'accepter au sein de la famille indienne. Toutes les démarches de l'infirmier en vue d'obtenir sa naturalisation indienne étaient systématiquement repoussées. Gaston s'était pourtant scrupuleusement acquitté des obligations imposées par la loi à un étranger. Il avait appris à parler et à écrire couramment une langue indienne, justifié d'une résidence et d'un travail dans le pays depuis plus de cinq années, régularisé sa situation fiscale, publié dans les journaux son « avis de demande de citoyenneté », obtenu le nombre nécessaire de parrainages, et satisfait à mille autres formalités tatillonnes.

Mais, derrière les façades en brique rouge du Writers' Building, on continuait à se demander ce qui pouvait bien pousser le citoyen d'un des pays les plus riches du monde à vouloir devenir indien. Convocations répétées au siège de la police des étrangers, interrogatoires humiliants, menaces à peine voilées de ne pas renouveler son visa de séjour, les autorités s'acharnaient à tourmenter le malheureux apôtre des bidonvilles.

Persuadé que seule une décision venant de New Delhi pouvait mettre fin à cette injustice, j'entrepris démarche sur démarche. Dominique avait confectionné des dossiers très complets que je remis pieusement aux responsables rencontrés. Je plaidai devant tous le cas de Gaston à l'aide d'un petit discours qui ne manquait pas d'émouvoir. Je montrai des photos, racontai en détail son travail au service de ses frères indiens, énumérai les victoires remportées, citai des témoignages dont certains faisaient parfois briller d'émotion le regard des fonctionnaires les plus endurcis. Je terminais toujours mes démonstrations en exprimant ma conviction que « l'Inde ne pourrait être que plus riche, plus fraternelle, plus heureuse, en accueillant en son sein un être aussi exceptionnel ».

Cette croisade acharnée dura deux années. Un jour, enfin, le facteur du bidonville apporta à Gaston une enveloppe jaune revêtue du cachet du ministère de l'Intérieur. Il la décacheta, le cœur battant.

– Mon Dieu, frémit-il, je parie que le gouvernement me met à la porte.

Il parcourut le texte avec angoisse. Soudain, ses yeux tombèrent sur des mots qu'il dut relire plusieurs fois pour en saisir le sens. « *The Governement of India hereby grants the said Grandjean Gaston the certificate of...* »

« Par la présente, disait le document, le gouvernement de la République de l'Inde accorde au dénommé Grandjean Gaston son certificat de naturalisation et déclare que, après avoir prêté serment de fidélité dans le délai et selon les règles prévus par la loi, il aura droit à tous les privilèges, prérogatives et droits, et sera soumis à tous les devoirs, obligations et responsabilités d'un citoyen indien. »

Gaston nous dira qu'il eut soudain l'impression que le cœur entier du bidonville battait dans sa poitrine. Saisi de vertige, il s'appuya contre le mur de sa chambre, et ferma les yeux. Quand il les rouvrit, il prit dans ses mains la petite croix en métal qui pendait à son cou. Il contempla les deux dates que sa mère y avait fait inscrire, celle de sa naissance et celle de son entrée dans la Fraternité du Prado. Le regard brouillé par des larmes de bonheur, il considéra alors le petit espace laissé libre devant le nom qu'il avait fait graver voici plusieurs années. Ce nom, il l'avait choisi depuis longtemps pour être son patronyme de citoyen indien. En hindi comme en bengali, *Dayanand* signifie « Bienheureux celui qui est aimé de Dieu ». Cette appellation résumait parfaitement sa communion avec le peuple des humbles, des pauvres, des meurtris de l'Inde. Devant ce nom qui était désormais le sien, il ferait graver la date de son entrée définitive dans la grande famille de ses frères indiens. Ce jour était la troisième date la plus importante de sa vie.

Le proverbe avait raison. Il y a toujours mille soleils à l'envers des nuages.

Épilogue

Gaston vécut dans l'euphorie ses premiers jours de citoyen indien. Cependant, avant d'avoir droit au passeport vert frappé des trois lions d'Ashoka, emblème de sa nouvelle patrie, il dut satisfaire à une formalité dont il ne pressentait pas la complication. Le règlement indien oblige tout citoyen naturalisé à fournir un certificat de l'ambassade de son pays d'origine attestant qu'il lui a restitué son passeport. Gaston prit donc le train pour New Delhi. Sa visite causa un vif émoi dans les bureaux de l'ambassade suisse. Jamais un citoyen de la Confédération n'avait encore exprimé sa volonté de renoncer à sa précieuse nationalité pour celle d'un pays du tiers monde. L'ambassadeur en personne tenta de convaincre cet étrange compatriote de conserver son passeport, quoi qu'il arrive. Gaston opposa un refus catégorique et obtint à l'arraché le certificat réclamé par les autorités de sa nouvelle patrie.

*

Le mariage définitif de Gaston avec l'Inde renforça notre engagement à ses côtés. En juillet 1997, nous eûmes, Dominique et moi, la chance de pouvoir l'aider à réaliser une action humanitaire qui nous tenait tous les trois à cœur depuis plusieurs années. S'il est un endroit du monde privé du moindre secours médical, un lieu dont les habitants sont si pauvres qu'ils ne disposent même pas des soixante centimes que coûte un ticket de ferry pour aller consulter un médecin ou un rebouteux sur la terre ferme, ce sont bien les cinquante-sept îles du golfe du Bengale, au large du delta du Gange et du Brahmapoutre. Ces îles très fortement peuplées sont toujours les premières victimes des cyclones qui dévastent périodiquement cette région de l'Inde. Saline, la terre n'y donne qu'une seule maigre récolte de riz par an. Pour empêcher leurs familles de mourir de faim, de nombreux paysans sont contraints d'aller chercher du miel sauvage dans l'immense forêt de palétuviers des Sunderbans qui borde l'extrémité du delta, le long de la frontière du Bangladesh. Cette zone quotidiennement recouverte par la marée est habitée par une espèce de tigres particulièrement féroces. Chaque année, quelque trois cents « cueilleurs » de miel sauvage, comme le père de la jeune Shanta que nous avions connue dans la Cité de la joie, sont dévorés par ces tigres mangeurs d'hommes. Ces fauves mènent une existence semi-aquatique. Ils nagent, se nourrissent de poissons, s'attaquent même aux crocodiles, et n'hésitent pas à s'approcher des barques pour s'emparer d'un pêcheur imprudent dormant sur le pont. Quand ils repèrent un homme sur une sente de la forêt, ils le suivent pendant des jours. Ils attaquent toujours par-derrière. Pour tenter d'intimider ces poursuivants, les paysans qui vont récolter du miel portent sur la nuque un masque d'aspect humain équipé d'un système électrique faisant étinceler ses yeux. Le département des forêts a même placé en plusieurs points de cette réserve des mannequins reliés à de puissants accumulateurs électriques. Au moindre contact, l'animal reçoit une décharge de trois mille volts. Personne n'a encore pu expliquer l'extrême férocité de ces fauves. Leur goût pour la chair humaine pourrait être dû au fait qu'ils se nourrissent fréquemment de débris humains provenant des bûchers funéraires installés le long du Gange. Le bois coûtant très cher, les habitants de la région ne peuvent pas toujours incinérer complètement leurs morts. Ils jettent alors leurs restes dans le fleuve. Le courant les charrie jusqu'aux abords de la forêt.

Outre les tigres, la tuberculose, le choléra, le paludisme et toutes les maladies de carence font des ravages dans ces îles défavorisées. Seul un bateau-dispensaire pouvait remédier à cette situation en se déplaçant d'île en île. En plus des interventions d'urgence et des soins aux malades, il permettrait de lancer des campagnes de vaccination et de prévention de la tuberculose, de promouvoir des programmes d'éducation, de planning familial, d'hygiène, etc. Ce projet représentait une véritable révolution sanitaire et sociale pour la région. Pour être performante, l'embarcation devait être équipée d'un appareil portatif de radiologie et de son groupe électrogène, d'une antenne chirurgicale rudimentaire, d'un réfrigérateur à panneaux solaires pour conserver vaccins et médicaments. L'équipe devait compter deux médecins, une dizaine d'infirmiers et un équipage compétent.

Le coût d'une telle réalisation excédait de loin nos ressources. Comment trouver les cinq cent mille francs nécessaires ? « Dieu y pourvoira », a coutume de répéter Mère Teresa chaque fois que surgit une situation difficile ou réclamant un effort financier particulier. Dans le cas de notre bateau-dispensaire, Dieu prit pour intermédiaire un jeune couple de Hollandais propriétaires de la société Merison, l'un des plus grands distributeurs mondiaux d'articles ménagers. Alexander et Suzanne Van Meerwijk avaient assisté à l'une de mes conférences. Ils vinrent à Calcutta visiter nos différents centres humanitaires. Ils furent si enthousiasmés par le travail accompli qu'ils décidèrent de marquer d'une façon très particulière le centième anniversaire de leur entreprise. Au lieu d'investir dans de coûteuses célébrations, ils nous remirent un chèque de cinq cent mille francs pour nous permettre de lancer le bateau-dispensaire, qui porte aujourd'hui le nom de *Merison – City of Joy Boat Dispensary*.

*

La difficile décision que nous avions prise de vendre le Grand Pin pour dégager les ressources nécessaires à la poursuite de notre action humanitaire en Inde se concrétisa sans trop de douleur. Notre départ fut facilité par la proximité géographique de la maison plus modeste où nous emménageâmes, et surtout par la qualité des acheteurs du Grand Pin. Ce couple d'Italiens montrait depuis longtemps sa compassion aux plus déshérités. Il avait créé à Milan une fondation et un centre de traitement et de réhabilitation pour de jeunes handicapés moteurs et cérébraux [1].

*

Pomme de Pin, la jument espagnole sur laquelle j'avais pendant tant d'années nourri ma méditation et mes rêves en caracolant dans les collines sauvages au-dessus du golfe de Saint-Tropez, s'endormit à l'âge canonique de trente-deux ans. Je l'avais encore montée l'avant-veille de sa mort. Elle avait gardé cette impétuosité qui m'avait tant séduit vingt-cinq ans plus tôt dans la cour de l'abattoir de Draguignan. Quand elle sentit venir sa fin, elle se coucha sur le côté et m'appela d'un concert de hennissements. Jamais je ne l'avais vue autrement que debout, prête à mordre, à donner un coup de pied, à partir au galop. Je m'agenouillai auprès d'elle et pris entre mes mains ses naseaux surmontés d'une tache blanche pour les embrasser longuement. Elle, toujours si vive, s'abandonna sans broncher à cette étreinte. Des larmes coulaient de ses grands yeux tristes et brillants, qui avaient la même couleur alezane que sa robe. Je compris qu'elle me disait adieu. Refusant l'évidence, je l'encourageai de la voix à se mettre debout. Elle eut un sursaut, parvint à relever son encolure et sa tête et à se redresser sur les genoux. Ses postérieurs frémirent, mais elle ne put soulever sa croupe. Épuisée, elle retomba sur le flanc. Ses paupières battirent plusieurs fois. Elle haleta quelques secondes, puis sa respiration s'arrêta. C'était fini. Ma merveilleuse compagne était montée au paradis des animaux, emportant avec elle l'une des parties les plus heureuses de ma vie.

Par chance, dans le box voisin, la jument blanche née de ses amours avec Preferido, l'étalon assassiné, était là qui piaffait d'impatience. Je la sellai aussitôt et m'en allai au galop noyer mon chagrin dans les collines marquées des sabots de son inoubliable mère.

*

Avant de refermer les pages de ce récit, j'aimerais partager avec le lecteur trois émotions qui restent, au soir de ma vie, gravées dans mon cœur avec une parti-

1. Fondazione Benedetta D'Intino.

culière intensité. Toutes trois m'ont été offertes par cette Inde qui m'a tant appris et tant donné.

Au lendemain de la publication de *Cette nuit la liberté,* je reçus une invitation. Les petites filles intouchables de l'école installée dans l'ashram que le Mahatma Gandhi avait fondé sur les bords du fleuve Sabarmati quand il avait commencé sa croisade pour chasser les Anglais, souhaitaient faire ma connaissance. Je vouais une tendresse toute spéciale à ce lieu tellement imprégné du souvenir de la Grande Âme, où j'avais passé tant de journées à étudier les documents relatifs aux débuts de son action. Les écolières nous attendaient, Dominique et moi, devant le portail avec de superbes guirlandes d'œillets jaunes qu'elles nous passèrent autour du cou jusqu'à presque nous étouffer. C'est alors que je découvris l'hommage peut-être le plus émouvant que je recevrai dans ma vie d'écrivain. Les élèves avaient recopié à la craie sur un tableau noir l'épisode de *Cette nuit la liberté* où nous avions raconté, Larry et moi, la dernière méditation de Gandhi le matin de sa mort. En bas du texte, écrit en larges lettres bien détachées, elles avaient inscrit : « *Thank you.* »

Aucun « merci » ne pourra jamais égaler ce *Thank you* adressé à un étranger par les petites intouchables du prophète de l'Inde. Nous pénétrâmes alors dans l'ashram. Sous un vaste auvent avait été installée une estrade de prière. Le directeur de l'école m'invita à y prendre place avec mon épouse et les quelques amis étrangers qui nous accompagnaient. J'étais si ému que j'eus du mal à dire à ces jeunes Indiennes que cette Grande Âme qu'elles vénéraient était aussi la nôtre, que le Mahatma appartenait à tous les hommes de cette Terre, que mes amis et moi, nous nous sentions tous des enfants de Gandhiji comme elles l'étaient elles-mêmes, et que ce partage nous unissait d'un lien exceptionnel. Le directeur traduisait mes paroles au fur et à mesure en gujarati, et je voyais les yeux briller d'un éclat de plus en plus intense. J'invitai alors les petites filles à chanter l'hymne de Tagore que Gandhi avait si souvent fredonné au départ de ses pèlerinages pour la paix et la réconciliation de ses frères indiens. « S'ils n'entendent pas ton appel, marche seul, marche seul », entonnèrent à pleins poumons les voix enfantines.

*

C'est notre amie Padmini, la fillette qui chaque jour à l'aube va ramasser des morceaux de charbon sur les voies ferrées, qui m'offrit une deuxième émotion inoubliable. *La Cité de la joie* venait de paraître en bengali. Chaque soir, des habitants du bidonville se réunissaient dans une courée autour d'un mollah musulman et d'un maître d'école hindou pour écouter la lecture du récit qui racontait leur vie et leur combat contre l'adversité. Apprenant que nous étions revenus de France, un groupe d'habitants voulut nous accueillir par une fête à l'entrée de leur quartier. « WELCOME HOME IN THE CITY OF JOY » (Bienvenue chez vous dans la Cité de la joie), proclamait une banderole blanc et rouge accrochée au-dessus des têtes d'un côté à l'autre de la ruelle. Une fillette sortit du groupe, un gros bouquet de fleurs à la main. C'était Padmini. Elle était radieuse.

– Grand frère et grande sœur Dominique, acceptez ces fleurs, déclara-t-elle au nom de tous en nous offrant son bouquet. Aujourd'hui, grâce à vous, nous ne sommes plus seuls.

*

Un jour de 1985, une vive surprise m'attendait à New York. Les journaux annonçaient que Mère Teresa et un petit groupe de ses sœurs indiennes de Calcutta venaient d'arriver à Manhattan pour y ouvrir un foyer destiné à secourir et à soigner des mourants sans ressources ni familles frappés par le sida. C'était cette fois le tiers-monde qui venait à la rescousse du riche Occident. Je me précipitai à l'adresse du foyer. La « sainte de Calcutta » lui avait donné le beau nom de « Don d'amour ». Dans le vestibule, il y avait au mur un grand poster qui proclamait aux malades et aux visiteurs de cette antichambre de la mort l'idée que Mère Teresa se faisait de la vie. Elle avait écrit ce texte une nuit de mousson, il y avait bien des années, alors qu'elle soignait des lépreux dans un dispensaire au bord du Gange. Je reçus chacune des affirmations de ce texte comme l'invitation la plus importante que puisse entendre un homme aujourd'hui.

La vie est une chance, disait Mère Teresa, *saisis-la*
La vie est beauté, admire-la
La vie est béatitude, savoure-la
La vie est un rêve, fais-en une réalité
La vie est un défi, fais-lui face
La vie est un devoir, accomplis-le
La vie est un jeu, joue-le
La vie est précieuse, prends-en soin
La vie est une richesse, conserve-la
La vie est amour, jouis-en
La vie est un mystère, perce-le
La vie est promesse, remplis-la
La vie est tristesse, surmonte-la
La vie est un hymne, chante-le
La vie est un combat, accepte-le
La vie est une tragédie, prends-la à bras-le-corps
La vie est une aventure, ose-la
La vie est bonheur, mérite-le
La vie est la vie, défends-la.

La Bastide, Ramatuelle,
août 1997

Remerciements

Je tiens à exprimer en tout premier lieu mon immense gratitude à ma femme Dominique qui partagea la plupart des aventures que raconte ce livre et qui fut une collaboratrice irremplaçable dans la préparation de *Mille Soleils*.

J'adresse également toute ma reconnaissance à Colette Modiano, à Paul et Manuela Andreota, et à Antoine Caro qui passèrent de longues heures à corriger mon manuscrit et m'aidèrent de leurs encouragements.

Je n'aurais jamais écrit ce livre sans la confiance enthousiaste de mon conseiller littéraire Morton Janklow et celle, si ancienne et fidèle, de mes amis éditeurs. Que Robert Laffont, Bernard Fixot et Antoine Audouard ainsi que Leonello Brandolini et François Laurent à Paris; Mario Lacruz à Barcelone; Gianni Ferrari, Giancarlo Bonacina, Luigi Sponzilli, Roberta Melli et Joy Terekiev à Milan; Cynthia Cannell à New York; et enfin mes amies et traductrices Pilar Girald, Elina Klersy, ainsi que Kathryn Spink, auteur ellemême de remarquables ouvrages sur Mère Teresa, frère Roger de Taizé et Jean Vanier, soient tous ici chaleureusement remerciés.

Je voudrais également exprimer ma gratitude à ceux qui soutiennent si généreusement notre œuvre humanitaire en Inde. Que soient remerciés en INDE : Raoul Bajaj, Jamsheed Bhabha, P. J. Crasta, Bharat Dhruv, Behram Dumasia, Adi Katgara, K. C. Mehra, Ratan N. Tata, et notre vieil ami Francis Wacziarg; en FRANCE : Micheline et Pierre Amado, Elisabeth Avenel, Cécile et Jacques Benoît, Jean-Michel Beretti, Marguerite Bergognon, Claire et Jacques Bouriez, Brigitte et Jean-Marie Bruneau, Simone Cordier-Duckstein, Jeanne et Robert Coron, Franck Coutière, Henriette Dalgé, Christophe Dechavane, Robert Delalande, Catherine Dufour, Fiona et Jake Eberts, l'abbaye d'En Calcat, le Dr Olivier Fichez, Bernard Fixot et Antoine Audouard, Jennifer et Pierre Foucault, Monique et Claude de Fraguier, M. et Mme Jacques Gérard-Bouriez, M. et Mme Dominique Hachard, Johnny Halliday, Marie de Hennezel,

M. et Mme Gérard Henry, Roger Herrera, Manju et Suresh Jain, Simonne Joffre, Patrice de Laage, Hélène et Robert Laffont, Jacques et Jeannine Lafont, Jean-Pierre et Marielle Lafont, Christine Lambert, Patrick Mahé, Arlette et Christian Millau, Jean-Claude Miocque, Simone et Arnaud de Monbrizon, Daniel Morgaine, Christian Monchecourt, Aleth et Roger Paluel-Marmont, les paroisses de Lans-en-Vercors et de Saint-Tropez, Hélène et Robert Peterman, Madeleine Pla, M. et Mme Roger Pouillon, Jean Ramon, la s.a. Louis Roederer, les élèves de Saint-Jory, Bernadette Soudan, Catherine et Claude Taittinger, Paule Tondut, Charles Van Haecke, Chantal Viallard, Béatrice de Vinzelles, Josette Wallet, Marie-Christine Walton-Gazard, Denis Zahm ; en ANGLETERRE : Kathryn and John Coo, Ruby Spink, Janet et Henry Tempest, Kathy et Roger Tempest ; au DANEMARK : Frieder Krups ; en ESPAGNE : Bernadette Andreota, Brigitte Baugas, Alicia et Esther Koplowitz, Caroline et Carlos Moro, Javier Moro ; aux ÉTATS-UNIS : Marie B. Allizon, Chuck Barris, Lon et Richard Behr, Larry Collins, Harriet et Larry Weiss, Colette et Steve Wood ; en ITALIE : Renzo Agasso, Massimo Cappon, Giorgiana Corsini, Ornella Dogliotti, Iris et Bruno Ermolli, Simonetta et Franco Fraboni, Daniela Gavini, Andreina et Franco Giaculli, Vannozza Guicciardini, Gabriella Fresa, Michèle et Nicola Migone, Cristina Mondadori et Mario Gallini, Anna Porta, Daniela et Enzo Pifferi, Antonella Santulli Sanzo, Federico Sassoli de Bianchi, Annalisa et Franco de Simone, Sandra et Gigi Taramelli ; au LUXEMBOURG : Chantal Rischette ; aux PAYS-BAS : Xander et Suzanne Van Meerwijk ; en SUISSE : Monique Barbier-Mueller, Peter Brabeck, Luisa et Vittorio Carozza, Ulla et Richard Dreyfus, Mimmi Guglielmone, Marie-Josée Michelham, Benoît Peltereau-Villeneuve, Laboratoire Sandoz ; ainsi que les milliers d'autres amis que nous ne pouvons citer mais que nous remercions du fond du cœur.

Enfin, que tous ceux qui m'ont entouré de leur aide et de leur affection pendant l'écriture de ce livre reçoivent aussi ma gratitude, Otto Barghezi, Dominique Berthoux et l'équipe de Sotei informatique, Bernard Blay, Jean-Pierre Brun, Jean Brusseau, Dominique et Stéphanie Carpentier, Vincent Charrier, Maria Dambry, Véronique Dupisson, Pierre Fabri, Viviane Haroutounian,

Robert et Marie-Ange Léglise, Michel Licinio, Renée Macé, Stéphane et Florence Mouriec, Michèle Pavlidis, André Pradel, le Dr François Puget, Bernard Recouvreux, Alain Rocchia, Léon et Christiane Salembien, Béatrice Schoettel, Maria et José de Siqueira, Robert Simon, Gilbert Soulaine, Francis Viale, Didier et Suntie Vives.

Les réalisations que nous avons accomplies à Calcutta et dans les zones rurales très pauvres du delta du Gange

Grâce à mes droits d'auteur, grâce à mes honoraires d'écrivain, de journaliste et de conférencier, grâce à la générosité de mes lecteurs et à celle des amis de l'association que nous avons fondée en 1982, il a été possible de lancer ou de poursuivre les opérations d'entraide suivantes à Calcutta et dans sa région.

1. Prise en charge complète et continue des 250 enfants lépreux recueillis au foyer Résurrection ; construction d'une 4e unité d'accueil pour 50 enfants ; achat d'une parcelle de terrain pour agrandir l'exploitation agricole destinée à rendre le foyer de plus en plus autonome en nourriture.

2. Prise en charge complète et continue des 125 jeunes handicapés physiques des foyers de Mohitnagar et de Maria Basti.

3. Construction et installation du foyer de Backwabari pour des enfants infirmes moteurs cérébraux souffrant de handicaps extrêmement graves.

4. Agrandissement et aménagement du foyer d'Ekprantanagar, dans une banlieue misérable de Calcutta, abritant 140 enfants d'ouvriers saisonniers qui travaillent dans les fours à briques. Le branchement d'eau courante potable a notamment transformé les conditions d'existence de cette unité.

5. Aménagement d'une école à proximité de ce foyer pour permettre de scolariser, en plus des 140 enfants pensionnaires, 350 enfants très pauvres des bidonvilles avoisinants.

6. Reconstruction de 100 huttes pour des familles ayant tout perdu, en novembre 1988, lors du cyclone qui frappa le delta du Gange.

7. Prise en charge complète du dispensaire de Bhangar et de son programme d'éradication de la tuberculose couvrant quelque mille villages (près de 100 000 consultations annuelles). Installation d'un équipement radiologique fixe dans le dispensaire principal et création d'une unité mobile de dépistage radiologique, de vaccinations, de soins et d'aide alimentaire.

8. Création de deux antennes médicales dans les villages éloignés du delta du Gange permettant non seulement des soins médicaux et une action de lutte contre la tuberculose, mais aussi des programmes de prévention, de dépistage, d'éducation et de vaccination, des campagnes de planning familial ainsi que des « eye camps » pour redonner la vue à des malades atteints de cataracte.

9. Creusement de puits tubés procurant de l'eau potable et construction de latrines dans de nombreux villages du delta du Gange.

10. Prise en charge du centre de soins rural de Belari recevant par an plus de 60 000 patients venus de hameaux dépourvus de tout secours médical.

11. Création et prise en charge complète d'une école et de deux centres médicaux (allopathique et homéo-

pathique) dans deux bidonvilles particulièrement déshérités de la grande banlieue de Calcutta.

12. Construction d'un village « Cité de la joie » pour réhabiliter des familles d'aborigènes sans toit.

13. Construction et prise en charge complète à Palsunda d'un foyer pour enfants abandonnés près du Bangladesh.

14. Don de 10 pompes à eau fonctionnant à l'énergie solaire à dix villages très pauvres des États du Bihar, de l'Haryana, du Rajasthan et de l'Orissa, afin de permettre aux habitants de produire leur nourriture même en pleine saison sèche.

15. Prise en charge d'un atelier de réhabilitation pour lépreux en Orissa.

16. Envoi de médicaments et fourniture de 70 000 repas protéinés aux enfants lépreux du foyer Udayan.

17. Lancement de deux bateaux dispensaires pour apporter une aide médicale aux populations des 57 îles du delta du Gange.

18. Actions diverses au profit des déshérités et des lépreux dans l'État de Mysore et de Madras, d'enfants abandonnés à Bombay, à Rio de Janeiro (Brésil), ainsi que des habitants d'un village de Guinée (Afrique), des enfants abandonnés gravement malades de l'hôpital de Lublin (Pologne).

Comment vous pouvez nous aider à poursuivre notre action de solidarité auprès d'hommes, de femmes et d'enfants parmi les plus déshérités du monde

Faute de ressources suffisantes, l'association Action pour les enfants des lépreux de Calcutta que nous avons fondée en 1982 ne parvient plus, aujourd'hui, à financer toutes nos actions prioritaires et urgentes.

Si nous ne trouvons pas rapidement de nouveaux soutiens, nous allons devoir fermer des foyers, des dispensaires, des écoles pourtant animés par des équipes admirables au service des plus déshérités.

Une grave inquiétude ne cesse d'autre part de nous tourmenter. Qu'arriverait-il si demain, nous étions victimes d'un accident ou si la maladie nous empêchait de subvenir aux besoins des différents centres que nous financons ?

Il n'y a qu'une façon de conjurer ce danger : transformer notre association en une fondation.

Le capital de cette fondation devra pouvoir dégager chaque année des revenus capables de financer les divers projets des sept organisations humanitaires que nous soutenons. Afin de générer les deux millions de francs nécessaires chaque année, il faut un capital initial d'au moins cinquante millions de francs.

Comment réunir un tel capital sinon par une grande multitude de soutiens individuels ?

Cinquante millions, c'est cinq mille fois dix mille francs. Pour certains, faire un don de dix mille francs pour une cause prioritaire est relativement facile. Quelques-uns peuvent même sans doute donner davantage.

Mais pour la grande majorité des amis qui nous ont déjà spontanément soutenus après avoir lu *La Cité de la joie* ou avoir entendu une de mes conférences et qui, souvent, renouvellent fidèlement leur aide généreuse, c'est une somme beaucoup trop importante.

Cependant, dix mille francs, c'est aussi deux fois cinq mille francs, ou quatre fois deux mille cinq cents francs, ou cinq fois deux mille francs, ou dix fois mille francs, ou encore cent fois cent francs.

Une telle somme peut être réunie à l'initiative d'un seul auprès de plusieurs. En photocopiant ce message, en en parlant autour de soi, en se groupant avec des membres de sa famille, des proches, des amis ou des collègues, en établissant une chaîne de compassion et de partage, chacun peut contribuer à maintenir en vie cette œuvre qui apporte un peu de justice et d'amour aux plus pauvres des pauvres. Seul on ne peut rien, mais ensemble on peut tout.

Les dons les plus modestes comptent autant que les plus importants. N'est-ce pas l'addition de gouttes d'eau qui fait les océans ?

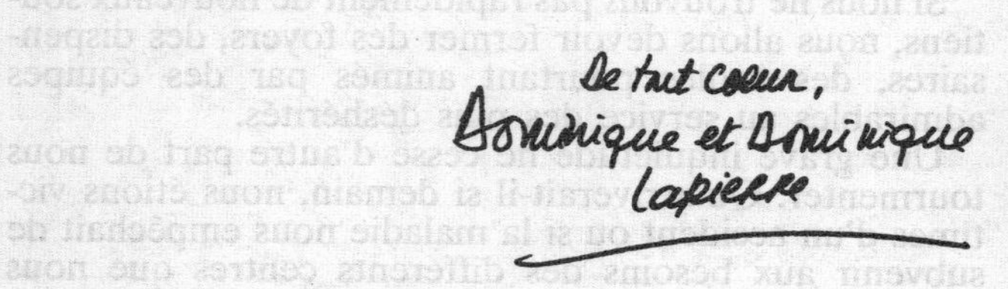

P.S. Nous rappelons que l'association Action pour les enfants des lépreux de Calcutta n'a aucun frais de fonctionnement. La totalité des dons reçus est envoyée aux centres bénéficiaires.

« Tout ce qui n'est pas donné est perdu »

ACTION POUR LES ENFANTS DES LÉPREUX DE CALCUTTA
Association Loi 1901
26, avenue Kléber, 75116 Paris
CCP 1590 65 C Paris

En sauvant un enfant,
en lui donnant la possibilité d'apprendre à lire et à écrire,
en lui permettant d'apprendre un métier,
c'est le monde de demain que nous sauvons.

* Accueillir, soigner, nourrir, vêtir, éduquer et former à un métier 10 enfants lépreux ou handicapés coûte entre 12 et 15 000 francs par an.
* Creuser 10 puits d'eau potable dans le delta du Gange coûte 15 000 francs.
* Le traitement et la guérison de 100 patients atteints de tuberculose coûte 10 000 francs.

Pour chaque don, il sera adressé, en temps voulu, un reçu fiscal réglementaire permettant de bénéficier de la réduction d'impôts prévue par la législation actuelle.

Un don de mille francs ne représente en fait qu'un débours de six cents francs puisqu'il réduit les impôts de quatre cents francs.

Table

Lettre aux lecteurs 9

1. Une chambre verte au bord du Pacifique ... 11
2. Un petit coin de paradis sous un pin parasol 75
3. Deux jeunes loups sur les chemins de l'Histoire 86
4. Un misérable Andalou à la conquête de la gloire 118
5. L'homme discret qui sauva Israël.......... 139
6. « Ils ont assassiné Preferido » 168
7. Don Quichotte et vingt-cinq pirates contre les tyrans 177
8. « Mémé ! C'est comment, la France ? »...... 204
9. Un kamikaze en Terre sainte 214
10. Une sacrée bagarre contre le crabe......... 253
11. « Qu'importe, bel éléphant d'Afrique, si mon sang arrose ta terre » 277
12. Cent mille kilomètres de rêves sur les grandes routes du monde 296
13. Les derniers proconsuls du fabuleux empire de Victoria 362
14. Le rendez-vous du vieux prophète avec les trois balles d'un fanatique 389
15. Des hommes et des femmes lumières du monde 419

Épilogue 480

Remerciements 487

« Tout ce qui n'est pas donné est perdu » 490

ÉGALEMENT CHEZ POCKET
LITTÉRATURE GÉNÉRALE

ALBERONI FRANCESCO
Le choc amoureux
L'érotisme
L'amitié
Le vol nuptial
Les envieux
La morale
Je t'aime

ARNAUD GEORGES
Le salaire de la peur

BARJAVEL RENÉ
Les chemins de Katmandou
Les dames à la licorne
Le grand secret
La nuit des temps
Une rose au paradis

BERBEROVA NINA
Histoire de la baronne Boudberg
Tchaïkovski

BERNANOS GEORGES
Journal d'un curé de campagne
Nouvelle histoire de Mouchette
Un crime

BESSON PATRICK
Le dîner de filles

BLANC HENRI-FRÉDÉRIC
Combats de fauves au crépuscule
Jeu de massacre

BOULGAKOV MIKHAÏL
Le maître et Marguerite
La garde blanche

BOULLE PIERRE
La baleine des Malouines
L'épreuve des hommes blancs
La planète des singes
Le pont de la rivière Kwaï
William Conrad

BOYLE T. C.
Water Music

BRAGANCE ANNE
Anibal
Le voyageur de noces
Le chagrin des Resslingen

BRONTË CHARLOTTE
Jane Eyre

BURGESS ANTHONY
L'orange mécanique
Le testament de l'orange

BUZZATI DINO
Le désert des Tartares
Le K
Nouvelles (Bilingue)
Un amour

CARRIÈRE JEAN
L'épervier de Maheux
Achigan

CARRIÈRE JEAN-CLAUDE
La controverse de Valladolid
Le Mahabharata
La paix des braves
Simon le mage

CESBRON GILBERT
Il est minuit, docteur Schweitzer

CHANDERNAGOR FRANÇOISE
L'allée du roi

CHANG JUNG
Les cygnes sauvages

CHATEAUREYNAUD G.-O.
Le congrès de fantomologie
Le château de verre
La faculté des songes

Cholodenko Marc
Le roi des fées

Clavel Bernard
Le carcajou
Les colonnes du ciel
1. La saison des loups
2. La lumière du lac
3. La femme de guerre
4. Marie Bon Pain
5. Compagnons du Nouveau Monde

La grande patience
1. La maison des autres
2. Celui qui voulait voir la mer
3. Le cœur des vivants
4. Les fruits de l'hiver

Jésus, le fils du charpentier

Courrière Yves
Joseph Kessel

David-Néel Alexandra
Au pays des brigands gentilshommes
Le bouddhisme du Bouddha
Immortalité et réincarnation
L'Inde où j'ai vécu
Journal (2 tomes)
Le Lama aux cinq sagesses
Magie d'amour et magie noire
Mystiques et magiciens du Tibet
La puissance du néant
Le sortilège du mystère
Sous une nuée d'orages
Voyage d'une Parisienne à Lhassa
La lampe de sagesse
La vie surhumaine de Guésar de Ling

Deniau Jean-François
La Désirade
L'empire nocturne
Le secret du roi des serpents
Un héros très discret
Mémoires de 7 vies

Fernandez Dominique
Le promeneur amoureux

Fitzgerald Scott
Un diamant gros comme le Ritz

Forester Cecil Scott
Aspirant de marine
Lieutenant de marine
Seul maître à bord
Trésor de guerre
Retour à bon port
Le vaisseau de ligne
Pavillon haut
Le seigneur de la mer
Lord Hornblower
Mission aux Antilles

France Anatole
Crainquebille
L'île des pingouins

Franck Dan / Vautrin Jean
La dame de Berlin
Le temps des cerises
Les noces de Guernica
Mademoiselle Chat

Genevoix Maurice
Beau François
Bestiaire enchanté
Bestiaire sans oubli
La forêt perdue
Le jardin dans l'île
La Loire, Agnès et les garçons
Le roman de Renard
Tendre bestiaire

Giroud Françoise
Alma Mahler
Jenny Marx
Cœur de tigre
Cosima la sublime

Grèce Michel de
Le dernier sultan
L'envers du soleil – Louis XIV
La femme sacrée
Le palais des larmes
La Bouboulina

Hermary-Vieille Catherine
Un amour fou
Lola

Inoué Yasushi
Le geste des Sanada

Jacq Christian
L'affaire Toutankhamon
Champollion l'Egyptien
Maître Hiram et le roi Salomon
Pour l'amour de Philae
Le Juge d'Egypte
1. La pyramide assassinée
2. La loi du désert
3. La justice du Vizir
La reine soleil
Barrage sur le Nil
Le moine et le vénérable
Sagesse égyptienne
Ramsès
1. Le fils de la lumière
2. Le temple des millions d'années
3. La bataille de Kadesh
4. La dame d'Abou Simbel
5. Sous l'acacia d'Occident
Les Egyptiennes

Joyce James
Les gens de Dublin

Kafka Franz
Le château
Le procès

Kazantzaki Nikos
Alexis Zorba
Le Christ recrucifié
La dernière tentation du Christ
Lettre au Greco
Le pauvre d'Assise

Kessel Joseph
Les amants du Tage
L'armée des ombres
Le coup de grâce
Fortune carrée
Pour l'honneur

Lainé Pascal
Elena

Lapierre Alexandra
L'absent
La lionne du boulevard
Fanny Stevenson

Lapierre Dominique
La cité de la joie

Lapierre Dominique
et Collins Larry
Cette nuit la liberté
Le cinquième cavalier
O Jérusalem
... ou tu porteras mon deuil
Paris brûle-t-il ?

Lawrence D.H.
L'amant de Lady Chatterley

Léautaud Paul
Le petit ouvrage inachevé

Levi Primo
Si c'est un homme

Lewis Roy
Le dernier roi socialiste
Pourquoi j'ai mangé mon père

Loti Pierre
Pêcheur d'Islande

Lucas Barbara
Infirmière aux portes de la mort

Mallet-Joris Françoise
La maison dont le chien est fou
Le rempart des Béguines

Mauriac François
Le romancier et ses personnages
Le sagouin

Messina Anna
La maison dans l'impasse

Michener James A.
Alaska
1. La citadelle de glace
2. La ceinture de feu
Caraïbes (2 tomes)
Hawaii (2 tomes)
Mexique
Docteur Zorn

Milovanoff Jean-Pierre
La splendeur d'Antonia
Le maître des paons

Mimouni Rachid
De la barbarie en général et de l'intégrisme en particulier
Le fleuve détourné
Une peine à vivre
Tombéza
La malédiction
Le printemps n'en sera que plus beau
Chroniques de Tanger

Miquel Pierre
Le chemin des Dames

Mitterand Frédéric
Les aigles foudroyés

Monteilhet Hubert
Néropolis

Montupet Janine
La dentellière d'Alençon
La jeune amante
Un goût de miel et de bonheur sauvage

Morgièvre Richard
Fausto
Andrée
Cueille le jour

Nakagami Kenji
La mer aux arbres morts
Mille ans de plaisir

Nasr Eddin Hodja
Sublimes paroles et idioties

Nin Anaïs
Henry et June (Carnets secrets)

Perec Georges
Les choses

Purves Libby
Comment ne pas élever des enfants parfaits
Comment ne pas être une mère parfaite
Comment ne pas être une famille parfaite

Queffelec Yann
La femme sous l'horizon
Le maître des chimères
Prends garde au loup
La menace

Radiguet Raymond
Le diable au corps

Ramuz C.F.
La pensée remonte les fleuves

Rey Françoise
La femme de papier
La rencontre
Nuits d'encre
Marcel facteur

Rouanet Marie
Nous les filles
La marche lente des glaciers

Sagan Françoise
Aimez-vous Brahms..
... et toute ma sympathie
Bonjour tristesse
La chamade
Le chien couchant
Dans un mois, dans un an
Les faux-fuyants
Le garde du cœur
La laisse
Les merveilleux nuages
Musiques de scènes
Répliques
Sarah Bernhardt
Un certain sourire
Un orage immobile
Un piano dans l'herbe
Un profil perdu
Un chagrin de passage
Les violons parfois
Le lit défait
Un peu de soleil dans l'eau froide
Des bleus à l'âme
Le miroir égaré

Salinger Jerome-David
L'attrape-cœur
Nouvelles

Sarraute Claude
Des hommes en général et des femmes en particulier

Stocker Bram
Dracula

Tartt Donna
Le maître des illusions

Troyat Henri
Faux jour
La fosse commune
Grandeur nature
Le mort saisit le vif
Les semailles et les moissons
1. Les semailles et les moissons
2. Amélie
3. La Grive
4. Tendre et violente Elisabeth
5. La rencontre

La tête sur les épaules

Vialatte Alexandre
Antiquité du grand chosier
Badonce et les créatures
Les bananes de Königsberg
Les champignons du détroit de Behring
Chronique des grands micmacs
Dernières nouvelles de l'homme
L'éléphant est irréfutable
L'éloge du homard et autres insectes utiles
Et c'est ainsi qu'Allah est grand
La porte de Bath Rahbim

Wallace Lewis
Ben-Hur

Waltari Mika
Les amants de Byzance
Jean le Pérégrin

Achevé d'imprimer en décembre 1998
sur les presses de l'Imprimerie Bussière
à Saint-Amand (Cher)